CW00349486

ISBN 978-0-332-31193-7
PIBN 10354790

FB &c Ltd, Dalton House, 60 Windsor Avenue, London, SW19 2RR.
Company number 08720141. Registered in England and Wales.

For support please visit www.forgottenbooks.com

ARCHIVES INTERNATIONALES

D'ETHNOGRAPHIE.

PUBLIÉES

PAR

DR. KRIST. BAHNSON, COPENHAGUE; PROF. F. BOAS, WORCESTER, U. S. A.; DR. G. J. DOZY à LA HAYE; PROF. E. H. GIGLIOLI, FLORENCE; A. GRIGORIEF, ST.-PETERSBOURG; PROF. E. T. HAMY, PARIS; PROF. H. KERN, LEIDE; J. J. MEYER, KENDAL (JAVA); PROF. G. SCHLEGEL, LEIDE; J. D. E. SCHMELTZ, LEIDE; DR. HJALMAR STOLPE, STOCKHOLM; PROF. E. B. TYLOR, OXFORD.

REDACTEUR:

J. D. E. SCHMELTZ,

Conservateur au Musée National d'Ethnographie de Leide.

Nosce te ipsum.

VOLUME VIII.

Avec 16 planches et plusieurs gravures dans le texte.

E. J. BRILL, ÉDITEUR, LEIDE.
ERNEST LEROUX, PARIS. C. F. WINTER'SCHE VERLAGSHANDLUNG, LEIPZIG.
On sale by KEGAN PAUL, TRENCH, TRÜBNER & Co. (Limd.), LONDON.

1895.

INTERNATIONALES ARCHIV

FÜR

ETHNOGRAPHIE.

HERAUSGEGEBEN

VON

Dr. KRIST. BAHNSON, Copenhagen; Prof. F. BOAS, Worcester, U.S.A.; Dr. G. J. DOZY im Haag; Prof. E. H. GIGLIOLI, Florenz; A. GRIGORIEF, St.-Petersburg; Prof. E. T. HAMY, Paris; Prof. H. KERN, Leiden; J. J. MEYER, Kendal (Java); Prof. G. SCHLEGEL, Leiden; J. D. E. SCHMELTZ, Leiden; Dr. HJALMAR STOLPE, Stockholm; Prof. E. B. TYLOR, Oxford.

REDACTION:

J. D. E. SCHMELTZ,

Conservator am Ethnographischen Reichsmuseum in Leiden.

Nosce te ipsum.

BAND VIII.

Mit 16 Tafeln und mehreren Textillustrationen.

VERLAG VON E. J. BRILL, LEIDEN.
ERNEST LEROUX, PARIS. C. F. WINTER'SCHE VERLAGSHANDLUNG, LEIPZIG.
On sale by KEGAN PAUL, TRENCH, TRÜBNER & Co. (Limd.), LONDON.

1895.

SOMMAIRE. — INHALT.

NOUVELLES ET CORRESPONDANCE. — KLEINE NOTIZEN UND CORRESPONDENZ.

QUESTIONS ET RÉPONSES. — SPRECHSAAL.

MUSÉES ET COLLECTIONS. – MUSEEN UND SAMMLUNGEN.

REVUE BIBLIOGRAPHIQUE. – BIBLIOGRAPHISCHE UEBERSICHT.

LIVRES ET BROCHURES. — BÜCHERTISCH.

EXPLORATIONS ET EXPLORATEURS, NOMINATIONS, ETC. — REISEN UND REISENDE, ERNENNUNGEN, U. S. W.

Necrologie. — Necrologe.

Baron von Alten 40. — Ida von Boxberg 194. — A. von Cohausen 194. — I. Derenbourg 194. — Dr. Elisseieff 194. — Th. H. Huxley 194. — Dr. Julius Jacobs 88. — Dr. R. Krause 194. — Prof. A. Terrien de Lacouperie 40. — Garrick Mallery 40. — Eugen Pander 40. — Dr. A. Sasse 40. — Jos. Thomson 194. — Dr. H. Neubronner van der Tuuk 40. — Prof. Carl Vogt 194. — Prof Wade 194. — Dr. Weigel 40. — Dr. Th. C. L. Wijnmalen 40. — Joh. Xantus 194. — Nicolas Yadrintsew 40.

TABLE DES PLANCHES. – VERZEICHNIS DER TAFELN.

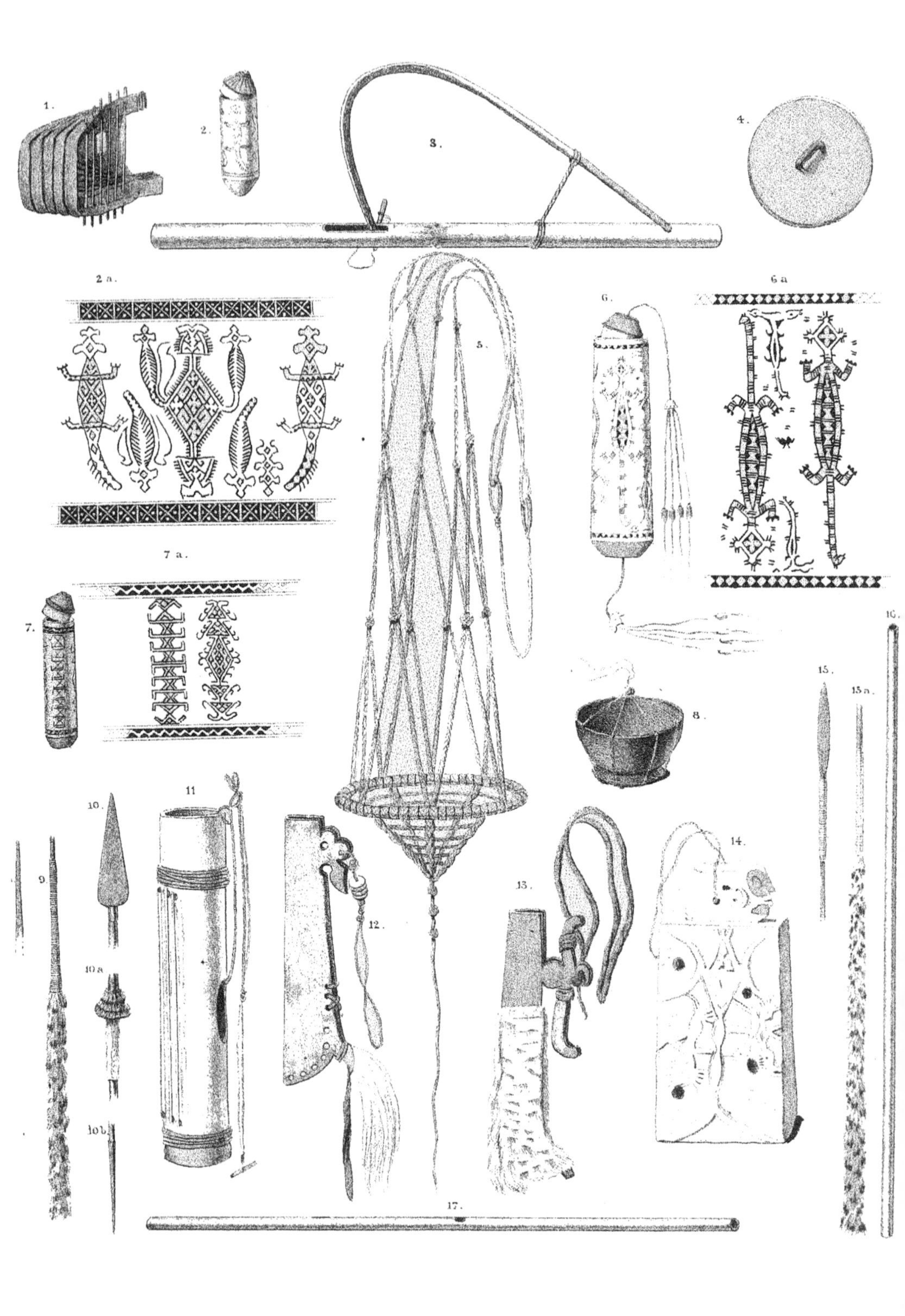
1.
2.
3.
4.
2 a.
5.
6.
6 a
7 a.
7.
8.
16.
15.
15 a.
10.
11
9
10 a
10 b.
12.
13.
14.
17.

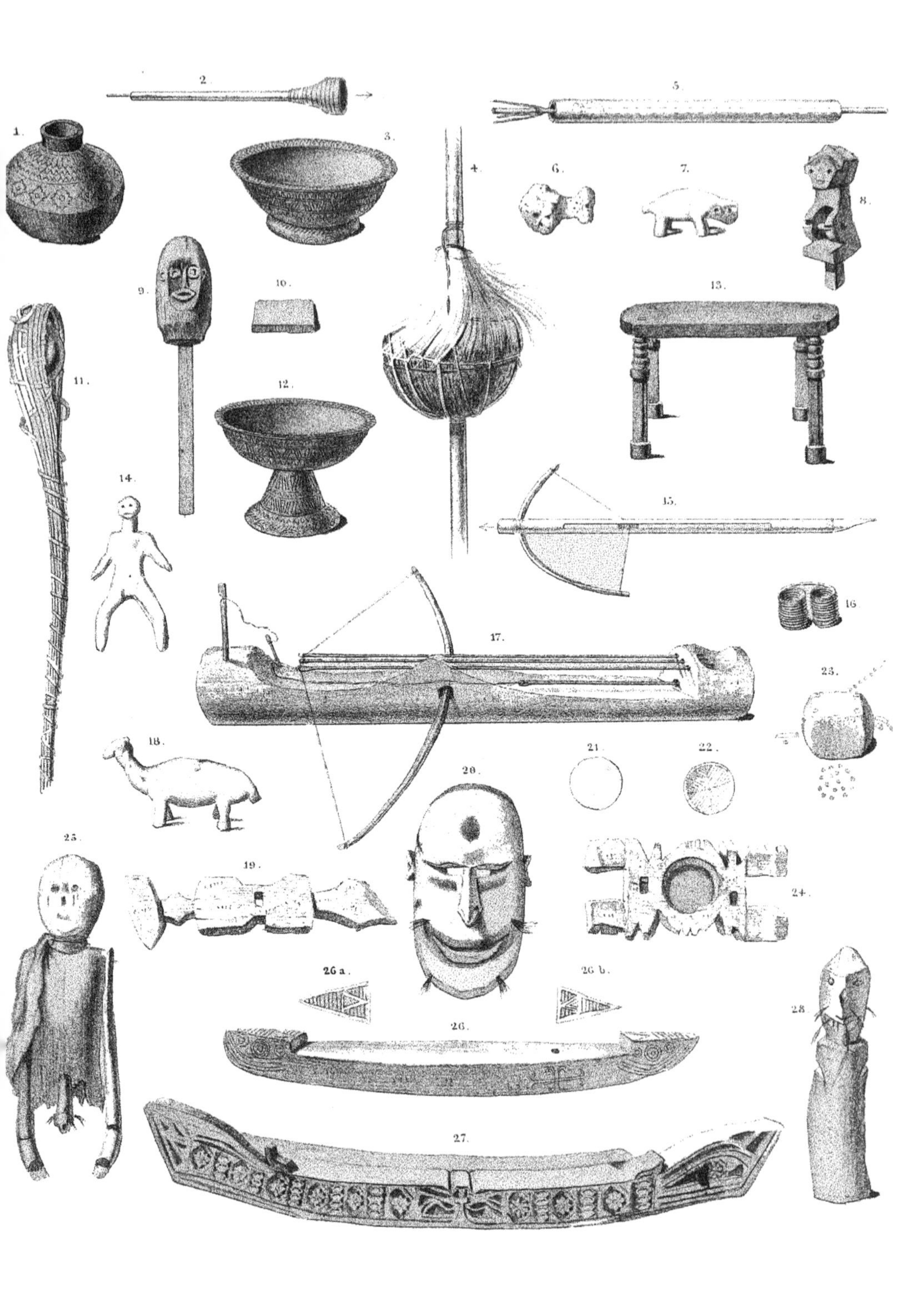

1.
2.
3.
4.
5.
6.
7.
8.
9.
10.
11.
12.
13.
14.
15.
16.
17.
18.
19.
20.
21.
22.
23.
24.
25.
26 a.
26 b.
26.
27.
28.

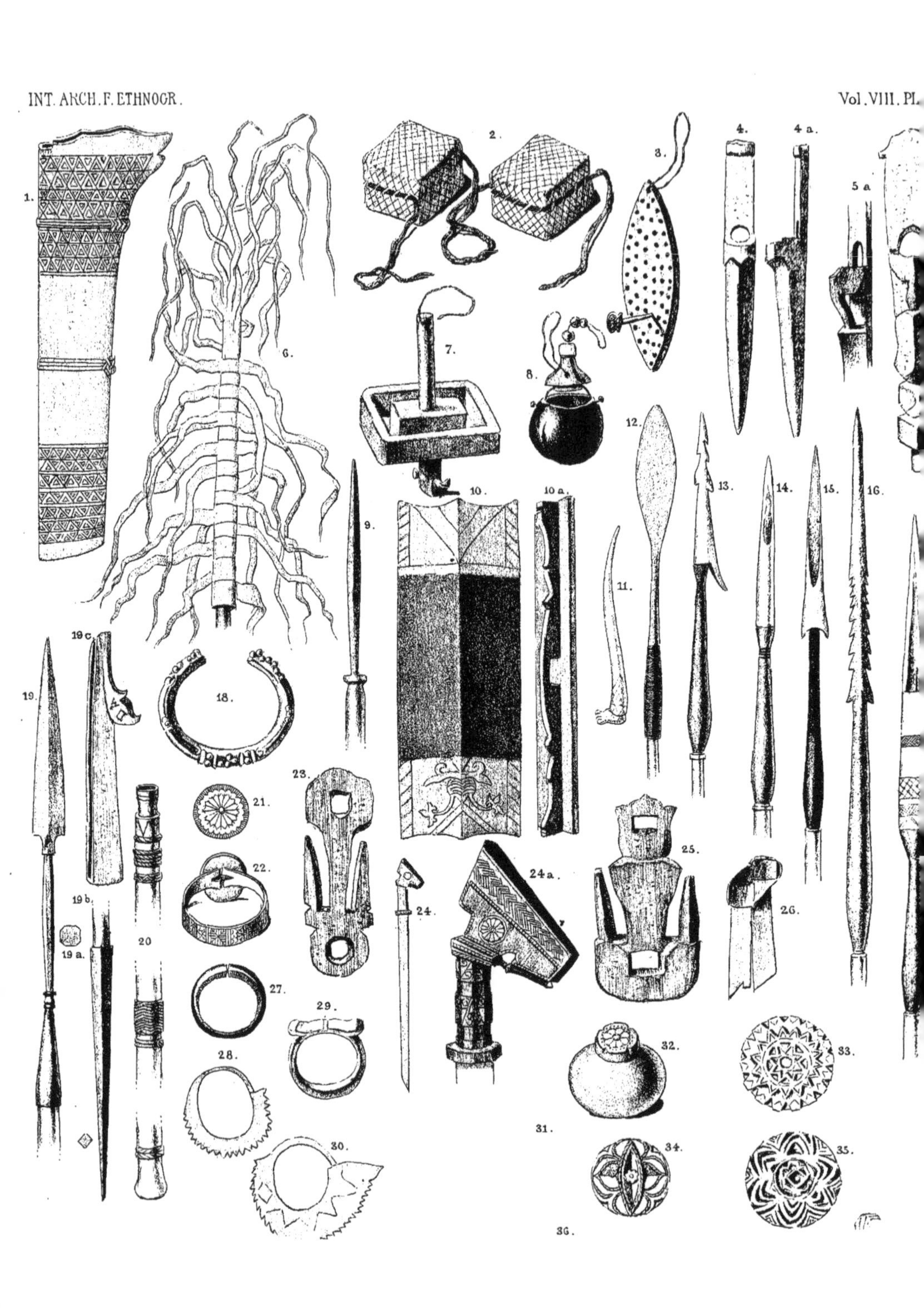
1.
2.
3.
4.
4 a.
5 a
6.
7.
8.
9.
10.
10 a.
11.
12.
13.
14.
15.
16.
18.
19.
19 a.
19 b.
19 c.
20
21.
22.
23.
24.
24 a.
25.
26.
27.
28.
29.
30.
31.
32.
33.
34.
35.
36.

1.
1 a.
1 b.
2.
3.
4.
5.
6.
7.
8.
9.
10.
11.
12.
13.
14.
15.
16.
17.
18.
19.
20.
21.
22.
23.
24.
25.
26.
27.
28.
29.
30.
31.
32.
33.
34.
35.
36.
37.
38.
39.
40.
41.
42.
43.
44.
45.
46.

BEITRÄGE ZUR ETHNOGRAPHIE DER TIMORGRUPPE

VON

DR. H. TEN KATE,

Conservator am Provinzial Museum zu La Plata.

Mit Tafel I–IV.

II. ABSCHNITT.[1])

Wie die Insel Sumba den Hauptgegenstand des ersten Abschnittes dieser Beiträge bildet, wird in den folgenden Zeilen hauptsächlich über Flores, Timor und Roti gehandelt. Was sich nicht direct auf die Ethnographica meiner Sammlung bezieht, ist auch hier wieder meinen Feldnotizen entnommen. Ebenfalls wurden die Abbildungen auf Tafel IV von Herrn RAAR nach meinen eigenen Skizzen auf Stein gezeichnet.

I. Gruppe; Rubrik: GERÄTHSCHAFTEN ZUR BEREITUNG UND AUFBEWAHRUNG VON SPEISEN UND GENUSSMITTELN.

Pl. IV, Fig. 1. – Reismörser aus dunkelbraunem Holz (einheimischer Name: *Nuhung*). Höhe circa 55 cM. Die Verzierungen sind eingeschnitten und bilden eines der zahlreichen Beispiele der, auf Flores so häufigen Schnitzarbeiten. Ich sah diesen Mörser zu Koting, dem Dorfe wo auch A. JACOBSEN so werthvolles Material zusammenbrachte.

Pl. II, Fig. 1. Inventarnummer 842/111. – Irdenes Wassergefäss. Grösster Durchmesser 11,1, Höhe 13,5 cM. Die Farbe ist, ebenso wie die der beiden folgenden Geschirre, dunkelbraun, während die, einen gewissen Kunstsinn verrathende, Ornamentik bei allen eingeritzt ist. – Pl. II, Fig. 3. Inv. 842/113. – Irdene Schüssel; Durchm. 20,5, Höhe 9 cM. – Pl. II, Fig. 12. Inv. 842/110. – Diese Schüssel ruht auf einem hohen, ausgehöhlten Fusse. Totalhöhe 14,2; Durchmesser der Schale 19,8; id. des Fusses 14 cM.

Ebenso wie MAX WEBER, der ähnliche Töpferarbeiten abbildet und beschreibt (Ethnographische Notizen über Flores und Celebes, l. c. p. 23. Taf. VII, Fig. 2 und 18), erhielt ich dieselben zu Sika. Dennoch scheint es, nach WEBER, dass die Lionesen die eigentlichen Verfertiger sind.

Pl. I, Fig. 5. Inv. 839/54. – *Kadain*; Tragegeräth aus geflochtenem und geknüpftem Faden für den Transport von Töpfen, Schüsseln und dergleichen. Durchm. des Ringes 11 cM. Fatu Ala im Reiche Djenilu, Timor.

Pl. II, Fig. 11. Inv. 842/3. – Geräth für Zerkleinerung der *Kĕmiri*-nüsse (von *Aleurites triloba*) aus Rotanstreifen geflochten, 28,5 cM. lang; wird beim Gebrauch mit dem oberen, die Nuss enthaltendem Ende, wuchtig auf einen Stein geschlagen. Die *Kĕmiri*-nüsse spielen bekanntlich im Haushalt mehrerer Völker des Indischen Archipels eine wichtige Rolle. Sika, Flores.

---

[1]) Vergl. Int. Arch. f. Ethn., Bd. VII (1894), pg. 242 & ff.

unter allen, mir in der Timorgruppe bekannten Völkern vor, ebenso gut bei Weibern wie bei Männern. Es ist deshalb auch grundfalsch wenn SALOMON MÜLLER behauptete, das Tatuiren sei nirgends in diesen Gegenden gebräuchlich. Vergl. Verslag, l. c. p. 338.

III. Gruppe; Rubrik: BAUKUNST.

Obwohl die meisten hier der Baukunst zugezählten Dinge mit eben so vielem Recht in der XII und theilweise auch in der IX Gruppe ihre Stelle hätten finden können, habe ich, wegen Mangels an eingehender Erklärung der sich auf Religion beziehenden Dinge, es vorgezogen sie zur III. Gruppe zu ziehen. Für Näheres über den dortigen Hausbau muss ich nach meinem Verslag, p. 208, 209, 228 etc. verweisen.

Pl. II, Fig. 27. Inv. 842/101. — Thürschwelle von schwerem, dunkelbraunem Holz mit tief eingeschnittener, geschmackvoller Ornamentik. L. 135, Br. 19, Dicke 9,5 cM. Ich erhielt dieselbe zu Sika durch Vermittlung des Herrn R. P. LE COCQ D'ARMANDVILLE, gegen einen ziemlich hohen Preis. Derartig bearbeitete Thürschwellen werden aber nicht oft im Sikanesischen und Lionesischen Gebiete angetroffen.

Pl. IV, Fig. 8—16. — Eingeschittene und, meistens blau bemalte Figuren welche sich an den Stützpfeilern des *Balé-(Pomali-)*Hauses zu Tiong auf der Insel Adunara finden. Man erkennt deutlich die verschiedenen verehrten Thiere: Krokodil, Eidechse, Schlange, Schildkröte und Hahn; ausserdem die *Naga*, jene mythische Schlange, von welcher schon im ersten Abschnitt pg. 248, Pl. XVI, Fig. 11, die Rede war und die zu Tiong *Nanga* genannt wird. Dem Volksglauben nach soll die *Nanga* sich in einer Höhle in der Nähe des Berges Ilimala, unweit Floreshoofd aufhalten.

Das *Balé*-Haus selbst ist Pl. IV, Fig. 17 abgebildet. Auffallend ist der lange, sich auf dem Dache befindende Bambusbalken, der offenbar auch wieder eine Schlange, wohl die *Nanga*, vorstellen soll. Vom Kopf- und Schwanzende herab hängen Schnüre der allenthalben in Oceanien für derart Zwecke verwandten und geschätzten weissen Muschel, Ovula ovum L. (Siehe J. D. E. SCHMELTZ: Schnecken und Muscheln im Leben der Völker Indonesiens und Oceaniens pg. 20, 21, 23 & 33). Im Innern des Hauses befand sich, soweit ich im Stande war das zu sehen, auf dem ± 1 M. 50 hohen Bretter-Boden weiter nichts, wie einige Trommeln aus Büffelhaut. Das *Balé*-Haus soll u. A. zum Zwecke von Versammlungen und für die Beschneidung dienen, welch letztere auch bei den Soloresen oder Padji üblich ist. Vergl. Verslag, p. 241.

Pl. IV, Fig. 18. — Giebel eines Hauses zu Koting, Flores. Der aus *alang-alang* bestehende, einem Regenschirm ähnliche Apparat, dessen Stiel aus Bambus, dient wohl dazu die seitliche Oeffnung des Daches, die als Kamin fungirt, gegen Regen zu schützen.

Pl. IV, Fig. 19. — *Liri;* Stützpfeiler eines Hauses, über dem Erdboden ± 2 M. hoch. Die geschmackvolle Ornamentik ist eingeschnitten und auch darunter wieder eine Eidechse zu erkennen. Derartige schwere, und mit Schnitzwerk verzierte Hauspfeiler scheinen zu Koting und in den umliegenden Dörfern nicht mehr gemacht zu werden. Nur den einen, hier abgebildeten, fand ich noch vereinzelt im Boden steckend, die wenigen übrigen lagen halb verfault auf dem Grund. Ebenso wenig wie es JACOBSEN gelang den betreffenden Pfahl von den Einwohnern zu erwerben, gelang dies mir: die Leute wollten mir dieses hochinteressante Belegstück aus alter Zeit um keinen Preis überlassen. Die Holzschnitzkunst ist übrigens unter allen mir bekannten Florinesen sehr verbreitet und giebt sich nicht nur an den verschiedenen Theilen der Häuser kund, sondern auch an Opferpfählen, Holzdosen und sonstigen Gegenständen. Vergl. Verslag, pg. 228 und WEBER, O. c., p. 25.

Pl. IV, Fig. 20. — Giebelverzierung eines Hauses zu No-Lolo im Innern des Reiches Lio, Flores. Gehört zu derselben Wohnung wovon ich in meinem Verslag die drachenähnliche *Naga*-Schlange abbildete (Pl. I, Fig. 3 u. p. 224). Die beiden Thierfiguren des Giebels sind wohl als Schlangen zu deuten und zwar mit weit aufgesperrtem Maul. Das Haus war auffallend gross und geräumig, ruhte auf circa 2½ M. hohen, schweren Pfählen und wurde von einem Häuptling bewohnt. Angeblich sollte dieses Haus durch Endenesen erbaut worden sein.

Pl. IV, Fig. 21—26 geben Beispiele der auf Roti so allgemein verbreiteten Giebelverzierung. Es sind das Holzschnitzarbeiten, die gewiss eine tiefere, symbolische Bedeutung haben, als solche der nur durchreisende Feldethnolog gewöhnlich im Stande ist zu ergründen. Auffallend ist die grosse Aehnlichkeit einiger dieser Giebelverzierungen mit derartigen von norddeutschen Häusern. Siehe „Verhandl. der Berliner

Anthropolog. Gesellschaft," 1893, p. 149—150 und Verslag. p. 664, Pl. 6 Fig. 14 u. 14*a*. — RIEDEL (De sluik- en kroesharige rassen tusschen Selebes en Papua), bildet pl. XXVII, Fig. 3 eine derartige Giebelverzierung von den Tenimber-Inseln ab.

Fig. 21 Giebelverzierung zu Ti. — Fig. 22. Id. zu Lélète, einem Dorfe im Reiche Dengka. — Fig. 23. Id. zu Daunbatu im Reiche Talai. — Fig 24. Id. der Wohnung des *Manek* (Radja) von Lôle. — Fig. 25. Id. der Wohnung des *Dai langgak* (*Tuan tanah*) von Dela. — Fig. 26. Id. eines Hauses zu Fi im Reiche Dela.

Pl. IV, Fig. 27 bringt in schematischer Form den Grundplan des gewöhnlichen Wohnhauses auf Roti. Man erblickt die aus Brettern bestehende Flur, die sich 1.50—2 M. über den Erdboden erhebt. Eine Treppe führt nach oben, während das Ganze auf vier Pfählen ruht. Näheres über Rotinesische Häuser ist in meinem Verslag, p. 664 zu finden.

Pl. IV, Fig 28. — Geschnitzte Verzierung einer Hausthür zu Kewar in der Landschaft Lamakënen, Central Timor. Die obere Figur dürfte eine Andeutung der Naga-Schlange in einfachster Form sein, was um so wahrscheinlicher ist als in unmittelbarer Nähe ein Opfergestell ausgespannt war wie JACOBSEN sie von Flores für die *Ular-Naga* mitgebracht hat. Ein ähnliches Beispiel giebt die Pl. IV, Fig. 29 abgebildete Thürschwelle eines Hauses zu Sika, womit die im Verslag, (Pl. 1, Fig. 4, p. 228) abgebildete und beschriebene Fensterverzierung zu vergleichen ist.

Rubrik: HAUSRATH.

Pl. II, Fig. 13. Inv. 842/103 — Sitzschemel aus braunem Holz. L. 27, Br. 14.5, L. der Füsse 16 cM. Sika, Flores. Sitzschemel waren, so viel ich weiss, noch nicht aus der Timorgruppe bekannt, ebenso wenig wie Kopfstützen, wovon Pl. II, Fig. 26 u. 26*a*—26*b* (Inv. 842/104) eine Abbildung giebt. Dieses Object, von gelblichem Holz welches mit Schnitzereien verziert ist, erhielt ich in Lio, obwohl ich es auch bei den Sikanesen fand, und auch die Endenesen eine Kopfstütze, obwohl anderer Form, benutzen. Obwohl Kopfstützen im Indischen Archipel schon ausserhalb Neu Guinea bekannt waren, stand ihr Vorkommen auf Flores und Sumba bis jetzt noch in Frage. Während es in Lio (und in Sika?) *loning* heisst, wird es auf Sumba *nulang* genannt, womit die Tidoresische und auf Neu Guinea eingeführte Benennung, *nora* für Kopfstütze zu vergleichen ist. Vergl. de CLERCQ & SCHMELTZ, Ethnographische beschrijving van de W. en N.-kust van Nieuw Guinea, p. 84 und 216. Die Dimensionen des vorliegenden Objectes sind: L. 70, Br. 9, Dicke 5,5 cM.

Pl. III, Fig. 23. Inv. 858/265. — Doppelter Haken von schwarzbraunem Holz, einigermaassen in der Form einer griechischen Leier. Er dient auf Roti in den Häusern als eine Art Kleiderreck oder zum Aufhängen von allerlei Gegenständen. Derartiger Hausrath, jedoch anderer Form und von Bambus, wird auch auf Flores benutzt. Die Länge des vorliegenden Stückes ist 10, Br. 4.5, Dicke 1.5 cM. — Ein ähnlicher (Inv. 858/266) aber aus gelbem, weichem Holz geschnitten, ist Pl. III, Fig. 25 abgebildet. L. 28, Br. 12.5, Dicke 3.5 cM.

Pl. I, Fig. 14. Inv. 839/53. — *Stur poku;* Fackelhalter, aus weichem, graugelbem Stein gehauen. L. 29, Br. 15 und Dicke 6 cM. Derselbe wird in den Häusern aufgehängt, während in die seitlichen Löcher die aus *Damar endeh* oder *Kasambi*-Steinkernen gemachten Fackeln (*Poku*) gesteckt werden. Was nun die Ornamentik des vorliegenden Objectes betrifft, so erinnert der menschliche Kopf auffallend an den der *Karwar* von Neu-Guinea, und haben wir auch hier vielleicht zu thun mit einem *Nitu* der Ahnen. Im Uebrigen sind drei Hahnfiguren deutlich erkennbar, die in diesem Falle wohl als Schutzthiere zu betrachten sind. Ich erhielt diesen Fackelhalter zu Baung in Amarasi, S. W. Timor.

Eine andere Art „Lampe", *Olopaät*, aus Sika stellt Pl. II, Fig. 24 vor (Inv. 842/105); man sieht dieselbe von oben. Dieses aus gelblichem Holz geschnittene Geräth ist 39 lang, 16 breit und 5 cM. dick. Dasselbe wird platt auf den Boden gestellt, und das kreisrunde Loch mit Kokosnussöl, worin ein baumwollener Docht treibt, gefüllt, während die viereckigen Löcher dazu dienen Fackeln, wie wir sie von Timor kennen, zu halten.

Eine dritte Art Lampe, von Roti, zeigt endlich Pl. III, Fig. 7 (Inv. 858/283). Dieselbe besteht aus braunem Holz und wird beim Gebrauch aufgehängt. Die Rinne der Schale oder des Napfes wird mit Kokosnussöl gefüllt und, wie das vorhergehende Stück, gebrannt nach Art der auf Java üblichen *Palita*. L. der Schale 18, Br. 12, Dicke 4 cM.

Pl. II, Fig. 5. Inv. 842/107. — *Bus wajer;* Pumpe aus Sika, Flores. Aus einem hohlen Bambuscylinder bestehend, in welchem ein Rohr, mit Faden und Baumwollenfaser umhüllt, als Sauger sich auf und nieder bewegt. L. 53, Durchm. 4.5 cM. Die Vermuthung liegt nahe, dass dieser Apparat europäischen Ursprungs ist, und dass die Leute von Sika durch ihren Missionar, Herrn LE COCQ D'ARMANDVILLE, auf die Idee der Anfertigung gekommen sind.

IV. Gruppe; Rubrik: JAGD.

Obgleich nach der SERRURIER'schen Systematik das Blaserohr zur IX. Gruppe (Waffen und Kriegszeug) gehört, bin ich überzeugt, dass wenigstens jetzt auf Timor und Roti, das Blaserohr weit eher als Jagdwaffe, denn als Kriegswaffe aufzufassen ist. Dr. A. BÄSSLER (Ethnographische Beiträge zur Kenntnis des Ost-Indischen Archipels im Int. Archiv f. Ethn., Bd. IV [1891], p. 15) sagt ebenfalls betreffs des Blaserohrs auf Wetter, dass es „zur Jagd auf Vögel" benutzt wird. Ueberhaupt sind die genannten beiden Gruppen schwer zu trennen und jedenfalls sollten sie unmittelbar auf einander folgen.

Pl. I, Fig. 16. Inv. 839/75. — *Kahuk;* Blaserohr aus einer dünnen, nicht näher zu bestimmenden Bambusart. L. 294, Durchmesser 2,2 cM. Djenilu in der Landschaft Belo, Central Timor. Die hieher gehörenden Pfeile *Kahuk isin* sind auf derselben Tafel unter Fig. 9 u. 9*a* (839/76) und 15 u. 15*a* (839/77) abgebildet. Der Schaft des ersten Pfeiles besteht wahrscheinlich aus dem Holze der Arengpalme, die Spitze ist gleichfalls von Holz, während am unteren Ende des Schaftes kurze Hühnerfedern als Steuerfedern befestigt sind. Totallänge 80.5 cM. Der zweite Pfeil, dessen Schaft aus Bambus besteht, und gleichfalls von Hühnerfedern als Steuerfedern versehen ist, ist aber mit einer eisernen Spitze von 6 Länge und 1 cM. Breite bewehrt. Ganze Länge dieses Pfeiles 90.5 cM.

Pl. III, Fig. 20. Inv. 858/303. — Blaserohr van der Insel Roti. Dasselbe besteht aus zwei in einander schliessenden Enden Bambus dessen Art nicht genau festzustellen ist. In der Mitte sind dünne Rohrbänder befestigt, auch an den Enden sind solche angebracht, während das obere Ende mit einer eingekratzten Zickzacklinie verziert ist. Totallänge 179, Durchmesser 2.5 cM. Zu meinem Bedauern war ich verschiedener Umstände halber nicht in der Lage die zu dem Rotinesischen Blaserohr gehörigen Pfeile zu erlangen.

Der Nachweis des Vorkommens dieser Jagdwaffe auf Roti ist neu, denn keiner der mir bekannten Autoren, und ebensowenig Herr C. M. PLEYTE WZN. erwähnt sie in seiner interessanten Arbeit „Sumpitan and Bow in Indonesia" (Int. Arch. f. Ethnogr., Bd. IV [1891] p. 265 aus dieser Localität.

Das Vorkommen auf Roti dürfte die Tradition, nach welcher ein Theil der Rotinesen von den Belonesen auf Timor abstammt, und auch vice versa eine Immigration statt gefunden hat, unterstützen, denn, wie gesagt, kommt das Blaserohr auch bei den Belonesen vor. Vergl. Verslag, l. c. p. 365 u. 675.

Die Frage betreffs des Blaserohrs und seiner Verbreitung im Indischen Archipel ist ethnologisch eine sehr wichtige. C. M. PLEYTE WZN. hat vor einigen Jahren diesen Gegenstand, in Verband mit der Verbreitung des Bogens in seiner oben erwähnten Arbeit, ausführlich behandelt. Er kam dabei zu Schlussfolgerungen gegen welche das hier vorliegende Material mir die Veranlassung bietet Folgendes zu bemerken. Herr PLEYTE behauptet (O. c., p. 274/275) dass auf Timor, Wetter und Flores das Blaserohr (*Sumpitan*) eingeführt worden ist, ohne jedoch irgend einen Beweis für seine Behauptung zu liefern. Das von Dr. BÄSSLER (Ethnographische Beiträge, l. c.) mitgebrachte Stück von Wetter soll, nach Herrn PLEYTE, aus *Bambusa longinodis* verfertigt sein, welche Art, wie er sagt, auf Wetter nicht einheimisch ist und deshalb ist, seiner Meinung nach, das Blaserohr auf Wetter importirt. Dagegen ist anzuführen, 1°. dass es selbst für einen Botaniker von Fach kaum möglich ist, mit voller Sicherheit irgend ein todtes Stück Bambus genau zu bestimmen; und 2°. dass, sogar den Fall vorausgesetzt dass das Blaserohr von Wetter aus *Bambusa longinodis* bestehe, es bis jetzt nicht bekannt, ob diese Art auf Wetter einheimisch ist oder nicht.[1])

Mit gleicher Bestimmtheit sagt Herr PLEYTE, dass auch auf Timor das Blaserohr von Javanern und Mangkasaren, und an der Nordküste von Flores durch Bimanesen eingeführt worden ist. Wäre das Vorkommen dieser Waffe auf Roti dem genannten Autor schon früher bekannt gewesen, so hätte er vielleicht auch dort zu irgend einer „Importirung" gegriffen, denn ohne solche würde eine seiner wichtigsten Schlussfolgerungen: das Blaserohr kommt östlich von einer gewissen Grenzlinie (O. c. p. 275) nirgends vor, mit Ausnahme von Timor, Wetter und Flores „where it has been imported" ohne jegliche Stütze geblieben sein. Ohne unbestreitbare Gegenbeweise bleibe ich also der Meinung dass das Blaserohr auf Timor, Wetter und Roti einheimisch ist. Was nun Flores betrifft, so ist die Quelle aus welcher Herr PLEYTE geschöpft hat (er citirt die „Locomotief") mir hier nicht zugängig um mir auch in dieser Beziehung ein bestimmtes Urtheil zu erlauben.

Pl. III, Fig. 8. Inv. 858/298. – *Sisilo milak*, Jagdlanze, aus einer Bambusart deren einheimischer Name *milak* ist. Die ganze Waffe ist kunstlos und äusserst einfach gearbeitet; das Eigenthümliche ist aber die aus Lontarblattstreifen geflochtene Scheide welche man, sobald die Waffe nicht benutzt wird, über die Spitze schiebt. Totallänge des Schaftes 271; Durchm. 2,5 cM. Insel Roti.

Pl. III, Fig. 9. Inv. 842/146. – *Tumba*; Lanze, Schaft und Spitze aus einem Stück braunen, harten Holzes verfertigt. Totallänge 164; L. der Spitze 32, Durchm. des Schaftes 2 cM. Sika, Flores.

Pl. III, Fig. 12–17. Inv. 842/173, 172, 169, 170, 166, 171. – Verschiedene Arten der Pfeile der Bergbewohner der Insel Adunara, die ich mit aller Bestimmtheit zu den Jagdwaffen rechne, um so mehr als ich dieselben von Jägern kaufte. Vergl. Verslag p. 245, 246.

Fig. 12. *Húpan;* Schaft von Holz, Spitze von Eisen. Das obere und untere Ende des Schaftes ist mit dünnen Fäden umwunden und mit Harz eingeschmiert. Totallänge 81; L. und Br. der Spitze 14,5 × 2,5 cM. – Fig. 13. *Kahawéte;* Schaft von Holz, Spitze von Knochen. Dieselbe ist von mehreren Widerhaken versehen. Totallänge 88, Br. der Spitze 2, L. der Spitze 11 cM. – Fig. 14. Schaft ebenfalls von Holz, Spitze aus dem Knochen eines Vogels. Totallänge 89; L. der Spitze 12 cM. – Fig. 15. Der obere Theil dieses Pfeils besteht aus schwarzem polirtem Holz; als Spitze dient ein scharfer Vogelknochen. Totall. 88, L. der Spitze 11,5 cM. – Fig. 16. Der Schaft sowohl wie die Spitze bestehen aus Holz; die Letztere ist 23,5 cM. lang und von einer Anzahl Widerhaken versehen. Die ganze Länge dieses Pfeiles beträgt 84 cM. WEBER beschreibt und bildet Pfeile ab (O. c., p. 30, Taf. VIII, Fig. 4 u. 16*a*) vom Bergvolk von Endeh und aus Maumeri, Flores, welche einige Uebereinstimmung in der Form der Spitze mit dem hier vorliegenden Exemplar zeigen. Fig. 17. Der Schaft von Holz, die Spitze besteht aus einem grossen, mit eingegrabenem Ornament verzierten Knochen, dessen L. 19 cM. beträgt. Totall. 87 cM.

Der allgemeine Name für Pfeil bei diesen Soloresisch redenden Bergbewohnern, soll *áma* sein; für Bogen *wóhu*. Betreffs der letzteren sei bemerkt, dass dieselben den einfachen Bambusbogen sehr ähnlich sind, wie WEBER (O. c., p. 31, Taf. VIII, Fig. 12) sie von Paloweh beschreibt und wie ich sie von den Belonesen, oder besser den Marai sprechenden Bewohnern von Lamakĕnen, abbildete, (Verslag, p. 375, Pl. 11, Fig. 5 u. 6)

Ueber die Hantirung des Bogens und der Pfeile bei den verschiedenen Völkern der Timorgruppe, eine Frage welche zuerst von EDW. S. MORSE angeregt wurde, habe ich Einiges mitgetheilt in meinem Verslag p. 211, 246 und 375 und in American Anthropologist, April 1894.

---

[1]) Für den Hinweis auf die beiden, hier angeführten, gegen Herrn P.'s Behauptung sprechenden Punkte bin ich Herrn Dr. J. G. BOERLAGE, Subdirector des Reichs-Herbariums in Leiden, zu Dank verpflichtet.

Pl. III, Fig. 19, 19*a*, 19*b*. Inv. 842/161. – Lanze, mit hölzernem Schaft und eiserner Spitze. Der Schaft ist unten mit einer viereckigen, eisernen Spitze bewehrt, welche dazu dient um sie – den Lanzen (*Diman*) der Belonesen gleich – beim Halten in den Erdboden zu stecken. Totallänge 225, L. der gestielten oberen Spitze 49, der unteren Spitze 26 cM. Südküste von Adunara.

Pl. II, Fig. 17. Inv. 842/17. – *Sădá;* Mäusefalle. Dieselbe besteht aus Holz; der Bogen und die dunnen Pfeilchen aus zerspaltenem Bambus. Die eigentliche Falle, das Lockaas enthaltend, befindet sich unter den Pfeilspitzen. Eine genaue Betrachtung der Figur dürfte eine weitere Auseinandersetzung des Mechanismus überflüssig machen. L. 70, Dicke 9 cM. Koting, Flores.

V. Gruppe; Rubrik: Vorrathscheunen.

Pl. IV, Fig. 30. – Apparat aus Holz zur Abwehr von Ratten und Mäusen an den Pfählen, auf welchen die den Mais- und Reisvorrath enthaltenden Scheunen (*Rónang*) ruhen. Sika, Flores. Vergl. Verslag, p. 228.

Rubrik: Hausthierpflege.

Pl. I, Fig. 1. Inv. 839/60. – Vogelkäfig aus Lontarblatt. Das Gitter besteht aus zerschlitzten Rotanstäbchen. In der Mitte der convexen Aussenseite befindet sich eine Schlinge von gedrehten Fäden zum Aufhängen, die in der Abbildung nicht sichtbar ist. Poeloe Samao bei Timor.

VIII. Gruppe; Rubrik: Geräthe.

Pl. III, Fig. 11. Inv. 858/271. – Ahle oder Pfriem aus weissem Knochen, mit einigen eingekratzten Linien verziert. Der untere Theil gleicht einigermaassen einem menschlichen Fuss. Dieses Geräth wird vorzugsweise bei den auf Roti so häufigen Flechtarbeiten benutzt. L. 16, Durchm. 2,2 cM.

IX. Gruppe; Waffen und Kriegszeug.

Pl. I, Fig. 10, 10*a*, 10*b*. Inv. 837/171. – *Diman;* Kriegslanze mit Schaft aus Rotan. Die eiserne Spitze wird durch eine kupferne Büchse gehalten. Der mittlere Theil des Schaftes ist umwunden mit einem Stück weissen Ziegenfell und oberhalb diesem an drei verschiedenen Stellen mit einem Ring rothen Ziegenhaares. Das untere Ende des Schaftes steckt in einem Schuh von geschmiedetem Eisen der in eine Spitze endet und dazu bestimmt ist, um die Lanze beim Halten vertical in den Erdboden zu stecken. Totallänge der Lanze 185, der Spitze 23 und des unteren eisernen Endes 16,5 cM. Belonesen, Central Timor. Vergl. Verslag pg. 366, Pl. 11, Fig. 1–4. Es giebt unter den Belonesischen Lanzen verschiedene Variationen desselben Typus.

Pl. I, Fig. 12. Inv. 839/15. – *Surik nuan;* Parangscheide aus einem Stück Leder, dessen zwei Längskanten durch Rohrstreifen an der Rückseite aneinander befestigt sind. An die Schlinge, woran die Scheide getragen wird, sind vier Muschelringe (*Conus*), eine Perle aus Knochen und zwei aus Rohrstreifen geflochtene Perlen gereiht. Am unteren Ende, an der Rückseite, hängen ein Büschel weissen Pferdehaars und ein Streifen rother Baumwolle herab. L. 38, Br. 8,5 cM. Belonesen, Timor. – Fig. 13, (Inv. 839/94) auf derselben Tafel, stellt ebenfalls eine lederne Parangscheide der Belonesen dar. Auf dem grössten Theil der Aussenseite ist das weisse (Pferde?)-Haar stehen geblieben, aber stufenartig und unregelmässig geschoren. L. 39, Br. 5–10 cM.

Pl. III, Fig. 1. Inv. 858/187. – *Tela maneau;* Parangscheide aus gelblichem Holz. Dieselbe ist mit einfachen Schnitzereien verziert, während die dazwischen liegenden Grübchen mit rothem Farbstoff bemalt sind. L. 34, Br. 10,5–11,5 cM. Roti. – Eine Parangscheide anderer Form, ebenfalls von Roti, ist Pl. III, Fig. 19*c* [1]) (Inv. 858/174) abgebildet. Das Material ist braunes Holz. Die Rückseite ist offen, so dass der Parang theilweise unbedeckt bleibt. L. 35, Br. 2,5–5 cM. Auf Roti herrscht betreffs der Form der Parangscheiden eine sehr grosse Verschiedenheit. Vergl. Verslag, p. 665.

Pl. III, Fig. 24, 24*a*. Inv. 858/255. – *Tafa;* Schwert von Roti. Totallänge 64, L. der Klinge 47, grösste Br. der Klinge 4 cM. Der Griff besteht aus dunkelbraunem Holz, und ist, wie Fig. 24*a* genauer zeigt, mit Schnitzereien verziert, die ursprünglich wohl einen Thierkopf vorstellen sollten. Die Stylisirung ist aber jetzt so weit vorgeschritten, dass die einstige Bedeutung schwerlich daraus zu erkennen ist.

[1]) Fälschlich auf der Tafel als 19*c* bezeichnet, da sie mit der Lanze (Fig. 19) natürlich nichts gemein hat.

Nach Angabe der Rotinesen stammen diese Schwerter aus Ceram, zum wenigsten das Model, was wohl mit der Tradition im Einklang steht, laut welcher ein Theil der Rotinesen aus Ceram gekommen. Alle Schwerter welche ich auf Roti auftreiben konnte und von deren häufigster Form ich schon im Verslag (Pl. 12, Fig. 21, p. 671) ein Exemplar abbildete, waren alt und wurden nicht mehr getragen. Vergl. S. MÜLLER, Land- en Volkenkunde, l. c., Pl. 42, Fig. 9. — Das Leidener Reichsmuseum besitzt ganz identische Schwerter die von Timor stammen sollen, wohl aus Belo. Auch scheint die Form auf Alor, in Nord Celebes und auf Savu vorzukommen. Ein Belegstück von der letztgenannten Insel findet sich im Ethnographischen Museum von „Natura Artis Magistra".

Pl. I, Fig. 4. Inv. 839/91. — Schild aus Büffelleder von fahl gelblicher Farbe. Der Griff besteht gleichfalls aus einem Streifen Leder, der durch zwei Paar Löcher, ungefähr in der Mitte des Schildes gezogen und befestigt ist. Das Ganze ist äusserst einfach und ohne jegliche Verzierung. Durchm. 43 × 43 cM. Belo (Lamakĕnen), Central Timor.

Pl. III, Fig. 10 u. 10*a*. Inv. 842/176. — Schild aus braunem Holz; der mittlere Theil aber schwarz bemalt. Die Verzierungen sind ausgeschnitten. Fig. 10*a* zeigt die Innenseite und den Griff. L. des Schildes 67, Br. 25 cM. Insel Adunara, Südküste. Vergl. Versl. p. 240.

Pl. III, Fig. 31. Inv. 858/329. — *Tamúa;* Schild aus Büffelleder, mit einem, von Rotanstreifen umhüllten Rande. Der Griff, in der Abbildung nicht sichtbar, besteht aus Schlingen von Rotanstreifen. Ein achtstrahliger Stern ist in schwarzer Farbe auf die, übrigens hellblaue Aussenseite des Schildes gemalt. Durchm. 66 cM. Nordwest Sumba.

Obgleich diese Schildform auch im Osten der Insel, wo solche *teming* heissen, allgemein ist, so scheinen doch bemalte Exemplare ziemlich selten zu sein. Auf Pl. 12 Fig. 13 meines Verslag habe ich schon ein Sumbanesisches Schild, mit Hahnenfedern und *Ovulum ovum* L. verziert, abgebildet. Diese Form ist übrigens, wie es scheint, auch in ganz Central Flores (Sika, Lio, Roka, Mbawa etc.) verbreitet. Vergl. WEBER, Ethnogr. Notizen, p. 31, Taf. VII, Fig. 10. Von SAVU besitzt das Ethnogr. Museum von „Artis" ein Exemplar (Serie 5/1), welches jedoch ausserdem mit sich kreuzenden Rotanstreifen verziert ist. Vergl. auch S. MÜLLER, Land- en volkenkunde, l. c., Pl. 44.

IX. Gruppe; Rubrik: MUSIKINSTRUMENTE.

Pl. I, Fig. 11. Inv. 839/97. — *Dakádo;* Saiteninstrument aus einem Bambuscylinder. Die fünf Saiten bestehen aus losgelösten Streifen der Oberhaut. Am oberen und unteren Ende ist der Cylinder mit Rohrstreifen umwickelt. L. 23, Durchm. 5 cM. Dieses Instrument wird nach Art einer Guitarre gespielt und ist wohl als eine etwas vollkommnere Form aufzufassen des, von WEBER aus Sika mitgebrachten; vergl. Ethnogr. Notizen, l. c. p. 32, Taf. III, Fig. 13. Ich bekam dies Exemplar in Belo, Central Timor.

Pl. I, Fig. 17. Inv. 839/104. — *Fui tètèk* oder *Fui latan;* Flöte aus einem dünnen Stück Rohr. Die Lippen werden der Oeffnung in der Mitte angesetzt, während man beim Spielen mit beiden Daumen gegen die Schallöcher fährt, welche sich an beiden Enden befinden. L. 70, Durchm. 2 cM. Belo, Central Timor.

Rubrik: TANZATTRIBUTE.

Pl. II, Fig. 4. Inv. 842/189. — *Rĕdang;* Tanzrassel aus zwei zusammengebundenen und auf einen Stock geschobenen Kokosnussschalen bestehend. Ein Stück haariges Ziegenfell bildet die Verzierung. Durchmesser der Schale 12.5, L. des Stockes 102 cM. Sika, Flores. Vergl. Verslag, p. 210.

Pl. III, Fig. 2. Inv. 858/307. — *Kĕduè;* Tanzrassel von Savu. Diese besteht aus einem Paar zusammengebundener, viereckiger Dosen von Lontarblattstreifen geflochten, jede 13 cM. l. u. br. und 8 cM. hoch. Diese Dosen enthalten eine Menge kleiner Steinchen oder Samenkörner wodurch ein rasselndes Geräusch hervorgebracht wird. Bei Tänzen oberhalb der Füsse festgebunden, auch von Weibern. Vergl. Verslag, p. 699.

Pl. II, Fig. 20. Inv. 842/192. — *Búbu;* Tanzmaske aus bräunlichem Holz. Die Stirn und das Gesicht sind mit weissen und schwarzen Streifen und Flecken bemalt. An einigen Stellen befinden sich Spuren kleiner Büschel menschlichen Kopfhaars, welche zur Andeutung des Bartes in Löcher des Holzes gesteckt sind. Hie und da ist das Gesicht offenbar mit Streifen weissen Papiers beklebt gewesen. L. 28.5, Br. 14 cM.

Ich bekam diese Maske durch Vermittlung des, schon mehrfach genannten Missionars LE COCQ D'ARMANDVILLE zu Sika, sah dieselbe aber zu meinem Bedauern niemals benutzen, weshalb ich nicht im Stande bin Ausführlicheres über die Function mitzutheilen. Ich kann mit Bestimmtheit nur sagen dass es eine Tanzmaske ist.

A. JACOBSEN war meines Wissens der erste der Masken van Flores erwähnt, jedoch nicht von Sika sondern von Maumeri, wo er „mit Papier überklebte Rotan-Masken" bei Knaben der katholischen Missionsschule, bei Tänzen im Gebrauch sah. Vergl. JACOBSEN's Reisebericht im Globus, 55 Bd., p. 184 und mein Verslag p. 210, Pl. 11, Fig. 11. Obwohl ferner PLEYTE in seiner Arbeit über Indonesische Masken (Globus, 61 Bd. N°. 21 u. 22) eine Reihe derselben aus dieser Inselwelt bespricht, kommt Flores darunter nicht vor. Der Nachweis von JACOBSEN und mir ist also neu, worauf auch schon von anderer Seite hingewiesen. Siehe DE CLERCQ & SCHMELTZ, Op. cit. pg. 241.

Rubrik: SPIELZEUG.

Pl. I, Fig. 3. Inv. 839/108. — *Kilat auwan;* Schiessrohr als Spielzeug für Knaben. L. 63, Durchm. 2.5 cM. Der Lauf besteht aus Schilfrohr, der Bogen aus zerschlitztem Bambus. Das Object is abgebildet in schiessfertiger Stellung. Belo, Central Timor [1]).

Pl. II, Fig. 15. Inv. 842/177. — *Bendi uter;* Armbrust aus Bambus, die Sehne aus geflochtenen Baumrindefasern verfertigt. L. des Laufes 50; Br. des Bogens in der Projection 53 cM. Sika, Flores. Vergl. PLEYTE, Sumpitan and Bow, l. c., p. 278.

Herr PLEYTE sagt, dass die Armbrust auch von Atjeh, der Minahasa, Halmahera, den Kei-Inseln und Alor bekannt sei, und immer nur als Kinderspielzeug. Er fügt, aber ohne seine Behauptung zu beweisen, hinzu: „where this kind of bow may be found elsewhere, it must have been imported;" und weiter: „the crossbows used in the southern islands of the Archipelago are from Portuguese or Dutch origin, as their handle still show(s) the form of an old musket, while the arrow is released by means of a kind of cocker." Ich kann das Alles nicht ohne Weiteres annehmen. Ich sehe z. B. nicht ein, weshalb die Armbrust nicht eben so gut auf irgend einer Insel spontan entstehen hätte können wie die Knallbüchse, das Pl. I, Fig. 3 abgebildete Schiesszeug oder der Kreisel. Die Erfindungsgabe der kindlichen Psyche bleibt sich unter den meisten Naturvölkern so ziemlich gleich. Was nun das zweite Argument des Herrn PLEYTE angeht, so ist es mir nicht möglich in der hier abgebildeten Armbrust von Flores, welche Insel doch wohl eine der „southern islands" ist, „the handle of an old musket" zu erblicken. Beiläufig möchte ich noch bemerken, dass ich die Armbrust als Kinderspielzeug auch bei den Arowaken-Indianern von Surinam angetroffen habe.

Pl. II, Fig. 2. Inv. 842/182. — *Bũs;* Knallbüchse aus Bambus und in einander gerollten Streifen Lontarblatt. L. 18 Gr. Durchm. 1—2.5 cM. Die hiezu gehörenden Propfen heissen *Klorot.* Sika, Flores.

Pl. III, Fig. 36. Inv. 858/159. — Knallbüchse von Roti. Dieselbe besteht aus einem Rohrcylinder, 66 cM. lang und 5.5 cM Durchschnitt, der über die ganze Länge mit Rotan- und andern Pflanzenfasern

[1]) Nachträglich möchte ich an dieser Stelle hinzufügen, dass ich auch unter Belonesischen Knaben Holzkreisel (*Koltè*) in Gebrauch fand. Vergl. 1. Abschnitt dieser Beiträge, im VII Bd. dieses Archivs, p. 246.

umhüllt ist. Diese sind theilweise mit irgend einem Gummiharz überzogen, um die Bänder besser an der Stelle zu befestigen. Derartige Knallbüchsen bilden auf Roti ein beliebtes Spielzeug der Knaben.

Pl. II, Fig. 21 u. 22. Inv. 842/178, 179. – *Kórak;* Wurfscheiben; Spielzeug für Knaben aus dem Gebirgsdorfe Hokor im Reiche Sika, Flores. Die erste besteht aus weichem, grauem Stein; die zweite ist aus einer Kokosnussschale geschnitten und mit eingeschnitzten Linien, wie aus der Abbildung ersichtlich, verziert. Durchschnitt 6.5; Dicke von 0.2–0.5 cM. Vergl. Verslag, p. 220.

Pl. II, Fig. 23. Inv. 842/225. – *Dádu;* Würfel deren Name, gleich dem Malayischen, zweifellos Portugiesischen Ursprungs ist. Die Würfel selbst, deren ich zwei mitbrachte, sind es vielleicht ebenfalls. Sie sind aus braunem Holz geschnitten und mit eingeschlagenen, kupfernen Stiftchen versehen. Sika, Flores.

Pl. IV, Fig. 31. – Apparat für's Würfelspiel. Derselbe besteht aus einem Bambusrohr, das, etwa 30 cM. hoch über dem Erdboden, auf einem Holzstabe ruht. Die Würfel werden oben hinein geworfen und fallen durch das Rohr auf den Boden. Ich sah es zu Koting auf Flores von Männern und Knaben benutzen.

XII. Gruppe; Rubrik: Religion und damit Verwandtes.

Pl. IV, Fig. 32. – Soloresisches Grab in der Nähe des Dorfes Lucie, an der Südküste der Insel Adunara. Es besteht aus einem circa 1.20 M. hohen Steinhaufen, in den eine Anzahl Holzpfähle gesteckt sind. Auf einem nahe liegenden Grab befand sich ein dünner Holzstab von welchem ein weisser Fetzen herabhing. Ausserdem waren ein Paar Thongeschirre, mit Holzkohlen gefüllt, auf das Grab gestellt. Vergl. Verslag, p. 237.

Pl. IV, Fig. 33. – Grab, vermuthlich eines Kindes, zu Tiong; der Steinhaufen ist überdeckt mit einem, auf Bambuspfählen ruhendem Rohrdache. Unter diesem steht eine mit Weisszeug überzogene Kiste in welcher die Leiche liegen soll und daneben ein, mit Holzkohlen gefülltes Töpfchen.

Pl. IV, Fig. 34. – Fürstliche Gräber zu Diu, Roti. Die zwei stufenartigen Gräber sind weiss übertüncht. Im mittleren ruht ein *Manek* (Radja); im kleineren das Kind des zeitweiligen Thronfolgers des Reiches Diu. Unter dem rohen Steinhaufen endlich liegt ein kleiner Knabe fürstlichen Blutes begraben. Vergl. Verslag, p. 676.

Pl. IV, Fig. 35. – Grab eines *Manek* zu Dunbatu im Reiche Talai, Roti. Dasselbe ist weiss übertüncht und circa 80 cM. hoch. In der Nähe liegt ein ähnliches, wie das kleinere von Diu abgebildete worin die Mutter des ehemaligen *Manek* von Talai begraben liegen soll. Vergl. Verslag, p. 679.

Pl. I, Fig. 8. Inv. 839/109. – Opfertopf von Fatu Ala im Reiche Djenilu, Central Timor. Derselbe besteht aus schwarzbrauner Thonerde, und misst 12 × 24 cM. Die, aus sehr einfachen, eingekratzten, verticalen Streifen und concentrischen Grübchen bestehende Verzierung ist in der Abbildung leider nicht erkennbar. Mittelst Tauschlingen kann der Topf vor oder in der Nähe des Hauses aufgehängt werden, um die Opfergaben für die *Nitu*'s dort niederzulegen.

Pl. II, Fig. 6, 7, 10, 14 u. 18. Inv. 842/222, 214, 211, 215 u. 213. – Diese Gegenstände deren Länge von 7.5–13.5 cM. schwankt, und von denen die vier letzteren aus röthlicher Thonerde bestehen, fand ich zu Lamakera, Insel Solor, auf dem Platz wo Berathungen abgehalten werden sollen, und der *Namang tukang* heissen soll. Dieselben befanden sich, mit vielen anderen gleicher Natur, auf einer irdenen Schüssel, die unter einem kleinen Dache aufgestellt war.

Obgleich ich letztere Gegenstände anfänglich für Effigieopfer hielt, wozu ich durch ähnliche Gebilde bei den alten und modernen Pueblo-Indianern des nordamerikanischen Südwestens veranlasst wurde, bin ich jetzt eher geneigt dieselben als Fetische zu betrachten. Was die Einzelnheiten betrifft, so möchte ich nur noch erwähnen, dass Fig. 6 aus einer grauen Steinart besteht und dass eine der Fig. 10 sehr ähnliche Thonplatte von grauer Farbe, ebenfalls aus Lamakera, und von mir dem Leidener Museum übergeben, auf der einen Seite die Eindrücke einer Münze aufweist. Vergl. Verslag, p. 239 und Pl. IV, Fig. 40 dieser Beiträge.

Pl. II, Fig. 8. Inv. 842/124. – *Djatawain* (?); Stück eines Webeapparats aus Sika, aus gelblich braunem Holz geschnitzt, 17.5 hoch und 4.5 cM. dick. Dieses Bildchen sieht einem *Karwar* von Neu

Guinea sehr ähnlich, wie ihn z. B. Pl. XXXIV (p. 158 ff.) in DE CLERCQ en SCHMELTZ, Ethnogr. beschrijving van de West- en Noordkust van Nieuw Guinea zeigt. Damit dürfte auch Pl. XXXIV en XXXVII aus RIEDEL, De sluik- en kroesharige rassen tusschen Selebes en Papua, zu vergleichen sein, wo „beelden waar de geesten der afgestorvenen voorvaderen tijdelijk verwijlen" (auf den Inseln Babar und Leti) abgebildet werden. Die Bedeutung dieses Objectes aus Flores ist also aller Wahrscheinlichkeit nach wohl dieselbe wie die eines *Karwar*. Vergl. auch F. W. K. MÜLLER, Gegenstände aus der Sammlung JACOBSEN – KÜHN in den Verhandl. der Berliner Gesellsch. f. Anthropologie, 1892, p. 236, Fig. 4, nach dem man hier zu thun hätte mit einer Figur „welche das Eigenthum Jemandes schützen soll." Auch mit den *Pagar* der Bataks ist diese Figur zu vergleichen. Siehe C. M. PLEYTE, WZN., Zur Kenntnis der religiösen Anschauungen der Bataks (Globus, 60 Bd., N°. 19 u. 20, p. 360).

Unmittelbar an diesen Gegenstand schliesst sich das Pl. II, Fig. 9 (Inv. 842/102) abgebildete Object aus Riïpuang im Lande Lio, Flores. Das Object, aus gelblichem Holz bestehend, ist im Ganzen 52 cM. lang, während der Kopf 11 cM. im Durchschnitt misst. Vergl. Verslag, p. 222 und 225. Ich fand es neben der Thürschwelle eines Hauses mittelst des langen Stieles in ein viereckiges Loch gesteckt. Es hat wohl theilweise dieselbe Bedeutung wie auch die folgende, *Ata ponu* genannte Figur.

Pl. II. Fig. 25. Inv. 842/200. *Ata ponu*, d. h. buchstäblich „Erntemensch". Gartenschutzfetisch, oder – „Gott", aus Napun Wuré im Reiche Sika, Flores. Grob geschnitzte Holzfigur menschlicher Gestalt; nur die Beine fehlen. Die beweglichen Arme sind ungemein lang, während ein verhältnissmässig grosser Penis, hinter dessen Glans einige kleine Haarbüschel gesteckt sind, eine ithyphallische Bedeutung vermuthen lässt. Ein langer Fetzen grober blauer Baumwolle hängt vom Hals herab. Das ganze Bild ist 47 cM. hoch, der Rumpf hat eine Dicke von ± 10, die Arme sind 30 cM. lang.

Wir haben es hier zweifellos mit einem Cultusgegenstand zu thun der zu der, richtig oder falsch, von RIEDEL *Matakau* benannten Rubrik gehört, von denen JACOBSEN's werthvolle Sammlung so zahlreiche Beispiele bietet. Vergl. F. W. K. MÜLLER, Verhandl., l. c., p. 236. Was den Phallus dieser Figur betrifft, so steht derselbe wohl in Verband mit der speciellen Rolle welche der *Ata ponu*, mit Bezug auf Fruchtbarkeit und gute Ernte, zu erfüllen hat. Zu gleicher Zeit dürfte vielleicht in dem vorliegende Falle dem Penis auch eine Unheil wehrende Kraft zugeschrieben werden. Vergl. G. A. WILKEN, Iets over de beteekenis van de ithyphallische beelden bij de volken van den Indischen Archipel (Bijdr. Taal-, Land- en Volkenkunde v. Ned. Indie, 5e volgr. I, p. 393).

Unmittelbar dem vorhergehenden Gegenstand schliesst sich Fig. 28, Pl. II (Inv. 842/201) aus demselben Dorfe an. Das rohe, aus Holz geschnitzte Gesicht dieses *Ata ponu* ist hie und da mit kleinen Haarbüscheln besetzt. Die Arme sind wohl verloren gegangen, da eine Andeutung der „Cavitas glenoidalis" besteht. Das Bild misst 49 cM. in der Länge und 9 in der Breite. Im allgemeinen Habitus erinnert dieser Holzfetisch an Fig. 4, Pl. XXXIV bei DE CLERQ & SCHMELTZ, Nederl. Nieuw Guinea. Für Näheres betreffs dieses *Ata ponu* siehe Verslag, p. 225.

Pl. IV, Fig. 36. – *Aitahulo ema;* Dorfschutzpfahl zu Kewar, Lamakënen, Central Timor. Derselbe stand auf einem Steinhaufen in der unmittelbaren Nähe von einigen anderen, grösseren steinernen Plattformen, welche sich unter Bäumen vor dem Eingang des Dorfes befanden. Ein grosser, platter Stein lag horizontal auf dem Kopf der roh geschnitzten menschlichen Figur, dazu bestimmt Opfergaben aufzunehmen. Die Höhe des ganzen Pfahles wird nach meiner Schätzung ungefähr 1,50 M. betragen haben.

Es unterliegt wohl keinem Zweifel, dass wir es hier mit dem Schutzgeist des Dorfes zu thun haben, gehörend zu den „beschermgeesten, de genii loci, die vóór den ingang of in de negori zijn geplaatst...... de *nitu* der voorouders, die het eerst de negori hebben bevolkt...." Vergl. RIEDEL, Op. cit., p. 220. Mit diesem Pfahl ist übrigens Fig. 11, Pl. XXVI (Aru) desselben Werkes zu vergleichen. Ferner vergl. PLEYTE, Religiöse Anschauungen der Bataks, l. c. p. 310, wo von den *Porpagaran* gesagt wird, dass dieselben auch am Eingange des Dorfes aufgestellt werden. Schwert oder Keule fehlen aber hier. Näheres über Kewar und seine Bewohner siehe im Verslag, p. 379.

Pl. II, Fig. 19. Inv. 842/199. — Oberes Stück einer Siga. Unter *Siga* oder *Saga* versteht man im Gebiete von Sika und Lio auf Flores eine Art Schutz- und Opferpfahl, wie man sie häufig in Dörfern und auf Feldern findet. Offenbar ist hier eine Thiergestalt vorgestellt, über welche ich aber leider nichts Bestimmtes mittheilen kann. Das Material ist Holz. Die Länge beträgt 68, die grösste Breite 14,5 und die Dicke 4 cM.

Die meisten Siga tragen hölzerne Nachbildungen von Hühnern resp. Hähnen, deren ich bereits eine in meinem Verslag, Pl. II, Fig. 9 abbildete und über welche auch WEBER, Op. cit. p. 7, Einiges sagt. Sie werden dann *Siga manu* genannt. Man erzählte WEBER, dass es Kriegstrophäen seien, eine Behauptung die ich durchaus bezweifeln muss. Ich schliesse mich vielmehr der Meinung JACOBSEN's an, nach welcher es Schutz- und eo ipso Opferpfähle sind, wie es die zahlreichen Knochen, Reiskörner, etc. am Fuss derselben andeuten. Die Rolle des Huhnes, resp. des Hahnes, ist bekanntlich im Volksglauben der Indonesischen Völker ausserdem eine so grosse, dass es etwas gezwungen erscheinen dürfte in dem Vorkommen der Nachbildungen derselben etwas anderes zu sehen als ein schützendes Orakelthier. Auch im alten Indo-Germanischen Volksglauben hatte der Hahnenschrei eine schützende, das Böse fernhaltende Kraft. Vergl. Dr. LUDWIG HOPF, Thierorakel und Orakelthiere in alter und neuer Zeit. Stuttgart 1888, p. 161 ff.

Einfache, nur den verschiedenen *Nitu's* geweihte Opferpfähle, wie Pl. IV, Fig. 43 und im Verslag, Pl. 11, Fig. 10 abgebildet, trifft man allenthalben in den Sikanesischen und Lionesischen Dörfern an. Die Opfergaben werden auf einen, sich in einer Höhle des obern Pfahlendes befindenden Stein gelegt. Die betreffende Figur stellt einen Pfahl aus dem Dorfe Riipuang in Lio vor. Vergl. Verslag, p. 215, 221: Pl. XI Fig. 10) wo das Vorkommen u.s.w. dieser Pfähle erwähnt wird.

Pl. IV, Fig. 37. — Opferstätte zu Lahúrus in der Landschrft Fialaran, Central Timor. Dieselbe lag in einem dunklen, sehr dichten Bambusdickicht, unweit des Fusses vom Reedtz Thottberge (Lakân) der als *lulik* (*pomali*) gilt. Um den Steinhaufen herum stand ein Holzgestell an welchem ein Kokospalmblattstengel mit seinen zahlreichen langen Fiedern horizontal aufgehängt war. Auf einem der Stöcke steckte eine Kokosnussschale, während an einem anderen einige Maiskolben aufgehängt waren. Vergl. Verslag, p. 365.

Pl. IV, Fig. 38. — Opferstätte zu Fatu Loké, Fialaran. Dieselbe befand sich unter einem grossen Baum in einer Ecke des Gebirgsdorfes. Der grosse, horizontal gestellte Stein hatte eine gewisse, kaum erkennbare Aehnlichkeit mit einer menschlichen Figur. Am oberen Ende von einem der, den Steinhaufen umgebenden Stöcke war ein langer Hahn befestigt, an dem die Ueberbleibsel von Maiskolben hingen. Vergl. Verslag, p. 367.

Pl. IV, Fig. 39. — Opferschirm zu Kewar, Lamakěnen, Central Timor. Ich fand dieses, aus Holz- oder Rohrstäbchen, bestehende und mit Fäden übersponnene Gestell oberhalb der Thüröffnung eines Hauses aufgespannt an den vier Fäden, welche sich an den Ecken des Schirmes befinden. Vergl. Pl. IV, Fig. 28. Da es in dieser Wohung ziemlich dunkel war und alles ausserdem ein schwarzberäuchertes Ansehen hatte, war ich nicht im Stande eine Farbe des Schirmes zu unterscheiden. In unmittelbarer Nähe waren Unterkiefer von Schweinen an den Dachsparren aufgehängt.

JACOBSEN fand während seiner Reise ungefähr dieselben Schirme oder Gestelle auf Flores als Opfergabe der *Naga*. Er fügt aber hinzu dass sie, im Gegensatz zu dem Amerikanischen Vorkommen, horizontal aufgestellt sind und symbolisch als Schutz gegen die austrocknende Wirkung der Sonnenstrahlen gelten (Vergl. Globus, Bd. 55, p. 201 und Verbandl. der Berliner Anthropolog. Gesellschaft, 1889, p. 700—701) Obwohl ich nicht bezweifle, dass die Angabe, als seien derartige Gestelle der *Naga* geweiht, richtig ist, kommt mir diese letzte Behauptung doch etwas unwahrscheinlich vor, da die unmittelbare Beziehung *Naga* und Sonne mir nicht deutlich ist.

Ich habe in meinem Verslag und in diesen Beiträgen schon wiederholt Gegenstände,

Verzierungen u. s. w. erwähnt, welche auf einen Cultus der *Naga*schlange — eines mythischen Thieres, welches oft als eine drachenartige Gestalt abgebildet wird — bei verschiedenen Völkern der Timorgruppe deuten. Da der oben erwähnte Opferschirm der letzte Gegenstand ist, welcher in Verband mit der *Naga* in diesen Beiträgen zur Betrachtung kommt, dürfte es hier am Platze sein, ein paar Bemerkungen über den Ursprung des Schlangencultus im Indischen Archipel einzuschalten.

Bei seiner Besprechung einiger Cultusgegenstände aus der Sammlung Jacobsen—Kühn (Verhandl. Berl. Gesellsch. f. Anthr. 1892, p. 234) hat Dr. F. W. K. Müller mit einer geradezu apodictischen Bestimmtheit alles was die *Naga*schlange betrifft unter „Hindûismus" rangirt. Die Veranlassung dazu scheint ihm wohl die Etymologie des Wortes *Naga* gegeben zu haben, die obwohl an und für sich kaum zu bezweifeln, meines Erachtens nach noch nicht beweist dass auch der Begriff der *Naga* dem Hindûismus zu verdanken ist. Herr Müller scheint die diesbetreffende Meinung G. A. Wilken's (Het Animisme bij de volken van den Indischen Archipel, II p. 240) nicht gekannt zu haben, denn er citiert ihn wenigstens nicht. Wilken sagt nämlich, etwas weniger bestimmt wie Herr Dr. Müller:

„Men zou echter stellig te ver gaan, wilde men hieruit (nl. dass die Benennung für Weltschlange *Anantô* bei den Javanern vom Sanskrit *Ananta* abgeleitet) de gevolgtrekking maken, dat niet alleen de naam, maar ook het geheele begrip van de wereldslang van de Hindû's zou zijn ontleend. Niet onwaarschijnlijk is het, dat de voorstelling dat het wezen, dat de aarde draagt, eene slangengedaante bezit, oorspronkelijk is, daar zij toch ook bij de Fidjiërs, die nimmer met de Indiërs in aanraking zijn geweest, wordt aangetroffen."

Diese Meinung ist wohl sicher gestellt worden durch die Untersuchungen von Wilken's Schüler C. M. Pleyte (Die Schlange im Volksglauben der Indonesier, Globus, 55. Bd. N⁰. 6 u. 11) aus welchen sich ergeben hat, dass Schlangencultus in verschiedenen Formen hauptsächlich unter denjenigen Völkern Indonesiens vorkommt, die niemals mit den Hindûs in Berührung kamen; und dass sogar wo die Schlangen in den cosmologischen Begriffen dieser Völker auftreten, sich fast immer noch die ursprünglichen indonesischen Auffassungen erkennen lassen. Ich kann aus eigner Erfahrung diese Ansicht durchaus bestätigen. Trotz aller Etymologie halte ich es für gezwungen, dass z. B. die Sika- und Lionesen von Flores und die Soloresen von Adunara, ihre *Naga* oder *Nanga* dem Hindûismus verdanken. Es ist kein stichhaltiger Beweis anzuführen gegen die Meinung, dass Schlangencultus im Indischen Archipel spontan entstanden ist.

Was nun die weitere Verbreitung der genannten Schirme überhaupt betrifft, so ist es interessant hier in Erinnerung zu bringen, dass sie, anscheinend verschiedenen Zwecken dienend, vorkommen in Aegypten, Chittagong, Peru (Ancon), Bolivia und Vancouver (Verhandl. Berliner Gesellsch. f. Anthr., 1889, p. 700/701) und dass ich selbst sie bei den Yuma-Indianern in Arizona traf.

Pl. IV, Fig. 40. — Opferstätte (?) auf dem *Namang tukang* zu Lamakera, Solor. Vergl. Pl. II, Fig. 6, 7, 10, 14 u. 18. Dieselbe besteht aus einem Viereck, welches von, auf ihre schmale Kante gestellten, Steinen geformt wird, während in der Mitte auf dem Erdboden ein grosser eiserner Nagel oder eine Stange vertical in den Grund getrieben ist. Die Abbildung zeigt das Ganze von oben gesehen.

Pl. IV, Fig. 41. — Apparat aus Bambus angeblich dazu dienend um Regen zu erflehen (?) Er stand am Ende des Dorfes No-Lolo in Lio (Flores) in der Nähe einiger Vorrathscheunen. Vergl. Verslag, p. 225. Es sei daran erinnert, dass auf dem Dache des *Balé*hauses zu Tiong (Pl. IV, Fig. 17) sich derartige Bambusköcher befinden.

Pl. IV, Fig. 42. — Alter Opferstein (?), circa 50 cM. hoch, der sich vor dem Hause des (Radja) *Ratu* von Sika befand. Nach anderen Angaben sollen die runden Löcher an der Oberfläche des Steines zum Würfeln gedient haben. Etwas Sicheres war in dieser Beziehung von den, jetzt christlichen Eingebornen nicht zu erfahren.

Pl. IV, Fig. 44. — *Háni;* Opferpfahl zu Kota Nitu im Reiche Dela, Roti. Derselbe stand in einer Ecke der, das Haus des früheren *Manek* (Radja) umgebenden Mauer. Die Hohe des Pfahles wird etwa 90 cM. betragen. Vergl. Verslag, p. 685.

Pl. IV, Fig. 45. — Bogenförmiger Apparat an dessen Sehne ein Haarbüschel aufgehängt ist, wahrscheinlich als Opfer. Talai, Roti. Vergl. WILKEN, Das Haaropfer und einige andere Trauergebräuche bei den Völkern Indonesiens (Revue Colon. Internat. 1886, II pg. 225 ff. & 1887, I pg. 345 ff.) und Verslag, p. 679.

Pl. IV, Fig. 46. — *Bulésio;* Lontarblattstreifen, doppelt gefaltet. Derartige Blattstreifen kommen mit *Maik*'s und *Orak*'s (Pl. III, Fig. 26 Inv. 858/134—135), ebenfalls aus Lontarblatt gemachten Cultusgegenständen häufig in den Rotinesischen Wohnungen vor, wo sie an die Hauspfähle gebunden werden.

Ihre Bedeutung ist wahrscheinlich eine verschiedene. Sie sollen einmal eine Art Opfergabe oder Ex-voto darstellen, als Ausdruck eines Gebetes, sowie auch eine Unheil abwehrende Kraft besitzen, wie dem *Orak* denn auch vielleicht eine ithyphallische Bedeutung zugeschrieben werden dürfte. Angeblich sollen die *Orak* auch dazu dienen um Kindersegen zu erflehen. Vergl. SALOMON MÜLLER; Reizen en onderzoekingen in den Indischen Archipel, nieuwe uitg., II, 274 und mein Verslag, p. 686.

Rubrik: LEHRMITTEL.

Pl. III, Fig. 3. — Obgleich ich diesen Gegenstand im SERRURIER'schen System kaum seinen richtigen Platz zu geben weiss, dürfte es vielleicht noch am wenigsten gezwungen erscheinen ihn hier einzureihen. Das Object ist aus Roti und heist *Papan reka faik bulan*, d. h. buchstäblich „Tag- und Monatrechenbrett." L. 8, Br. 6, Dicke 3.5 cM. Die Holznadeln (von denen aus Versehen nur eine abgebildet ist) dienen zur Bezeichnung des Monats und des Tages. Es befinden sich in meiner Sammlung ausserdem zwei ähnliche Kalender aus weissem Knochen. Die zu diesen letzteren gehörenden Fädchen welche zwischen den verschiedenen Löchern verlaufen, fehlen beim hier abgebildeten Exemplar.

Zum Schlusse lasse ich hier eine Tabelle folgen in der die geographische Verbreitung einer Anzahl der, in diesen Beiträgen beschriebenen oder erwähnten Gegenstände, Bräuche, Anschauungen u. s. w. innerhalb der Timorgruppe angedeudet ist. Ich habe dabei nur dasjenige in Betracht gezogen was bisher noch gar nicht oder nicht allgemein bekannt war und mich auf die Inseln die ich selbst besuchte beschränkt. Ein ? deutet darauf hin, dass die Möglichkeit des Vorkommens aus verschiedenen Gründen nicht ausgeschlossen ist, aber durch Wahrnehmung oder Belegstücke noch nicht festgestellt wurde.

	SUMBA.	TIMOR.	FLORES.	ADUNARA.	SOLOR.	ROTI.	SAVU.
Kleidung und Schmuck.							
Binden und Tücher aus Baumrinde.	+	–	+	–	–	–	–
Armband aus Tridacna	+	–	–	–	–	–	–
Ohrknöpfe aus Holz	+	–	–	–	–	–	–
Hausgeräth.							
Sitzschemel	–	–	+	–	–	–	–
Hölzerne Kopfstütze	+	–	+	–	–	–	–
Holzschnitzereien verschiedener Art	–	+	+	+	+	+	–
Jagd- und Kriegswaffen.							
Wurfspiess.	+	–	+	+	?	–	?
Lanze	+	+	+	+	?	+	+
Bogen	–	+	+	+	+	– [3]	–
Blaserohr	–	+	–	–	–	+	–
Lederschilde	+	+ [1]	+	–	–	–	+
Holzschilde	–	–	+	+	+	–	–
Musikinstrumente.							
Guitarre	+	–	–	–	–	–	–
Sonstige Saiteninstrumente . . .	–	+	+	?	?	+	+
Tanzattribute.							
Maske	–	–	+	–	–	–	–
Spielzeug.							
Kreisel	+	+	+	?	?	?	?
Armbrust	–	–	+	–	–	–	–
Schiessrohr	–	+	–	–	–	–	–
Knallbüchse	–	–	+	–	–	+	–
Höflichkeitsbeweise.							
Lolupatu	+	–	–	–	–	–	?
Religion und damit Verwandtes.							
Nagaschlange.	–	+	+	+	+	+	–
Megalithische Gräber.	+	–	–	–	–	–	–
Uebertünchte Gräber.	+	–	? [2]	–	–	+	+
Zeitrechnung.							
Kalender	–	–	–	–	–	+	?

[1] Lanze, Bogen, Blaserohr und Lederschild in Central Timor.
[2] Wahrscheinlich bei Endenesen.
[3] Wahrscheinlich früher bekannt, da der Name für Bogen jetzt noch *kokoü ina*, und für Pfeil *kokoü isik* lautet.

UEBER DEN GLAUBEN VOM JENSEITS UND DEN TODTENCULTUS DER TSCHEREMISSEN,

VON

S. K. KUSNEZOW,

Bibliothekar an der Kaiserl. Universität, Tomsk.

Herrn Dr. ADOLF BASTIAN, gewidmet.

II.[1]) Das Erkranken und das Sterben des Tscheremissen.[2])

Das Erkranken des Tscheremissen und die dagegen ergriffenen Maassregeln. — „Die Pfänder", oder das Versprechen, deren Bestand und Bedeutung. — Die Rolle des *Mužèds* unter den Tscheremissen. — *Keremèt* und dessen Familie als Feinde der menschlichen Wohlfahrt. — Die Krankheiten der Tscheremissen überhaupt. — Abendliches Opferdarbringen an *Keremèt* nach Bestimmung des *Mužèds*. — Vorzugsweise Verehrung des heil. Nicolaus. — „Die Flüsterer" oder Beschwörer. — Einladung des Geistlichen. — Ansichten einiger Geistlichen über die Erlernung der Sprache der Eingebornen. — Beichte eines sterbenden Tscheremissen. — Sein mündliches Testament und die Bedeutung des letztern für die Hinterbliebenen. — Der Leichnam des Verstorbenen etwas Unreines, Furchteinflössendes.

Wenn der Tscheremisse erkrankt, so sucht er, gleich dem russischen Bauern, das Uebel nach Möglichkeit zu überwinden, indem er sich damit tröstet, dass alles bald vorüber

---

[1]) Siehe Band VI pg. 89.

[2]) Unser Herr Mitarbeiter theilt uns betreffs des Entstehens seiner Studien über die Tscheremissen, von denen wir hier wiederum eine zum Abdruck bringen, das Folgende mit:

„Den Essay über die Anschauungen der Tscheremissen betreffs des Jenseits habe ich allmählich vorbe„reitet. Da ich in einer Gegend geboren bin, die von diesem Volk und den Wotjäken bewohnt ist, habe „ich von Jugend an ihre Lebensart kennen gelernt. Als ich in Kasan die Schule besuchte, habe ich, noch „Gymnasiast, Fussreisen zu ihnen unternommen und oftmals jene Gebräuche beobachtet welche Gegen„stand meines Essay bilden. Diese Excursionen wurden von mir, als Schüler der zwei letzten Klassen des „Gymnasiums, systematisch fortgesetzt".

„Im Jahre 1873 publicirte ich, als Student des 1. Semesters der histor., philolog. Facultät, meinen ersten „Artikel über die Lebensweise der Tscheremissen in den „Wjatkaschen Nachrichten". Darauf bin ich „12 Jahre lang zu den Tscheremissen und Wotjäken gereist, mit Unterbrechung einiger archäologischer „Excursionen. Ein umfangreiches, von mir gesammeltes Material gewährte mir die Möglichkeit, im Laufe „von 5 Jahren zahlreiche Referate und Vorträge in der Kasanschen Gesellschaft für Archäologie, Ge„schichte und Ethnographie, sowie Vorlesungen in dem Missionär-Institute zu halten."

„Da ich stets bemüht war mein Material durch einige Facta zu ergänzen, beeilte ich mich nicht meine „Referate drucken zu lassen, was ich jetzt sehr bedaure...."

„Im Jahre 1885 nahm ich die Stelle als Bibliothekar an der Universität Tomsk an, welche mir eine „bessere Einnahme sicherte, als die eines Privatdocenten der altclassischen Philologie an der Kasanschen „Universität."

„Neun lange Jahre schwieriger, nervenangreifender Arbeit zur Catalogisirung der sehr umfangreichen „Universitäts-Bibliothek (mehr als 45000 N°.) haben meine Kräfte erschöpft, meine Sehkraft sehr geschwächt „(von Myop. N°. 10 bis N°. 2½), allein Gott Lob, meinen Eifer für wissenschaftliche Arbeiten, der mich „einst in jüngeren Jahren beseelte, nicht vermindert...."

„Ich hege bei der Abnahme meiner Kräfte nur den einzigen Wunsch: dass das von mir gesammelte „Material für die Wissenschaft nicht verloren gehe und dass ich noch im Stande sein möge, dasselbe allend„lich zu bearbeiten!...." S. K. K. *Die Red.*

NB. ł = hartes *l* (polnisch). — ž = tschechisch, polnisch, oder franz. *j*. — č = tschechisch, deutsch *tsch*. — *y* = russ. ы, polnisch *y*.

gehen werde. Allein die Krankheit will nicht weichen und wirft den Tscheremissen bald darnieder. Der Kranke selbst und seine Angehörigen empfinden es nun lebhaft, dass ernstliche Mittel ergriffen werden müssen. Aber wenn man voraussetzt, dass er sich an einen Arzt wenden werde, der von den Landständen an einem gewissen Punkte eingesetzt ist, so befindet man sich im Irrthum. Jedes physische Uebel schreibt der Tscheremisse dem Einfluss des bösen Geistes *Keremèt* und dessen Familie, häufiger jedoch der Behexung des Zauberers zu, weil *Keremèt* und der Zauberer, wie der Tscheremisse überhaupt annimmt, nur dazu dienen, den Menschen Schaden zuzufügen.

Einer der Verwandten des Kranken begiebt sich nun zum *Mužèd* oder *Mužédyšy* („Wahrsager"), welcher überall im Lande und wenigstens einer im Umkreis von zwei oder drei Dörfern anzutreffen ist. Zwischen dem Abgesandten und dem Wahrsager entspinnt sich dann z. B. folgendes Gespräch:

„*Mužèd, ónžy! Jywàn ogèš kert...* (*Mužèd*, siehe mal zu [Z. Beisp. auf das Zauberwasser]! Der *Ivan* ist krank)."

Der *Mužèd* antwortet etwas ausweichend darauf:

Kulı̀ – Jýnglaǹ yštèn onžy... (Nun, da musst du dem Tschumbulat ein Opfer darbringen).

„*Módeny* (welches)?"

Der Wahrsager entscheidet diese Frage, indem er seine Zaubermittel zu Hülfe nimmt. Je nachdem es ihm geeigneter scheint, sagt der *Mužèd* entweder aus Bohnen, Zaubergürtel oder Brodkrumen wahr und antwortet dem Bittsteller:

Póltym̄ šindy! (Bringe Malz dar).

Aber dieses Malz bedeutet noch nicht das eigentliche Opfer, sondern ist nur ein „Versprechen", ein „Pfand" (*jýštylmy* oder *ssuk*), als ein Zeichen, dass das Opfer dargebracht werden wird.

Solche Pfänder werden von den Tscheremissen bei verschiedenen Gelegenheiten hinterlegt, bald sind sie durch irgend eine Noth oder einen Unfall veranlasst, bald sucht der Tscheremisse bei irgend einem Unternehmen durch das Pfandstellen sich die Gunst des bösen Geistes zu erwerben. Die Nichteinlösung des Pfandes zieht, nach Meinung der Tscheremissen, die unausbleibliche Strafe des erzürnten Gottes nach sich.

Aber der Tscheremisse, welcher ohnehin ein Leben voller Entbehrungen in waldloser Gegend führt und bestrebt ist das Wohlgefallen des strafenden Gottes zu erringen, ist gezwungen, weil er das erste Pfand nicht einlösen kann, immer neue „Versprechen" darzubringen. Es ist daher nichts Seltenes zu hören, dass irgend ein armer Tscheremisse mehr als zehn Pfänder hinterlegt hat, womit er dem einen oder dem anderen Gotte ein mehr oder minder grosses Opfer zu bringen verspricht. Viele werden dadurch vollständig zu Grunde gerichtet und eine noch grössere Anzahl stirbt dahin, ohne ihr Versprechen einlösen zu können, verordnet aber auf dem Sterbebette den Hinterbliebenen dies zu thun.

Die Pfänder pflegen sehr verschiedenartig zu sein: Malz, Grütze, Mehl, Wachs, Geld, kurz alles Mögliche, sogar kostbarere Kleidungstücke, Geschirre und musikalische Instrumente. Alles dieses dient als Sinnbild (Symbol) des zukünftigen Opfers und wird als unantastbares Heiligthum und zeitweiliges Eigenthum desjenigen Gottes angesehen, dem das Opfer versprochen worden ist. Kleidungstücke und Schmucksachen dürfen solange nicht in Gebrauch genommen werden, als das Opfer nicht dargebracht worden.

Der Tscheremisse hängt alle seine Pfänder in der Ablegekammer der Hütte (*klad*) oder im Vorrathshause unter dem Dache auf; minder werthvolle Gegenstände aber, namentlich das Mehl und die Grütze, werden irgendwo im Gemüsegarten an einem Baumzweige befestigt. An der Zahl solcher, an den Tragebalken oder Dachsparren obenbezeichneter Gebäude befestigter Pfänder kann man sicher bestimmen, in welchem Masse der Tscheremisse bei dem bösen *Keremèt* oder dem guten *Júmo* verschuldet ist.

Wir haben absichtlich obige Gebräuche hervorgehoben, um die Rolle zu bezeichnen, welche die *Mužèds* im religiösen Leben der Tscheremissen spielen. Leider hat es bei den letzteren nie an solchen Wahrsagern gefehlt, welche durch angeblich genaue Bekanntschaft mit den Göttern, von deren Existenz die Tscheremissen fest überzeugt sind, ihr Vertrauen missbrauchen. Irgend ein schelmischer verabschiedeter Soldat, sogar oft ein des Lesens und Schreibens kundiger, richtet seinen Stammgenossen zu Grunde, indem er ihm im Namen der Götter ueberaus grosse Opfer abverlangt. Oft fordert ein solcher schelmischer *Mužèd*, nach den Worten der Tscheremissen, rein zum Spass, ein sehr theures Opfer von seinem persönlichen Feind, nur um ihn zu ärgern. Die Tscheremissen verstehen übrigens ein solches Verfahren nach Gebühr zu würdigen und machen mit dem Wahrsager oft kurzen Process.

Doch kehren wir zu unserem Thema zurück.

Zugleich mit dem Geheiss zur Stellung des Malzes befiehlt der *Mužèd* ein Pfand in dem Gebetshain (*küš* = *óty*) zu hinterlegen, welcher dem Gotte gewidmet ist, der, nach Angabe des Wahrsagers, den Kranken „hält" oder „darniederwirft" (*kučà*, *łogadylèš*).

„*Mestà šindy!* (Bringe [das Pfand] zur Stelle)", befiehlt der *Mužéd*.

Dieses Pfand kann entweder direct dem *Keremèt* oder dem nicht minder furchtbaren *Tschumbulàt* gegeben werden, welcher häufiger *Kugù - jyn̄g* oder *Kúruk - kugusà*, oder *Nemd - úruk* genannt wird; aber für den Anfang wählt man stets den bösen Gehilfen des *Tschumbulàt* - *Pijambàr*[1]). Allen diesen Göttern ist gewöhnlich wenn nicht bei jedem Dorfe, so doch wenigstens bei zweien, ein besonderer Hain gewidmet, wo nur zur bösen Familie (*šam̄yč*) des *Tschumbulàt* Gebete gerichtet werden.

Der Befehl des Wahrsagers wird sofort erfüllt. Aber die Krankheit will trotzdem nicht weichen.

Die Krankheiten bei den Tscheremissen und Wotjäken sind, beiläufig gesagt, ziemlich verschiedener Art: abgesehen von der Krätze, dem Typhus, der Ruhr, (letztere namentlich bei Kindern), der Syphilis, welche infolge der vollen Freiheit im geschlechtlichen Umgange bei der Jugend eine ziemliche Verbreitung findet, abgesehen von allem diesen, genügt es auf die schlechten hygienischen Einrichtungen und die kärgliche Ernährung der Tscheremissen hinzuweisen, um mit vollem Rechte von den nicht beneidenswerthen Bedingungen zu sprechen, unter welchen die Gesundheit der Tscheremissen sich befindet. Letztere zeigen sich misstrauisch gegen jede ärztliche Hülfe und suchen die Krankheit bis auf's Aeusserste zu überwinden.

---

[1]) *Kugù - jyn̄g* heisst wörtlich „der grosse Mensch"; *Kúruk - kugusà* = „Grossvater des Berges", und *Nemd - úruk* (d. h. *Némdy - Kuruk - kugusà*) = „Grossvater des *Nemdà* - Berges". Dieser Berg wurde ehemals von den Tscheremissen als ihr Centralheiligthum angesehen und von ihm spricht bereits der berühmte OLEARIUS. Er liegt am steilen Ufer des Flusses *Nemdà*, des rechtsseitigen Nebenflusses der Wjätka, in der Nähe des Dorfes *Tschumbulátowa*, im Amtsbezirk (*Wolost*) *Kolänur* des Jaranskischen Kreises. Die sehr interessante Geschichte dieses Heiligthums der Tscheremissen erzählen wir an einem anderen Orte.

Tschumbulàt ist den Tscheremissen überall bekannt, aber häufiger unter dem Namen „*Kúruk - kugusà*" (in den Kreisen Malmysch, Jelabuga, Zarewokschaisk und Urschum, Gouvernement Wjätka), und unter dem Namen „*Kugù - jyn̄g*" (in den Kreisen Krasnoufimsk und Birsk, Gouvernement Perm).

Das Andauern der Krankheit schreibt der Tscheremisse direct dem Umstande zu, dass der Gott seinem Pfande keine Beachtung geschenkt habe.

„*Júmo ogèš inány*" (der Gott hat kein Vertrauen), denkt er und begiebt sich wiederum zum Wahrsager. Letzterer sagt auf's neue wahr und giebt unter Umschweifen zu verstehen, dass jetzt bereits ein wirkliches Opfer und kein Versprechen dargebracht werden müsse. Aber die Lehren, welche einige *Mužèds* erhalten haben, sind nicht vergeblich gewesen, denn jetzt äussert sich der *Mužèd* über den Willen der Götter nicht mehr in so bestimmter Weise wie früher; er sagt nur:

„*İt čamany... Śókšy – nekràk kumał!..*" (Und du geize nicht.... Bete, so lange es Zeit ist [so lange es heiss ist])!

Der Abgesandte merkt, wo die Sache hinaus will und antwortet, sich den Kopf kratzend, mit sichtbarem Missvergnügen:

„*Kumałšàš ylidà...*" (Offenbar muss ein Opfer gebracht werden).

Die unwillkommene Botschaft wird zu Hause mitgetheilt und der Kranke, welcher gern am Leben bleiben möchte, besteht, wenngleich dieses oft bitter ist, selbst darauf, dass derselben entsprochen werde. Im Familienrath wird beschlossen dem Gehilfen des *Tschumbulàt*, *Pijambàr* einen Hammel zum Opfer zu bringen. Die nächsten Anverwandten des Kranken werden zusammengerufen; man ladet den erfahrenen Priester ein (in den Kreisen Zarewokokschaisk und Urschum wird er *kart* genannt, im Kreise Malmysch – *kugusà* und in den Kreisen Birsk u. Krasmoufimsk, *mułłà*), und man trifft alle erforderlichen Anstalten um sich nach dem *küs - óty* (heil. Hain) *Keremèts* zu begeben. Wenn der Kranke nur noch einigermassen bei Kräften ist, so nimmt er, ohne Rücksicht auf die etwaige rauhe Jahreszeit oder schlechtes Wetter, mit den Anderen zusammen ein Bad, zieht wieder reine Kleider an und begiebt sich mit seinen Anverwandten nach dem Hain.

Solche Gebetsversammlungen sind in den von Tscheremissen dicht bewohnten Gebieten nichts seltenes. Wenn man an einem *küs - óty* vorüberfährt, so kann man zuweilen des Abends eine dünne Rauchsäule aufsteigen sehen und durch die Zweige des Gehölzes eine Gruppe vor einem Baum [1]) knieender Tscheremissen beobachten. Der Schall des vom *kart* laut gesprochenen Gebetes verbreitet sich bei abendlicher Stille weit, und besonders zeichnet sich das Finale desselben aus, welches vom Kranken selbst und seinen Familienmitgliedern mit Gefühl vorgetragen wird.

Im Winter kann der Kranke sich in Folge dieser Gebetsverrichtungen für seine Gesundheit, eine noch ärgere, längere Krankheit zuziehen, was ja ganz natürlich erscheint. Abermals ist er genöthigt sich an den Wahrsager zu wenden, welcher ein neues Opfer zu bringen befiehlt. Auf solche Weise werden die Tscheremissen durch ihren Glauben materiell arg geschädigt und zu Grunde gerichtet. Im aeussersten Nothfalle versuchen sie alles Mögliche, sogar Nichtgetaufte beten in der russischen Kirche und stellen daselbst Wachskerzen auf; namentlich nehmen sie ihre Zuflucht zum heil. NICOLAUS [2]). Aber zuvor werden rein tscheremissische Mittel angewandt.

Wenn der *Mužèd*, der den Willen der Götter erkundet hat, kein richtiges Hilfsmittel angeben kann, so ruft man den Flüsterer (*šüvédyšy*, d. i. den „Speienden"), oder den

---

[1]) Gewöhnlich eine Tanne oder Fichte, weil die der bösen Familie *Keremèts* gewidmeten Haine ausschliesslich aus Nadelholz bestehen müssen. Hier betet man stets des Abends, nach Sonnenuntergang.

[2]) Die Zuneigung der Eingebornen zum heil. NICOLAUS erklärt sich einfach daraus, dass dessen Heiligenbild ihn als begeisternden Greis mit strengem Blick, das Haupt unter der Bischofmütze, darstellt.

Beschwörer herbei, dessen Hauptkraft darin besteht, dass er mit Hülfe listiger Besprechungen, welche den allgemein russischen Beschwörungen gleichen, den Willen der bösen Götter fesselt. Er spricht seine Beschwörungen über einem Gefäss mit Wasser, Bier, *Kumyschka*[1]), Milch oder Salz und Brod aus, indem er dabei auf den zu bezaubernden Gegenstand bläst und ausspeit und dem Kranken ihn zu essen oder zu trinken, oder einfach auszuspritzen heisst. Solche Geisterbeschwörer trifft man unter den Tscheremissen nur in beschränkter Anzahl, ihre Thätigkeit ist eine ganz uneigennützige und, was die Hauptsache ist, eine die Tscheremissen nicht zu Grunde richtende. Die Ehrenstellen von Geisterbeschwörer (*šüvédyšy*) oder *Mužèd* nehmen auch Frauen, namentlich aber alte Jungfrauen[2]) ein.

Schon während der Einladung des Geisterbeschwörers steht es mit dem Kranken gewöhnlich sehr schlimm und bald darauf wird der russische Geistliche aufgefordert zu kommen, falls der Kranke ein Getaufter ist. Es wird nicht übertrieben erscheinen, wenn ich sage, dass die Beichte bei den Tscheremissen eine blosse Formalität ist und man dazu nur aus dem Grunde seine Zuflucht nimmt, um Chikanen und Weiterungen Seitens des russischen Geistlichen zu vermeiden, wie sie leider auch jetzt noch im Lande der eingesessenen Tscheremissen vorkommen, falls der Kranke stirbt, ohne mit den heiligen Sacramenten versehen zu sein. Die Tscheremissen fürchten diese Schwierigkeiten sehr, indem sie unwillkürlich an die Weiterungen in alter guter Zeit zurückdenken.

Falls der Kranke schlecht russisch spricht, so wird die Beichte in der Weise ertheilt, dass der Kranke durch Zeichen dem Prediger antwortet, oder aber der Kranke bekennt auf tscheremissisch seine Sünden; zuweilen jedoch dient der Kirchendiener (*Pritschétnik*) als Dolmetscher, da er gewöhnlich mehr als der Geistliche der tscheremissischen Sprache mächtig ist.

„Wozu ist es auch nöthig ihre Sprache zu verstehen," sagte mir der Beichtvater Iwan im Dorfe Slesareff im Urschum'schen Kreise: „wenn ich mein Jahrgehalt in Getreide (russisch *pyra*) fordere, dann verstehen sie russisch, aber wenn sie beichten sollen, dann mögen sie auch tscheremissisch sprechen; sie beichten doch nicht mir, sondern Gott, und Gott versteht alle Sprachen."

Solche Ansichten hegen viele Geistliche der tscheremissischen Kirchspiele und kennen kaum zehn tscheremissische Worte, obgleich sie, wie der obengenannte Beichtvater Iwan, 20 Jahre lang unter ihnen gelebt haben. Die Geistlichen mit solchen Anschauungen beklagen sich oft über ihre schwierige Lage unter den tscheremissischen Eingepfarrten und theilen gern Jedem ihre Eindrücke mit, namentlich wenn diese negativer Art sind.

„Kommst du zu einem Tscheremissen in's Haus", erzählte mir der obenerwähnte Beichtvater Iwan, „so sitzt er im Halbpelze (полушубокъ) auf der Pritsche, mit der Mütze auf dem Kopfe, die Pfeife zwischen den Zähnen, und gleichwohl erwartet er den Geistlichen. Unwillkürlich schilt man ihn aus und sucht im Heiligenschrank nach einer Kerze,

---

[1]) *Kumyška* – Brantwein häuslicher Bereitung – enthält nicht mehr als 10° Alkohol und ist den Wotjäken, Tscheremissen, Tataren und Tschuwaschen bekannt. Er wird bei ihnen überall nach gleicher Methode bereitet, welche wir in „Altes und neues Russland", 1879, N°. 6, beschrieben haben. Seit dem Jahre 1890 ist die *Kumyška* – Bereitung gesetzlich verboten.

[2]) Ich erinnere mich im Rumänzowschen Museum in Moskau eine luxuriöse Gliederpuppe (Mannequin) gesehen zu haben, welche eine tscheremissische Wahrsagerin als junges Mädchen darstellte, was ganz unwahrscheinlich ist. Während meines 12-jährigen Aufenthalts unter den Tscheremissen, wobei ich mit ihren Einrichtungen genau bekannt wurde, habe ich kein junges Mädchen als Wahrsagerin angetroffen.

um sie vor dem Heiligenbilde anzuzünden, letzteres aber findet man den Kopf zu unterst hingestellt, und eine Wachs-Kerze ist nirgends aufzutreiben. Wenn diese Unchristen zu ihrem *Keremèt* beten, dann zünden sie ihm ein mehr als fingerdickes Licht an, aber dem wahrhaftigen Gott, nein, sehen Sie, da....

„Nun endlich zündet man seine eigene Kerze an, aber der Kranke sitzt immer noch mit der Mütze bedeckt und schmaucht seine Pfeife. Und dabei soll man die Beichte abhören!... Unwillig reisst man ihm die Pfeife aus dem Munde und fordert das Sündenbekenntniss: da will er denn hierin nicht gesündigt haben und darin ganz unschuldig sein, kurz ein vollkommen Gerechter. Ihm ist das alles, sehen Sie, eine Albernheit und keine Sünde.

„Aber vielleicht hast Du dich mit einem fremden Weibe versündigt?"

„Ei! besitze ich denn nicht mein eigenes? Fürchte nichts, schau nur, was für ein goldenes Weib ich habe!...

„Aber, als Du jung warst, hast Du damals nicht einmal gesündigt? Bei Euch pflegt doch das Frühlingsfest (*sémyk*, der siebente Donnerstag nach Ostern) wahrhaft sodomitisch begangen zu werden!"

„Ei, *Batschka* (Väterchen)! Was schwatzest Du da für dummes Zeug? Als Du selbst jung warst, bist Du da nicht auch mit jungen Mädchen spazieren gegangen?...

„Und das alles sagt er mit lächelnder Miene! Und da soll man nun noch den Faden des Gesprächs langweilig fortspinnen!... Nun, man fasst sich ein Herz, verliest das letzte von den Sünden lossprechende Gebet und entfernt sich... Ach, schwer ist es, hier zu leben..."

Ja, es ist in der That schwer, nicht nur unter solchen Bedingungen zu leben, sondern auch ähnliche Gespräche, die der lebenden Wirklichkeit entnommen sind, anzuhören. Zu bedauern auch ist der arme wilde Tscheremisse, den irgend Jemand, aus irgend einem Grunde, getauft hat, aber es offenbar unterlassen, ihn darüber zu belehren, was alles von einem Christen verlangt wird, und dazu belacht man noch die treuherzige Aufrichtigkeit dieses Wilden, des unfreiwilligen Christen....

Wenn der Kranke seinen Tod herannahen fühlt, so versammelt er alle Familienglieder und wenn möglich auch alle Bekannte um sich, segnet die Kinder und giebt eine kurze Vorschrift über ihr zukünftiges selbständiges Leben, verordnet was man ihm in dem Sarg mitgeben und wer ihn bei der Todten-Gedächtnissfeier am 7ten und 10ten Tage nach dem Hinscheiden repräsentiren soll.

Mit sehr schwacher Stimme sagt der Sterbende:

„*Šułykàn, pojàn, pijałàn, kužü ümyràn lisà*...

Ssáin iłysà: kuguraktéčyn kugurakłàn pyštèn, vožyłsà; isiraktéčyn isirakłàn pyštèn, lüdsä...

Ukè mányn, jýngyn pógyžym idà łogàl... Jýngyn móžy ukè?"

„Lebet wohl: seid glücklich, reich, beglückt, langelebend! Lebet friedlich: achtet aeltere Personen als Aeltere, behandelt sie mit Ehrerbietung; die Jüngeren betrachtet als Jüngere und fürchtet sie. Eines fremden Menschen Eigenthum, höret ihr, rühret nicht an.... und was gehört nicht alles einem fremden Menschen?"

Natürlich ist nicht jeder Sterbende fähig solche Verordnungen zu geben, aber wir führen das an, was am häufigsten bei solchen Gelegenheiten gesprochen wird. Das mündliche Vermächtniss des Sterbenden, namentlich das vor Zeugen ausgesprochene, hat die Kraft eines schriftlichen Testaments und bildet einen Hauptpunkt im Gewohnheitsrecht der Tscheremissen, welches übrigens, gleich wie das Gewohnheitsrecht überhaupt unserer

Eingeborenen, bisher noch gar nicht studirt worden ist. Dieses mündliche Testament dient den Hinterbliebenen zur Richtschnur bei den Familien- und Erbschafts-Theilungen und bei Auskehrung der Mitgift an die Töchter des Verstorbenen. Deshalb ist auch die Gegenwart der Anverwandten oder guter Freunde und Bekannter als Zeugen bei Verkündigung des letzten Willens des Sterbenden durchaus erforderlich.

Der Sterbende selbst aber wird von dem Moment an, wo er seinen letzten Athem ausgehaucht hat, Furcht einflössend und von der Familie als unrein betrachtet, als ein Wesen, dessen Berührung entweiht, und aus Furcht wagt man sogar nicht in der Bauerhütte zu nächtigen, so lange der Leichnam sich in derselben befindet.

Aus diesem Grunde pflegte man in alter Zeit denselben in einer kleinen Hütte ausserhalb des Dorfes zu bergen.

TOMSK, d. 1 Juni 1894.

I. NOUVELLES ET CORRESPONDANCE. — KLEINE NOTIZEN UND CORRESPONDENZ.

I. A new system of hieroglyphics and a prae-Phoenician script from Crete and the Peloponnese."[1]) Mr. EVANS called attention to the wide spread existence of forms of picture-writing, amongst primitive peoples. It stood to reason that analogous systems had once existed within the European area, and some traces might still be perhaps found in such praehistoric relics as the mysterious figures known as the Maraviglie, carved on a limestone rock in the heart of the Maritime Alps. The Author had found painted pictographic designs of a like nature on a Dalmatian cliff, and in Lapland they might still be said to survive. But evidence of the existence of a fully developed „hieroglyphic" system on European soil, had been hitherto lacking, though recent discoveries had established the fact that in Asia Minor, the praehistoric remains of which showed such intimate connexion with those of the Greek and Thracian lands, a hieroglyphic system had grown up, independent of the Egyptian, and to which the general name of "Hittite" had been given.

The revelations begun by Dr. SCHLIEMANN at Tiryns and Mycenae and still accumulating every day had brought to light on the soil of Greece itself, a very ancient civilization in many respects the equal contemporary of those of Egypt and Babylonia, and they might well ask themselves, was this civilization wholly dumb? were the Mycaeneans so far below many savage races as to have no written form of inter-communication? HOMER at least contained a hint that some form of written symbols were in use.

During a journey to Greece in the preceeding year the author had obtained a clue to the existence of a peculiar kind of sealstones, the chief find-spot of which seemed to be Crete, presenting symbols of a hieroglyphic nature. This (1894) spring he had been able to follow up his enquiries by the exploration of the ancient sites of Central and Eastern Crete, and the result of his researches had been to bring to light a series of stones presenting pictographic symbols of the same nature, so that he was now able to put together over seventy symbols belonging to an independent hieroglyphic system. More than this he had discovered, partly on stones of similar form, partly engraved on prehistoric vases and other materials, a series of linear characters, a certain proportion of which seemed to grow out of the pictorial forms. Both these systems of writing were represented as the diagrams before them. It would be seen that, as the case of the Egyptian and Hittite symbols, the Cretan hieroglyphs fell into certain distinct classes, such as parts of the human body, arms and implements, animal and vegetable forms, objects relating to maritime life, astronomical and geometrical symbols. Some of them, such as the two crossed arms with expanded palms, belonged to that interesting class of pictographs, which is rooted in primitive gesture language. The symbols occurred in groups and there were traces of a boustrophedon arrangement in the several lines. The comparisons instituted, showed some interesting

[1]) Abstract of a paper read by Mr. ARTHUR J. EVANS at the meeting of the Brit. Association, Oxford, 11 Aug. 1894.

affinities to Hittite forms. Among the tools represented, Mr. EVANS was able to recognise the "template" or "templet" of a decorative artist, and with the assistance of a model of this symbol taken in connexion with a design supplied by Mycenaean gem found in Crete, he was able to reconstruct a Mycenaean painted ceiling analogous to those of Orchomenos and the XVIII th. dynasty Egyptian tombs of Thebes (c 1600 B. C.).

The linear and more alphabetic series of symbols was shown to fit on to certain signs engraved on the walls of what was apparently a Mycenaean Palace at Knósos and again to two groups of signs on vase-handles from Mycenae. It was thus possible to reconstruct a Mycenaean script of some 24 characters, each probably having a syllabic value. It further appeared that a large proportion of these were practically identical with the syllabic signs that survived among the Greeks of Cyprus to a comparatively late date. The Cypriote system threw a light on the phonetic value of the Mycenaean.

Resuming the results arrived at, the author said that they had now before them two systems of primitive script, one pictographic, the other linear, both as was shown by the collateral archaelogical evidence belonging to the Second Millennium before our era and to the days, before the Phoenician alphabet had been introduced among the Greeks. The relations of these two forms of script to one another still needed elucidation, and they certainly overlapped one another chronologically. Some pictorial forms however of the one script clearly appeared in a linear form, in the other, — the double axe for instance, being seen in two stages of linearisation — the simpler form identical with the Cypriote character.

On the whole the pictographic, or hieroglyphic series seemed more peculiarly indigenous to Crete, and the linear forms to be Mycenaean in the widest sense. The Eteocretans, or indigenous stock of the Island, who preserved their language and nationality in the East of the Island to the borders of the historic period, certainly used these hieroglyphs. Mr. EVANS gave reasons, based on his recent archaeological discoveries in Eastern Crete, for believing — what had long been suspected on historic and linguistic grounds, — that the Philistines who according to unanimous Hebrew traditions came from the Mediterranean Island and who are often actually called K r e t h i in the Bible, represented in fact this old indigenous Cretan stock and that they had here the relics and the writing of "the Philistines at home". In Egyptian monuments these people who came from the Island of the sea are seen bearing tributary vases of forms, some of which recur on a whole series of engraved gems seen or collected by the author in Eastern and Central Crete. Their dress, their peaked shoes, their long hair, falling under their arms, all recurred on Cretan designs, representing the inhabitants of the Island in Mycenaean times. In view of these facts Mr. EVANS asked whether certain remarkable parallels between some of the Cretan pictographs and the earliest forms of Phoenician letters, might not after all explain itself by this early Cretan colonization of the Syrian coasts.

II. In der auf eine Reihe von Bändchen angelegten „Lothringischen Sammelmappe" stellt der Lehrer und Schriftsteller H. LEROUD alles zusammen, was er von Liedern, Kinderreimen, Sprüchen und sprichwörtlichen Redensarten, Ortsneckereien und Bauernregeln in dem wieder deutsch gewordenen Theile auffinden konnte. Die lothringische Spinnstube, das Kreuz in Lothringen, wunderliche Steine und Felsen in Lothringen, die Maie in Lothringen und ihre Sagen, die Kirmes, die Hochzeitsgebräuche und die Totensitten im Lande bilden ebenso viele Hauptstücke dieser Sammelmappe, der wir bei allen Freunden der Völkerkunde eine eben freundliche Aufnahme wünschen, als sie in Frankreich die ähnlichen Sammlungen A. THEURIETS aus Französisch - Lothringen gefunden haben. Von den bis jetzt herausgegebenen vier Bändchen dieser Sammelmappe sind die beiden ersten bei R. HUPFER in Forbach, die beiden letzten bei P. EVEN in Metz erschienen.

III. Masken der Frauen auf Fanö". In einem Aufsatz von E. VELY: „Blandende Bade" (Beil. Tgbl. 21 Aug. 1894) lesen wir die Mittheilung dass die Frauen auf jener Nordsee Insel bei der Landarbeit schwarze Tuchmasken tragen, um ihren Teint zu schonen, ein Gebrauch welcher der Eitelkeit entsprossen und zu dem wir sonst nirgend ein Seitenstück erwähnt finden.

IV. Der Ursprung der Zeremonien des Hosein-Festes. In der Zeitschrift für Assyriologie Bd IX (1894) pg. 280 ff. finden wir unter obigem Titel eine Arbeit des Herrn B. D. EERDMANS in welcher derselbe, und wie uns scheint in überzeugender Weise, bestrebt ist nachzuweisen, das der Ursprung der obengenannten Zeremonien, worüber auch in dieser Zeitschrift Bd. I, (1888) pag. 191 und pg. 230, Bd. III, 1890 pg. 194 und Bd. V, 1892 pg. 105 die Rede gewesen, im Tammuz-Kultes wurzle. Der Verf. bezeichnet als Punkte die für die Erklärung des Festes von grossem Werth seien 1°. den Zweck des grossen Aufzuges am 10ten Moharram; 2°. dass MORIER gesehen hat dass man zwei grosse und dicke Pfähle im Zuge trug; 3°. dass die im Zuge umhergetragenen Fahnen und Banner eine ausserordentliche Länge haben und 4°. das Symbol der erhobenen, geöffneten Hand, das bei diesen Feierlichkeiten eine grosse Rolle spielt.

Herr EERDMANS zeigt nun noch wie sich die Bestattung des Tammuz und des Hosein, der Zweck des Aufzuges, vollkommen decken, wie die von MORIER erwähnten Pfähle jedenfalls mit Phalloi von ausserordentlicher Länge in Uebereinstimmung gebracht werden können, und wie diese, da von neueren Berichterstattern nicht mehr erwähnt, verschwunden und heut durch die ausserordentlich langen Fahnenstangen repräsentirt zu sein scheinen. Endlich aber scheint es dem Verfasser wahrscheinlich dass man in der geöffneten Hand das Symbol eines Gottes und zwar des Fruchtbarkeitgottes sah.

Wie nun aber nach dem Verfasser der Phallos, das Symbol der zeugenden Naturkraft, bei den dem Tammuz, dem grossen Geliebten der Fruchtbarkeitsgöttin, geweihten Festen eine grosse Rolle spielte und höchst wahrscheinlich im Zuge umhergetragen wurde, wurde auch die geöffnete Hand als Symbol der Fruchtbarkeit im Zuge des Tammuz-Festes ebenfalls umhergetragen.

V. Ueber die Resultate der Ausgrabungen auf der Stätte der einstigen Stadt Sendschirli in Nord Syrien, die von unserm Mitarbeiter Herrn Dr. VON LUSCHAN geleitet wurden, berichtete derselbe Anfangs November in einer Sitzung der Anthropologischen Gesellschaft in Berlin unter Vorlage eines ungemein zahlreichen Materials an Photographien etc. Wir gedenken auf diesen Vortrag nach Erscheinen des Originalberichtes zurückzukommen. Für heute genüge die Mittheilung dass die freigelegten Bauwerke mit sehr reichem Schmuck an Reliefs mit Sphinxen, Löwen etc.; Steinfiguren mit Vogelköpfen etc. etc. geziert waren. Die geflügelte Sonnenscheibe wurde häufig angetroffen. In einem Relief fand sich ein Doppeladler dargestellt. Die Zeit des Entstehens der Bauwerke wird in das 8e & 9e Jahrhundert vor Christi, für manche jedoch noch weitere Jahrhunderte zurückverlegt.

VI. Javanische Spielsachen. In der Sitzung vom 18 Oct. 1893 der berliner anthropologischen Gesellschaft, besprach Herr Dr. M. BARTELS eine Sammlung solcher, unter gleichzeitiger Vorlage der Gegenstände. Von einigem Interesse dürfte es sein darauf hinzuweisen dass eine, dem ethnographischen Reichsmuseum zu Leiden von dem gewiegten Kenner javanischer ethnographischer Verhältnisse, Herrn Prof. C. POENSEN, jetzt in Delft, geschenkte Sammlung von mehr denn 100 verschiedenen Stücken solchen Spielzeugs, begleitet von vielen Notizen betreffs der einheimischer Namen etc., im Niederl. Staats-Courant N°. 217 vom 23 Nov. 1889 beschrieben ist.

Zu dem von Herrn Dr. BARTELS a. a. O. Gesagten möchten wir uns, unter Bezugnahme auf jene Beschreibung, die folgenden Bemerkungen erlauben. Es dürfte näher liegen die von Herrn B. erwähnten Papiermasken als Nachbildungen der javanischen Schauspielmasken (*Topeng*) aufzufassen. Die Entstehung der Lappenpuppen, bei Herrn POENSEN N°. 26, auf chinesischen Einfluss zurückzuführen, ist wohl kaum nöthig; mindestens bieten selbe nichts in ihrer Erscheinung was dafür sprechen würde. — Eine aus Blech geschnittene Wajangfigur wird in der Sammlung des Erzherzogs FRANZ FERDINAND (siehe dieses Archiv Bd. VII pg. 210) von Aaru erwähnt, die Herkunft des von Herrn Dr. BARTELS besprochenen Stückes dürfte unsern, a. a. O. geäusserten Zweifel an dem Vorkommen auf den Aaru-Inseln rechtfertigen. — Die gestielte, tambourinförmige Trommel, N°. 51 bei Herrn P. und *Kĕmplĕngan* (Mal. *Kĕlinting* oder *Kĕlontong*, siehe G. SCHLEGEL T'oung Pao I pg. 397. — Abb. bei SCHLEGEL: Nederl. Chineesch Woordenboek III pg. 563, s. v. „rammelaar") genannt, ist eine Nachbildung der durch ambulante chinesische Händler auf Java und in China selbst gebrauchten Rassel. — Der aus Palmblattstreifen geflochtene Hahn auf Rädern liegt im ethnographischen Reichsmuseum schon in einer der allerältesten Sammlungen vor, bei Herrn P. findet er sich unter N°. 37 mit dem Namen, *Ajam-ajaman* erwähnt. — Sparbüchsen in Hühnerform aus gebranntem Thon finden sich bei Herrn P. unter N°. 23 & 24, „*Tjilingan ajam*" genannt; auch in Form von Früchten, Frauenfiguren etc. kommen solche hier vor. — Der aus gebranntem Thon verfertigte Reiter, bei P. N°. 13 „*Kapalan*", dürfte wahrscheinlich gleich andern ähnlichen Gegenständen aus essbarer Erde verfertigt sein (Siehe Revue d'Ethnographie, V, pg. 548.) — Zum Schluss sei darauf hingewiesen dass sich in Herrn POENSEN's Sammlung unter N°. 2, „*Kitiran*" und N°. 83 „*Soendarèn*" oder „*Sĕndarèn*", Gegenstände finden die als Spuren des einstigen Vorkommens des Schwirrholzes und der Verwendung des Bogens als Musikinstrument auf Java aufzufassen sind. Der letzterwähnte Gegenstand wird ähnlich einer Aeolsharfe in hohen Bäumen befestigt.

VII. Pin Wells and Rag-Bushes. Mr. GRABOWSKY publishes in Globus LXVII N. 1, a paper (Die benagelte Linde auf dem Tumulus in Evessen) on a yet undescribed specimen of those curious trees, into which nails have been driven and which Mr. HARTLAND mentions in his paper, reviewed in this journal Vol. VII pg. 144. — The specimen described by Mr. G., of which he gives a figure, is a limetree, standing on a tumulus of 7 M. height; the tree has a height of 15 M. and 7 M. in circumference at 1 M. distance from the ground. It is well-grown and in the trunk are driven a great number of nails, some of which are even recent one's. Mr. G. has been told that this is often done by travelling apprentices and that in the tumulus a golden coffin is supposed to been burried.

VIII. Die Besiedelung der Südsee Inseln. Im Archiv für Anthropologie Bd. 22 S. 1. ff. veröffentlicht Dr. W. Volz eine, auf die Untersuchung von 49 Schädeln von der Oster Insel basirte Arbeit, in welcher er zu dem Resultat kommt dass die Bevölkerung keine einheitliche, sondern eine aus Australiern(?), Melanesiern und Polynesiern gemischte gewesen sei. Im Anschluss daran versucht der Verfasser, auf Grund der vorliegenden Messungen von 1520 Schädeln und mehr denn 100 lebenden Individuen, eine Eintheilung der Bevölkerung Oceaniens, bei welcher er eine australoide, melanesische und polynesische Rasse unterscheidet; deren erstere das Festland und früher auch Melanesien und Neuseeland bewohnte. Die Melanesier sind nicht autochthon, sondern von Malaisien her eingewandert, die Polynesier kamen zuletzt, nach V. direkt aus dem malayischen Archipel; die Einwanderung beider erfolgte in mehreren Zügen. Es ergiebt sich demgemäss die Thatsache dass die, hier auf dem Wege anthropologischer Untersuchung, gewonnenen Schlüsse sich vollkommen, mit demjenigen decken, was wir betreffs der Besiedelung Oceaniens, auf Grund dessen was uns die Ergebnisse ethnographischer und linguistischer Forschung, in letzterem Fall besonders die Prof. H. Kern's lehrten, als unsere Ueberzeugung in „Ethnogr. Beschrijving van de West- en Noordkust van Nederlandsch Nieuw Guinea" pg. 247 & ff. ausgesprochen. J. D. E. Schmeltz.

IX. Over primitieve Opiumpijpen. — In verband met de mededeeling van den Heer D. P. Jentink, voorkomende in Bd. III bladz. 73 van dit tijdschrift, is misschien het volgende niet van belang ontbloot.

Tijdens ik Chef was van het Groot Militair Hospitaal te Kota-Radja ben ik langzamerhand in het bezit gekomen van een groot aantal der genoemde pijpen, de een van nog primitiever maaksel dan de andere. Het opiumschuiven is in de genoemde inrichting natuurlijk ten strengste verboden, maar niettegenstaande eene strenge controle worden toch van tijd tot tijd de verschillende ingredienten, daarvoor benoodigd, meestal door bezoekers of door tusschenkomst van de aldaar geemployeerde dwangarbeiders binnengesmokkeld. Bij ontdekking van het delict werden de pijpen geconfisceerd en mij ter hand gesteld; zij leveren het duidelijk bewijs dat het den, aan opium verslaafden inlander al heel weinig kan schelen of zijn pijp sierlijk is of niet, wanneer slechts de opium van goede kwaliteit is.

Eenige dezer rooktoestellen heb ik aan het Rijks Ethnographisch Museum te Leiden afgestaan. (Ze zijn aldaar geinventariseerd onder Serie 906 met de hier bij de afbeeldingen geplaatste nommers. *Red.*) en deel daaromtrent onder verwijzing naar de bijgevoegde afbeeldingen het volgende mede.

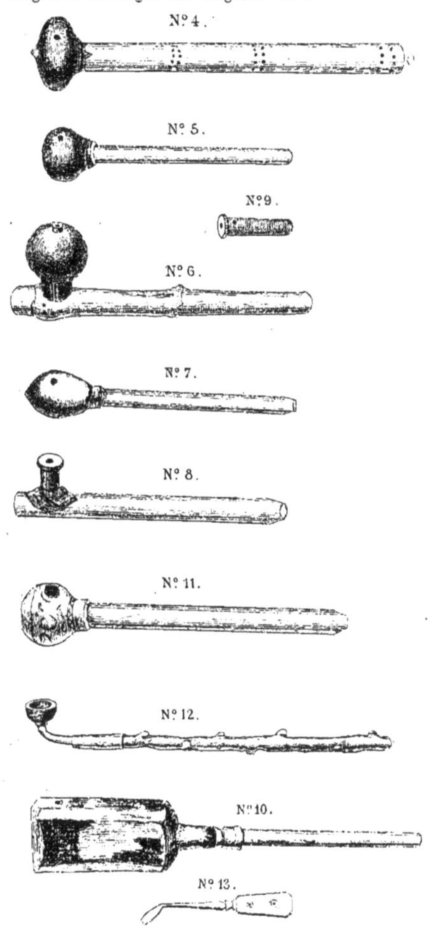

De meest gewone vorm is die door den Heer Jentink beschrevene, op het in den zijwand van het inktpotje geboorde gaatje wordt het opiumballetje gelegd, terwijl in de opening van het potje de holle steel, nu eens van eene bamboesoort, dan weer van een of andere houtsoort vervaardigd, zit.

Eene ietwat fijnere soort, doch even sterk in mijne collectie vertegenwoordigd, stellen de hiernevens afgebeelde nommers 4, 5 & 6 voor; de kop bestaat hier uit een gedraaiden houten en uitgeholden knop van eenen stok of van 't een of andere meubelstuk; alleen bij n°. 6 is die knop met hars in de gewone wijze aan de zijvlakte van den bamboesteel bevestigd. Voor den kop van n°. 7 heeft een, bij den steel afgebroken meerschuimen tabakspijp van Europeesch fabrikaat gediend; n°. 8 levert het bewijs dat een opiumschuivend inlandsch soldaat van alles partij te trekken weet om zich op goedkoope en eenvoudige wijze van een opiumpijp te voorzien; de kop bestaat hier namelijk uit een half doorgesneden patroonhuls, — n°. 9 stelt eene, tot dat doel gereedgemaakte heele patroonhuls voor, de opening voor het balletje bevindt zich hier echter in den zijwand, — n°. 10 is voorzeker de meest opmerkelijke vorm; de kop bestaat uit een odeurfleschje, het gaatje is in den zijwand geboord en levert tevens een voorbeeld van een vreeslijk geduldwerk dat verscheiden dagen vordert om met een spijker, al draaiende, in het dikke en harde glas eene opening te krijgen van voldoende grootte, — n°. 11 stelt de gewone opiumpijp voor, zooals men die op den Atjeh-Passar voor vijftien centen kan koopen; terwijl n°. 12 de gewone pijp is, zooals de Chineezen die gebruiken om er hun tabak, hetzij dan met of zonder opium, uit te rooken; doch die door de inlanders bepaald voor het opiumrooken wordt gebruikt, — n°. 13 stelt een soort van mesje voor om de half verbrande opium, die zich in de pijp of om den rand der opening heeft vastgezet en nog voor het gebruik geschikt is, los te maken, en die, met een nieuwen voorraad weer tot een balletje verwerkt, andermaal te gebruiken.

Dr. Jul. Jacobs.

X. Don Justo Zaragoza, der Generalsekretär des Internationalen Amerikanisten Kongresses in Huelva, wird demnächst ein grösseres Werk herausgeben: Geografía y descripción universal de las Indias (America y Filipinas) en el siglo XVI, mit einer Karte von Diego Ribero aus d. J. 1529 (15 pesetas).

Gleichzeitig theilt Dr. Zaragoza mit, dass er die Absicht hat, in Madrid eine Monatschrift „Archivo de los Americanistas" herauszugeben. Dieselbe wird über die amerikanistischen Studien in der ganzen Welt Berichte bringen und der Veröffentlichung wenig oder gar nicht bekannter Reiseberichte, Karten und Handschriften dienen. Die Wahl der Sprache steht den betreffenden Verfassern frei. Der Preis der Zeitschrift soll 35 francs jährlich betragen.

Das I. A. f. E. wird das Erscheinen des iberischen Kollegen mit Freude begrüssen und erhofft aus dem Tauschverkehr mit demselben Anregung zu gemeinschaftlichen Studien und Arbeiten. J.

III. MUSÉES ET COLLECTIONS. — MUSEEN UND SAMMLUNGEN.

I. Westpreussisches Provincial Museum. Danzig. — Während des Jahres 1893 erfuhr die vorgeschichtliche Abtheilung dieser Anstalt nach dem uns vorliegenden, mit zahlreichen Abbildungen gezierten Verwaltungsbericht, einen ausserordentlich reichen Zuwachs. Obgleich wir auf Einzelnheiten betreffs desselben nicht eingehen können, möchten wir doch auf zwei interessante Gesichtsurnen, in Fig. 15 & 16 abgebildet, hinweisen, deren erste bei Gossentin im Kreise Neustadt und die zweite unter den Fundamenten der evangelischen Kirche in Labuhn, Kreis Lauenburg (Pommern) in Steinkisten gefunden wurde.

Der Zuwachs der ethnologischen Abtheilung beschränkte sich, abgesehen von wenigen Objecten aus West-Afrika und Ceylon, nur auf heimische Gegenstände. Wir erwähnen eines, noch aus frühgeschichtlicher Zeit stammenden Einbaumes, eines Schulzenstockes und einer früher zur Einberufung der Gemeindeversammlungen benutzten Holzschnarre mit der Jahreszahl 1817. Besonderes Interesse verdient ein, in Fig. 23 abgebildeter Abschnitt einer alten Kiefer, die Weise der früher, und theils heut noch in dortiger Gegend, im Walde betriebenen Bienenwirthschaft zeigend. Die den Stock beherbergende Oeffnung wurde mit einem Klotz, der mit zwei Löchern über am Baum befindliche Spunte fasste, geschlossen; der Name dieser Vorrichtung ist „Klotzbeute".

II. Kolonial Museum. Haarlem. Wie aus der Aufgabe der während des Jahres 1893 empfangenen Geschenke (Bulletin Juli 1894) ersichtlich, beziffert sich die Vermehrung der ethnographischen Abtheilung nur auf wenige Gegenstände aus Niederländisch Indien (u. A. Waffen von Sumatra) sowie eine vollständige Serie aller Rohmaterialien und Geräthe die in der Lackindustrie in Japan zur Verwendung kommen. Von letzteren findet sich ein beschreibender Katalog in Bulletin December 1893 pg. 18 ff. nach Mittheilungen von Herrn Leon van de Polder, Niederl. Geschäftsträger in Tokio, veröffentlicht; während dasselbe Bulletin eine, durch Abbildungen begleitete Mittheilung über Rotanmatten von Benkoelen, Sumatra, bringt.

III. Eine Sammlung Koreanischer Gegenstände besitzt der Koreanische Consul für das Deutsche Reich H. C. Ed. Meyer in Hamburg. Dieselbe ist gegenwärtig im Museum für Kunst und Gewerbe in Hamburg ausgestellt und umfasst ausser Vielem zur Tracht und Bewaffnung gehörendem, viele Erzeugnisse des dortigen Gewerbes wie z. B. Seladon-Porcellane älteren Datums, tauschirte Eisengeräthe, Stickereien, Flechtarbeiten etc. Photographien und in Korea gemalte Bilder ermöglichen eine Vorstellung der interessanten Lebensverhältnisse der Koreaner.

IV. Eine Ausstellung von Gegenständen zur Culturgeschichte Nordfrieslands fand im Sommer 1894 in Husum statt und war ungemein zahlreich beschickt worden. Dabei kamen, zum überwiegenden Theil aus Privatbesitz, eine Menge von Gegenständen der verschiedensten Art zum Vorschein, die einen grossen Theil nordfriesischen Volkslebens aus dem Grabe der Vergessenheit wiedererstehen liessen und zur Anschauung brachten, Dank der von Gymnasiallehrer Voss in Husum ausgegangenen Anregung.

Besonders zahlreich waren Kerbschnitzarbeiten vertreten, beinahe alle Gebrauchsgegenstände aus Holz waren damit verziert, selbst der Rechenstiel; daneben fanden sich dann auch wahre Prachtstücke früherer einheimischer Kunstschnitzerei. Unter den Metallgeräthen trat Eisen auf den Hintergrund, Zinn, Messing, Kupfer und Silber dominirten. Von besonderem Interesse waren die messingenen Leuchter die in die Zeit der Oel- und Binsenlampe zurückführten. Unter dem Silbergeräth zeichnete sich der Schmuck besonders aus und heut noch fertigt man den reichen Trachtenschmuck von Amrum, Föhr und den Halligen auf den Inseln selbst an. — Töpferarbeiten wurden verhältnissmässig wenig im Lande verfertigt. — Die Trachten von Föhr und Osterfeld wurden meist aus eigengemachtem Wollstoff, die der Halligbewohnerinnen dagegen von schwerer, aus Holland bezogener Brokatseide verfertigt.

V. Städtisches Museum. Lüneburg. — Für die früher im Gymnasium untergebrachten Sammlungen desselben, ist vor einigen Jahren aus den Mitteln des Welfenfonds ein eigenes, schönes Gebäude errichtet. Ausser naturhistorischen und prähistorischen Gegenständen, welche zum bei weitem grösseren Theil aus der Landdrostei Lüneburg stammen, bemerkten wir bei einem Besuche im Herbst 1894 eine Reihe interessanter Objecte, welche die ethnographischen Verhältnisse des genannten Landstriches, die mehr und mehr an Eigenartigkeit verlieren, ferneren Zeiten bewahren.

Costüme, Hausgeräthe, Landbaugeräthe etc. wechseln darunter in bunter Reihe mit einander ab. Ihnen schliesst sich eine, zwar kleine, aber vieles Gute enthaltende, allgemein ethnographische Sammlung an. Leider erlaubte die Flüchtigkeit unseres Besuches uns keine genaueren Studien, doch sei mitgetheilt dass sich Gegenstände finden aus Nord- und Mittel-Amerika (aus Guyana interessante Keulen); von Japan, Korea, China, Tongkin, den Laos, aus Siam (prachtvolles altes Porcellan) von den Philippinen und Celebes. Aus der Südsee bemerkten wir solche von Samoa und den Salomo-Inseln, aus Afrika von Kamerun und von den Zulus.

Ein Katalog der Sammlung existirt nicht, die Provenienz-Angaben sind leider theilweise unrichtig und verdienen mit Vorsicht aufgenommen zu werden.

VI. Landesmuseen in Oesterreich [1]. In Nachstehendem bringen wir einen Auszug aus der schon früher erwähnten Schilderung derselben von F. Heger, soweit es den ethnographischen Inhalt der betreffenden Anstalten betrifft.

Im Franzens Museum zu Brünn umfassen die prähistorischen und ethnographischen Sammlungen ungefähr 9000 Nummern. Unter den Gegenständen ethnographischen Interesses ist besonders Ost-Asien gut vertreten; der mährischen Hausindustrie, namentlich der Keramik ist Rechnung getragen und wird hier das Bild durch eine Anzahl mährischer Volksanzüge vervollständigt.

Das Landesmuseum in Görz enthält Alles was auf die Bewohner der Grafschaft Görz, von den ältesten Zeiten angefangen, Bezug hat.

Das Steiermärkische Landesmuseum „Joanneum" in Graz, für welches 1890 ein neues Gebäude begonnen, das heut schon vollendet ist und mit dem alten einen Complex bildet, soll in seinem Parterregeschoss u. A. die heimische Cultur repräsentiren. So war nach H. u. A. ein Prunksaal aus dem Jahr 1543 und eine Stube aus dem Jahr 1583 hier projectirt, denen sich im ersten und zweiten Stock ähnliche Darstellungen anschliessen sollten, für welche u. A. das Material für eine „schöne Kammer" aus der Dorfgemeinde Ramsau bei Schladening schon zusammengebracht war. Im ersten und zweiten Stockwerk sollten dann neben Kunstindustrie-Sammlungen etc. auch volksthümliche Objecte aus der Vergangenheit und Gegenwart, namentlich eine schöne Sammlung steirischer Costüme und Schmuck-

[1]) Vergl. dieses Archiv Bd. V pg. 241.

gegenstände, sowie Gegenstände der Hausindustrie Aufstellung finden. Mit vereinten Kräften wird, sagt H., in Graz gearbeitet, um ein Werk zu schaffen auf das das ganze Land einst mit Stolz hinblicken wird.

Ueber das Landesmuseum „Ferdinandeum" in Innsbruck sagt HEGER in seinem Bericht dass selbes neben römischen und rhätischen Steindenkmalen, einer guten Sammlung von fast ausschliesslich tirolischen Kriegsgeräthen des 14—19 Jahrhunderts und einer interessanten archaeologischen Sammlung, einen Saal mit ethnographischen Gegenständen aus allen Weltgegenden besitzt. Genaueres über letztere sagt H. nicht.

Aus dem Museum Rudolphinum in Klagenfurt werden nur Sammlungen prähistorischer und römischer Funde aus Kärnten, sowie mittelalterliche und culturhistorische Gegenstände ebendaher erwähnt.

Im Krainischen Landesmuseum „Rudolphinum" zu Laibach finden sich neben culturhistorischen Gegenständen und den krainischen Industrieerzeugnissen früherer Zeit, sowie dem modernen Kunstgewerbe auch ethnographische Sammlungen. Näheres über selbe wird nicht berichtet.

Das Gräflich Dzieduszycki'sche Museum in Lemberg, die Schöpfung des Grafen WLADIMIR DZIEDUSZYCKI, und in einem demselben gehörigen Gebäude aufgestellt, umfasst neben reichen naturhistorischen, eine ethnographische und eine prähistorische Abtheilung. Dieselben reihen sich den ersteren, über welche schon mehrere ausführliche Fachkataloge erschienen sind, ebenbürtig an. „Namentlich, sagt H., ist es die ethnographische Abtheilung, welche in Oesterreich-Ungarn kein ebenbürtiges Gegenstück aufweist. Dieselbe soll ein möglichst treues Bild der auf uralten Traditionen beruhenden Hausindustrie der polnischen Lande geben. Die Gegenstände sind nach Gleichartigkeit der Objecte geographisch geordnet; nur die hochinteressante, aus 1393 Stücken bestehende Sammlung der Huzulen bildet ein geschlossenes Ganzes. In dieser ethnographischen Sammlung ist das volksthümliche und das gewerbliche Moment glücklich vereint, indem nicht nur die Objecte selbst, sondern auch das Material, die Vorrichtungen und Werkzeuge zur Erzeugung derselben gesammelt wurden. Ueberaus reich ist die keramische Sammlung (Bauerntöpferei), 2316 Objecte aus 92 Ortschaften umfassend." In der prähistorischen Sammlung, deren Objecte nach Fundorten geographisch aufgestellt sind, hat das allergrösste Interesse der grossartige Goldfund von Miechulkow. Das Museum ist durch seinen Gründer für alle Zeiten finanziell sichergestellt und wird ein bleibendes Denkmal eines grossen, patriotischen Geistes bilden.

Das Museum Francisco Carolinum in Linz stand zur Zeit, aus der H.'s Bericht datirt, unmittelbar vor der Ueberführung in ein neues prächtiges Gebäude. Dasselbe besitzt eine reichhaltige culturhistorische Sammlung und ist namentlich wegen der Resultate der, auf dem berühmten Gräberfelde von Hallstadt durchgeführten Ausgrabungen von hohem Interesse.

Das Museum des Königreiches Böhmen in Prag, für welches ebenfalls in neuester Zeit ein grossartiger Prachtbau, von mächtigen Dimensionen und musterhafter Einrichtung errichtet ist, besitzt slavische nnd böhmische Ethnographica. Die Errichtung einer Sammlung in welcher das Leben des böhmischen Volkes und seiner verschiedenen Einrichtungen veranschaulicht werden soll, ist geplant.

Das städtische Museum „Carolina-Augusteum" in Salzburg besitzt reiche cultur- und kunsthistorische Sammlungen, deren grösserer Theil zu malerischen Gruppen und culturhistorischen Bildern geordnet und in einzelne Interieurs vertheilt ist.

Das städtische Museum in Triest enthält ausser einer prähistorischen Sammlung aus den umliegenden Gebieten, römische Alterthümer aus den Gebieten der Adria, sowie aus Italien und giebt ein gutes Bild der römischen Kunst und Cultur in diesen Landestheilen.

Betreffs des in neuester Zeit begründeten Landesmuseum in Czernowitz macht H. keine hierhergehörende Mittheilungen.

J. D. E. SCHMELTZ.

IV. REVUE BIBLIOGRAPHIQUE. — BIBLIOGRAPHISCHE UEBERSICHT.

Pour les abréviations voir pagg. 36, 90, 146 et 212 du Tome précédent; ajouter:

Ethn. Not. = Ethnologisches Notizblatt, herausg. von der Direction des K. Mus. für Völkerk. in Berlin;
Rev. mens. = Revue mensuelle de l'Ecole d'Anthropologie de Paris.

GÉNÉRALITÉS.

I. Le IVme volume de l'oeuvre de M. A. BASTIAN (Controversen in der Ethnologie. IV Berlin) traite des questions des causes finales. L'homme primitif fait le sujet d'un livre de M. JOSEF MÜLLER (Ueber Ursprung und Heimat des Urmenschen. Stuttgart). L'ethnographie comparée fournit des sujets à M. F. VON SCHWARZ (Sintfluth und Völkerwanderungen.

Stuttgart); au doct. O. HOVORKA VON ZDERAS (A. G. Wien XXIV p. 131: Verstümmelungen des männlichen Gliedes bei einigen Völkern des Alterthums und der Jetztzeit. Av. fig); à M. D. G. BRINTON (Am. A. VII p. 377: Variations in the Human Skeleton and their Causes); au doct. W. HEIN (A. G. Wien XXIV p. 211: Die geographische Verbreitung der Todtenbretter. Av. 2 pl.); et à M. A. E. CRAWLEY (A. I. XXIV p. 116: Sexual Taboo, a Study in the Relations of the Sexes). M. C. F. LEHMANN (Verh. A. G. p. 188: Ueber den gegenwärtigen Stand der metrologischen Forschung) fait des observations sur les poids et mesures. Gl. publie des articles du prof. W. JOEST (LXVI p. 234: Ueber Eau de Cologne-Trinken); et du prof. FRIEDRICH MÜLLER (p. 177: Abstammung und Nationalität; p. 245: Die Vertretung der anthropologisch-ethnologischen Wissenschaften an unseren Universitäten; comp. sur le même sujet l'article du doct. RUDOLF MARTIN (p. 304). Ajoutons-y la contribution à l'histoire des traditions populaires de M. ALB. WIRTH (Am. A. p. 367: The Tale of the King's Daughter in the besieged Town); et l'étude d'iconographie ethnique de M. E. T. HAMY (Anthr. V, p. 542: Les imitateurs d'Alexander Brunias).

EUROPE.

Nous avons à signaler des contributions archéologiques de M. A. DE MORTILLET (Rev. mens. IV p. 273: Les figures sculptées sur les monuments mégalithiques de France); du doct. J. KOLLMANN (Z. E. XXVI p. 189: Das Schweizersbild bei Schaffhausen und Pygmäen in Europa. Av. pl.; Verh. Anat. Ges. p. 206); du chevalier R. VON WEINZIERL (A. G. Wien XXIV p. 144: Neolithische Gräber einer Nekropole aus verschiedenen Epochen bei Lobositz. Av. fig.); de M. J. SZOMBATHY (ibid. p. 227: Neue figural verzierte Gürtelbleche aus Krain. Av. pl.); du doct. R. MERINGER (ibid. p. 247: Ueber Spuren römischer Dachconstructionen in Carnuntum. Av. fig.); de M. J. DELL (ibid. p. 251: Architectonisches auf den Reliefs der Matres aus Carnuntum); la description d'une pierre taillée, trouvée par M. DAMES à Niedersachswerfen et ressemblant aux tomahawks indiens (Verh. A. G. p. 329. Av. fig.); des notices de Mad. M. LEHMANN-FILHÈS (Verh. A. G. p. 198: Altnorwegisches Amulet-Orakel aus dem 10ten Jahrh.; p. 319: Mittheilungen über den Thorshammer. Av. fig.).

M. R. RICHARDSON (Scott. p. 505: Corsica) publie des notes sur une visite récente en Corse. M. EMIL SCHMIDT (Gl. LXVI p. 300: Körpergrösse und Farbe der Haare und Augen in Italien. Av. 3 cartes) publie des remarques d'après les observations du doct. LIVI. Le même journal contient un article du doct. HALBFASS (p. 165: Die deutsche Sprachinsel Zahre-Sauris in Friaul. M. le Dr. A. WEISBACH (A. G. Wien p. 232: Die Oberösterreicher) publie des notes ethnographiques. Rev. mens. (p. 273, av. fig., comp. l'art. de M. SALOMON REINACH dans Anthr. V p. 555) rend compte du Congrès archéologique et anthropologique de Serajévo; et publie une étude de M. G. DE MORTILLET (p. 377: Palethnologie et anthropologie de la Bosnie-Hercégovine. Av. fig.). M. le Dr. G. WEIGAND (Die Aromunen. Leipzig) publie ses recherches ethnographiques, philologiques et historiques sur les Macédo-Romains ou Zinzares.

Gl. contient des articles de M. W. VON METZSCH-SCHILBACH (p. 219: Zur Volkskunde der Liven); du doct. R. F. KAINDL (p. 270: Die volkstümlichen Rechtsanschauungen der Rutenen und Huzulen); et du doct. FR. GUNTRAM SCHULTHEISS (p. 168: Korbs Diarium itineris in Moscoviam, 1698. Av. ill.). Verh. A. G. publient des notices de M. A. TREICHEL (p. 336: Giebel-Verzierungen aus West-Preussen. Av. fig.); et du doct. S. WEISSENBERG (p. 347: Die südrussischen Ostereier. Av. fig.). A. U. XI contient des contributions de MM. H. MERKENS (Zwei politische Volkslieder); H. F. FEILBERG (Wie sich Volksmärchen verbreiten); Dr. M. HÖFLER (Teufel-Namen); Dr. A. H. POST (Mittheilungen aus dem Bremischen Volksleben); R. SPRENGER (Zu den Kinder- und Hausmärchen der Brüder Grimm); Dr. A. HAAS (Das Kind im Glaube und Brauch der Pommern); K. ED. HAASE (Sprichwörter aus der Grafschaft Hohnstein); A. TREICHEL (Kartenspiel- und Losglaube aus West-Preussen); K. POPP (Volkglauben im oberösterreichischen Waldviertel).

ASIE.

M. H. CORDIER (T. P. p. 341) rend compte du Xme congrès international des orientalistes, à Genève. Mitth. O. A. contiennent une statistique de M. F. B. STEPHENSON (VI p 190: Color Blindness in Asiatics). Gl. publie des communications de M. KANNENBERG (p. 191: Trapezuntische Tanzlieder); de M. C. HAHN (p. 197: Zur Anthropologie der heutigen Bevölkerung Persiens); et de M. IGN. GOLDZIHER (p. 203: Die Handwerke bei den Arabern). M. B. D. EERDMANS (Zeits. für Assyriologie IX p. 280: Der Ursprung der Ceremonien des Hosein-Festes) donne des explications sur la fête mahométane décrite dans nos Archives.

M. CH. VAPEREAU (T. du M. livr. 1760 suiv.: De Pékin à Paris) continue ses notes de voyage à travers la Sibérie; M. le capitaine CREMAT (Gl. p. 285: Der Anadyrbezirk Sibiriens und seine Bevölkerung) donne des détails en accentuant les rapports ethnographiques entre les Tchouktches et les Esquimaux d'Amérique. La Corée fait le sujet d'un livre de M. M. A. POGIO, traduit du russe par le chevalier ST. VON URSIN-PRUSZYNSKI (Korea. Wien & Leipzig); et d'articles du prof. A. KIRCHHOFF (N. Ausl. p. 529: Korea); du capitaine A. E. J. CAVENDISH (Scott. p. 561: Two months in Korea); de M. W. G. ARNOUS (Gl. p. 156: Die Frauen und das Eheleben in Korea; p. 239: Spiele und Feste der Koreaner); de M. ERNST VON HESSE WARTEGG (III, Z. p. 474: Strassenleben in der Hauptstadt Korea's. Av. ill.). L. u. M. (p. 227: suiv.) contient quelques bonnes illustrations sur la vie publique en Chine. M. O. FRANKE (T. P. p. 299: Eine neue Buddhistische Propaganda) donne des détails sur les efforts de Dharmapala pour raviver la vie religieuse en Chine. Le livre de M. O. E. EHLERS (Im Sattel durch Indo-China. Berlin) contient quelques détails d'un intérêt ethnographique. Ajoutons-y les notices du prof. W. GRUBE (Ethn. Not. I. p. 35: Ein Bronzegeräth aus China) sur un bâton servant probablement d'appui aux trompettes sacrées; de M. VON BRANDT (Verb. A. G. p. 199. Angebliche Ainu-Ornamente und chinesische Klingelkugel); et du prof. A. KIRCHHOF (Gl. p. 173: Die Bewohner der Insel Formosa). L'économie rurale au Japon fait le sujet d'un ouvrage en deux volumes du professeur M. FESOA (Beiträge zur Kenntniss der japanischen Landwirthschaft. Berlin. Av. pl.). Quant au bulletin de Tokyo, écrit en japonais, nous nous bornerons à en signaler les articles illustrés, de MM. Y. INO (IX p. 304: Notes on Oshira Worship); S. YAGI (p. 320: On the Clay Human Figures found in a Shiikura Shell Mound); D. SATO (p. 384: Report on the Excavation of a Shell Mound at Fukuda); T. KARASAWA (p. 440: Notes on some Stone Age Relics found in Shinano. Comp. pp. 475 et 478); M. ABE (p. 462: Notes on Gopparu Men from the Seypan Island); S. OKABE (p. 466: What I have seen in Awa); G. TAKABATAKE (X. p. 2: On the Traces of Pit-Dwellers along the River Ishikari); D. SATO (p. 17: Antiquity of Man).

T. du M. (livr. 1756, '57: Six mois dans l'Inde) publie des notes de voyage de M. M. E. VON LEIPZIGER. Le livre de M. EMIL SCHMIDT (Reise nach Südindien. Leipzig) offre beaucoup d'intérêt au point de vue anthropologique. L'article du prof. A. GRÜNWEDEL (Bthu. Not. p. 1: König Manamé) est accompagné de figures de masques illustrant la légende ceylanaise Kolân-kavipota. Le même journal contient une contribution du doct. F. W. K. MÜLLER (p. 11: Neue Erwerbungen aus Hinter-Indien) avec des figures d'objets recueillis par M. O. EHLERS. M. H. SEIDEL (Gl. p. 318: Die Stellung der Missgeburten in Siam) donne des détails sur des monstruosités en Siam. M. le professeur A. GRÜNWEDEL (Z. E. XXVI p. 141: Die Zaubermuster der Orang hutan. Av. pl. et fig.) a rédigé les communications de M. HROLF VAUGHAN STEVENS, en supplément aux matériaux, donnés par M. STEVENS dans les publications du Musée d'ethnologie de Berlin. Ce Musée vient de publier (Veröffentl. III 1, 2: Beschreibung einer von G. MEISSNER zusammengestellten Batak-Sammlung) une étude de M. F. W. K. MÜLLER. Les Bataks font encore le sujet d'une communication de M. C. M. PLEYTE Wz. (Ned. Kol. Centraalblad p. 86: Kort Verslag der door wijlen Dr. H. N. VAN DER TUUK verzamelde Bataksche handschriften, voor zoover die in de ethnografische verzameling van het K. Zoöl. Gen. N. A. M. aanwezig zijn); et d'une notice publiée dans I. G. (p. 1228: Overeenkomst tusschen het Bataksch „Main Djoedi" en het Bataviaasch „Main Dadoe". Signalons encore une autre note dans le même journal (Huismunt in Indië); et l'étude sur le Bétel de M. IMBAULT-HUART (T. P. p. 311).

AUSTRALIE ET OCÉANIE.

M. le Dr. E. C. STIRLING (A. I. XXIV p. 158: Notes on the Aborigines of Australia) a rassemblé de diverses parties du continent des réponses à un questionnaire ethnographique très étendu. M. BARTELS (Verh. A. G. p. 200: Ein Fest in Bogadjim, Neu-Guinea) publie une communication du missionnaire ARFF, sur une fête à propos de la circoncision des jeunes gens. Ethn. Not. (p. 36) contient une notice sur les dolmens à Tonga, avec figures.

AFRIQUE.

M. le professeur C. KELLER (Gl. p. 181: Das Rind und seine Formen in Afrika) donne une étude comparée sur la diversité de la race bovine en Afrique. M. le doct. COUILLAULT (Anthr. V p. 530, av. fig.) publie une note sur les stations préhistoriques de Gafsa en Tunisie; M. R. FITZNER (N. Ausl. p. 513: Religiöse Orden und Bruderschaften in der Regentschaft Tunis) donne un aperçu des ordres religieux de Tunisie. M. T. J. ALLDRIDGE (G. J. IV p. 123: Wanderings in the Hinterland of Sierra Leone) publie ses notes d'excursion. Gl. (p. 264, 281: Dahome nach den neuen französischen Forschungen) contient un résumé illustré des observations récentes sur le Dahomé. M. DELAFOSSE (Anthr. V p. 571) publie une note sur une figure du Dahomé représentant une femme enceinte, avec le facsimilé d'un talisman en langue arabe. M. le professeur A. BASTIAN (Zur Mythologie und Psychologie der Nigritier in Guinea mit Bezugnahme auf socialistische Elementargedanken. Berlin) fait la philosophie de la question des nègres. M. le Dr. F. VON LUSCHAN (Ethn. Not. p. 32, av. fig.) décrit les pipes des Balis, peuplade peu connue de l'intérieur du Kameroun. Le même journal (p. 37) publie une notice du prof. A. BASTIAN sur un masque en usage dans les sociétés secrètes des Purrahs, Loango, avec une planche coloriée. Mitth. D. S. VII publient des études ethnologiques de M. LEO V. FROBENIUS (p. 265: Hühner im Kult. Comp. la notice de M. A. S. GATSCHET dans Am. A. VII p. 328:

Remarks upon the Cults and Ceremonies of Western Africa); et de M. O. WARBURG (p. 131: Die Kulturpflanzen Usambaras). La question sanitaire fournit des sujets au doct. K. DOVE (P. M. p. 172: Beiträge zur Geographie von Südwest-Afrika III); et au doct. F. FLEHN (Mitth. D. S. p. 89: Ueber einige auf Krankheit und Tod bezügliche Vorstellungen und Gebräuche der Dualaneger). La XIVme livraison de l'ouvrage de M. K. BAHNSON (Etnografien. Köbenhavn) traite de l'Afrique méridionale; ajoutons-y les notices de M. P. H. BRINCKER (Gl. p. 207: Zur etymologischen Deutung des Namens „Ov-ambo"; p. 321: Der Ursprung des Pfeilgiftes der Buschmänner). M. C. W. HOBLEY (G. J. IV p. 97: People, Places and Prospects in British East Africa) raconte ses observations pendant trois ans de service en Afrique. Mentionnons encore l'étude de Mlle ELLEN R. EMERSON (Am. A. VII p. 233: The Book of the Dead and Rain Ceremonials. Av. fig.).

AMÉRIQUE.

M. TH. PREUSS (Die Begräbnissarten der Amerikaner und Nordasiaten. Königsberg) a consacré sa dissertation inaugurale à un sujet d'ethnographie comparée. Am. A. VII contient des articles de M. J. WALTER FEWKES (p. 160: The Kinship of a Tanoan-speaking community in Tusayan; p. 394: The Kinship of the Tusayan Villagers); M. D. G. BRINTON (p. 168: The Origin of Sacred Numbers); M. W. WALLACE TOOKER (p. 174: The Algonquian Terms Patawomeke and Massawomeke; p. 389: On the Meaning of the Name Anacostia); M. A. F. CHAMBERLAIN (p. 186: New Words in the Kootenay Language); M. JOHN W. BOURKE (p. 193: The Laws of Spain, in their Application to the American Indians); M. WASHINGTON MATTHEWS (p. 202: The Basket Drum); M. D. D. GAILLARD (p. 293: The Papago of Arizona and Sonora); M. J. C. BOURKE (p. 297: Distillation by Early American Indians); M. MYRON EELLS (p. 300: The Chinook Jargon); M. J. D. MCGUIRE (p. 358: The Development of Sculpture); M. MARSHALL H. SAVILLE (p. 373: The Ceremonial Year of the Maya Codex Cortesianus). M. JAMES MOONEY (A. U. p. 250: Songs of the Indians, Ghost Dance) publie des chants dans la langue Arapaho avec la traduction et les détails de la cérémonie.

L'archéologie de l'Amérique centrale fournit des sujets au Dr. W. SELER (Ethn. Not. p. 19: Die grossen Steinskulpturen des Museo Nacional de Mexico. Av. fig.); au doct. GUSTAV BRÜHL (Gl. p. 213: Die Ruinen von Iximche in Guatemala. Av. ill.); à M. E. P. DIESELDORFF (Verh. A. G. p. 372) pour une notice, accompagnée d'une planche et de figures, sur un vase peint, provenant d'une sépulture de Chama. Le même journal (p. 325) contient une note du doct. MONTANÉ sur les indigènes de l'ile de Cuba. Ceux de la côte Mosquito font le sujet d'une notice de M. H. A. WICKHAM (A. I. XXIV p. 198: Notes on the Soumoo or Woolwa Indians of Blewfields River). Il nous reste à signaler deux notices sur des tribus de l'Amérique du Sud, l'une de M. A. S. GATSCHET (Am. A. p. 425: The Mojo); l'autre du docteur PAUL JORDAN (Südam. R. II p. 110, 127: Ein Besuch bei Caduéo-Indianern).

LA HAYE, décembre 1894. Dr. G. J. DOZY.

V. LIVRES ET BROCHURES. — BÜCHERTISCH.

I. W. E. RETANA: Supersticiones de los indios filipinos. Un libro de Aniterías. Madrid 1894. — Entre les nombreuses superstitions qui se sont maintenues çà et là chez les peuplades des Iles Philippines après leur conversion au Christianisme, une des plus caractéristiques est la foi à l'efficacité d'amulettes écrits, que l'on porte sur soi pour être invulnérable, pour échapper à la justice, ou bien pour obtenir des richesses, l'amour des femmes et beaucoup d'autres choses. Ces amulettes, qui se trouvent généralement réunis dans des livrets, montrent un mélange bizarre de mots latins, espagnols et indigènes. M. RETANA, à qui nous devons tant de beaux travaux sur les Philippines, a eu l'heureuse idée de reproduire un livret de ce genre, composé probablement entre les années 1845 et 1855 et présenté à l'éditeur par le Rév. Père LAFUENTE.

Après une introduction pleine d'intérêt nous trouvons la reproduction exacte du livret d'amulettes sous le titre de „Libro de Aniterías." Il nous semble que ce titre ne donne pas une idée nette du contenu, car le livret ne contient rien de ce qui se rattache aux Anitous, mais des oraisons en langue latine abâtardie, en espagnol, en pangasinan. On y trouve, entre autres, le Pate-nôtre et des invocations de Dieu, Jésus Christ, la Mère Vierge, les Saints de l'Eglise. Dans tout cela il n'y a pas question de la croyance aux Anitous. L'idée de ces amulettes est tout-à-fait opposée au génie du Christianisme, mais la forme ne l'est point, ce qui, à nos yeux, constitue le trait le plus saillant et, du point de vue de l'ethnographe, le plus intéressant de ces amulettes ou antin-antin. Prenons pour exemple la formule contre des armes à feu, pag. 2:

Oraciondo Ntro Sor
Jesu Christo, Contra.
armas de fuego.
Padre Ntro. y Av.ª

✠ Jesu Christe magis
ter a Domini benedec
tus ✠ Jesus orsis ✠
Jesus Stos en morta
talis misererenobis
AMIN.

Celui qui prononce cette oraison doit se signer tant de fois qu'il y a de croix dans le texte, et prier en outre un Pate-nôtre et un Ave maria.

Quelques pages sont en langue pangasinan; p. ex. pag. 46:

Avemaria tan naga
lang: =
A Jesus Dios co Casian
muac ta oalaac diad bilo
nguet na Casa lanan co
et Silevan muacpay li
oaoac a man lapud baleg
apananga sim tapianpi
nabangan cuy gloriam tan
sisiaen coy Dios labas nen
ganagana tan say capa
rantoo a unong ed siac
a dili Amin

La traduction de cette formule, dans laquelle la division des mots est curieusement fautive, est à peu près comme suit:

„O Jésus, mon Dieu, aie pitié de moi, qui suis dans l'obscurité du péché; illumine ma volonté par ta grande miséricorde, afin que je puisse participer à ta gloire; et j'ai confiance en Dieu au dessus de toutes choses et de mes prochains, voire de moi-même. Amen."

Le Pate-nôtre en mauvais Latin se lit à pag. 96.

Quelle est l'origine de ces amulettes, antin-antin, qui après tout ne sont que des oraisons appliquées mal à propos. Nous sommes d'accord avec M. RETANA qu'il n'en faut pas chercher l'origine dans certains Devocionarios espagnols du 16me siècle, mais nous ne sommes pas de son avis quand il pose que ces livrets sont une invention pure et simple des indigènes, car on rencontre de pareils livrets d'amulettes dans la Malaisie un peu partout où l'art d'écrire n'est pas inconnu. Pour connaître l'histoire de cette forme de superstition il faut encore bien des recherches comparatives, mais comme nous savons que l'art d'écrire a été introduit dans l'Archipel indien du dehors, nous pouvons conclure d'avance que ces amulettes écrits, du moins quant au fonds, sont d'origine étrangère et que probablement leur histoire se lie à celle des Rakshās hindoues et des Dhāraṇīs bouddhiques. Il est digne de remarque qu'une autre espèce d'amulettes dont M. RETANA parle dans sa Préface pag. XXXVII, est nommée agimat, mot clairement emprunté à l'arabe azimat, en malai djimat. Nous répétons que la croyance aux Anitous est tout-à-fait absente des amulettes écrits et nous ajoutons que le mot anitou lui-même est foncièrement malaio-polynésien et n'a rien de commun avec le sanskrit. H. KERN.

H. P. DRAGANOF. Македонско-славянскій сборникъ (Macedonisch-Slawische verzameling) Afl. 1 (*Zapiski* van 't Keiz. Russisch Aardrijkskundig Genootschap, Afd. Volkenkunde, D. XXII, 1). — Petersburg, 1894. 8°.

De Slawische bevolking in Macedonië wordt door de Bulgaren en Serviërs bij hun onderlingen naijver om strijd als een onderdeel hunner eigene nationaliteit beschouwd. Het dialekt der Macedonische Slawen is inderdaad zóó nauw verwant, èn aan 't Servisch èn aan 't Bulgaarsch, dat eene beslissing in dezen niet gemakkelijk is. De verzamelaar van den vóór ons liggenden bundel volksliederen heeft dat politisch-linguïstisch vraagstuk wijselijk ter zijde gelaten en begrepen dat het nuttiger was het schaarsche materiaal voor de bestudeering van de eigenaardigheden der Macedonische Slawen te vermeerderen door 't verzamelen en uitgeven van volksliederen, verhalen, raadsels, spelen enz. Als leeraar aan 't Gymnasium te Saloniki, heeft hij de gelegenheid aangegrepen om door zijne Macedonisch-Slawische leerlingen de volksliederen, die zij kenden, te laten opschrijven. Zoo doende slaagde hij er in, een groot aantal teksten te verzamelen, die, in phonetische spelling geschreven, geacht mochten worden met voldoende nauwkeurigheid de eigenaardigheden der taal weêr te geven. De 185 liederen welke de aflevering vullen, verraden, wat de onderwerpen betreft, allerlei invloeden, en dat is natuurlijk omdat de Macedonische Slawen te midden van andere nationaliteiten wonen, deels stamverwante, zooals Bulgaren en Serviërs, deels vreemde, zooals Grieken, Arnauten, Turken, Zigeuners. Zelfs met de betrekkelijk ver van hen verwijderde Russen, hun geloofsgenooten en de machtigste vertegenwoordigers van hun ras, hebben zij in verbinding gestaan.

Wij moeten erkennen dat wij de liederen slechts ten halve verstaan en hopen daarom dat het glossaar dat op den titel als bijlage vermeld staat, doch niet aan de aflevering is toegevoegd, binnen niet al te langen tijd verschijnen moge. Doch ook zonder behulp van een glossaar is ons gebleken dat deze bundel volksliederen eene belangrijke bijdrage vormt tot de volkenkunde der Zuid-Slawen.

III. W. N. DOBROWOL'SKIJ. Смоленскій Этнографическій Сборникъ (Verzameling van stukken betrekking hebbende op de ethnographie van Smolensko). 1ste Stuk (*Zapiski* van 't Keiz. Russisch Aardrijkskundig Genootschap, Afd. Volkenkunde, D. XXIII, 1). — Petersburg, 1894. 8°.

Dit werk, waarvan het 1ste stuk reeds in 1891 verschenen is, als D. XX der Genootschapswerken, bestaat voor een goed deel uit liederen die betrekking hebben op het huwelijk, zooals die onder het volk in 't Gouvernement Smolensko in zwang zijn, in den daar heerschenden tongval. Van minder omvang, maar ethnographisch van meer belang zijn de prozastukken die in verband staan met de volksvoorstellingen over den dood en 't hiernamaals, en met lijkplechtigheden. Dat bij een nauwkeurig onderzoek van die voorstellingen en plechtigheden overblijfselen uit den heidenschen voortijd te ontdekken zijn, is nauwelijks aan twijfel onderhevig. Van de liederen, vertellingen en stichtelijke verzen geldt hetzelfde. „In de volkstaal", zegt de verzamelaar, blz. 306, „zijn er onbewust sporen bewaard gebleven van veel geheel verouderde plechtigheden en voorstellingen. Tot op zekere hoogte kunnen wij nog menig woord, spreekwoord, raadsel begrijpen, hoewel hun oorspronkelijk verband met de oude gebruiken verloren is gegaan."

De schetsen van de zeden des huisgezins, in de derde rubriek van de verzameling, geven een vrij uitvoerig overzicht van 't dagelijksch leven in de huisgezinnen en van de huwelijkstoestanden. Onder de archaïsche gebruiken bij de bevalling der vrouw vinden wij vermeld een overblijfsel der *couvade* (blz. 369—372). Een spoor van endogamie ziet de verzamelaar in een volksliedje dat in 't Gouvernement Smolensko gezongen wordt, van dezen inhoud:

„Men heeft den pope bedrogen, bedrogen.
Den broer heeft men met de zuster doen trouwen."

De gevolgtrekking van den verzamelaar schijnt ons eenigszins gewaagd, doch misschien kan hij over andere gegevens beschikken dan dit ééne versje.

De bijlagen, waaronder toelichtingen en aanvullingen, verhoogen de waarde van de hier aangekondigde verzameling. H. KERN.

IV. Пѣсни Русскаго народа собраны въ губерніяхъ Архангельской и Олонецкой въ 1886 году. Записали слова Ѳ. М. Истоминъ, напѣвы Г. О. Дютшъ. Издано Императорскимъ Русскимъ Географическимъ Обществомъ на средства Высочайше дарованныя (Russische volksliederen verzameld in de gouvernementen Archangel en Olonets in 't jaar 1886. De woorden opgeteekend door ISTOMIN, de zangwijzen door DEUTSCH. Uitg. door 't Keiz. Aardrijkskundig Genootschap met van Hooger hand verstrekte middelen). Petersburg, E. Arnhold, 1894. 8°.

In 't jaar 1885 werd door de ethnographische Afdeeling van 't Keiz. Aardrijkskundig Genootschap, op voorstel van de leden PHILIPPOF en KAPUSTIN besloten eene expeditie uit te zenden voor 't verzamelen van Russische volksliederen met de zangwijzen. Men besloot de eerste expeditie te zenden naar de Gouvernementen Archangel, Wologda en Olonets, waarbij aan den geleerden musicus DEUTSCH werd opgedragen de zangwijzen op te teekenen en aan den Secretaris der Afdeeling, ISTOMIN, den tekst der liederen, volgens den plaatselijken tongval. Dank zij de ruime, door de Keizerlijke Regeering verstrekte middelen, kwam het voorgenomen onderzoek tot stand en zien wij de vruchten er van in het uiterlijk en innerlijk fraai uitgevoerde boekdeel, welks titel hierboven vermeld staat.

De verzameling bevat eene groote verscheidenheid van liederen, die uit verschillende tijdperken dagteekenen, doch in den volksmond allerlei wijzigingen hebben ondergaan, zoodat uiterlijk het onderscheid, niet zoozeer in stijl als wel in taal, is uitgewischt. Onder de geestelijke liederen, waarmêe de bundel opent, vindt men o. a. eene redactie van 't onde zgn. Duivenboek (*kniga Golubinaja*). In de afdeeling der Bylina's, die veel schoons bevat, munten o. i. bij zonder uit: „De Koningszonen uit Krakau" en de aandoenlijke ballade „De twee gelieven". Belangrijk, ook als bijdrage tot de kennis van volks-toestanden en denkwijzen, zijn de liederen uit den tijd van Iwan den Verschrikkelijke en den valschen Demetrius; tot de eersten behooren de stukken getiteld „Nikita Romanowitsj", dezelfde persoon die de held is van Graaf A. K. TOLSTOJ's roman „Knjaz Serebrjanyj".

Het talrijkst vertegenwoordigd zijn de liederen van lyrischen aard: bruidsklachten, bruiloftszangen, dans- en minneliederen enz. Ook daaronder zijn vele die hoogst karakteristiek zijn en ettelijke die dichterlijke waarde hebben. Bijzonder heeft ons getroffen het minnelied „Ja wecër moloda", dat in enkele trekken herinnert aan regels uit GÖTHE's „Meine Ruh ist hin, mein Herz ist schwer".

Eene kaart van de reis der beide leden van de expeditie, die zich zoo verdienstelijk van hunne taak gekweten hebben, besluit het boekdeel, welks lezing allen die Russisch kennen zij aanbevolen.

H. KERN.

V. DAVID MACRITCHIE: Scottish Gypsies under the Stewarts. Edinburgh; David Douglas, 1894. 8°.

Our well-known collaborator gives in this book, in a very clever style, a historical sketch of the Scottish Gypsies under the Stewarts, whose era began with the accession of ROBERT II in 1371 and came to an end with the death of Queen ANNE in

1714. Taking as his model a monograph published in 1880 by Mr. Henry T. Crofton: English Gypsies under the Tudors, he has, however, allowed himself a little more latitude than this writer, indulging occasionally in discursive remarks, inevitably suggested by some of the more important of the historical questions. But, says the author, it is to be understood that even these observations do not pretend to answer every question to which the facts cited give rise or to offer anything like a final solution of the Gypsy problem. That problem, in the opinion of the author, has never been satisfactorily solved; and his study, he says, cannot claim to do more than assist in the ultimate unravelling of this intricate question.

The work is divided into eleven chapters; in the two first of which Mr. M. R. considers the question of Gypsy-like castes not styled „Gypsies" or „Egyptians", while he deals in the remaining nine with the various references to people so designated. The historical statements given in these chapters are very numerous, and many of them, e. g. those on Gypsy thieves, the occupations of Gypsies and trials against Gypsies are of a great interest for all who are occupied with the study of this strange and curious people.

VI. L. van de Polder: De cultuur der Bamboe in Japan. (Bull. van het Koloniaal Museum te Haarlem. Maart, 1894) 8°.

Einem Wunsch der Verwaltung des Kolonial-Museums in Haarlem entsprechend, hat der Verfasser eine Blumenlese des Besten was über die Kultur des Bambus, welche Pflanze im Leben der Völker Ost-Asiens eine so hervorragende Rolle spielt, in Japanischen Quellen enthalten ist, zusammengestellt und dieselbe hie und da durch eigene Bemerkungen bereichert. Die mit einer grossen Zahl Illustrationen geschmückte Schrift, enthält auch Manches von ethnographischem Interesse, so z. B. die Methoden der Verzierung des Bambus mit Schriftzeichen etc., die Anfertigung von Papier, Bogen etc. aus diesem Material und bildet neben der Arbeit von Prof. Schröter (Der Bambus, und seine Bedeutung als Nutzpflanze, Zürich 1885), dessen Aufsätzen in der Neuen Züricher Zeitung N°. 137, 139 & 145 vom Jahr 1893 (Die Spörry'sche Bambus-Sammlung aus Japan) welche die hunderterlei Verwendung dieses Materials in Japan behandeln, und der Arbeit von Ch. Holme (The uses of Bamboo in Japan, Trans. & Proc. Jap. Soc. London, Vol. I) eine nicht unwichtige Bereicherung unseres Wissens betreffs dieser Pflanze und ihrer Verwendung.

VII. Barthel, Karl: Völkerbewegungen auf der Südhälfte des afrikanischen Kontinents. Mit einer Karte. Leipzig 1894. 8°.

Der Verfasser dieser, als Inaugural-Dissertation erschienenen Schrift, hat sich die Aufgabe gestellt, eine Uebersicht der hauptsächtlichsten Völkerverschiebungen in dem obengenannten Gebiete zu geben. Er hat sich damit ein interessantes, aber zugleich auch schwieriges Thema erwählt, da, wie er in der Einleitung ganz richtig sagt, die Wanderungen jener Naturvölker nur zum kleinsten Theile auf historischem Boden erfolgt sind und weder Ruinen, noch Monumente oder Felsinschriften, der geschichtlichen Kombination Anknüpfungspunkte bieten. Die vorhandene spärliche und oft im Stich lassende Litteratur wurde vom Verf. in ausgiebiger Weise benutzt und es will uns scheinen dass er die ihm gestellte Aufgabe in rühmlicher Weise gelöst hat, wie dies bei einem aus der Schule F. Ratzel's Hervorgegangenem kaum anders zu erwarten ist.

Zur Behandlung gelangen: 1°. die Buschmannartigen Völker als die ältesten Bewohner Süd- und Central-Afrika's, 2°. die Bewegung der Hottentotten und das Vordringen der Kolonisten (hier wird auch der Wanderung der Boeren gedacht, die sich bis in die neueste Zeit erstreckt) und 3°. die Bewegungen der Bantu-Neger.

Zum Schluss sind die gewonnenen Resultate in einer tabellarischen Uebersicht nach Stamm, vormaligem und späterem Wohnsitz, Beginn der Wanderung, nebst den Angaben ob die Mittheilungen betreffs der Wanderungen auf historischer, traditioneller etc. Grundlage beruhen und nach welcher Richtung die einzelnen Züge gingen, zusammengestellt. Die beigegebene Karte erleichtert, gleich der ebengenannten Uebersicht, das Studium der fleissigen Arbeit, welche, wie wir glauben, zum ersten Mal versucht hat eines der schwierigsten Thema auf dem Gebiet der afrikanischen Völkerkunde der Lösung näher zu bringen.

VIII. Eight annual Report of the Bureau of Ethnology (1886—'87) Washington, 1891; lex. 8°.

Ninth annual Report of the Bureau of Ethnology (1887—'88). Washington, 1892; lex. 8°.

These two new volumes of the splendid publication of the Bureau of Ethnology contain again plenty of valuable and interesting contributions to our knowledge of the ethnology of the Indians of North America. In Vol. VIII, we find a paper entitled „A study of Pueblo architecture, Tusayan and Cibola by Victor Mindeleff, and another, „Ceremonial of Hasjelti Dailjis and mythical sandpainting of the Navajo Indians by James Stevenson. The first paper comprehends full information, accompanied by a great number of illustrations, of a part of the interesting terraced stone-dwellings, called „Pueblos", occurring in Arizona and New Mexico. The author deals as well with the architecture of inhabited buildings, as with that of such, which are abandoned and lay in ruins.

In the other paper, Mr. STEVENSON describes very plainly a Navajo healing ceremony observed by him in the summer of 1885 at the Navajo Reservation which lasts nine days and is called *„Yebitchai"*. First are described the ceremony and the objects etc. used during the performance, which part is elucidated by blocks and full page coloured illustrations, some of which represent specimens of the interesting sand-paintings, and next are given the myths explanatory of the gods and genii figuring in the Hasjelti Dailjis and the ceremonial and others independent of these.

The first paper of Vol. IX „Ethnological results of the Point Barrow Expedition" by JOHN MURDOCH contains a complete ethnography of the Eskimos inhabiting the said region, richly illustrated with cuts, representing dwellings and the implements used by these aborigines. — In the second paper „The Medicine men of the Apaches" by Cpt. JOHN G. BOURKE, the well-known author of „The Snake dance of the Moquis of Arizona (London 1884), the matter is treated in an exquisite manner, and it is also richly illustrated by cuts and coloured plates. We draw more especially the attention of our readers to the description of some of the paraphernalia (the bull-roarer with notes on its geographical distribution, necklaces of human fingers and also of human teeth etc.); and to the chapter on the medicine cord of the Apache, which is compared in a very learned manner, with rosaries and other mnemonic cords, sacred cords of the Parsis and Brahmans, measuring cords, etc.

We cannot terminate without expressing our regrets to hear that the excellent director of the B. of E., Major POWELL has left his post; imay it be given to his successor to follow in his footsteps.

IX. Prof. Dr. G. SERGI: Die Menschenvarietäten in Melanesien (Separatabdr. aus Archiv für Anthropologie) Braunschweig, Fr. Vieweg & Sohn, 1892. 4°.

Eine in mehr denn einer Hinsicht hochbedeutsame Arbeit, welche durch die, für das anthropologische Museum in Rom erworbene, Reiseausbeute an Schädeln des Dr. L. LORIA, cca. 400 Exemplare umfassend, veranlasst wurde.

Der Verfasser war schon früher der Ansicht zugethan, grosse Reihen könnten den Weg erleichtern zur Elimininirung der Schwierigkeiten bei der Bestimmung und anthropologisch-systematischen Anordnung der Bewohner Melanesiens. Dafür ist es aber seiner Ansicht nach nöthig die Schädel nicht nach dem Völkernamen und ihrer möglichen Herkunft, gemäss ihren Wanderungen, sondern nach ihrem morphologischen Bau, der uns die Typen kennen lehren kann, welche die anthropologischen Varietäten repräsentiren, zu untersuchen; was sich für die Lösung des anthropologischen Problems der Klassificirung der Menschenrassen ebenso nützlich erweisen könne.

Die genannte Sammlung enthält Schädel aus den Dörfern an der Dawsonstrasse zwischen den Inseln Fergusson und Normanby, von Woodlark und Trobriand und einige wenige von der Küste von Neu-Guinea. Sie zeigte dem Verfasser, dem sie im ersten Moment homogen erschien, bei genauerem Studium, in Reihen aufgestellt, eine erstaunlich grosse Verschiedenheit der charakteristischen Formen. Als allgemeine Resultate seiner Studien an diesen Schädeln theilt der Verfasser das Folgende mit.

1) Die Papua genannte Bevölkerung besteht aus vielen morphologischen Varietäten.

2) Die geographische Verbreitung derselben ist nicht auf die sogenannten Papuaterritorien beschränkt, sondern sie sind über ganz Melanesien, in bisheriger Begrenzung, und Australien verbreitet, mit Ausstrahlungen nach Polynesien und Mikronesien, nach den Inseln westlich Neu Guinea und nördlich von Australien, und bei einigen selbst bis auf die Andamanen.

3) Der Name Papua ist daher nicht nur ein willkürlicher, sondern erzeugt auch Verwirrung, da man mit ihm unbegründeter Weise Völker bezeichnet und trennt, die aus vielen ähnlichen, aber in verschiedenem Grade sich mischenden Varietäten bestehen.

Prof. S. wünscht daher den Namen „Papua" in der Anthropologie und Ethnographie, als Bezeichnung ethnischer Varietäten abgeschafft zu sehen und an Stelle desselben für alle Bewohner Papuasiens, Australiens etc. den Namen Melanesier gebraucht. Das Wohngebiet derselben begrenzt er folgendermaassen: Neu-Guinea mit den Inseln und Archipelen nord-nordöstlich bis zum Aequator, im Nord O. Neu Irland und Neu Britannien, im S. O. die Louisiaden und Entrecasteaux-Inseln und weiter nach S. O. die Loyalty-Inseln, Neu Hebriden, Salomon- und Viti-Inseln (bis nahe dem Wendekreis des Steinbocks und darüber hinaus bis zum 180° O. L. v. Greenw.); ferner Australien und einige Inseln nördlich davon und westlich von Neu-Guinea, ungefähr unter den 125° W. L. Greenwich fallend. Das so umgrenzte Gebiet deckt sich beinahe völlig mit dem, welches Dr. R. KRAUSE (Anthr.-Ethnogr. Abtheilung d. Mus. God. pg. 564) als Sitz der, von ihm „papuanische" genannten Menschenrasse bezeichnet. Prof. S. nennt diese wie gesagt „Melanesier"; sie constituiren nicht eine Rasse sondern eine Mischung vieler Varietäten. Aus dem Centrum des umschriebenen Gebietes stammt die Sammlung LORIA's und ohne Schwierigkeit lässt sich daraus die beständige und verschiedenartige, centrifugale und centripetale Bewegung der Völker zwischen Australien, Neu Guinea und den Nachbar-Archipelen und in Folge davon das grosse Gemisch von Varietäten, welches eben erwähnt wurde, erkennen. Gleichfalls lässt sich das Zusammenströmen und die Ausstrahlung vieler der Varietäten auf die entfernteren Archipele leicht erklären.

Betreffs der Methode des Studiums bemerkt Prof. S. dass er zuerst nach dem Augenmaass Gruppen aus der Sammlung ausschied von Schädeln, die einander ähnlich, wovon er dann wieder Unterabtheilungen trennte die von den Hauptgruppen divergirten. Ein geschultes Auge, sagt Prof. S., erkennt bald an Specialcharakteren die sich unterscheidenden typischen Formen (Auch wir machten diese Erfahrung gelegentlich unseres Arbeitens 1879 mit Dr. KRAUSE. SCH.); dieser vorbereitenden Arbeit aber muss die Prüfung mit dem Zirkel in der Hand folgen, da das Vertrauen auf erstere allein leicht Veranlassung zu Irrthum und Fehlern geben kann. Den Schädelindices legt Prof. S. nur einen relativen Werth bei.

Prof. S. nennt seine Typen Varietäten um das Problem über die Einheit oder Mehrheit der menschlichen Species aus dem Spiele zu lassen und um nicht Rasse zu sagen, weil dies ein zu zweideutiger Begriff. Das Wort Varietät kann auch den, nun allgemein gebräuchlichen und klaren Begriff von dem Ursprunge der Species nach der Theorie der organischen Evolution ausdrücken. Nach der von ihm angewandten Methode lassen sich die lokalen, einer bestimmten Erdzone angehörenden, Varietäten constituiren und daraus die Wirkung des Einflusses der Umgebung auf den Menschen und des der Elemente der ethnischen Mischung besser beurtheilen.

Ohne Zweifel sind die menschlichen Varietaten nicht nur variabel mit Bezug auf das Skelet, sondern vielfach auch in den Weichtheilen und Hautanhängen, aber das Knochengerüst ist, sagt Prof. S. das Fundament der Weichtheile, und wie es bei den niederen Thieren die günstigsten Bedingungen für die Klassification bietet, der stabileren Charaktere wegen, so tritt dies in der Anthropologie noch klarer hervor, da schon allein beim Schädel sich die für die Klassifizirung nöthigen Charaktere finden. In merkwürdiger Weise deckt sich das durch Prof. S. Gesagte mit der, schon 1881 durch Dr. KRAUSE (Op. cit. pg. 580) ausgesprochenen Ueberzeugung (Siehe auch desselben: „Craniometrische Studien". Verhandl. Ver. f. naturw. Unterh. Hamburg, Bd. VI pg. 133), „dass das Skelet und besonders der Schädel am constantesten den Typus der Rasse festhalten".

Prof. S. hofft dass, falls auch andere Anthropologen nach seiner Methode die menschlichen Formen studiren möchten, es für die Anthropologie möglich sein würde vom systematischen Gesichtspunkt aus, die Fortschritte der Zoologie und Botanik einzuholen.

Aus der nun folgenden Beschreibung der einzelnen Varietaten, die durch ausgezeichnete Abbildungen der Typen unterstützt wird, geht schon heut hervor dass bestimmte Formen an gewisse Lokalitäten gebunden sind. Für die Kenntnis der geographischen Verbreitung der Species „Mensch" ist dies von nicht geringem Interesse.

Ob die vielen durch den Verfasser für die Bezeichnung der einzelnen Formen neu eingeführten, griechischen Benennungen sich hätten vermeiden lassen, wollen wir nicht entscheiden; jedenfalls sind sie in manchen Fällen, wo selbst aus drei Wörtern zusammengesetzt, für die Lektüre der Arbeit etwas lästig. Dies indes nur nebensächlich; im Uebrigen ist diese Studie unserer Ueberzeugung nach, eine höchst gewichtige und sie verdient auch die Beachtung der Ethnographen im höchsten Maasse. Wird die Arbeit der letzteren durch derart systematische Untersuchungen wie die von Prof. S. auf anthropologischem Gebiet unterstützt, so wird sicherlich der Schleier der heut noch über vielen Wanderungen und Wandlungen unseres Geschlechtes liegt, im Lauf der Zeit leichter gelüftet werden.

X. Dr. HEINRICH VON WLISLOCKI: Volksglaube und Volksbrauch der Siebenbürger Sachsen. Berlin, Emil Felber, 1893. 8°.

Die rührige Verlagshandlung EMIL FELBER hat ein neues der Förderung unserer Wissenschaft geweihtes Unternehmen „Beiträge zur Volks- und Völkerkunde" begründet, als deren erster Band die obengenannte Arbeit des bekannten Zigeuner-Forschers erschienen ist. Auf die Ergebnisse langjähriger Wanderfahrten begründet, schildert sie uns die Eigenart eines, inmitten fremder Nationen sich derselben mit ausdauernder Zähigkeit wehrenden deutschen Stammes. Wie lange wird dies noch dauern? Ist nicht vielleicht der Zeitpunkt schon nahe wo jenes Völkchen, dem Drängen politischer Heissssporne erliegend, seine Eigenart verlieren und in dem, dasselbe umringenden Magyarenvolk verschwinden wird; wo Siebenbürgen, das wie der Verfasser uns lehrt, für den Volksforscher „ein Eldorade der Volkskunde" bildet, zur Einöde geworden sein wird?

Wir glauben dass unsere Furcht eine begründete und sind dem Verfasser für seine, in elfter Stunde noch gesammelten Beiträge zur Kenntnis des Denkens und Fühlens jenes Volksstammes um so dankbarer.

Was uns geboten wird, gehört fast gänzlich dem Gebiete übernatürlicher, animistischer Anschauungen an. Dämonen, Festgebräuche, Segen und Heilmittel, Glück und Unglück, Thiere im Volksglauben, Tod und Todtenfetische gelangen zur Behandlung in fesselnder, leicht verständlicher Weise. „Vieles, sagt der Verf., ist altmythischen, pangermanischen Ursprungs, manches aber im Lauf der Zeit und durch christliche Färbung unkenntlich oder gar sinnlos geworden", wo er von der Bedeutung der Thiere im Volksglauben spricht. Desto verdienstlicher ist das Bestreben des Verfassers, die letzten Regungen der Volksseele auch hier für feinere wissenschaftliche Forschung festzulegen.

XI. TH. ACHELIS: Die Entwicklung der Ehe. Berlin, Emil Felber; 1893. 8°.

Als zweiter Band der schon oben erwähnten Beiträge zur Volks- und Völkerkunde ist diese Arbeit aus der Feder eines der gewiegtesten Vertreter unserer Wissenschaft und zumal für die Behandlung eines Themas, wie das hier in Rede stehende, eines der Befugtesten, erschienen.

In anmuthender Sprache erhalten wir hier ein Bild der Ergebnisse der neueren Forschung, betreffs der Entstehung und Entwicklung derjenigen Institution, die wir heut als die heiligste unserer gesellschaftlichen Ordnung bezeichnen.

Nach einer kurzen Einleitung, in welcher der Verfasser sehr richtig sagt, dass es der Wissenschaft zum Nutzen gereiche, falls ihre Ergebnisse in weitere Kreise der Bildung dringen, führt derselbe uns, von der primitiven Ehe und der primitiven Geschlechtsgenossenschaft ausgehend, die verschiedenen Formen der Ehe (Polyandrie, polygynische und monogamische Ehe), der Verwandtschaftsverhältnisse (Mutter- und Vaterrecht, etc.), Eheschliessung und Eheauflössung vor, in den verschiedene Variationen wie diese in neuerer Zeit bei den verschiedenen Völkern des Erdballs bekannt geworden. Mit wachsendem Interesse sind wir dem Verfasser bei seinen Ausführungen gefolgt und glauben dass keiner, der sich über die hier in Betracht kommenden Verhältnisse näher zu unterrichten wünscht, dies Buch unbefriedigt zur Seite legen wird. Ein Werk von gleicher Klarheit der Behandlung dieses Gegenstandes, bei so gedrängter Kürze existirte bis dahin unseres Wissens nicht; jeder Gebildete wird dem Verfasser für seine Arbeit Dank wissen.

Druck und Ausstattung sowohl dieses, wie des vorerwähnten Bandes der „Beiträge" verdienen lobend erwähnt zu werden.

XII. Dr. M. GRESHOFF: Beschrijving der giftige en bedwelmende planten bij de vischvangst in gebruik (Meded. uit 's Lands Plantentuin). Batavia, Landsdrukkerij, 1893. lex. 8°.

Das Fangen von Fischen auf dem Wege des Betäubens, mittelst in das Wasser gestreuter Pflanzentheile findet sich bei den verschiedensten Völkern der Erde und ist in manchen Fällen schon seit Jahrhunderten bekannt. So erliess, wie der Verfasser, der sich durch phytochemische Untersuchungen einen Ruf erworben, pg. 161 mittheilt, die Spanische Regierung schon 1453 ein Verbot gegen die Entvölkerung von Fischteichen; trotzdem aber blieb unsere Kenntnis des Gegenstandes, und der hier in Betracht kommenden Pflanzen, bis in die neueste Zeit hinein eine sehr dürftige, und nur zwei Arbeiten, von ERNST und RADLKOFER beschäftigten sich mit demselben. Während erstere (1881 in Caracas erschienen) nur 60 und letztere (München 1886) 154 Arten aufzählte, erhöht sich die Zahl in der vorliegenden Abhandlung auf 233 Arten.

Der Verfasser giebt von jeder der aufgezählten Arten die Synonymie und geographische Verbreitung, sowie Notizen über deren Verwendung, die, soweit möglich, auf die der ersten Berichterstatter basirt sind. Stets sind diesen Bemerkungen solche über die Verwendung der betreffenden Pflanzen in der Medicin etc. hinzugefügt, und gleichfalls Pflanzen mit ähnlichen Eigenschaften vergleichsweise erwähnt.

So erhalten wir hier zum ersten Male ein abgerundetes Bild der Verwendung etc. einer Reihe von Pflanzen, wie kaum ein solches bis heut existiren und das für Botaniker und Toxicologen von hohem Interesse sein dürfte. Aber auch die ethnographische Wissenschaft hat unserer Meinung nach Ursache dem Verfasser für seine fleissige Arbeit dankbar zu sein, wie denn auf den Werth derselben für die Ethnographie schon von Prof. FLÜCKIGER in seiner eingehenden, sehr anerkennenden Besprechung (Pharmaceut. Post, 31 Dec. 1893), mit vollem Recht hingewiesen.

Sehr richtig sagt Dr. G.: „Ueberall haben die „Naturvölker mit grossem Scharfsinn aus der sie „umgebenden Pflanzenwelt die für diesen Zweck „(Betäubung der Fische) meist dienlichen Gewächse „herauszufinden gewusst." Was über den genannten Zweck bekannt, wird uns durch den Verfasser als die Frucht seiner weitgehenden Litteraturstudien geboten und damit wiederum eine Seite des Spiegelbildes der Volkspyche nahezu völlig entschleiert. Abgesehen von Europa, wo der Brauch nicht allein in früheren Jahrhunderten in verschiedenen Ländern geübt wurde, und selbst hie und da, z. B. in Deutschland, noch geübt (gekokkelt) wird, ist derselbe, wie oben gesagt, über die ganze Erde verbreitet. Von den durch den Verfasser aufgezählten Arten gehört der bei Weitem grösste Theil (128) zu den *Dicotyledones polypetalae*, 47 zu den *D. gamopetalae*, 52 zu den *D. monochlamydeae*, 5 zu den *Monocotyledonen* und 1 zu den *Gymnospermen*. Von manchen ist die Verwendung für den genannten Zweck noch nicht ganz sicher gestellt, so z. B. liegt für *Dioscorea hirsuta*, deren Wurzel genossen wird, erst eine Angabe vor, und von den Früchten der Arenpalme wird nur gesagt: „Employé par les Tagalo pour enivrer le poissons des rivières" (pg. 153 nach MADINIER). Zur Verwendung gelangen die verschiedensten Theile der Pflanzen, bei einigen Stengel und Blätter, bei anderen der Bast, bei noch anderen die Samen und Früchte. Manche haben sich auch für andere Thiere als giftig erwiesen, wieder andere allein für Fische.

Wir müssen hiemit unsere Besprechung der Arbeit Dr. GRESHOFF's schliessen und empfehlen selbe nochmals der vollsten Beachtung unserer Fachgenossen. Dem Verfasser wünschen wir, dass es ihm gegeben sein möge noch viele ähnliche Früchte seiner Studien reifen zu sehen, die dann eine sichere Grundlage einer Ethno-Botanik bilden würden, auf der Andere fortbauen könnten. Auch hier zeigt sich wieder deutlich wie einerseits die Ethnographie der Hülfe der verschiedensten Wissenschaftszweige bedarf, wie zumal die Ergebnisse naturwissenschaftlicher Studien fruchtbringend für sie sein können und wie unberechtigt ein Verlangen ist, in erster Linie Linguisten für eventuelle Lehrstühle der Völkerkunde an den Universitäten zu bestimmen, wie dies noch neuerdings in der Zeitschrift Globus (LXVI pg. 246) wieder ausgesprochen wurde. Doch verstehe man uns nicht falsch; wir verkennen durchaus nicht den Werth der Ergebnisse der linguistischen Forschung für die ethnographische, nur gegen die Anschauung, als sei allein von ihr Heil für uns zu erwarten sehen wir uns veranlasst, wie schon öfter, auch hier zu protestiren.

Schliesslich noch ein Wort! Sind derart ethnobotanische Studien, wie die hier uns vorliegende möglich geworden, so ist dies eine Folge des weisen Entschlusses der Niederländischen Regierung, welche die botanisch-chemische Versuchsstation zu Buitenzorg mit reichen Mitteln ausstattete. Werden dadurch Früchte wie Dr. GRESHOFF's Arbeit gezeitigt, sicher werden sich mit uns Alle, die an derart Studien Interesse nehmen, zu einem Dankesworte der Regierung gegenüber vereinigen.

XIII. FRIEDRICH S. KRAUSS: Böhmische Korallen aus der Götterwelt. Wien, Gebr. Rubinstein, 1893; 8°.

Die vorliegende, mit dem, dem Verfasser eigenen, scharfen Humor gewürzte Schrift beleuchtet die Leistungen einer Reihe von Autoren, besonders auf dem Gebiete der südslavischen Volkskunde, und kommen dabei mancherlei Dinge zur Sprache, welche ein eigenthümliches Licht auf jene Autoren zu werfen geeignet sind und Veranlassung sein dürften den Arbeiten derselben mit gewisser, kritischer Reserve näher zu treten.

Veranlasst das, was der Verfasser über die Weise in welcher die Lexicographie der südslavischen Sprache bereichert wird, wie der Gott Encina aus dem, auf den Sockel einer Statuette gravirten Namen eines Kupferstechers, und die Gottheit „Onewaig" aus der Bezeichnung eines, ohne Segen der Kirche Verstorbenen entstanden sind und, wie beiden lange gelehrte Abhandlungen gewidmet wurden, eine gewisse Heiterkeit, so erregen Leistungen wie jene, durch Dr. KRAUSS gegeisselten des Dr. VECKENSTEDT, FALE's (des bekannten Wetterpropheten, der die Wissenschaft mit einer ergötzlichen Studie „Ueber das Land der Inca" zu bereichern sich berufen fühlte), von NODILO, RAKOVSKY, und vor allem die des Grazer Professor KREK, falls das darüber Mitgetheilte auf guten Gründen beruht, Zweifel an der richtigen Erfassung der Aufgabe aller Wissenschaft, der Förderung der Erkenntniss der Wahrheit, seitens der betreffenden Autoren.

Sehr ergötzlich ist auch das was der Verfasser pag. 69 ff. über die Entstehung gewisser südslavischer Ornamente in Stickereien etc. mittheilt, so dass auch hier einige Vorsicht geboten erscheint.

Dr. KRAUSS bedient sich, wie gesagt, eines stark gewürzten Stils, der manchem Leser selbst etwas zu gepfeffert erscheinen dürfte; trotzdem meinen wir doch dass jeder, dem es um die Fortschritte unserer Wissenschaft Ernst ist, dem Verfasser dankbar sein wird für seinen Freimuth mit dem er die geschilderten Uebelstände rügt. Möge sein Buch als ein abschreckendes Beispiel wirken.

J. D. E. SCHMELTZ.

VI. EXPLORATIONS ET EXPLORATEURS, NOMINATIONS, NECROLOGIE. — REISEN UND REISENDE, ERNENNUNGEN, NECROLOGE.

I. La Société d'Anthropologie à Berlin a célébré son 25ième anniversaire le 17 novembre 1894 avec le concours d'un grand nombre de délégués d'autres sociétés savantes, dans l'Aula du „Museum für Völkerkunde". M. J. D. E. SCHMELTZ a exprimé de la part de la Société internationale d'ethnographie à Leide, comme délégué, les meilleurs voeux, et présenta une adresse congratulatoire de la part de cette société. Le soir du 18 nov. les membres de la société, leurs dames et les délégués se sont réunis à un diner solonnel dans le „Palast Hotel".

II. La Société d'Anthropologie à Vienne célébrera également son 25ième anniversaire le 12 février 1895 à 7 heures du soir par une session solennelle dans la salle du „Oesterreichischer Ingenieur und Architecten-Verein, I, Eschenbachgasse 9.

III. Japanese Society, London. The following papers of ethnographic interest will be read in the meetings 1895: January 9th: „The Evolution of the Netsuke" by MARKUS B. HUISH; February 13th: „On Inro" by M. TOMKINSON; March 13th: „The Chrysanthemum in Japanese Art" by G. C. HAITÉ; April 10th: „Japanese shipping" by Dr. ELGAZ.

IV. Une expédition d'exploration en Abessynie vient d'être organisée par trois membres de la Société impériale russe de Géographie.

V. Nous apprenons que la Société imp. russe de Géographie publiera l'ouvrage de M. IEROCHEFSKI sur les Yakoutes. L'auteur a vécu pendant 12 ans parmi ce peuple et connait à fond leur langue. Les moyens pour la publication (2500 roubles) seront fournis par deux marchands sibériens, M. PIKHTINE et Mme GROMMOF.

VI. Major VON WISSMANN bereitet die Herausgabe eines Werkes über die Resultate seiner letzten Reise nach Central Africa vor. Die von ihm und Dr. BUMILLER auf derselben zusammengebrachten Sammlungen, gelangten im Sommer 1894 in Mannheim zur Ausstellung.

VII. Nous apprenons avec grand plaisir que notre collaborateur M. le docteur E. GROSSE à Fribourg (Bade), l'auteur du bel ouvrage: „Die Anfänge der Kunst", vient d'être nommé Professeur extraordinaire à la dite université.

VIII. M. le professeur G. SCHLEGEL a été nommé Membre correspondant de la „Société Finno-Ougrienne" à Helsingfors, Finlande et Membre honoraire de la „Société Japonnaise" à Londres.

IX. M. J. D. E. SCHMELTZ a été nommé Membre correspondant des Sociétés d'Anthropologie à Washington et à Berlin.

X. † We have to report the death of Dr. H. NEUBRONNER VAN DER TUUK, the author of eminent works on the languages of Netherlands India, who died in the month of August 1894 at Surabaya. He was born in India, got his education in the Netherlands, and studied at the university of Groningen. His principal work „Kawi-Balineesch Nederlandsch Woordenboek", on which he spent all his forces and time during the last twenty years, has been left unfinished, but we hope it will be possible to finish it from the Manuscript he left behind.

By his last will he bequeathed all his books, his manuscripts and native palmleaf writings, to the Library of the University of Leiden.

XI. † M. le docteur T. C. L. WIJNMALEN, directeur de la bibliothèque royale à la Haye, vient de mourir le 14 janvier dernier dans son domicile après une longue maladie. Le défunt a été longtemps „Secrétaire de l'Institut royal pour la philologie, la géographie et l'ethnologie des Indes néerlandaises et a publié plusieurs articles sur les colonies néerlandaises.

XII. † We have to report the loss of Mr. GARRICK MALLERY, formerly Captain U. S. Army, a well-known ethnological authority, whose principal work treats of the Pictographs of the North American Indians, and who died at Washington, Oct. 24th, 1894.

XIII. † M. le chambellan Baron VON ALTEN, connu pour ses travaux sur des sujets préhistoriques, est décédé le 8 octobre 1894 à Oldenbourg dans sa 72e année.

XIV. † Nous avons à mentionner la mort de M. EUGEN PANDER, dernièrement professeur à Peking, l'auteur de plusieurs articles sur le Lamaïsme, publiés dans la „Zeitschrift für Ethnologie" et dans les „Mittheilungen aus dem Kgl. Museum für Völkerkunde zu Berlin". Il est décédé dans le cours de la dernière année.

XV. † M. le docteur A. SASSE, l'éminent craniologue néerlandais, est décédé à Zaandam dans le cours de la dernière année.

XVI. † Le célèbre explorateur de la Sibérie M. NICOLAS YADRINTSEW est décédé le 19 juin 1894 à Barnaul.

XVII. † M. le docteur WEIGEL, conservateur de la section préhistorique du Musée ethnologique à Berlin est décédé le 1 juin 1894. J. D. E. SCHMELTZ.

XVIII. † Nous venons d'apprendre la mort de M. le prof. TERRIEN DE LACOUPERIE, qui a succombé à une fièvre typhoïde, le 11 Octobre 1894 en son domicile, 136 Bishop's Road, Fulham, Londres, à l'âge de 49 ans. ALBERT TERRIEN DE LACOUPERIE était né à Ingouville (le Hâvre) le 23 nov. 1845.

Malgré ce qu'en ont dit quelques-uns de ses biographes anglais, ainsi que le Globus (LXVI pg. 308), il n'avait jamais mis le pied en Chine. Nous constatons avec une profonde indignation que le gouvernement anglais a laissé périr ce regretté savant et ethnographe dans la plus profonde misère.

G. SCHLEGEL.

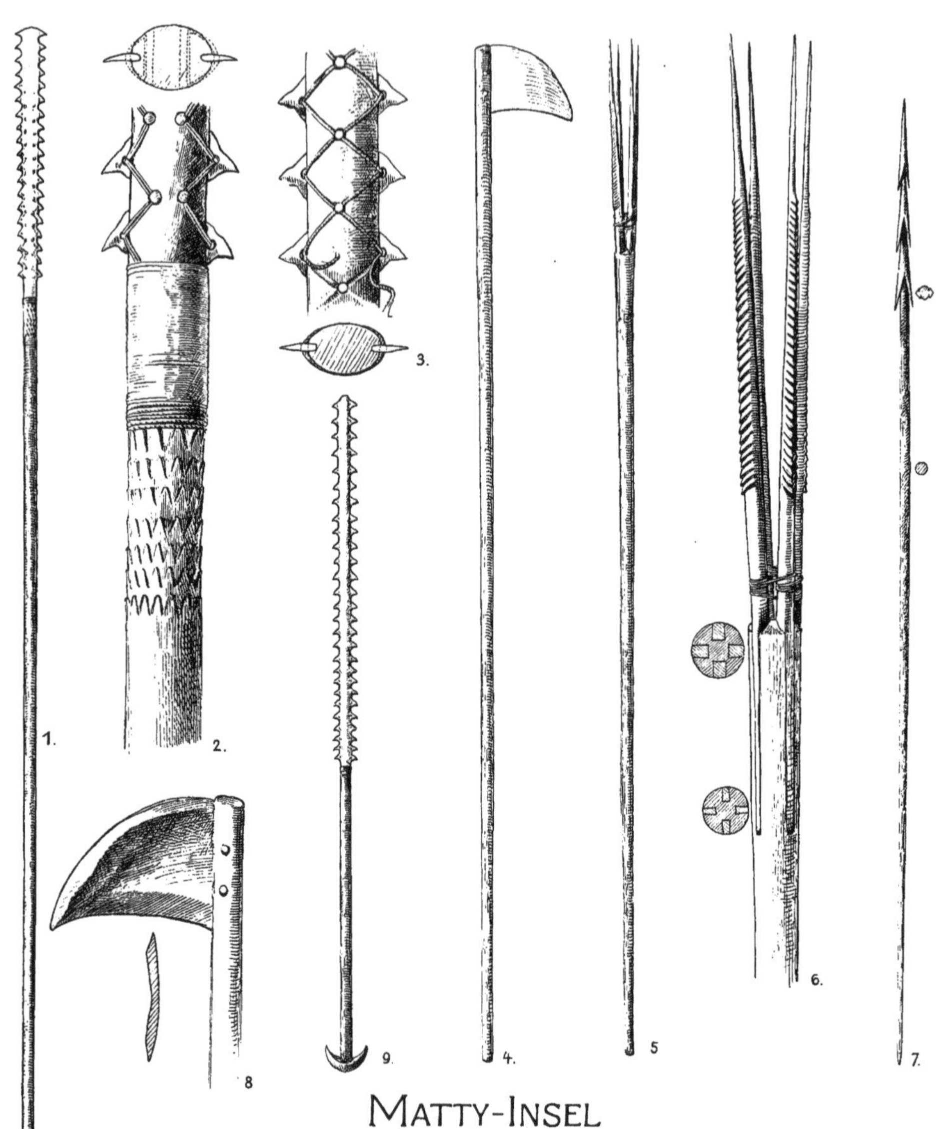

MATTY-INSEL

1. WAFFE MIT HAIFISCHZAEHNEN 1/12 D.N.G.
2. DETAIL DERSELBEN 1/2 D.N.G.
3. DETAIL DER IN FIG. 9 ABGEBILDETEN WAFFE 1/2 D.N.G
4. SCHLAGWAFFE(?) MIT EINEM STUECK VOM KNOCHENPANZER EINER SCHILDKROETE 1/12 D.N.G.
5. SPEER 1/12 D.N.G.
6. SPITZEN DERSELBEN 1/4 D.N.G.
7. SPEER 1/12 D.N.G
8

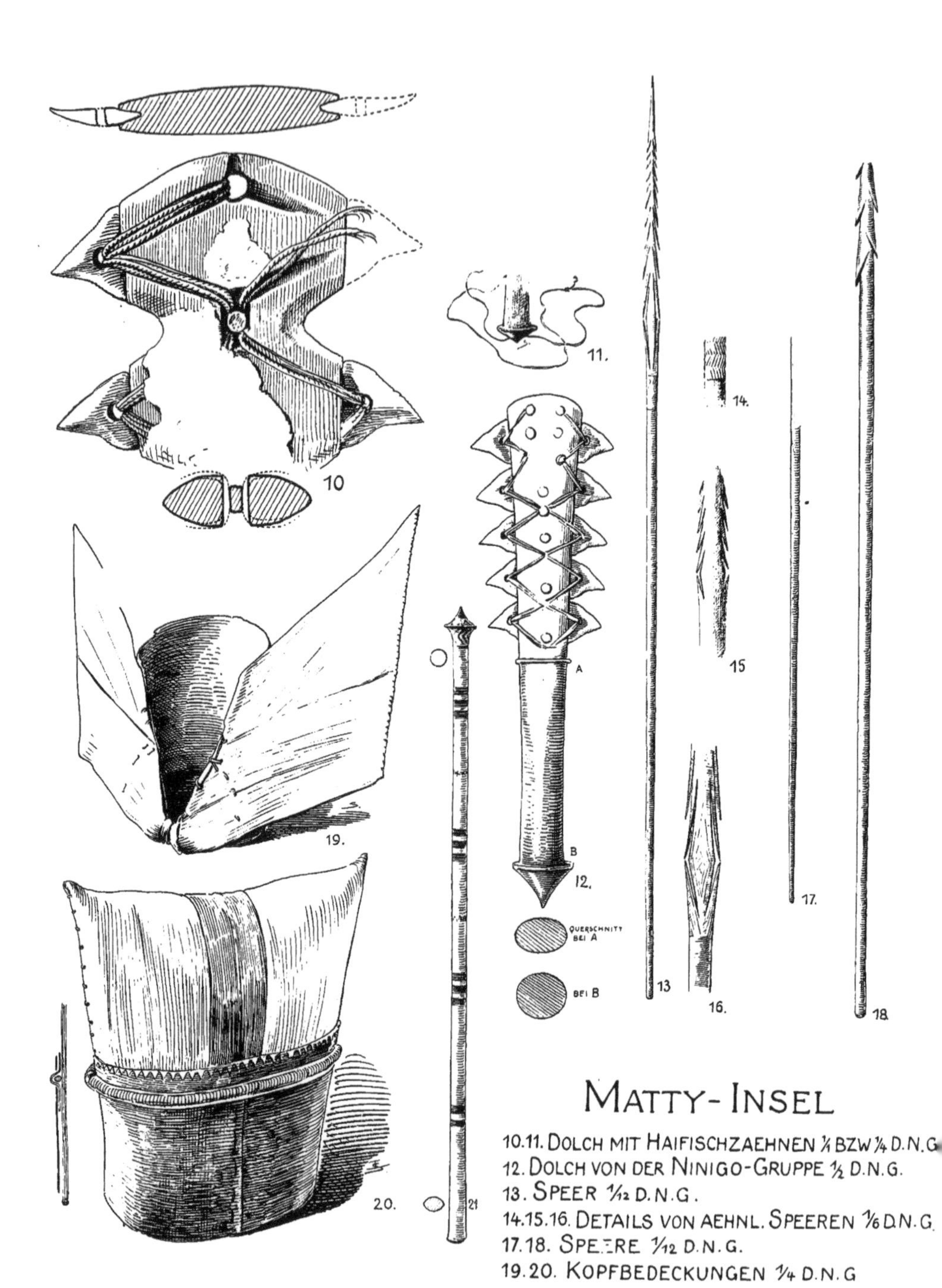

Matty-Insel

10.11. Dolch mit Haifischzaehnen 1/1 bzw 1/4 D.N.G.
12. Dolch von der Ninigo-Gruppe 1/2 D.N.G.
13. Speer 1/12 D.N.G.
14.15.16. Details von aehnl. Speeren 1/6 D.N.G.
17.18. Speere 1/12 D.N.G.
19.20. Kopfbedeckungen 1/4 D.N.G

ex Mus. reg. ethn. Berol. — L. Sütterlin delineavit. — Lichtdruck: W. Neumann & Co., Berlin.

MATTY-INSEL

22–25. BEILE MIT EINEM STÜCK VOM KNOCHENPA
EINER SCHILDKROETE 1/3 D.N.G.
26–29. BEMALTES HOLZGEFAESS IN DER ANSICH
D. SEITE, V. OBEN, V. UNTEN U. PERSPECTIVISCH 1/8 D
30. GERAETH, WAHRSCHEINLICH ZUM AUSRASPEL
VON PALMNUESSEN 1/6 D.N.G. DARUEBER ZUM VERGLE
EIN AEHNL. GERAETH AUS OST-AFRIKA 1/16 D.N.
31. HOLZGEFAESS 1/4 D.N.G.

ex Mus. reg. ethn. Berol.

L. Sütterlin delineavit

Geographisches Semin
d. U. Leipzig.

ZUR ETHNOGRAPHIE DER MATTY-INSEL.

VON

DR. F. VON LUSCHAN,

BERLIN.

Mit Tafel V—VII.

Der Anthropologischen Gesellschaft in München, zu ihrem 25-jährigen Stiftungsfeste gewidmet.

Die Matty-Insel liegt an der Nordküste von Deutsch Neu-Guinea, etwa 150 Kilometer von dieser entfernt, ungefähr der Mündung des BASTIAN- und des HOCHSTETTER-Flusses gegenüber, nördlich vom 2° s. Br. und ungefähr zwischen 142 und 143° östl. Länge. Sie wurde am 19. September 1767 von CARTERET entdeckt und benannt. Capt. BRISTOW wurde 1817 durch falsche Chronometer-Beobachtungen, die ihn auch zu unrichtigen Längen für die Purdy-Gruppe und die kleine östlich von dieser gelegene Elisabeth-Insel führten, veranlasst, westlich von dieser Matty-Insel eine weitere kleine Insel anzunehmen, die er nach seinem Schiffe Tiger-Insel nannte. Die Identität beider Inseln wurde schon 1875 von Meinicke vermuthet und neuestens von Capt. DALLMANN bestätigt.

Der Name Tiger-Insel ist daher gegenstandslos geworden und wird von den Karten wieder verschwinden müssen, ebenso wie die Insel selbst, die offenbar nie existirt hat. Hoffentlich wird es gelingen, für die Matty-Insel den einheimischen Namen zu ermitteln und in der Litteratur einzubürgern; bis dahin kann nur der Name beibehalten werden, den der erste Entdecker, also CARTERET gegeben, wenn auch nicht bekannt ist, was er bedeutet und wessen Andenken er der Nachwelt hätte überliefern sollen. Ob seit CARTERET und BRISTOW bis auf unsere Zeit sonst noch jemand die Insel besucht hat, ist mir nicht bekannt.

Am 26. Mai 1893 wurde Matty von der „Ysabel" unter Capt. DALLMANN auf einer Fahrt angelaufen, welche zur Anwerbung von Arbeitern für die Neu-Guinea Compagnie unternommen worden war [1]). Ist auch der eigentliche Zweck dieses Besuches nicht erreicht worden, so verdanken wir doch dem Leiter dieser Werbungs-Expedition, unserem alten Gönner LUDWIG KÄRNBACH, der dem Berliner Museum für Völkerkunde schon früher grosse und wichtige Sammlungen aus der Süd-See geschenkt hatte, eine Reihe von ethnographischen Gegenständen, die er dort für die Neu-Guinea Compagnie erworben hat. Diese sind so eigenartig und so durchaus abweichend von allem, was man von einem in solcher Nähe von Neu-Guinea gelegenen Inselchen je hätte erwarten können, dass ich es für richtig halte, sie

---

[1]) Vrgl. Nachrichten über Kaiser Wilhelm's Land. 1893 p. 42 ff.

so rasch als möglich bekannt zu machen, obgleich das vorhandene Material noch lückenhaft ist und lange nicht ausreicht, ein vollständiges ethnographisches Bild zu ermöglichen.

Die in den Besitz des Berliner Museums übergegangenen Stücke werden hier unter den Inventar-Nummern VI. 11772 bis VI. 11809 verwahrt; ich werde sie im Folgenden sämmtlich beschreiben und dabei ausführlicher sein, als das sonst meist üblich ist. Niemand freilich wird eine solche Beschreibung zu seinem Vergnügen lesen und ich kann auch nicht gerade behaupten, dass mir selbst eine derart ins Kleine (und vielleicht ins Kleinliche) gehende Inventur-Aufnahme als ein persönlich erwünschter Zeitvertreib erscheint — aber ich halte es trotzdem für nöthig, eine Sammlung wie diese, welche durchaus Stücke enthält, die in der ethnographischen Litteratur bisher neu und unerhört sind und deren gleichen bisher sonst in keinem anderen Museum vertreten sind[1]), so zu beschreiben, dass die

[1]) Nach vollständigem Abschlusse des Ms. dieser Abhandlung erfuhr ich, dass sich im Kieler Museum zehn Stücke von Matty befänden (vier Speere, ein Fischspeer, ein Knochenbeil, eine viereckige Holzschüssel, ein Stirnband mit *Nassa* und Hundezähnen, eine genetzte Tasche mit *Nassa* und ein Steinbeil), dass diese Stücke von einem kürzlich aus Neu-Guinea zurückgekehrten Arzt dahin gestiftet seien, und dass dieser selbe Arzt, College H. noch weitere Stücke selbst besitze, darunter Bogen und Pfeile von Matty. Natürlich erregten diese Stücke mein lebhaftes Interesse; durch das gütige Entgegenkommen von Herrn Director Scheppig in Kiel, der Photographien der fraglichen Stücke für mich anfertigen liess, konnte ich aber bald feststellen, dass nur ein Theil derselben sicher von Matty stammt, dass andere Stücke aber sehr ausgesprochen melanesischen Charakter haben und ganz zweifellos von der le Maire-Gruppe oder einem benachbarten Orte der Küste N. Guinea's stammen. Ich ermittelte dann, dass College H. nicht selbst auf Matty gewesen war, sondern seine Stücke auf Neu-Guinea aus zweiter Hand erworben hatte. Ich hatte weiteres die Freude, in dieser Sache eine lange persönliche Unterredung mit Herrn Kapitän Dallmann haben zu können, und College H. hatte schliesslich auch die Güte, mir mitzutheilen, dass er nach einer Unterredung mit Kapitän Dallmann jetzt wisse, dass sein Bogen von Berlin-Hafen, nicht von Matty sei.

Damit ist nun eigentlich diese ganze Anmerkung gegenstandslos geworden und ich hätte mich vielleicht auf die Mittheilung beschränken können, dass auch das Kieler Museum mehrere Stücke von Matty besitzt, welche mit solchen in der Berliner Sammlung vollkommen übereinstimmen. Ich habe es gleichwol für richtig gehalten, den Sachverhalt gleichsam historisch zu entwickeln, weil ich glaube, dass er ungemein lehrreich für uns ist, und weil er schlagend zeigt, wie leicht sich grundfalsche Angaben auch heute noch in die Kataloge einer Sammlung einnisten können, selbst wenn diese von einem Ethnographen moderner Schule geleitet wird. Wie bedenklich sind also erst die „bestimmten" Angaben aus der Zeit der „Curiositäten-Kammern", und wie staunenswerth ist es, dass überhaupt noch so viel authentisches Material, selbst noch aus dem vorigen Jahrhunderte, auf uns gelangt ist.

Das hier vorliegende Missverständniss hat sich schliesslich sehr einfach aufgeklärt: College H. hat seine Stücke von den Herren der „Ysabel" erhalten, als diese eben von der oben erwähnten Reise zurückkam, auf der sie neben Matty und der Le Maire-Gruppe auch verschiedene Punkte der gegenüberliegenden Küste der Hauptinsel berührt hatte. Er verwechselte einige Angaben und brachte die Stücke dann nach seiner Heimath, wo sie leicht eine heillose Verwirrung angerichtet hätten, wenn ich nicht ganz zufällig auf dieselben aufmerksam geworden wäre. Man denke sich nur den Fall, die Berliner und desshalb auch die Kieler Stücke seien zunächst unbeachtet geblieben. Nach Jahrzehnten kommt dann Jemand, studirt sie und findet von Matty: *a* in Berlin nur Stücke nicht melanesischen Charakters, *b* in Kiel meist Stücke typisch melanesischer Art. Er ermittelt dann weiter, dass die Kieler Stücke von einem Arzt, die Berliner von einem Botaniker stammen, die beide selbst in Neu Guinea gewesen waren und beide durchaus glaubwürdig und ehrenhaft sind; er ermittelt schliesslich wohl auch, dass beide Museen so gut geleitet sind, dass eine nachträgliche Verwechslung innerhalb derselben völlig ausgeschlossen sei — er muss also zu dem Schlusse kommen, dass auf Matty im Jahre 1893 sowohl typisch melanesische als auch Geräthe ganz anderer Gattung vorgefunden worden sind, und er muss darauf weitere, gleich falsche Schlüsse bauen. Jetzt war es ja durch directe Umfrage bei den Lebenden leicht und einfach, den Irrthum rechzeitig aufzuklären — wäre das versäumt worden, so wäre es dazu für immer zu spät gewesen und auf der Matty-Insel wäre für alle Zeiten ein (melanesisch) schwarzer Fleck haften geblieben, den keine spätere Forschung je hätte wegwaschen können.

Hier ist übrigens wohl auch der Platz zu der Mittheilung, dass das Berliner Museum s. Z. nicht die ganze letzte Kärnbach'sche Sammlung von der Neu-Guinea Compagnie erworben hat und dass sich daher von der Matty-Insel noch mehrere Stücke im Besitz der Compagnie befinden, welche für uns nur Doubletten gewesen wären, für eine andere Sammlung aber höchst werthvolle und wichtige Erwerbungen darstellen würden. Es sind zwei Knochenbeile, drei Essschüsseln, eine Kopfbedeckung, zwanzig Speere und zwei Fischspeere, alle den Stücken des Berliner Museums, bezw. den hier mitgetheilten Abbildungen entsprechend.

Kenntnis derselben auch dann dauernd gesichert bleibt, wenn die Originale selbst dem Zahne der Zeit unterliegen und wenn keine weiteren Belegstücke nach Europa gelangen sollten. Meine Arbeit wird daher zunächst trocken und ungeniessbar erscheinen; gleichwol möchte ich sie der wohlwollenden Beachtung der Collegen empfehlen; ich wage deshalb auch den Versuch, die nüchterne Beschreibung des vorhandenen Materiales an der Hand einzelner spärlicher brieflicher Angaben KÄRNBACH's zu einer ethnographischen Skizze abzurunden. Ich bin mir vollkommen bewusst, dass dieze Skizze vielfach lückenhaft bleiben wird, aber ich rechne darauf, dass die merkwürdigen Ergebnisse der ersten Reise bald einen weiteren Besuch zur Folge haben werden und denke, dass gerade die Lücken meiner jetzigen Arbeit dann die Veranlassung zu recht eingehenden Beobachtungen und Aufsammlungen sein werden.

GEOGRAPHIE.

Die Insel hat ungefahr 20 Quadrat-Kilometer, ist flach, mit Kokos-Palmen bestanden und, soweit überhaupt untersucht, — also im Westen und im Norden — von Strandriffen umgeben, denen kleine bewachsene Inselchen vorgelagert sind. Starke nach Westen [1]) führende Meeresströmungen und der Mangel guter Ankerplätze erschweren Landung und Aufenthalt.

ANTHROPOLOGIE.

Die Insel scheint sehr dicht bewohnt zu sein; die ebenso furchtsamen als neugierigen Eingebornen kamen in zahlreichen Canoes an das Schiff heran. Sie sind viel heller, als irgend welche Melanesier, einzelne geradezu „zeitweilig stark roth-fleischfarben;" die Augen sind geschlitzt, fast wie die der Chinesen, die Nase ist schmal, das Haar schwarz, schlicht und meist in langen Locken von 70—80 cm. (!!) Länge herabwallend.

Die Köpfe sind, so weit aus einigen mir vorliegenden hutartigen Kopfbedeckungen geschlossen werden kann, eher gross, mit einem Umfange von 53—55 cm.

SPRACHLICHES.

„Ihre Sprache war mir vollständig unbekannt" — das ist alles, was KÄRNBACH an sprachlichem Materiale mittheilt. Immerhin ist es gut, sich vor Augen zu halten, dass KÄRNBACH viele der in Deutsch-Neu-Guinea gesprochenen Sprachen beherrscht oder kennt und auch malayisch spricht.

KLEIDUNG.

„Die Männer sind völlig unbekleidet, die Frauen haben nur ein Feigenblatt." Hingegen besitzen wir drei verschiedene Formen von Kopfbedeckungen, alle aus Pandanus-Blättern hergestellt und sehr sorgfältig zusammengenäht.

Von diesen ist eine, VI. 11790, sehr beschädigt und jedenfalls unvollständig; soweit erhalten, hat sie die Form einer cylindrischen Röhre von etwa 20 cm. Höhe. Der untere Rand ist glatt, nach innen umgebogen, der obere war durch dicht nebeneinander stehende, kurze verticale Einschnitte verziert, ist aber so beschädigt, dass die Art des ursprünglichen Abschlusses nicht mehr erkannt werden kann.

Die zweite Form, VI. 11791, ist auf Tafel VI. Fig. 19. wiedergegeben; sie hat das Aussehen einer

---

[1]) Nach KÄRNBACH's Angabe; starke Strömungen nach NW. werden schon von CARTERET hervorgehoben, der sonst überhaupt weiter gar nichts von der Insel berichtet, als dass die Bewohner zahlreich mit Lichtern am Strande herum liefen.

kurzen, beiderseits offenen Röhre und hat zwei grosse weit abstehende Flügel, die auch aus Pandanusblättern zusammengenäht und durch dünne Stäbchen verstärkt sind; was vorne und was hinten ist, vermag ich nicht zu sagen; die Blätter sind mit einer erdigen Masse braun gefärbt; die grösste Höhe der Röhre ist 18, die der Flügel 30 cm., der Abstand der Flügelspitzen von einander 50 cm., der Kopfumfang etwa 56 cm. Die dritte Form, VI. 11792, (Taf. VI. Fig. 20.) bildet unten eine cylindrische Röhre, ist aber oben firstartig geschlossen; zum vollen Verständnis dieser sonderbaren Kopfbedeckung ist es nöthig, die Art und Weise ihrer Herstellung zu ermitteln; diese begann mit dem Zusammennähen eines etwa 26 cm. breiten Streifens von 56 cm. Länge aus einer doppelten Schichte von Pandanus-Blättern; ein schmaler Streifen für die Mitte war vorher mit einer erdigen Masse braun gefärbt worden; der ganze so zusammengenähte Streifen, der also in der Mitte ein braunes Band hat wird der Länge nach zusammengefaltet, so dass die Ränder jeder Längsseite sich berühren und zusammengenäht werden können. Damit ist die Form des Hutes bereits gegeben. Was noch kommt, ist lediglich Verstärkung und Verzierung, und kann als eine Dreizahl von „Hutbändern" aufgefasst werden. Von diesen ist das mittlere 5 cm. hoch und besteht aus einem gelben Pandanus-Streifen, welcher in seiner ganzen Länge dicht mit kleinen Einschnitten versehen ist, die etwa das mittlere Drittel seiner Breite einnehmen, senkrecht auf die Längsrichtung geführt sind und nur wenige Millimeter von einander abstehen. Dieses Band kann nun über ein ringsum den Hut laufendes Stäbchen derart zusammengeschoben werden, dass es in seiner Mitte einen geriefelten Wulst bildet, der den Hut in einen oberen und unteren Theil scheidet. Gehalten wird dieses mittlere „Hutband" durch zwei weitere Pandanus-Streifen, von denen der untere 10, der obere 2 cm. breit ist; der letztere ist oben ausgezackt; beide sind braun gefärbt und durch einige grobe Fadenschläge mit dem ganzen Hute und mit dem mittleren Hutbande vereinigt. Der Umfang des nun fertigen Hutes beträgt etwa 53, die Gesammthöhe 28, die Länge des Firstes 26 cm.

WAFFEN.

Unter den Waffen verdient das Fig. 4. Taf. V. abgebildete Beil, VI. 11807, wohl an erster Stelle genannt zu werden — es steht völlig einzig da und findet wohl in der ganzen ethnographischen Litteratur nicht seines Gleichen. Es besteht aus einem 214.5 cm. langen, beinahe drehrunden Stab aus hartem und schwerem dunklem Holz, der an einem Ende leicht verjüngt ist, am anderen Ende aber eine dreieckige scharfe Klinge trägt, die aus einem Stücke eines Rückenpanzer-Knochens einer grossen Schildkröte hergestellt ist. Diese Klinge ist 14 cm. hoch, 18 cm. breit, in der Mitte 1.1 cm. dick, längs der einen Kante in den Holzstab fest verzapft, durch zwei Holzniethen festgehalten und an den beiden freien Seiten scharf zugeschliffen.

Irgendwelche Angaben über dieses eigenartige Stück liegen nicht vor, wir werden es aber mit einiger Sicherheit als recht energische Angriffswaffe betrachten können.

Fast ebenso eigenartig, wenn auch in mancher Beziehung an mikronesische Waffen erinnernd, sind zwei lange speerartige Keulen, VI. 11808 und 9. Die letztere ist Fig. 1. und 2., Taf. V. abgebildet; sie ist 272 cm. lang, aus hartem, dunklem Holz, an ihrem oberen Ende mit zwei Reihen von je 18 Haifischzähnen bewehrt und dort mit einer weissen dicken, bröcklichen, gipsartigen Paste überzogen. Die Waffe ist in der Ausdehnung von mehr als zwei Metern fast drehrund, unten leicht verjüngt (unten 2.1, oben 2.8 cm. im Durchm.) und erst in ihrem obersten Viertel derart abgeflacht, dass das obere Ende 3.5 cm. breit und nur 1.3 cm. dick ist. An die so entstandenen Kanten sind in gleichen Abständen jederseits 18 Haifischzähne [1]) angebracht und mit dünnen stark gezwirnten Fäden befestigt; die Art der Verschnürung ist abweichend von den auf der Kingsmill-Gruppe üblichen Methoden; sie kann auch nur an den Stellen überhaupt erkannt werden, an denen die weisse Paste abgebröckelt ist; wo diese erhalten blieb, bildet sie einen dichten Ueberzug, aus dem nur die Spitzen der Zähne emporragen, so dass von weitem die Waffe aus zwei Theilen zu bestehen scheint, einem schwarzen drehrundem und einem weissen, flachen und gezähntem. Untersucht man einzelne Stellen, an denen der weisse Ueberzug abgebröckelt ist, so sieht man, dass beiderseits längs der Kanten, gerade immer halbwegs zwischen zwei Zähnen, runde Löcher in das Holz gebohrt sind, und dass die Schnüre immer von einem durchbohrten Zahne zu einem solchen Loche und von diesem wieder zum nächsten Zahne laufen, so dass also immer von einem solchen Loche aus zwei Zähne festgehalten werden, während die Verschnürung der einen Seite von der der anderen ganz unabhängig bleibt. Die

---

[1]) Nach gütiger Bestimmung von Herrn MATSCHIE Zähne von CARCHARIAS LAMIA.

Durchbohrung der Zähne sowohl wie die des Schaftes ist sehr exact und rein cylindrisch, so dass sicherlich sehr vollkommene Drillbohrer zu ihrer Herstellung verwandt wurden. Den Uebergang zwischen dem 60 cm. langen, gezähnten, weissgefärbtem Theile der Waffe und dem Schafte vermittelt ein 7 cm. langes Stück, das mit sieben Reihen von einfachen Zacken geschmückt ist; von diesen ist die unterste nur durch tief eingeritzte Linien angedeutet, die sechs anderen sind durch wirkliches Ausschneiden dreieckiger Stücke hergestellt.

Ganz ähnlich ist die Waffe, VI. 11808; sie ist etwas kleiner und nur 256 cm. lang; soweit die gute Erhaltung der weissen Paste erkennen lässt, ist aber die Befestigung der Zähne eine etwas andere, indem, gleich wie bei den sofort zu beschreibenden kleineren Waffen, die Bohrlöcher im Schafte nicht in zwei Reihen längs der Kante, sondern nur in einer Reihe in der Mittellinie der Waffe angeordnet sind, so dass also immer vier Zähne mit je einem Loche verbunden sind. Beiderseits stehen je 26 Zähne; der solcherart bewehrte Theil misst 61 cm., und ist mit einer dicken weissen Kruste umgeben, der Rest von 195 cm. entfällt auf den drehrunden, schwarzen, nach unten leicht verjüngten Schaft.

Verwandt mit dem durch diese beiden grossen Stücke vertretenen Typus sind zwei kleinere Waffen, VI. 11772/3. Sie sind nur 146, bezw. 148 cm. lang und zunächst dadurch ausgezeichnet, dass sie am unteren Ende einen halbmondförmig gebogenen, beiderseits sehr spitzen Griff haben. VI. 11772 ist auf Taf. V. Fig. 3. und 9. abgebildet; der beinahe drehrunde Stiel hat 2.4 cm. im Durchm., das flache Ende ist ebenso breit, aber nur 1.4 dick. Beiderseits sind je 28 Haifischzähne befestigt; das Holz ist sehr hart und da wo es frei liegt, dunkelbraun glänzend; der mit Zähnen bewehrte obere Theil der Waffe ist, wie bei den früher erwähnten Stücken, mit einer dicken Schichte einer weissen gipsähnlichen Masse bedeckt. Wo diese abgebröckelt ist, kann man sehen, wie die einzelnen Zähne in einen Falz eingelassen und mit Schnüren befestigt sind, die sich auf den Flachseiten, in den der Mittellinie der Waffe entsprechenden Bohrlöchern zu kreuzen scheinen. Thatsächlich thun sie das allerdings nicht, sondern verlaufen immer nur auf je einer Seite der Waffe; offenbar mit der Absicht, die Keule so dünn wie möglich zu gestalten, liegen diese Schnüre nur an den Rändern frei und kommen gegen die Mitte zu in besonders für sie hergestellte, tief eingeschnittene Rinnen zu liegen. Die Bohrlöcher selbst sind dann noch durch kleine Holzkeile ausgefüllt, anscheinend weniger der Festigkeit wegen, denn diese Keile sind aus sehr weichem, markähnlichem Holz, als zur Erreichung einer gleichmässigen Unterlage für die weisse Paste. Die Waffe VI. 11773, ist der vorigen ganz ähnlich, nur ist sie um 2 cm. länger und, statt mit 28, mit 35 Paar Haifischzähnen besetzt.

Eine andere Gruppe von Waffen ist durch drei lange stabförmige Keulen, VI. 11774/5/6 vertreten. Von diesen ist die erste auf Tafel VI. Fig. 21. abgebildet; sie ist 144 cm. lang, fast drehrund, unten etwas abgeflacht, mit einer Andeutung von zwei Längsrippen, oben mit einem leicht ausladenden und dann wieder stumpf-kegelförmig abgeschlossenem Kopfe. Der Schaft hat etwa 2.9 cm., der Kopf 57 cm. im Durchm. Das Material ist ein hellbraunes hartes und schweres Holz; wie aus der Abbildung ersichtlich, ist die Waffe bemalt, mit dunkler Farbe und in einfachen Mustern. VI. 11776 ist ganz ähnlich geformt, nur 135 cm. lang; der Schaft ist nur in seiner oberen Hälfte annähernd rund, in der unteren hat er quadratischen Querschnitt aber mit ganz abgerundeten Ecken. Die dritte Waffe dieser Gruppe, VI. 11777, ist 141 lang, oben rund, unten abgeflacht mit schwacher Andeutung von Längsrippen. An einer Stelle des Kopfes, unterhalb seines grössten Umfanges ist ein 5 × 6 mm. messendes, rechteckiges Stückchen Holz eingefügt, nur bei ganz genauem Zusehen überhaupt erkennbar, also wohl nicht zum Schmuck oder als Eigenthumszeichen, sondern vermuthlich wohl eine höchst sorgfältige Ausfüllung eines zufällig vorhandenen Defectes.

Wahrscheinlich als „Dolch" aufzufassen, also dann auch noch bei den Nahewaffen zu besprechen, ist das Tafel VI. Fig. 11. abgebildete Stück. Es ist aus hartem Holz, 22 cm. lang und ähnlich wie die oben beschriebenen speerartigen Keulen mit Haifischzähnen besetzt. Von der Länge entfallen 9 cm. auf den glatten, unten mit einem stumpf-kegelförmigem Knopfe versehenen Griff und 13 cm auf den flachen Theil, der an beiden Schneiden je vier Zähne trägt, oben 4.3 cm. breit und nur 0.9 cm. dick ist, und mit derselben weissen Paste überschmiert war, wie die grossen Keulen. Diese ist aber an sehr vielen Stellen abgeblättert, so dass die Befestigung der Zähne, gerade an diesem Stücke, ganz besonders genau studirt werden kann. Fig. 10 stellt desshalb einen Theil dieses „Dolches" im natürlicher Grösse dar; wie aus dem Querschnitte, an der Stelle, wo einer der Zähne ausgebrochen ist, zu ersehen, entspricht jedem einzelnen Zahn eine kleine Grube, in die er mit einem Theile seiner Wurzel versenkt ist. Hingegen sind aber die einzelnen bezahnten Stellen von einander durch tiefe Einbuchtungen getrennt, was wohl ein besseres Eindringen dieser sägeartigen Waffe in die Weichtheile bezwecken soll.

Ein ganz ähnliches Stück besitzt das Berliner Museum schon seit langen Jahren; es befand sich in einer ganz ausgezeichnet schönen und werthvollen Sammlung aus Oceanien, die uns von Herrn Capitän zur See v. WIETERSHEIM zugewendet wurde. Es hat die Bezeichnung Echiquier, stammt also von der Ninigo-Gruppe und aus der allernächsten Nachbarschaft der Matty-Insel; wie die Abb. Taf. VI. Fig. 12. zeigt, schliesst er sich fast vollkommen an das eben beschriebene Stück an; nur die Art der Befestigung der Zähne ist etwas abweichend; aber auch diese findet ihre vollständige Analogie bei der grossen Keule VI. 11809 Fig. 1. und 2. T. V. p. 44, so dass wir sagen können, dass die uns von Herrn v. WIETERSHEIM geschenkte Waffe genau ebenso gut von Matty stammen könnte, als von der unmittelbaren Nachbargruppe Ninigo. Ein weiteres ähnliches Stück kenne ich aus dem Münchener Museum, wo es unter B. 89.1465 eingetragen ist und als von den Anachorites herrührend geführt wird. Wie aber Herr Director BUCHNER mir gütigst mitgetheilt, ist die Herkunft nicht völlig einwandfrei.

Liegen nun auch die Kanies (Anachoreten)-Inseln ganz in der Nachbarschaft der Ninigo-Gruppe und der Matty-Insel, so möchte ich doch beinahe glauben, dass alle die drei eben erwähnten Stücke, das des Münchener und die beiden des Berliner Museums ursprünglich von einer und derselben Insel oder Inselgruppe stammen — so ähnlich sind sie unter einander.

Die Fernwaffen der Matty-Insel sind durch vier[1]) von einander verschiedene Formen von Speeren vertreten, die zunächst kurz derart bezeichnet werden können, dass die erste Form gegenständige Widerhaken hat, von denen das unterste Paar nach oben sieht, so dass es mit dem vorhergehenden einen Rhombus einschliesst; zur zweiten Form gehören die Speere, welche Widerhaken nur auf einer Seite haben, zur dritten Speere mit wechselständig angeordneten Haken, zur vierten endlich welche mit gegenständigen wie bei der ersten Form, aber ohne das nach oben sehende unterste Paar der ersten Form.

Diese vier Typen sind neben einander auf Tafel VI. Fig. 13, 17 und 18 und auf Taf. V. Fig. 7 abgebildet. Der erste Typus ist bei uns durch sechs Stücke vertreten, VI. 11793—98, die sich von einander nur unwesentlich, durch die Länge und durch die wechselnde Zahl der Widerhaken unterscheiden. Sie sind alle beinahe rund, ebenso wie die anderen drei Typen aus einem einzigen Stück harten Holzes geschnitzt und unten gleichmässig leicht verjüngt. Die Längen sind mit 197, 198, 210, 209.5 und 218.5 zu verzeichnen, die Zahl der Widerhaken mit 7, 18, 7, 19, 11 und 28 Paaren; der kleinste Durchmesser unten am verjüngten Ende misst 0.6 cm., der grösste da wo der Schaft in die gezähnte Spitze übergeht 2.1 cm. oder weniges mehr. VI. 11793 hat besonders flache und dünne fast lancetförmige Widerhaken, die 5 bis 7 cm. lang, 1.3 bis 1.8 cm. breit und wenig mehr als 1 mm. dick sind. Der Uebergang vom Schaft zur Spitze ist durch einige leicht eingeschnittene Linien hervorgehoben. VI. 11794 hat viel dickere, plumpe Widerhaken, bei VI. 11795 ist hervorzuheben, dass die gegen einander gerichteten Spitzen des vorletzten und des letzten Hakenpaares sich eben berühren und nicht von einander getrennt sind. Das rhombische Zwischenstück zwischen den Wurzeln dieser Paare, ist mit eingeritzten Linien verziert, ebenso das unterste Hakenpaar selbst. Von VI. 11796, dem besten und schönsten Stücke dieser Gattung ist das Mittelstück in Fig. 16. Taf. VI. abgebildet; auch bei ihm ist das zwischen den beiden untersten Hakenpaaren liegende rhombische Schaftstück mit gravirten Linien verziert, etwas reicher als bei den anderen Speeren. Das vorletzte Hakenpaar, also das letzte von denen, die nach unten gerichtet sind, ist besonders dünn und elastisch federnd, so dass sicher das nächstfolgende unterste Hakenpaar, das nach vorne gerichtet ist,

[1]) Dabei ist eine Form von Speeren nicht mitgezählt, die uns von der N. Guinea-Compagnie (wohl auf eine Bemerkung KÄRNBACH's fussend) als „Fischspeer" bezeichnet worden; diese soll später gesondert behandelt werden, obwohl es durchaus nicht ausgeschlossen ist, dass derartige Speere mit mehreren Spitzen auch im Kampfe Verwendung finden, wofür in Viti und sonst auf der Südsee mehrfache Analogie gegeben ist. Andererseits ist es gut möglich, dass der derbe und feste Speer, durch den die dritte der oben aufgestellten vier Gruppen vertreten ist, vorwiegend im Nahkampfe zur Verwendung kommt.

besonders schwere Verletzungen bewirken muss und auch das sonst wohl ab und zu erwünschte „Durchziehen" des Speeres fast unmöglich gemacht oder jedenfalls ungemein erschwert wird. Dieselbe, ebenso einfache als sinnreiche Einrichtung ist auch bei VI. 11797, dem fünften Speer dieser Gattung vorhanden, vrgl. Taf. VI. Fig. 13. und 14. Ausserdem hat dieser unterhalb der Widerhaken, gleichsam zur ideellen Trennung von Schaft und Spitze oder als Ueberbleibsel aus einer Zeit, in der noch eine besondere Spitze in den Schaft versenkt war, ein einfaches Fischgrätenmuster leicht eingeritzt. VI. 11798 hat besonders kurze und kräftige Widerhaken, sonst nichts eigenthümliches.

Zur zweiten Gattung unserer Wurfspeere gehören die vier Stücke VI. 11799 bis 11802, sie sind der Reihe nach 195, 188.5, 180.5 und 199.5 cm. lang und haben vier Widerhaken, die alle nur auf einer Seite hinter einander stehen, so dass die Speere, in der Fläche gesehen, unsymmetrisch erscheinen. Das *letzte* Stück in der Reihe hat noch hinter den anderen einen fünften Widerhaken, der aber von dem vierten wesentlich weiter absteht als die vier oberen von einander, so dass er sich dadurch als eine besondere Zuthat erweist. VI. 11799 hat ein eingeritztes Fischgräten-muster, zwischen Schaft und Spitze; VI. 11800 und 11802 haben unter den wirklichen Widerhaken noch weitere solche dadurch angedeutet, dass da vier Linien derart eingeritzt sind, dass sie zwei Haken vorstellen von denen der hintere mit seiner Spitze nach vorne sieht; es handelt sich also um eine Andeutung einer Form, die bei den früher beschriebenen Speeren der ersten Reihe weiter entwickelt ist — oder richtiger ausgedrückt um ein allmähliges Verkümmern einer sinnreichen und vortheilhaften Einrichtung zu einem blossen Ornamente — eine Verkümmerung, deren Beginn schon in dem oben beschriebenen Speere VI. 11795 zum Ausdruck gelangt, bei dem die beiden letzten Hakenpaare, zwar noch völlig frei und gross herausgearbeitet sind, aber mit ihren Spitzen schon zusammenhängen. VI. 11803 ist ein Speer, der die dritte Grundform vertritt; er ist 213 cm. lang, sehr derb und dick, aus schwerem hartem Holz, mit glänzend dunkelbraun-schwarzer Ober*fl*äche, er hat (vergl. Taf. VI. Fig. 18.) auf einer Seite drei, auf der anderen vier kurze, breite Widerhaken, die nicht gegenständig, sondern abwechselnd stehen und sich schuppenartig übergreifen. Der Schafttheil ist beinahe drehrund, nach hinten gleichmässig sich verjüngend, mit Durchmessern von 2.8 bis zu 1.5 cm.

Auch die vierte Grundform ist nur durch einen einzigen Speer vertreten, VI. 11804; er ist 203.5 cM. lang, hat drei Paare von gegenständigen, breiten, nach hinten gerichteten Widerhaken und keinerlei Verzierung, vrgl. Taf. V. Fig. 7.

FISCHSPEERE.

Von solchen (vergl. die Anmerkung auf S. 46) sind zwei Stücke vorhanden, VI. 11805 und 6. Der erstere Speer ist 207 cm. lang und besteht aus vier Spitzen und einem drehrunden, hinten stark verjüngten Schaft von 3.7 bzw. 1.5 cm. Durchmesser. Die Spitzen sind aus demselben harten dunklen Holze wie der Schaft, stehen 44 cm. frei vor und sind in einer Ausdehnung von 13 cm. tief eingefalzt und zwar so genau und sorgfältig, dass man gut zusehen muss, um überhaupt wahrzunehmen, dass sie nicht aus einem Stücke mit dem Schafte selbst geschnitten sind. Der eingefalzte Theil ist im Querschnitte viereckig und, wie die beiden Querschnitte (vergl. Taf. V. bei Fig. 6.) zeigen, oben fast quadratisch, unten rechteckig; die freien Spitzen sind rund, jede mit vier nach aussen stehenden kurzen Widerhaken; sie halten nur durch die Genauigkeit der Einfalzung, ohne Nägel oder Klebestoff. In 6 cm. Abstand von der Wurzel sind sie durch dünne aber fest gezwirnte Schnüre mit einander verbunden, offenbar um das Ausbrechen zu verhindern, wenn sie durch einen zwischen sie gerathenen Körper auseinander geklemmt werden. VI. 11806 ist dem vorigen sehr ähnlich; er ist 214 cm lang, der Schaft hat 1.1 bis 3.5 im Durchmesser, die vier freien Spitzen sind 43 cm. lang, ihr eingefalzter Theil 14 cm. Die Spitzen sind innen glatt und nach aussen dicht mit enge auf einander folgenden, ganz kleinen Widerhaken bedeckt, die bei jeder der vier Spitzen anders gestaltet sind.

Ob diese beiden Waffen, wie das Verzeichnis der Neu-Guinea-Compagnie angiebt, wirklich nur Fischspeere sind und nicht etwa doch Wurflanzen für den Krieg, vermag ich nicht mit Bestimmtheit zu vertreten. Der Umstand, dass die Haken der vier Spitzen aussen stehen, und nicht innen, könnte wohl für die letztere Auffassung gedeutet werden, welcher auch sonst kaum etwas entgegen stehen dürfte, während man freilich im Allgemeinen geneigt ist, ähnliche Formen, ohne ihre wirkliche Bestimmung zu erkunden, schon von vornherein für Fischspeere zu halten.

Beile.

Unter den Geräthen der Kärnbach'schen Sammlung sind besonders die Beile auffallend; auch sie sind wiederum völlig eigenartig und ohne jede Analogie, wenigstens was die Art ihrer Herstellung angeht, wenn auch das Material selbst, Holz und Knochenstücke vom Rückenpanzer einer grossen Seeschildkröte auch anderswo, vor allen in Mikronesien, zu Beilen verwendet wird. Wir besitzen vier solche Beile von der Matty-Insel, Vrgl. Taf. VII Fig. 22 bis 25, welche alle in Form und in der Art der Befestigung etwas untereinander abweichen, aber im wesentlichen doch wieder so eng zusammengehören, dass wenn man auch nur eines derselben gesehen hätte, man doch auch die anderen sofort erkennen und richtig unterbringen würde.

VI. 11777 hat einen 28 cm. langen Holzgriff, der nicht ganz rund ist sondern im Querschnitt beinahe eiformig, mit deutlicher Abplattung des Rückens, und eine knöcherne Klinge, welche 17 bezw. 20 cm. lang, 9.4 cm. breit und 11 mm. dick ist. Die Klinge ist nicht senkrecht, sondern etwas schräg nach unten sehend in den Griff eingefügt, sehr glatt und besonders auf der Aussenseite (des Panzers) glänzend, oben und unten fast ebenso dick wie in der Mitte, nur vorne mit einer scharfen Schneide versehen. Der natürlichen Krümmung der Klinge entsprechend, ist auch der Griff ein klein wenig in der Fläche gekrümmt. Die Befestigung von Griff und Klinge ist eine, wegen der ungemeinen Genauigkeit der Arbeit scheinbar sehr einfache und glatte, in Wirklichkeit aber eher complicirt zu nennen; die Klinge ist nämlich theilweise in den Griff eingefalzt, theilweise hat sie einen Ausschnitt, in den ein Zahn des Griffes eingreift und zum dritten hält sie noch durch einen besonderen kleinen Holzdübel (vergl. Abbildung VII. Fig. 23) der ganz versteckt ist und auf dessen Existenz ich überhaupt nur ganz durch Zufall aufmerksam wurde, weil das schlecht verpackte Beil beim Transporte gelitten und eine Lockerung des Verbandes erfahren hatte.

VI. 11778 ist dem vorigen sehr ähnlich, nur die Befestigung der Klinge ist etwas abweichend, wie Abb. Taf. VII. Fig. 25 zeigt; durch einen querdurchgehenden Holzstift ist sie noch ganz besonders gesichert.

Abermals abweichend und noch inniger ist die Verbindung, die bei VI. 11779 beobachtet wird. Sie wird (Siehe Abb. 24 auf Tafel VII.) durch zwei Knochenzapfen vermittelt, die in den Stiel eingreifen und diesen sogar durchdringen, so dass sie auf der Rückenseite des Griffes sichtbar sind, ferner durch drei Holzzapfen, die vom Griffe ausgehend, in die Klinge eingreifen, aber nur auf der Innenseite, während die Aussenseite der Klinge völlig glatt erscheint, schliesslich durch zwei Querstifte aus Holz, welche Griff und Klinge durchsetzen und vermuthlich überdies noch durch den oben erwähnten und in Fig. 23 abgebildeten kleinen Dübel. Die Befestigung ist also eine besonders verwickelte und sichere. Der Stiel misst 33 cm., die Klinge ist 17 bezw. 22 cm. lang, 11 cm. breit und 1.2 cm. dick.

Das vierte Beil endlich, VI. 11780, ist zunächst durch die besondere Länge der Klinge sehr auffallend; diese misst 26 und 32 cm., bei einer Breite von 9.2, einer Dicke von 0.6 und einer Grifflänge von 32 cm. Das Handende des Griffes ist im Bereiche des letzten Centimeters sehr stark kegelförmig verjüngt, der Griff selbst ist, noch etwas deutlicher als bei den drei anderen Beilen, der Krümmung der Klinge entsprechend, in der Fläche gekrümmt. Die Verbindung zwischen Griff und Klinge ist durch einfache Einfalzung erreicht und durch einen Querstift aus Holz gesichert, vrgl. Taf. VI. Fig. 22.

Kärnbach meint, dass diese Beile beim Canoe-Bau Verwendung finden; das erscheint im ersten Augenblicke vielleicht unwahrscheinlich, ist aber schliesslich doch ganz annehmbar; auch Steinbeile erfordern ja wie wir wissen, fortwährendes Schleifen und wir haben ja in der allerletzten Zeit aus Ost-Afrika selbst hölzerne Beilklingen kennen gelernt und sogar in recht grosser Anzahl und Mannigfaltigkeit.

Gefässe.

Zwei verschiedene Formen von hölzernen Gefässen liegen uns vor, eine runde und eine viereckige. Die erstere ist durch VI. 11783 vertreten. Das ist ein rundes, nach unten leicht verjüngtes Gefäss von der Form eines umgekehrten, nicht ganz regelmässigen, abgestumpften Kegels; die Höhe ist 15, der obere Durchmesser rund 30, der untere rund 22 cm. Der obere Rand hat an zwei einander gegenüberliegenden

Stellen als Andeutung von Handhaben zwei kleine Höcker, denen an der Mantelfläche je eine ganz niedere kaum angedeutete Leiste entspricht. Das Gefäss (Fig. 31 Taf. VII) ist aus sehr hartem hellbraunem, stellenweise aber fast schwarz gefärbtem Holz und trotz mehrfacher Reinigungsversuche noch immer ganz durchfettet und klebrig schmierig, so dass an seiner Bestimmung als Koch- oder Essgeschirr nicht gezweifelt werden kann.

Die zweite Form ist in Fig. 26 bis 29 Taf. VII wiedergegeben; ihr entsprechen die drei Stücke VI. 11787 bis 89, sie stimmen unter einander sehr gut überein und unterscheiden sich nur durch die Grösse und dadurch, dass bei dem für die Abbildung gewählten Stücke Bemalung sichtbar ist, während ein anderes sehr alt und vom Gebrauche ganz geschwärzt, das dritte aber noch ganz ungebraucht und vielleicht deshalb auch noch nicht bemalt ist. Auch diese Schüsseln haben wiederum eine Form, für die ich gar keine Analogie kenne; sie haben nur drei Flächen: den stark gekrümmten flachen Boden und zwei Seitenwände; der Boden ist aber nicht einfach viereckig, sondern in der Mitte stark eingezogen, so dass er an den Rändern der Schmalseiten fast ein Drittel breiter ist, als in der Mitte. Die beiden Seitenflächen sind ungefähr senkrecht auf diesen gekrümmten und eingezogenen Boden gesetzt, und oben ungefähr wagrecht abgeschnitten, so dass sie die Form von Kreissegmenten haben, die in der Fläche nach aussen gekrümmt sind. Diese Schüsseln sind alle ganz aus dem Vollen geschnitzt und sehen auch wegen der vollendeten Sauberkeit der Arbeit sehr gut aus; sehr bezeichnend ist auch, dass die beiden Seitenwände ganz dünn sind, während der Boden dick gehalten ist. Die Bemalung, das heisst die Verzierung des abgebildeten Stückes, VI. 11789, zu deuten, will ich nicht versuchen; die Maasse desselben ergeben sich aus der Abbildung; von den beiden anderen Schüsseln dieser Art verzeichne ich die folgenden Maasse: VI. 11787, 48 cm. lang, 33, in der Mitte 24 cm. breit, 10 cm. hoch, Boden 1.2, Seitenflächen 0.3 dick; VI. 11788, 44 cm. lang, 29, in der Mitte 20.5 cm. breit, 7.5 cm. hoch, Dicke des Bodens 0.9, der Wand 0.3 cm.

Flechtwerk.

Von der Flechterei der Matty-Insulaner besitzen wir bisher nur einen einzigen Vertreter, den kleinen Handkorb VI. 11782, der auf Seite 56 abgebildet ist. Er ist nett und sorgfältig gearbeitet, aus schmalen dünnen Pandanus-Streifen einfach umschichtig geflochten, länglich, 32 cm. lang, an den Seitenkanten 18 cm., in der Mitte etwas weniger hoch. Der obere Rand ist durch ein angenähtes Stäbchen verstärkt; als Henkel dient eine geflochtene Schnur, welche jederseits in der Mitte der Seitenwand am Rande befestigt ist und ein gebogener Holzhaken, in dem diese Schnur wie ein Faden in einer Nähnadel durch ein Ohr läuft. Der Haken hat vierkantigen Querschnitt und eine recht scharfe Spitze.

Schnüre.

Schnüre sind mehrfach bei einzelnen Stücken der Sammlung vorhanden und dann stets erwähnt. Sie sind durchwegs gut gedreht, zwei — drei — und mehr zwirnig und immer aus pflanzlichen Fasern hergestellt, deren mikroskopische Untersuchung ich zwar in Angriff genommen, aber noch nicht vollendet habe.

Unter VI. 11786 besitzen wir auch ein grösseres Stück einer 3 mM. dicken dreizwirnigen braunen Schnur, die anscheinend aus Baststreifen gedreht ist.

Cocos-Raspeln.

Zwei abermals ganz eigenartige Geräthe hat Kärnbach als „Cocos-Klopfer" bezeichnet; wir haben sie unter VI. 11784 und 85 inventarisirt; das letztere Stück ist auf Taf. VII. Fig. 30 abgebildet. Beide stimmen unter einander fast völlig überein, nur ist das letztere Stück etwas besser gearbeitet und mehrfach verziert. Es handelt sich um Geräthe aus Holz, die von weitem spatenförmig aussehen und am Stielende mit einer scharfen Muschel bewehrt sind.

Das andere Ende wird durch ein viereckiges Brett gebildet, das bei VI. 11784 19-mal zu 23 cm. gross und 1.6 cm. dick ist, bei dem anderen — gezeichneten — Stücke noch etwas grösser. Von diesem Brette geht unter stumpfem Winkel, aus dem Vollen geschnitzt ein griffartig gestaltetes Stück ab, drehrund etwa 35 cm. lang und 3.2 bis 3.5 im Durchmesser, das am freien Ende von vorn nach hinten durchbohrt ist.

An diesem durchbohrten Ende ist mit Rindenbast eine in der Mitte ebenfalls durchbohrte dicke und sehr scharfrandige Muschelschale fest angebunden. Das eine unserer Stücke ist nicht weiter verziert, das andere ist mit röthlicher Farbe bemalt, theilweise auch in der Art, dass ganze Flächen mit dieser Farbe bedeckt und dann die Zeichnung durch Auskratzen oder Wegstreichen der Farbe herausgespart wurde. Ausserdem ist dieses Stück auch dadurch vor dem anderen ausgezeichnet, dass der „Griff" in der Nähe des freien, mit der Muschel bewehrten Endes einen sehr breiten Ring trägt der aus einer Cocos-Art hergestellt scheint, wohl aus derselben, aus der in Mikronesien die bekannten kleinen Ringe geschnitten werden. Dieser grosse Cylinder ist mit einem quer durchgehenden Holznagel an dem „Griffe" befestigt, sitzt aber auch ohne diesen schon ganz fest auf. Bei unseren beiden Stücken ist der „Griff" sowohl wie ein Theil des Brettes mit einer grauen, recht harten aber sich doch etwas schmierig anfühlenden und ausgesprochen oelig schmeckenden Schichte bedeckt.

KÄRNBACH schreibt über diese „Cocos-Klopfer": „Die Eingebornen zeigten uns die Benutzung folgendermaassen. Der geriebene Cocosnuss-Kern wurde auf eine starke, mit tiefen Einschnitten versehene Platte gelegt, dann das breite Ende mit Holzklammern an die Platte befestigt; sodann stellte sich der Mann auf das breite Ende und wiegte auf und nieder. Es trat auch etwas Oel heraus, doch nicht viel; mehr weiss ich nicht davon."

Ich muss gestehen, dass mir diese Mittheilung nicht ganz verständlich ist; auch ist sie vom 20 März 1894 datirt, während KÄRNBACH's Besuch auf der Insel auf den 26 Mai 1893 fällt; sie ist daher fast zehn Monate später aus dem Gedächnisse niedergeschrieben; immerhin geht aus derselben hervor, dass wenigstens ein Theil des Geräthes als eine Cocosoel-Presse aufgefasst werden muss. Aber was soll dabei die bei beiden Exemplaren vorhandene Muschel? Ich zweifle nicht, dass diese zum Raspeln der gespaltenen Cocos-Nuss dient. Aehnliche Geräthe sind mehrfach bekannt und ich selbst werde demnächst in meinem Buche über die Ethnographie von Ost-Afrika [1]) das *mbusi* der *Sswahîli* beschreiben, welches einen stuhlartigen Apparat bildet aus dem eine scharfe gezähnte eiserne Zunge vorragt; diese dient zum Herausraspeln des Inhaltes der halbirten Cocos-Nuss, während der Arbeiter, bezw. die Arbeiterin, auf dem Apparate selbst hockt; *mbusi* (Ziege) heisst das Geräth offenbar der eisernen Raspel wegen, die wie eine Thierzunge vorgestreckt ist. Ganz ähnlich denke ich mir die Verwendung unseres Geräthes von der Matty-Insel [2]).

BOOTE.

Während die „Ysabel" längs der Insel entlang trieb, kamen zahbreiche Boote an das Schiff. „Es war eine so feine Arbeit, wie ich sie mein Lebtag noch nicht gesehen habe, auf das kunstvollste zusammengesetzte Hölzer. Kein Stückchen Eisen, aber auch keinerlei Bindematerial war vorhanden, alles war durch hölzerne Nägel verbunden. Ich hatte drei Canoes erworben, doch wurden sie nicht nach Deutschland geschickt. Die Flotte sah herrlich aus. Jeder Aufsatz hatte an der Spitze stets ein Büschel Haare hängen."

KÄRNBACH giebt zu dieser begeisterten Schilderung auch eine kleine Skizze, die ich nicht reproducire, weil sie mir völlig unverständlich ist, und weil sie nicht an Ort und Stelle sondern auch erst zehn Monate später gemacht ist. Soviel aber geht aus ihr doch

---

[1]) Berlin 1895 bei DIETRICH REIMER.

[2]) Dieses entspricht dann dem von CODRINGTON, Melanesians p. 339 für S. CHRISTOVAL erwähnten Geräthe, das wir auch von den Marianen kennen, wo es mit einem Schildpattschaber versehen sein soll, und das auch für Benkulen und Ternate und sonst für Indonesien bekannt ist, wie mir Herr SCHMELTZ mittheilt (s. dieses Archiv, V. p. 100). Nach einer mündlichen Mittheilung von Herrn HELGENBERGER ist ein ähnliches Geräthe auch auf den Pelau üblich; ich weiss aber nicht, ob es von dort schon veröffentlicht ist. (KUBARY erwähnt desselben in seiner Monographie nicht, doch ist es von Nukuoro im Catalog des Museum Godeffroy beschrieben und abgebildet; N°. 884 pg. 347 & Taf. XXXI Fig. 5. *Red.*).

mit Sicherheit hervor, dass es Ausleger-Boote sind und dass dieselben am Bug und am Stern je einen grossen Sporn haben und ausserdem vorne und hinten noch irgend einen grossen Aufbau, den ich freilich nicht verstehe. Hoffentlich gelingt es, wenigstens eines der drei von Kärnbach erworbenen Boote für Deutschland zu retten; er hatte für das erste derselben eine eiserne Axt, für die beiden anderen nur Eisen im Werthe von 60 Pfennigen gegeben; fast möchte es scheinen, als ob der geringe Tauschwerth auch bei den maassgebenden Personen eine geringe Werthschätzung dieser doch so kostbaren Boote zur Folge gehabt hätte — hat doch einst auch Carteret, und das gar nicht weit von der Matty-Insel, wie er selbst sehr naiv erzählt, ein grosses Eingebornen-Fahrzeug, das vollkommen unversehrt in seine Hände gekommen war, als Brennholz verkleinert, statt es nach Europa zu bringen, wo es jetzt doch sicher eines der werthvollsten Stücke des British Museum sein würde.

Kärnbach bemerkt noch, dass er keine Segelboote gesehen habe und dass die Leute keinen Verkehr mit dem Festlande haben — woran bei der völligen Eigenartigkeit ihrer Geräthschaften allerdings nicht gezweifelt werden kann; auch der Gebrauch des Tabaks soll völlig unbekannt sein. Andererseits wird berichtet, dass Lues sehr verbreitet sei, doch kann auf diese Angabe, da sie nicht von einem Arzte ausgeht, keinerlei Gewicht gelegt werden.

Trachten wir nun, uns das aus den vorstehend mitgetheilten spärlichen Daten und aus den acht und dreissig Stücken der Berliner Sammlung gewonnene Bild etwas zu klären, so gelangen wir zu den folgenden Thesen.

1. Die Bevölkerung der Matty-Insel ist nicht melanesisch.

2. Die Waffen und Geräthe der Matty-Insulaner sind durchaus eigenartig; unter den acht und dreissig Stücken der Berliner Sammlung ist (von einem belanglosem Schnurstück abgesehen) nicht ein einziges, das mit Sicherheit an einen uns bekannten Cultur-Kreis angeschlossen werden könnte. Auch die Aehnlichkeit einzelner Stücke mit modernen mikronesischen ist nur eine oberflächliche und äusserliche.

3. Es ist wahrscheinlich, dass die Bevölkerung seit vielen Generationen keinerlei Verkehr mit der Aussenwelt gehabt hat.

4. Nach Analogie mit anderen oceanischen Verhältnissen ist es wahrscheinlich, dass mindestens zehn Generationen, also mindestens drei Jahrhunderte, wahrscheinlich aber viel grössere Zeiträume nöthig waren, um einen derart hohen Grad von Isolirtheit des Cultur-Charakters zu zeitigen.

5. Bei dem bisherigen Stande unserer Kenntnis ist es unthunlich, den Matty-Insulanern eine bestimmte Stellung im ethnographischen System anzuweisen; es ist aber wahrscheinlich, dass sie nicht Abkömmlinge sondern „Brüder" von Mikronesiern sind.

---

[1]) Bougainville, der diese Gruppe 1768 entdeckt, bezeichnet sie als unbewohnt; ebenso, nach ihm, Waitz-Gerland VI. 519. Miklucho-Maclay, soviel mir augenblicklich in Erinnerung, ist 1876 der Erste, der sie als bewohnt erkennt; vrgl. Z. f. Ethn. X. 1878. Verh. 108. Am Berliner Museum führen wir die Gruppe unter ihrem einheimischen Namen Ninigo, dem Principe folgend, thunlichst die einheimischen Namen beizubehalten, oder wenigstens zu benutzen, sobald sie bekannt werden.

Zu 1. bemerke ich, dass ich mich bei dieser These lediglich auf die Beschreibungen L. KÄRNBACH's stütze. Sie sind dürftig genug und weder durch Haarproben noch durch Maasse noch durch irgend sonst etwas Greifbares gestützt. Gleichwohl habe ich keinen Grund, an der Richtigkeit seiner Angaben zu zweifeln.

Zu 2. wäre zu erwähnen, dass die Verwendung von Haifischzähnen zur Bewehrung von Waffen (und Geräthen) zwar als typisch mikronesisch gilt, dass sie aber auch mehrfach in Polynesien vorkömmt und dass sie auf der Matty-Insel in ganz eigenartiger Weise durchgeführt wird. Die Kopfbedeckungen und vielleicht auch die Haartracht erinnern einigermaassen an FINSCH's Parsi-Leute; ich kann mir von diesen allerdings kein genaues Bild machen, aber ich habe doch den Eindruck, dass diese Aehnlichkeiten nur ganz scheinbare sind; die Kopfbedeckungen der Parsi sind nach FINSCH aus Baumbast gemacht und die Haartracht beschreibt er als „Zotteln", während KÄRNBACH von „Locken" spricht. Die einzige wirkliche Aehnlichkeit, und diese ist allerdings eine sehr grosse, weist uns nach der benachbarten Ninigo- (Echiquier-)Gruppe [1]). Diese ist allerdings aber auch so gut wie völlig unbekannt — keinesfalls darf man sie einem „bekannten Cultur-Kreise" anschliessen. Ausser dem, schon oben (S. 45) erwähnten und Taf. VI. Fig. 12. abgebildeten Dolche besitzen wir aus derselben uns von Herrn Capitän zur See v. WIETERSHEIM geschenkten Sammlung auch eine ganze Reihe von Speeren von der Ninigo-Gruppe; ich denke dieselben gelegentlich zu veröffentlichen; hier genügt es wohl, zu bemerken, dass sie im Grossen und Ganzen keine sehr grosse Uebereinstimmung mit den Matty-Speeren aufweisen; auch sind sie aus anderem Holze geschnitzt; immerhin besitzen wir in dieser Reihe wenigstens einen Speer, bei dem der hinterste Widerhaken nach vorne gerichtet ist — eine Erscheinung, die, wie oben gezeigt worden für eine gewisse Reihe von Matty-Speeren geradezu typisch ist. Freilich ist die Aehnlichkeit auch dieses einen Ninigo-Speeres mit denen von Matty auch nicht entfernt so gross, wie die zwischen unseren beiden Dolchen von da und von dort bestehende. Ich möchte desshalb fast daran denken, dass unser Ninigo-Dolch irgend wie ursprünglich von der Matty-Insel stammt; thut er das nicht, und ist er wirklich auf der Ninigo-Gruppe zu Hause, würde man allerdings durch die grosse Aehnlichkeit der beiden Stücke gar wohl zu dem vielleicht trügerischem Schlusse auf eine ganz nahe und unmittelbare Verwandtschaft zwischen den Bewohnern beider Orte gelangen können.

Fast ebenso spärlich, wie unsere ethnographischen, sind unsere anthropologischen Kenntnisse von der Ninigo-Gruppe. R. VIRCHOW [1]) theilt einige Maasse von zwei Schädeln

---

[1]) Z. f. E. VIII. 1876. Verh. p. 291 ff. Die mitgetheilten Maasse sind:

	Ninigo 9774.	Ninigo 9781.	Agomes 9776.
Capacität	1331	1150	1232
Längenbreiten-Index .	750	785	800
Längenhöhen-Index .	793	812	744
Nasen-Index	418	480	495

Im Katalog von R. KRAUSE (J. D. E. SCHMELTZ & R. KRAUSE, Museum Godeffroy, Hamburg 1881) finden sich dann einige weitere Angaben; nämlich die Höhe, Länge und Breite dieser drei Schädel:

	9774.	9781.	9776.
H. . .	144	136	128
L. . . .	186	169	174
B. . . .	138	133	140
L.B. . .	741	786	804

Bei den Längen-Breiten-Indices ist durch falsche Abrundung die letzte Stelle überall unrichtig, diese würden den mitgetheilten Maassen entsprechend 7419, 7869 und 8046 sein, also auf 742, 787 und 805

mit, die durch Capt. TETENS von dort in das GODEFFROY-Museum gekommen sind, vergleicht sie mit denen eines Schädels von der Agomes-(Hermit-)Gruppe, und findet sie diesem ähnlicher, als nach dem ethnographischen Gegensatze zu erwarten gewesen wäre, der nach MIKLUCHO-MACLAY zwischen beiden Gruppen zu bestehen scheine. Dieser selbst[1]) hat seine Erfahrungen über dieselben dahin zusammengefasst, dass die Bevölkerung der Agomes-Gruppe melanesisch sei, und wahrscheinlich an die der Tani (Admirality)-Gruppe angeschlossen werden könne, während die Bewohner der Ninigo-Gruppe Mikronesier seien. Ich muss bestreiten, dass diese Ansicht des hochverdienten Reisenden in ihrer allgemeinen Fassung als genügend begründet angesehen werden darf. Ich muss das desshalb bestreiten, weil MIKLUCHO-MACLAY zwar die Melanesier sehr gut kennen gelernt, aber viel zu wenig Mikronesier gesehen hat, als dass sein Urtheil über dieselben maassgebend sein müsste. Ueberhaupt muss immer und immer wieder betont werden, dass Mikronesien zunächst ein geographischer, dann vielleicht auch ein linguistischer Begriff ist, dass wir aber augenblicklich noch keinen zwingenden Grund haben, die Mikronesier ethnographisch als eine gleichberechtigte Gruppe den Polynesiern und den Melanesiern an die Seite zu stellen. Wir können lediglich die einzelnen mikronesischen Inselgruppen mit anderen einzelnen oceanischen Gruppen vergleichen. Anthropologisch aber müssen wir vorläufig daran festhalten, dass es sich in Mikronesien um ein Nebeneinander von melanesischen und polynesischen Elementen und um eine blos sociale Verquickung derselben handelt, bei der hier das eine, dort das andere Element mehr in den Vordergrund tritt. Dies ist neuestens wieder von W. VOLZ[2]) hervorgehoben worden und muss so lange als richtig gelten, bis nicht ausgedehnte, auf ganz grosse Schädel-Serien fussende Untersuchungen das Gegentheil gezeigt haben. An diesen aber fehlt es leider noch, so gut wir auch auf der anderen Seite, vor allem durch FINSCH und KUBARY, über die ethnographischen Eigenheiten der einzelnen mikronesischen Gruppen unterrichtet sind.

Was aber MIKLUCHO MACLAY a. a. O. über den mikronesischen Character der Ninigo-Insulaner sagt, ist so wichtig, dass es mir nöthig scheint, die ganze Stelle in Abschrift wörtlich hieher setzen zu lassen.

„In Folge der Behandlung (des Menschenraubes und seiner Accessorien) seitens der „Capitäne der europäischen und amerikanischen Handelsschiffe, welche die Gruppe, „wenn auch selten, besuchten und welches Verfahren noch jetzt an der Tagesordnung ist, „sind die Eingebornen so scheu geworden, dass beim Anblicke eines Segels, welches sich „nähert, dieselben schleunigst ihre Dörfer auf den nächsten Inseln verlassen, um durch „die Flucht auf die weiter entfernteren, wohin das Schiff, der Riffe wegen, nicht gelangen „kann, Schutz zu suchen. Das war auch der Grund, weshalb ich auf der Gruppe (wo ich „4 Tage blieb) zwar mehrere verlassene Dörfer besuchte, aber nur einen einzigen Eingebornen sah, und auch dieser war mehr durch einen Zufall an Bord gebracht worden.

„Auf den anderen Inseln jedoch, die ich vorher besucht hatte, und wohin einige

abgerundet werden müssen, stimmen aber auch dann nicht genau mit den Zahlen VIRCHOW's, offenbar in Folge von Verschiedenheiten im Verfahren der Längenmessung. Bedenklicher ist, dass Ninigo 9781, den VIRCHOW sicher mit Recht als weiblich betrachtet, von KRAUSE als männlich bezeichnet wird. Selbstverständlich ist das bisher vorhandene, bezw. untersuchte Material viel zu gering, um irgend sichere Schlüsse gestatten zu können.

[1]) Z. f. E. X. 1878. Verh. 100 ff.

[2]) Beiträge zur Anthropologie der Südsee. Archiv f. Anthropologie. 1894.

„schamlos geraubte Ninigo-Insulaner gebracht oder zurückgelassen waren, fand ich „Gelegenheit, einige Männer und Frauen dieser Gruppe zu sehen. Obwohl die Zahl dieser „mehr zufällig getroffenen Leute (5 Männer und 4 Frauen) nicht bedeutend ist, so scheint „sie mir doch genügend, um einen Schluss auf die Rasse, zu welcher dieselben gehören, „ziehen zu dürfen. Der Umstand, dass die Gesehenen zu verschiedener Zeit, durch ver„schiedene Schiffe und deshalb auch von den verschiedenen Inseln des Ninigo-Archipels „gebracht waren, giebt mir die Zuversicht, dass der Schluss (dass die ganze Bevölkerung „des Ninigo-Archipels eine mikronesische ist) ein sicher richtiger ist. — Die äussere „Erscheinung der Ninigo-Insulaner ist so wenig von der der übrigen Mikronesier „verschieden, dass als man mir in Coror (Pelau) sagte, es befänden sich in der Gruppe „von Weibern, die nicht fern von dem Platze, wo ich sass, beschäftigt waren, auch „Ninigo-Weiber, ich dieselben, bei bestem Willen, von den Pelau-Frauen nicht unter„scheiden konnte".

Hiezu habe ich zunächst zu bemerken, dass das Wort „ganze" schon im Original-Texte MIKLUCHO-MACLAY's gesperrt gedruckt ist. Daraus geht also sehr klar hervor, was v. MACLAY in erster Linie ausdrücken wollte. Es kam ihm darauf an, zu zeigen, dass die Bevölkerung der Ninigo-Gruppe, erstens eine einheitliche, und zweitens, eine nicht melanesische sei. Das erstere ist vielleicht, das letztere sicher richtig; aber dass sie mikronesisch ist, darf nicht buchstäblich genommen werden, — diese Frage ist noch lange nicht spruchreif und wird erst nach langen schwierigen und zeitraubenden Vorarbeiten, vor allem auch sprachlicher Art, zu lösen sein.

Einstweilen steht ja noch nicht einmal fest, wann eigentlich die Ninigo-Gruppe besiedelt worden ist. Dass sie wirklich zur Zeit BOUGAINVILLE's noch unbewohnt war, ist nicht so positiv ausgemacht, als nach WAITZ-GERLAND, VI, 519 angenommen werden sollte. Aus dem genauen Wortlaut BOUGAINVILLE's [1]) geht nur hervor, dass er den grössten Theil der Gruppe bei Nacht (vom 9. auf den 10. August 1768) passirte und dass er „glaube" sie sei unbewohnt, weil er weder Feuer, noch Wohnstätten, noch Kähne bemerkt habe. Jedenfalls wird es einem späteren Reisenden nicht schwer fallen, durch directe Frage bei den Leuten selbst zu ermitteln, ob sie wirklich erst seit einigen Generationen auf der Gruppe leben, oder schon länger. MIKLUCHO MACLAY scheint diese Frage merkwürdiger Weise nicht gestellt zu haben. Jedenfalls kann bis auf Weiteres auch die Ninigo-Gruppe einem „bekannten" Cultur-Kreise nicht angeschlossen werden.

Dass der in München befindliche Dolch unsere Aufmerksamkeit über die Ninigo- und Agomes-Gruppe hinaus bis nach der Kanies (Anachoreten)-Gruppe lenkt, führt uns auch nicht wesentlich weiter, denn auch über diese Gruppe wissen wir sehr wenig; und gerade dass wir mit MIKLUCHO-MACLAY die Bewohner derselben zunächst für Melanesier halten müssen, lässt die Richtigkeit der Provenienz des Münchener Stückes eher bedenklich erscheinen.

Die dritte These bedarf weiter keiner Erörterung, besonders wenn wirklich das Fehlen von Eisen und Tabak sich bestätigen sollte.

Auch die vierte These, dass nämlich die Bevölkerung der Matty-Insel sich seit mindestens zehn Generationen völlig isolirt entwickelt haben muss, scheint mir unanfechtbar. Die ethnographischen Eigenheiten, die sie aufweist, sind als solche mindestens ebenso

---

[1]) Voyage autour du Monde, II. 231.

entwickelt, wie die irgend einer polynesischen Gruppe und es geht doch sicher nicht an, für irgend eine der polynesischen Sonderentwicklungen eine kürzere Frist in Anspruch zu nehmen; jeder Wahrscheinlichkeit nach ist diese sogar viel länger; sehen wir doch mehrfach, dass gewisse Typen von polynesischen Gebrauchsgegenständen sich seit einem Jahrhundert kaum geändert haben und fast stabil geblieben sind, wo immer sie sich selbst überlassen und keinen störenden fremden Einflüssen ausgesetzt gewesen waren.

Die letzte These endlich, dass wir augenblicklich noch nicht im Stande sind, den Matty-Insulanern eine bestimmte Stellung im ethnographischen System anzuweisen, beruht nur zum Theile auf dem geringen Umfange unserer Kenntnis von Matty selbst: Auch unser Wissen über die Gruppen Mikronesiens ist, besonders was die physische Anthropologie angeht, noch so unvollkommen, dass die Beurtheilung benachbarter, vielleicht verwandter Verhältnisse jeder Sicherheit ermangeln muss.

Während also einerseits die endliche genaue Festlegung der Stellung Mikronesiens zu den grossen Nachbargruppen, schon lange ein wichtiges Postulat der Ethnographie ist, so haben wir jetzt andererseits auf der kleinen Matty-Insel, kaum eine Tagereise von rein melanesischem Boden entfernt, Verhältnisse kennen gelernt, die nicht nur durchaus unmelanesisch sind, sondern auch nicht einmal an jene ohnehin schon bedenklichen mikronesischen Gruppen angeschlossen werden können, wenn auch eine ganz entfernte Verwandtschaft vielleicht vorhanden sein mag. Jedenfalls ergiebt sich aus dem ganzen Inhalte der vorstehenden Ausführungen, dass eine genaue ethnographische Detail-Aufnahme von Matty dringend nöthig ist. Eine solche Untersuchung der Insel lässt sich von Neu-Guinea aus ohne besondere Schwierigkeiten durchführen und würde zunächst sicheren Aufschluss über die ungefähre Zeit der Besiedlung und über die frühere Heimath der Bewohner bringen; es ist aber leicht möglich, dass uns aus einer genauen Erkenntnis der Zustände auf der Matty-Insel auch endlich Klarheit über manche mikronesische Verhältnisse erwachsen würde, die uns bisher noch völlig schleierhaft sind. Und auch die Ethnographie der Polynesier, deren Wanderungen uns noch immer in so tiefes Dunkel gehüllt sind, würde vielleicht bei einer solchen Untersuchung nicht leer ausgehen und von manchem Streiflicht getroffen werden.

Die Untersuchung der Matty-Insel ist daher eine Ehrenpflicht vor allem der Neu-Guinea-Compagnie und ihrer Beamten. Aber auch den in Kaiser Wilhelms-Land ansässigen Privatleuten und vor allen den Missionären sei die kleine Insel warm empfohlen; dem reichen Kranze wissenschaftlichen Ruhmes, mit dem die christliche Mission in Oceanien geschmückt ist, kann hier ein neues herrliches Blatt zugefügt werden.

Eine eingehende Untersuchung der Insel würde allerdings eine Aufgabe sein, die nicht in einzelnen Tagen und Wochen, sondern erst in langen Monaten emsiger Arbeit gelöst werden könnte. Aber der wissenschaftliche Gewinn derselben ist so gross und wichtig, dass auch ein mehrmonatlicher Aufenthalt sich sicher reichlich lohnen würde.

Sollte sich ein solcher zunächst als unthunlich erweisen, so wäre wenigstens das anzustreben, dass gelegentlich eines neuerlichen Anlaufens der Insel ein Paar Dutzend Photographien gemacht und einige der Bewohner zu einem längeren Besuche auf der Hauptinsel veranlasst werden, wo dann das Studium ihrer Sprache ohne besondere Schwierigkeit und doch zum grössten Ruhme derjenigen erfolgen könnte, die eine solche Untersuchung eingeleitet und durchgeführt haben werden. Ist es aber einmal erst gelungen, sich mit einigen Matty-Insulanern in solcher Art anzufreunden, dann wird es späterhin auch leicht sein, eine grössere Reihe von Schädeln und damit denn auch die Möglichkeit zu erlangen, ein nach allen Seiten hin abgerundetes Bild dieser einstweilen noch so räthselhaften Menschen zu entwerfen.

Möge also dieser Vorschlag ein geneigtes Ohr finden, und möge das unscheinbare Körnchen neuen Materiales, das unserer Kenntnis von Oceanien in der vorstehenden Abhandlung zugeführt wird, auf einen guten Boden fallen. Es würde dann hundertfache Frucht tragen und uns zur Lösung gar vieler für die Völkerkunde der Südsee noch schwebenden Fragen vorhelfen. BERLIN, 6 December 1894.

VERZEICHNIS DER ABBILDUNGEN.

TAFEL V.

TAFEL VI.

TAFEL VII.

Korb von der Matty-Insel.
1/6 bezw. 2/3 d. n. Gr. VI. 11782.

Raar ad orig. lith. P.W.M.T. imp.

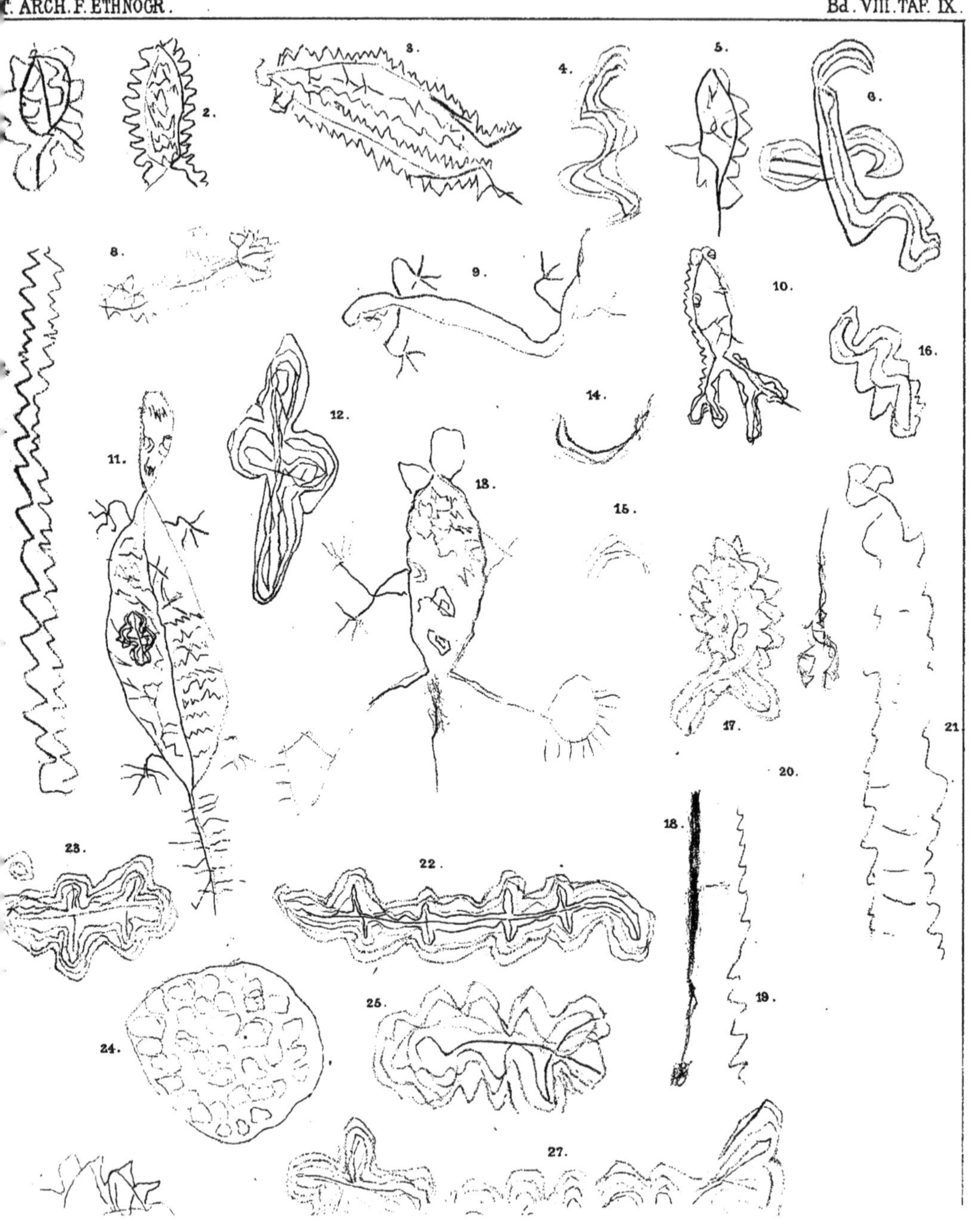
2.
3.
4.
5.
6.
8.
9.
10.
11.
12.
13.
14.
15.
16.
17.
18.
19.
20.
21.
22.
23.
24.
25.
27.

d. U. Leipzig

NOTIZEN ÜBER DAS ZEICHNEN DER MELANESIER.

MITGETHEILT DURCH

DR. O. SCHELLONG,

KÖNIGSBERG, i/Pr.

Mit einem Nachtrag von J. D. E. SCHMELTZ.

Mit Tafel VIII–IX. [1]

I. ZEICHNUNG EINES EINGEBORNEN VON NEU IRLAND (Neu Mecklenburg) Taf. VIII.

Das betreffende Individuum, mit Namen „SCHELLONK", war ungefähr 20 Jahre alt, stammte aus dem Nusa-Distrikt, an der Nordküste der Insel, und war von dort als Arbeiter für Finschhafen (Kaiser Wilhelmsland) im Jahr 1888 angeworben.

Er hatte das Missgeschick einen Oberschenkel zu brechen und wurde von mir im Hospital behandelt; gänzlich unbekannt mit dem „Pigeon" wurde unser Verkehr, da auch seine eventuel als Dolmetsch dienende Landsleute nicht immer zur Hand waren, gänzlich durch die Zeichensprache vermittelt.

Er langweilte sich augenscheinlich in seinem Gipsverband, weshalb ich ihm bunte Pastellstifte brachte und ihn veranlasste, etwas zu malen, was er auch mit grösster Gewissenshaftigkeit ausführte und innerhalb mehrerer Tage drei Blätter verfertigte.

Die Bedeutung der Zeichnungen habe ich von ihm selbst, aus dem oben angeführten Grunde, nicht erkunden können, doch gewann ich den Eindruck als hätte ihm der Hauptsache nach die Zeichnung von Querschnitten der Baumstämme vorgeschwebt.

Ausserdem waren auf einem Blatt zwei bis drei Thierfiguren, welche an Hund, Crokodil und Heuschrecke erinnerten, angedeutet; auch ein Fisch und das Bild des Mondes schien beabsichtigt zu sein. Ein anderes Blatt zeugt von besonders phantastischer Auffassung, zu oberst scheint die Darstellung des Himmels mit der Sonne und einen darüber schwebenden Vogel beabsichtigt gewesen zu sein. Das dritte ist auf Taf. VIII wiedergegeben.

Die Manier der Zeichnung verräth, falls man von der gänzlich unsymmetrischen Anordnung absieht, immerhin einen gewissen Geschmack und wirkt auf den Beschauer wohlgefällig.

[1] Der Herr Verfasser der obigen Notizen, hat während seiner Thätigkeit als Arzt der Neu-Guinea-Compagnie eine Menge werthvollen Materials zur Kenntnis der Eingebornen von Kaiser-Wilhelmsland etc. gesammelt und durch Veröffentlichung eines grossen Theils desselben in der Zeitschrift für Ethnologie, in diesem Archiv etc. unser Wissen betreffs jener Volksstämme in anerkennenswerther Weise bereichert. Da indes seine ärztliche Thätigkeit ihm vorerst die Zeit für weitere Publicationen raubt, hatte derselbe die Freundlichkeit uns diese Notizen zu eventueller Veröffentlichung zu übergeben. Indem dies nun hiemit geschieht, haben wir uns gestattet dieselben mit einigen am Schluss beigefügten Bemerkungen zu begleiten.
Red.

II. Zeichnungen eines Eingebornen von Kaiser Wilhelmsland (Neu-Guinea) Taf. IX.

Das 14 Jahre alte Individuum; Namens Amŭkung, stammte aus der Gegend von Finschhafen; er zeichnete die einzelnen Figuren ziemlich schnell nach einander aus freiem Antrieb, ohne dass ich ihm die betreffenden Objekte angab.

Hatte er eine Figur gezeichnet so nannte er mir die Bedeutung derselben und ich notirte dann das betreffende Wort sogleich bei der dazu gehörenden Figur.

Augenscheinlich war ihm die Darstellung von Fischen am geläufigsten; solche sollen die Figuren 1, 2, 3, 5, 10 & 17 wiedergeben. Er bezeichnete sie entweder einfach mit *ī* d. i. „Fisch", oder gab auch die Namen bestimmter Arten auf, z. B. *ī ŏmu* (2), *ī bǎnō* (3), *ī mi* (5); bei Fig. 17 benannte er den Kopf des Fisches ausdrücklich mit *namŭki* und den Schwanz desselben mit *naŭau*.

Fig. 19, 21, 22 & 27 sollen Schlangen vorstellen; *moǎ* = Schlange, *moǎ ssilli* = kleine Schlange; in Fig. 27 wurde Kopf- und Schwanztheil wiederum mit *namŭki* und *nalīngu* bezeichnet.

Fig. 7 soll einen Zaun, *tun*, vorstellen; Fig. 14 den Mond, *abumtau ajum;* Fig. 15 und 26 ein duftendes Kraut, resp. Blume, *ssaling;* Fig. 18 ein Holzschwert, *ssing;* Fig. 20 einen Speer, *kim*, an dessen Spitze sich eine Federverzierung befindet.

Fig. 8 ist der Wiedergabe der Tarowurzel, *ami*, Fig. 24 der der Yams-Knollen, *mo*, gewidmet, und endlich Fig. 13 der der Gestalt eines Menschen, *namala*, mit doppeltem Federkopfputz, „*mogau luagi*", der Kopf selbst ist nicht ausgeführt, jedoch ist der Hodensack, *nŭlasso*, und ein langer Penis, *utiano baling*, angedeutet.

Fig. 4 & 6 sollen einen Bogen, *talam* und Fig. 16 einen Hahn (?) *täle*, vorstellen.

Von besonderem Interesse waren mir die zusammengehörigen Figuren 9 & 11; die einen Hund, *kiam*, vorführen nach welchem ein Crocodil, *oǎ*, schnappt [1]. Mein Künstler Amŭkung bezeichnete diesen Vorgang mit *oǎ tanga kiam;* die Vorder- und Hinterbeine beider Thiere wurden mit den Worten *nalemma* und *nalabu* belegt und der Schwanz mit *nalīngu*. Unter einem, *gnalissi* genannten, innern Theil des Crocodils wird ein besonders schmackhaftes Eingeweide oder Fett verstanden sein.

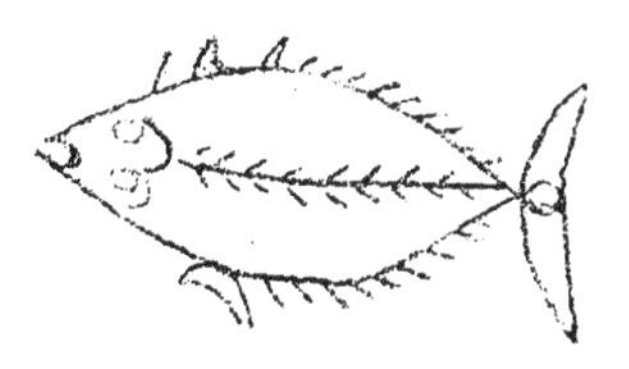

Interessant sind ebenfalls die Fig. 23 & 25, welche den Vorgang darstellen sollen wie eine Frau, *palingo*, oder besser eine Hand derselben ein Tragenetz, *abelum*, bzw. *assili*, häckelt, *dau*. Der Sinn von Fig. 12, *palingo tako ī*, wurde wir nicht klar; die Bezeichnung *tako ī* heisst einen oder mehrere Fische fangen.

Mit Bezug auf das betreffs des Zeichners der Figuren der Taf. IX Gesagte, bemerke ich zum Schluss dass auch ein anderer Eingeborner zuerst einen Fisch, *ī lǎ* (*a*), zeichnete, der hierneben wiedergegeben ist.

---

[1] Durch ein Versehen wurden die beiden Figuren bei der Reproduction leider von einander entfernt. *Red.*

N A C H T R A G.

Die vorstehenden Notizen beanspruchen in mancherlei Hinsicht unser Interesse und zwar in erster Linie darum, weil sie einen neuen Baustein bilden für die Errichtung eines Gebäudes dem sich in neuester Zeit eine Reihe berufenster Forscher (A. R. HEIN, W. HEIN, H. STOLPE, A. C. HADDON, E. GROSSE) geweiht, nämlich dem der Kenntnis der Kunst der Naturvölker, um solchergestalt zu einem wissenschaft. lichen Verständnis der Kunst der Kulturvölker zu gelangen. Dazu ist es aber, wie E. GROSSE (A n f ä n g e d e r K u n s t pg. 20) sehr richtig sagt, nöthig dass wir „zuvor in das Wesen und die Bedingungen der „Kunst der Naturvölker eingedrungen sind. Man muss das Einmaleins gelernt haben, bevor man die „Probleme der höheren Mathematik lösen kann, und desshalb besteht die nächste Aufgabe der socialen „Kunstwissenschaft in der Untersuchung der primitiven Kunst der primitiven Völker."

Nur wenig ist bis jetzt in dieser Richtung geschehen, trotz der grossen Zahl von Reisenden deren Berichte uns die Naturvölker in den letzten Decennien näher gebracht haben. „Noch geringeren Umfanges „als die lückenhaften Kenntnisse, betreffs der grossartigen socialen und politischen Umwälzungen in früheren „Jahrhunderten auf europäischem Boden, sind die Vorstellungen von der geschichtlichen Entwicklung der „künstlerischen Begabung jener Völker die der Interessensphäre der europäischen Staaten bis zum Anbruch „der Neuzeit völlig entrückt gewesen" (A. R. HEIN: Die bildenden Künste der Dayaks, pg. 3). –

Fragen wir nach der Ursache dieser Erscheinung, so haben wir sie jedenfalls darin zu suchen dass die Aufmerksamkeit derjenigen, die mit Naturvölkern in Berührung kommen, bis jetzt nicht in zweckent. sprechender Weise auf das Gewicht derartiger Beobachtungen gelenkt wurde; dass, wie wiederum GROSSE (pg. 29) mit Recht bemerkt, „kein Kunsthistoriker oder Aesthetiker sich jemals herabgelassen, dem Bei. spiel von LANE FOX folgend, eine zweckmässige Instruction für Reisende und Expeditionen auszuarbeiten". Und dies trotzdem, dass hier ein Schatz für das Studium der frühesten Entwicklung künstlerischen Denkens und Fühlens ungehoben sich darbietet, dass kein Naturvolk, und stehe es noch so tief, nicht Zeichen der Freude an künstlerischem Schaffen giebt, die im Schmuck seiner Gebrauchsgegenstände zum Ausdruck kommen und diesen den charakteristischen Typus aufdrücken, auf Grund dessen es einem geübten Auge möglich, die Provenienz eines Gegenstandes mit fast nie trügender Sicherheit zu erkennen. Aber auch hier ist es hohe Zeit geworden; täglich schwinden die Naturvölker mehr und mehr dahin, uns nur spärliche Zeugnisse jenes Schaffens, des ornamentalen Schmucks ihrer Artefacte in unseren Sammlungen hinterlassend, welche einzelne Glieder nur bilden in der Kette der Entwicklung der Ornamentik, deren ursprüngliche Grundlage das Zeichnen, die mehr oder minder gute Wiedergabe der den Eingebornen umringenden Thiere, Pflanzen etc. bildet. Dass dies oft zur Wiedergabe von mehr oder minder bemerkenswerthen Ereignissen, zur Bilderschrift leitet, ist bekannt und besitzen wir u. A. für die der Eingebornen Nord-Amerika's muster. gültige Arbeiten von MALLERY u. A. in IV A n n u a l R e p o r t o f t h e B u r e a u o f E t h n o l o g y (1882–83) pg. 1–254, wo der Verfasser auch vielfach Verhältnisse bei anderen Völkern streift.

Ueber das Z e i c h n e n b e i d e n N a t u r v ö l k e r n hat R. ANDREE uns mit einer eingehenden Arbeit beschenkt (Mitth. Wiener anthrop. Gesellschaft Bd. XVII, 1887) die auch einen Theil der zweiten Folge seiner ethnographischen Parallelen und Vergleiche ausmacht (Leipzig 1889). Im Eingang derselben weist er auf die Anlage um Zeichnungen herzustellen der Eingebornen von Neu-Guinea (Humboldt-Bay) und von Murray-Island in der Torresstrasse hin, sowie auf WALLACE's Ausspruch betreffs des beginnenden Kunstsinns bei den Papua, oder wie wir sie mit SERGI nennen „Melanesiern", der in dem reichen ornamentalen Schmuck von deren Häusern und Geräthen zum Ausdruck kommt. Auch MIKLUCHO MACLAY berichtet über Zeich. nungen der Eingebornen der MACLAY-Küste, die theils vor seinen Augen hergestellt wurden und theils der Wiedergabe bemerkenswerther Vorgänge dienten, also eine Art Bilderschrift repräsentirten (Natk. Tijdschr. v. Ned. Ind. Deel 36 p. 312 sq.; reproducirt durch C. M. PLEYTE, Wzn., in Bijdragen Taal-, Land- en Volkenkunde XXXV, 1886, pg. 137 sq.).

Reproductionen von Beispielen jener Zeichnungen aber selbst sind unseres Wissens bis jetzt nicht veröffentlicht und ebensowenig war bis jetzt die decorative Kunst der Melanesier durch einen Forscher zum Gegenstand einer Special-Untersuchung gemacht. Letztere Lücke ist jetzt theilweise ausgefüllt durch das soeben erschienene, reichillustrirte Werk von Prof. A. C. HADDON (T h e d e c o r a t i v e A r t o f B r i t i s h N e w G u i n e a, Dublin 1894, 4°.), in welchem der Gegenstand, wie von H. nicht anders zu erwarten ist, in ausgezeichnetster und instructivster Weise behandelt wird, so dass sich eine grosse Reihe von lichtvollen Ausblicken ergiebt, worauf wir an anderer Stelle zurückzukommen gedenken.

Während also jetzt für Britisch Neu-Guinea eine feste Basis geschaffen, bleibt dies für den übrigen Theil von Neu-Guinea, wie H. selbst sagt, noch zu thun. „Es würde sich dann zeigen dass die Kunst im Norden von Neu-Guinea mit der des südlichen Theils des Malayischen Archipels und jene des Ostens mit der des Neu-Britannia (Bismarck-)Archipels verwandt ist"; welcher Meinung auch wir zuneigen.

Sehr richtig weist HADDON darauf hin dass die Kunst eines Volksstammes in bestimmter Beziehung zur Fauna und Flora des Wohnsitzes desselben steht, dass wer den ornamentalen Schmuck der Zeichnungen verstehen will, vertraut sein muss mit Klima, Fauna, Flora etc. des betreffenden Landstriches. — Wie wahr dies ist zeigte uns ein Beispiel, wo es uns möglich wurde zwei, aus einer Zeit wo das Vorkommen von Echidna Bruynii auf Neu-Guinea noch unbekannt, herrührende als Dachverzierung bezeichnete und aus der Gegend der Humboldt-Bai stammende Schnitzwerke als eine, zwar etwas stylisirte, aber unverkennbare Wiedergabe dieses Thieres zu bestimmen. Ein neuer Beweis welch gute Beobachter der sie umgebenden Natur Eingeborne sind, worauf auch Prof. HADDON hinweist.

Wenden wir uns nun den beiden Tafeln zu, so dürfte Tafel IX auch darum von Interesse sein, weil sie das Resultat einer noch jugendlichen, ungeübten Hand und verglichen mit der, oft beinahe naturgetreuen Wiedergabe von Thieren im Schnitzwerk etc., wie wir solche aus Deutsch Neu-Guinea kennen, und mit der im Text wiedergegebenen Zeichnung eines Fisches, und zwar unverkennbar einer Species der Gattung Solea, zeigt, dass auch dort Uebung den Meister macht und sie also eine thatsächliche Parallele zu den Schiefertafelzeichnungen der meisten unserer, ohne weitere Anleitung zeichnenden Kinder bildet. Andererseits bietet die Tafel VIII ein treues Spiegelbild des Charakters der Schnitzwerke von Neu Irland. Betreffs der einzelnen Theile der Darstellungen sei es uns gestattet, im Verband mit dem oben durch Dr. SCHELLONG Mitgetheilten das Folgende zu bemerken.

Die Annahme dass Stammquerschnitte von Bäumen für die Zeichnung der oberen Hälfte von Taf. VIII zu Grunde gelegen, erscheint auf dem ersten Blick plausibel; die Ausbuchtung der beiden seitlichen Ränder spricht aber dagegen, so dass wir eher geneigt sind zu glauben, dem Künstler habe für sein Motiv ein oder das andere Artefakt aus seiner Umgebung vorgeschwebt. In der unteren Hälfte ist zunächst, sehr stylistisch aufgefasst, eine Eidechse, wegen des gekrümmten Schwanzes und langen Halses wohl eher Varanus denn Crocodil, erkennbar. Darauf folgt eine ebenfalls stylistisch ausgeführte Menschengestalt, und rechts eine Thiergestalt, von Dr. SCHELLONG als Hund aufgefasst. Was letztere Deutung angeht sind wir abweichender Meinung, und in Folge des deutlich angegebenen Ringelschwanzes eher zu der Annahme geneigt, die Zeichnung stelle eine Cuscus-Art vor [1]), welches Thier, wie auch Dr. FINSCH sagt, in der Ornamentik der Neu-Irländer auftritt [2]). Was die Menschengestalt angeht so sind an den Füssen deutlich die fünf Zehen erkennbar, an den Händen aber nur drei Finger; die seitwärts gebogene Hervorragung auf dem Kopfe ist wohl ohne Zweifel eine Andeutung von Federkopfschmuck, die Zähne sind deutlich, die Nase nicht angegeben. Dagegen hat der Zeichner auch hier nicht versäumt den Phallus anzudeuten. Die Menschengestalt spielt bekanntlich in der Ornamentik, auch der Völker Indonesiens und Oceaniens, eine grosse Rolle, sowohl im Schnitzwerk, dem Flechtwerk und in der Weberei; über die Verwendung derselben im Flechtwerk verdanken wir Dr. W. HEIN werthvolle Untersuchungen [3]), über die in der Weberei gedenken wir demnächst Einiges mitzutheilen. Die Stylisirung erstreckt sich oft bis zur Unkenntlichkeit, die Ausführung hängt aber auch ebensosehr von der Individualität des Künstlers ab, und sei hier mit Bezug darauf erwähnt was MIKLUCHO MACLAY l. c. sagt: „Ein Mann wurde factisch von einigen (ja sogar von demselben Künstler) 1°. als eine „rohe menschliche Figur, 2°. als ein Gesicht mit Augen und mit einem grossen Mund, 3°. als ein Kamm „mit einem Federbusch und 4°. als ein männliches Geschlechtstheil dargestellt". — Rücksichtlich der Deutung der übrigen die Menschengestalt umgebenden Figuren, können wir nichts Sicheres bieten, doch möchten wir die halbmondförmige, links, als die Abbildung eines Schmuckstückes (Brustschmuck) und die ihr zunächststehende sternförmige als die einer Blume ansprechen, wogegen von denen rechts der Gestalt,

---

[1]) Zufolge freundlicher Mittheilung von Herrn Dr. F. A. JENTINK, Director des naturhist. Reichsmuseums hieselbst, kommt auf Neu Irland *Cuscus orientalis* PALLAS vor.

[2]) Ethnol. Erfahrungen und Belegstücke pg. 50 (132).

[3]) Die Verwendung der Menschengestalt in Flechtwerken (Mit 8 Abb.). Mitth. anthrop. Gesellsch. Wien 1891. — Ein Beitrag zur Verwendung der Menschengestalt in dayakischen Flechtwerken in: Festschrift für Prof. VETH. Leiden 1894 pg. 273.

die länglich rautenförmige ebenfalls ein Schmuckstück (Stirnschmuck) und die vielfach gewundene, vielleicht eine Schlange darstellt.

Betreffs der übrigen zwei uns durch Herrn Dr. SCHELLONG übergebenen, von demselben Künstler herrührenden Originalzeichnungen haben wir dem von ihm Gesagten nichts mehr hinzuzufügen, als dass in der einen sich die Figur des Cuscus in gleicher, typischer Weise wiederholt findet.

Die Zeichnungen der Tafel IX sind wie gesagt als die ersten Versuche einer noch vollkommen ungeübten Hand aufzufassen. Dennoch bekundet sich auch in ihnen schon die dem Naturmenschen eigene Beobachtungsgabe. Freilich dürfen wir die „quasi Schiefertafelbildchen" nicht mit unseren europäischen Augen beurtheilen, sondern müssen versuchen uns dabei auf den Standpunkt des eingebornen Zeichners selbst zu stellen, d.h. wir müssen trachten die Dinge so sehen zu lernen, wie er sie gesehen. Sobald uns dies geliegt werden uns manche der Figuren deutlicher werden; so sind wir z.B. geneigt unter den Abbildungen von Fischen die Figuren 2 & 3 als solche von *Pleuronectiden*, Fig. 8 als die einer *Carangide* und Fig. 10 als die, freilich sehr stylistisch gezeichnete, einer *Antennarius*-Art aufzufassen. Von den Abbildungen von Schlangen sind augenscheinlich Fig. 19 und 21 unfertig, bei Fig. 27 ist das nach links gekehrte Ende der Kopf. Die Menschengestalt, Fig. 13, ist in halber Drehung ausschreitend gedacht, das Antlitz ist daher nicht angegeben, die beiden Hervorragungen am Kopf sollen den Federschmuck andeuten, die ganze Zeichnung ähnelt der, wie wir sie ein Kind zuerst bei uns von einem Menschen oft geben sehen. Bei Fig. 4 & 6, Zeichnungen von Bogen, scheint in ersterer durch einen rothen Strich die Sehne angegeben zu sein, während in letzterer am oberen Ende vielleicht Federschmuck, wie FINSCH, Op. c. pg. 74 (212) solchen erwähnt, angedeutet ist; beide Figuren sind übrigens recht schlecht gerathen und wissen wir zumal bei der letzten die seitlichen Anhängsel nicht zu deuten. Die Figur des Hahnes (16) gewinnt an Deutlichkeit sobald man die Tafel seitwärts vor sich hält; bei dem Hunde, Fig. 9, sind die Ohren deutlich angegeben, an den Füssen aber nur drei Zehen; in der Figur des Crocodils (wahrscheinlich *C. biporcatus*) treten die Schuppen und Augen, sowie der kleine Höcker auf der Schnauze deutlich hervor, die schwarze, sternförmige Zeichnung im Leib soll das, von Dr. SCHELLONG erwähnte Eingeweide darstellen. In Fig. 23 endlich dürfte der rothe Strich die Netznadel andeuten.

Indem wir hiermit unsere, wie wir selbst fühlen, theils unbefriedigende Bemerkungen betreffs der, auf den beiden Tafeln wiedergegebenen Zeichnungen schliessen, können wir den Wunsch nicht unterdrücken dass selbe die Veranlassung sein mögen dazu, dass Andere, falls ihnen sich die Gelegenheit bietet, dem Beispiel Dr. SCHELLONG's folgen und weitere ähnliche Beiträge zur Kenntnis der Aeusserungen des primitiven Kunstsinns einheimsen möchten.

I. NOUVELLES ET CORRESPONDANCE. — KLEINE NOTIZEN UND CORRESPONDENZ.

XI. Het paard bij de volken van het Maleische ras. — Veranlasst durch die Lectüre der neuesten Arbeit des Nestors unserer Wissenschaft Prof. P. J. VETH, sind demselben von Prof. W. JOEST Berlin, einige Mittheilungen zugegangen, die uns von ersterem zum Behuf der Veröffentlichung zur Verfügung gestellt sind.

Die Bemerkungen von Prof. JOEST sind folgende:

1) In der „landtaal" von Gorontalo hiess „Pferd" zu meiner Zeit (1880): „*Wadala*", jedenfalls corrumpirt aus „*caballo*", bzw. „*cabayo*".

(Vgl. meine Dissertation „Das Holontalo", Glossar und grammatische Skizze).

2) Am 15. Februar 1880 fuhr ich im Boot von Amahey auf Seram nach Sepa, der Südküste von Seram entlang.

Ich lese in meinem Tagebuch:

„Grosse Aufregung meiner Ruderer, als plötzlich ein Reiter auf dem, dem Radja von Sepa gehörigen einzigen Pferde auf Seram am Ufer erschien. Alle schrieen: „Aikaràno!"

3) Ein junges Mädchen (*nonna*) von Seram, die auf Saparua zum ersten Mal in ihrem Leben ein Pferd (Schimmel) sah, rief in höchster Angst: „*Matjan poetih! Matjan poetih!*" (d. h. weisser Tiger).

4) Prof. VETH schreibt p. 18: „Ook is er het paard bijna alleen voorhanden op Luzon enz."

Diese Bemerkung ist nicht richtig. Mindanao dürfte wohl mehr und bessere Pferde zählen, als Luzon. Wir lesen bei I. NIETO AGUILAR: „Mindanao" (Madrid 1894 p. 79): „El caballo importado de España existe en gran numero, pero de poca alzada; á pesar de esto, es de excelentes cualidades por sa fuerza y resistencia, y tan duro de casco, que no necesita herradura".

Die Bagabos auf Mindanao sind wohl die einzigen Eingebornen der Philippinen, die dem Sport, der Hetzjagd zu Pferde huldigen.

Ein Bild einer solchen Hetzjagd veröffentlichte ich

im letzten Heft des Intern. A. f. Ethnographie (Zwei geschnitzte Bambusrohre aus Mindanao pg. 253 Fig. IV). In dem kleinen Aufsatz findet sich auch die Bemerkung von Prof. BLUMENTRITT, dass die Mindanao-Leute das Pferd früher kennen lernten, als die übrigen Philippiner.

XII. Over inlandsche spelen, waarbij de zaden van de *kĕmiri* (*Aleurites Moluccana*, WILLD.) gebruikt worden, vinden wij in een opstel over deze plaat van Dr. P. VAN ROMBURGH (Teysmannia, III, pg. 782 e. v.) de volgende, door Dr. C. SNOUCK HURGRONJE aan den schrijver verstrekte mededeeling:

„Velerlei zijn de spelen, waarbij men *kĕmiri*-noten gebruikt.

I. Het eenvoudigste bestaat hierin, dat elk der spelers eene noot heeft, waarmede zij beurtelings trachten die des anderen, die daartoe op den grond gezet wordt, stuk te slaan. Dit heet Maleisch *adoe kĕmiri*, Atjèhsch *poepò ı bòh krèh*, Soend. *timpoeh* of *gĕmprek*. Beide noten moeten òf ronde (*djaloe*, *dampa* ▸ in 't Soendaasch) of afgeplatte (Soend. *gĕndoel* of *kekepek*) zijn. Zoowel dit spel als het volgende, dat men als eene verfijning ervan beschouwen kan, wordt veelal om geld gespeeld.

II. Zeer geliefkoosd bij de Soendaneezen, vroeger ook bij hunne hoofden, is het *tjĕmped*-spel. Hiervoor bezigt men een *pidĕkan* genaamd instrument: op eene houten basis staan 4 zeer kleine zuiltjes, 2 aan de ééne, 2 aan de andere zijde, die in het midden eene behoorlijke ruimte ledig laten. Over die zuiltjes heen is eene reep rotan gespijkerd. Twee spelers loggen hunne beide *kĕmiri*-noten op elkander in de ruimte tusschen het middelste gedeelte der basis en de rotan, die er overheen ligt, en loggen die eenigszins vast door een kussentje van lapjes er onder te plaatsen. Aan beide zijden van die noten bindt men nu rotan en basis vast aaneen, waarop de spelers om beurten met een hout daarop beuken, totdat eene der noten breekt. De speler, wiens noot dit lot treft, verliest zijnen inzet.

Bij de andere spelen, waarvan ik nu eenige zal beschrijven, heeft men gewoonlijk meer dan twee, tot omstreeks vijf spelers, die elk een aantal noten inzetten. De inzetnoten heeten *pasang* (Bantensch *laroh*); eene noot behoudt elk speler als werpinstrument bij zich, tenzij men hiervoor liever steentjes gebruikt. Sommigen bezwaren de voor het worpen gebruikte noot met lood; eene zoo bezwaarde werpnoot heet in het Javaansch *gala*, eene onbezwaarde *gadoeg* of *gatjo*, terwijl de Soendaneezen beide soorten of ook steentjes, die als werp-instrumenten dienen, *kokodjo*, de Bantensche Javanen en Soendaneezen beide *gatjon* noemen. Bij de Javanen zeer verbreid zijn o. a. de volgende spelen:

III. *Tjira* ▸ (of *djira* ▸) *wo* ▸ (of *wo* ▸ *an*). Op een paar meters afstand van eene grenslijn (*ĕntas-ĕntasan*) maakt men een kuiltje (*wo* ▸ *an* of *lowo* ▸) in den grond met eene kleine aardophooging er achter. Eenige spelers zetten elk bijv. 4 à 10 noten in.

Om uit te maken, wie 't eerst zal spelen en wie vervolgens, werpen allen hunne werpnoot van de grens naar den kuil; hoe dichter bij den kuil, des te hooger rangnummer. Komt iemands werpnoot in den kuil, dan is hij N°. 1, tenzij anderen, die na hem werpen, dit ook treffen; dan geldt het voorrecht alleen voor den laatsten, en moeten de anderen opnieuw gooien [1]).

N°. 1 werpt nu van de grens af den geheelen inzet naar den kuil; wat hierin komt, is voor hem — de rest laat hij liggen.

N°. 2 wijst hem van deze verspreide noten ééne als doel aan, waarnaar hij met zijne werpnoot van de grens af moet gooien. Treft hij doel, dan is de geheele inzet voor hem. Het treffen van eene andere noot dan de aangewezene (*torog*), of van de aangewezene en eene dicht daarbij liggende (*gapri* ▸) staat met missen gelijk.

Mist N°. 1, dan neemt N°. 2 de overgebleven noten op en werpt daarmede volgens dezelfde regelen als N°. 1 zooeven met den geheelen inzet deed.

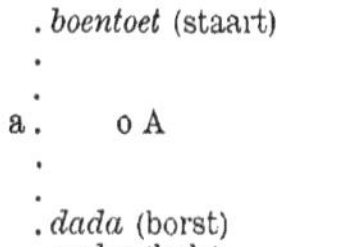

. *boentoet* (staart)
.
.
a. o A
.
.
. *dada* (borst)
. *goeloe* (hals)
. *ĕndas* (hoofd)

ĕntas-ĕntasan (grens)

Dit spel vindt men, zij het ook met veel variatie in de condities, overal. In het Soendaasch heeten twee variaties er van *tjĕbrĕk* (waarbij alleen naar den kuil gegooid wordt) en *kobak*; in het Maleisch zegt men *pitjè* ▸, in het Atjèhsch *moepado* ▸.

IV. *Tjira* ▸ (of *djira* ▸) *oela*. Alle spelers zetten een gelijk aantal noten in, bijv. (in het hier voorgestelde geval) 3 spelers elk 3. De 1ste, 2de, 3de en de laatste noot dragen de daarbij aangegeven namen. Ieder werpt op zijne beurt met een werpnoot of een steentje van de grens uit naar de lijn *of slang* (*oela*) der inzetnoten. Wanneer de werper mist, blijft zijne werpnoot liggen, want bij zijne tweede beurt moet

[1]) N°. 1, 2 en 3 heeten wel respectievelijk *barĕp* (voorste), *pĕnggoeloe* (halsman), *pĕndada* (borstman), of elders *radja*, *patih* en *sorsoran* (onderdaan), welke laatste naam op al de overigen wordt toegepast.

hij van die plaats uit worpen. Raakt hij eene der inzetnoten, dan geeft hij de plaats, waar zijne werpnoot heenkwam, ter herinnering, door een streepje op den grond aan, maar zet zijne werpnoot tegenover de getroffene op de wijze, als door a A aangegeven.

Treft een later speler de werpnoot A, dan is de worp des eigenaars van deze nietig (*kĕbahoel*), en hij moet opnieuw van de grens uit gooien. Ten slotte is ieders buit de noot, die hij geraakt hoeft, met al degenen, die daarachter (naar den staart der slang toe) liggen, zoodat bijv. A 4 noten zou krijgen.

Eene variatie hiervan boot bij de Soendaneezen *bantjoel*. Eene andere, waarbij als grens een doelsteen (*toejoe*) dient, boot *tagon*. Allen worpen dan eerst van de inzetrij naar die *toejoe*, en wie den steen raakt, krijgt den geheelen inzet.

De Bantensche Javanen noemon het *djira* ▸ *oela* naar den bloedzuiger: *patjetan*, de Soendaneezen van Banten: *ngadoe pandjang* of *lodjor*.

V. *Tjira* ▸ (of *djira* ▸ *ĕndas*) (of *djamban*). Men plaatst de ingezette noten op eene rij, die evenwijdig loopt met de grens (*ĕntas-ĕntasan*). Ieder gooit eerst van de grens af zijne werpnoot zoover mogelijk over die rij heen, altijd wel te verstaan binnen eenen afstand, van waar hij meent, nog met succes op de inzetnoten te kunnen mikken. Hij maakt zich zoodoende den eersten worp wel moeielijk, maar wie het verst gegooid hoeft, mag het eerst mikken.

Ziet een der spelers, dat het hopeloos is, nog verder te worpen dan een zijner voorgangers, dan geeft hij er soms de voorkeur aan, zoo dicht mogelijk bij de rij te komen liggen om de laatste te zijn. Die laatste hoeft namelijk het voorrecht eener afwachtende rol, die men met het woord *ndjamboe* (Soend. *njala*) aanduidt: hij mag, wanneer allen gespeeld hebben, de rest van den inzet eenvoudig wegnemen, zonder mikken. De loop van het spel is overigens, dat ieder speler na elken worp alle noten wegneemt, die het hem gelukte uit de rij te brengen.

De Soendaneezen noemon dit spel *djirĕk*, maar bij hen komt nog eene variatie hiervan voor, die *gimĕr* heet. Bij het *gimĕr* neemt een doelsteen (*toejoe*) de plaats der grenslijn in. Allen mikken nu eerst van de rij der inzetnoten af op die *toejoe*, wie deze raakt, krijgt den geheelen inzet. Daarna worpen de spelers om beurten van de *toejoe* als grens uit naar de rij volgens de zooeven genoemde regelen.

Bij dit spel worden de inzetnoten zeer dicht bij elkaar in de rij geplaatst, on mogen de spelers niet eigenlijk gooien, maar de werpnoot of hot steentje wordt op eigenaardige wijze tusschen duim en wijsvinger weggeknipt. In het *gimĕr*-spel geldt nog de regel, dat de uit de rij geworpen noten zoowel als de treffer blijven liggen, totdat alle spelers aan de beurt geweest zijn. Treft een hunner eene der uitgeworpenen, dan mag hij die voor zich nemen: raakt hij de werpnoot van zijn gelukkigen voorganger, dan moet deze zijne geheele winst weer opzetten.

Het Soendasche *miriki* kan ook als eene variatie van dit spel beschouwd worden. Hierbij bepaalt men, dat eene der uiterste noten van de inzetrij *hoeloe* (hoofd), de andere *boentoet* (staart) zal heeten. Allen worpen eerst van de inzetrij af, om de rangorde en het uitgangspunt van hun eersten worp te bepalen, maar zij *moeten* daarbij eene zekere grens (*watĕs*) overschrijden, die den minimum-afstand aanduidt. De inzetnoten worden niet to dicht opeen gezet, zoodat de werper met zijn steentje er maar éene kan raken, maar hij mag tevens al de noten van de getroffene tot aan de *boentoet* als zijne winst beschouwen. Soms speelt men het *miriki* met afspraak, dat het *njala* (Javaansch *ndjamboe*, zie boven) zal golden, soms niet.

Het *njala* wordt evenwel dikwerf aldus gevarieerd: Degeen, wiens werpnoot bij den eersten worp het dichtst bij de rij kwam liggen, moet 't eerst van allen worpen. De winst van den gemakkelijken worp mag hij slechts dan zich toeeigenen, wanneer al zijne medespelers hun eersten worp gemist bobben.

VI. *Rewokan* heet in het Soendaasch een spel, waarbij allen met hun *kokodjo* van dezelfde grens af op een doelsteen mikken (welke doelsteen locaal ook *tagon* heet), en degene, die treft, den geheelen inzet krijgt.

De regelen en namen wisselen plaatselijk zeer af. In ROORDA's Javaansch Woordenboek vindt men, zonder nadere beschrijving, als soorten van spelen met *kĕmiri*-noten genoemd: *djira* ▸ of *tjira* ▸ *oela*, — *oembris*, — *kamplong*, — *wo* ▸."

XIII. Over primitieve Opiumpijpen. — Bij nader onderzoek is gebleken dat de kop van de op bldz. 26 afgebeelde pijp N°. 6 uit zwart aardewerk, en die van N°. 4 uit den kop van een gewone, eenvoudige opiumpijp van bruin aardewerk bestaat. Het gewone gat in het midden van het bovenvlak is met hars (?) en vezels dicht gemaakt en in plaats daarvan een zijdelingsch gat geboord.

XIV. Ueber Kerbstöcke und deren Anwendung, besitzen wir recht gute Mittheilungen von R. ANDREE (Ethn. Parallelen und Vergleiche, Stuttgart 1878) und von C. M. PLEYTE (Bijdragen tot de Taal-, Land- en Volkenkunde van Nederl. Indië, 5e Volgr. Deel I, pg. 127). Die Arbeit des letzteren behandelt hauptsächlich die in Indonesien gebräuchlichen mnemonischen Mittel, allein weder er noch

R. ANDREE erwähnt eines Kerbstockes von Java. Dass derselbe auch hier nicht fehlt, beweist uns ein durch Herrn G. A. VORDERMAN in Batavia dem Ethnographischen Reichsmuseum geschenktes Exemplar (Serie 830 N°. 22).

Dasselbe besteht aus zwei dünnen, 52 cM. langen und 3 cM. breiten Bambusstreifen, die aufeinander gelegt und, nahe dem einen Ende, mittelst eines Holzstiftes mit einander verbunden sind. Ueber die Anwendung dieses Geräthes bei Steuerzahlungen theilt Hr. VORDERMAN das Folgende mit:

„Durch Kerbon in den Kanten wird angedeutet welchen Betrag ein Steuerzahler an Landrente bezahlt hat, die Länge der Streifen ist mit Bleistiftstrichen in vier gleich grosse Fächer vertheilt; jenachdem nun sich die Korben innerhalb des Raumes des einen oder des anderen dieser Fächer befinden, gelten selbe zur Andeutung von bezahlten Gulden, halben oder viertel Gulden oder endlich von je 10 Cent. Der eine Streifen verbleibt beim *Loera*, dem Dorfvorsteher zur Controllo, der andere wird durch den Steuerzahler verwahrt. Will letzterer einen Theil der Steuer abtragen, so werden beide Streifen aufeinander gelegt, mittelst des Stiftes gegen einander befestigt und nun die nöthigen Kerben in die Kanten geschnitten."

In P. J. VETH, Java I pg. 489 finden wir des Kerbstockes in folgender Passage erwähnt: „In het „dagelijksch leven bedienen zij zich voor berekeningen „van den kerfstok of van knopen die zij in een touw „leggen", — — — — —; nähere Angaben betreffs desselben bietet auch dies ausgezeichnete Werk nicht.

XV. Pfeilgifte. — Dr. L. LEWIN, Berlin, hat seine interessanten Untersuchungen (Siehe dieses Archiv, Bd. VII pg. 207) betreffs derselben mit einem in VIRCHOW's Archiv für pathol. Anatomie & Physiologie etc., erschienenen umfangreichen, vieles Interessante bietenden Aufsatz abgeschlossen, in welchem die Pfeilgifte Asiens, Oceaniens und Amerikas zur Behandlung gelangen. Schon im Alterthum wurden Nachrichten über solche in Asien bekannt, nach ARISTOTELES bereiteten die Scythen ihr Pfeilgift aus der Viper, OVID berichtet über Giftpfeile aus Pontus Euxinus, nach STRABO bedienten sich die Soanen und Oriten derselben, während durch AMONIANUS MARCELLUS in der Mitte des 4ten Jahrhunderts Brandpfeile aus Medien und deren Gebrauch erwähnt worden. — Gegengifte oder Hülfen gegen Pfeilgiftwunden suchte man sich auch derzeit zu verschaffen; Eichenrinde, Portulacca und Assa foetida werden als solche von den derzeitigen Berichterstattern erwähnt.

Heut treffen wir Pfeilgifte erst im östlichen Himalaya, über die der Verfasser auf Grund von ihm vorliegenden Mittheilungen referirt und die wahrscheinlich zum grösseren Theil aus *Aconitum ferox* gewonnen werden. Die Abor (Pâdam) nahe dem Quellgebiet des Brahmaputra, bedienen sich heut der Giftpfeile zur Jagd auf wilde Thiere, früher aber auch gegen Menschen; für die Herstellung des Giftes dient die eben genannte Pflanze. Die Eingebornen des obern Assam verwenden die Pfeile zur Elephantenjagd und auch wohl im Kampf gegen Menschen; das wirksame Princip bildet bei diesen, wie bei den Pfeilen der Akka in Assam Aconitin. Dagegen bedienen sich die Muong in Tongking, gleich den Mois von Nord- und Süd-Cochinchina der Saftes der Blätter von *Antiaris toxicaria* für das Vergiften ihrer Pfeile, als Gegengift gelten verschiedene Pflanzen und Alaun; die Ka-tschin im Norden von Birma benutzen *Aconit*, in Burma soll *Hippomane Mancinella* das Gift liefern, während noch nicht festgestellt ist von welchem Baum der Saft gewonnen wird den die Khyen in den Yuma-bergen für unsern Zweck verwenden.

Unter den halbwilden Stämmen der malayischen Halbinsel sind die Männer, welche aus der Herstellung des Giftes für Blasrohrpfeile ein Gewerbe machten ausgestorben und da die Nachfrage nach Gift nicht gross genug um Andere zu veranlassen jene Bereitung wieder aufzunehmen, auch keine Nothwendigkeit für stark wirkendes Gift vorliegt, so begnügt sich jetzt jedermann mit solchem das er leicht erlangen kann, dem er dann noch Allerlei hinzufügt van dem er gehört, dass es giftig sei. Mit Ausnahme der Orang Sâkei, bei denen die Kenntnis der Bereitung in den Händen nur weniger Männer liegt, die diese auf ihre Kinder vererben, besteht eine grosse Mannigfaltigkeit der Pfeilgifte, deren Untersuchung nur selten ein Resultat, und auch dann nur ein unvollkommenes liefern kann. Noch zu Anfang dieses Jahrhunderts hatten die Gifte eine stabilere Zusammensetzung, so unterschied man bei den Orang Djâkun dreierlei: *Ipo Krôhi*, *Ipo Tennik* und *Ipo Mallaje*, für deren Herstellung u. A. *Antiaris toxicaria* (Wurzel und Rinde), *Derris elliptica* (Wurzel), *Tabernaemontana Malaccensis*, neben Schlangengift etc. in Betracht kommen.

Für die Sâkei wird der Saft von *Antiaris toxicaria*, der von *Dioscorea hirsuta* und einer *Amorphophallus*-Art, neben dem Gift von Schlangen, Scorpionen, Scolopendern etc., als Bestandtheil ihrer Pfeilgifte genannt; die Semangs, die gleich den Sâkei sich des *Ipo Kaju* oder Baumgiftes bedienen, besitzen noch ein anderes, *Ipo aker* genanntes, aus einer *Strychnos*-art und einer *Rubiacee* bereitetes Gift. Ueber das Vergiften der Pfeile der Orang Bĕnûa hat R. H. STEVENS (Veröff. Kgl. Mus. für Völkk., Berlin, Vol. II) eingehend berichtet, auch hier kommt neben Fischstacheln,

Scolopendern etc., *Antiaris toxicaria* in Betracht. Das Gift der Orang Panggahn wird wahrscheinlich von *Strychnos*, das der Orang Möntöra wurde früher aus *Antiaris*, und nun dieser Baum bei ihnen seltener geworden, aus *Derris elliptica* bereitet; neben diesen spielen bei beiden Stämmen Schlangengift, Scorpione und Tausendfüsser in der Zusammensetzung ebenfalls eine Rolle. Gegen die Vergiftung mit *Antiaris* sollen Salz und gekauter grüner Mais auf die Wunde gothan werden.

Zur Besprechung der Giftpfeile der Eingebornen Indonesiens übergehend, sagt Dr. L. dass eine Continuität des Gebrauches von Giftpfeilen vom Himalaya an, südwärts längs der Ostküste des Golfes von Bengalen, weiter längs des, den Meerbusen von Pegu begrenzenden Länderstreifens, über die malayische Halbinsel bis zum malayischen Archipel sich heut noch nachweisen lässt; dass dieser in vorhistorischer Zeit, als jene Ländermassen nach zusammenhingen, vielleicht östlich über Hinterindien ausgedehnter gewesen sei, aber in historischer Zeit jedenfalls die angegebenen Grenzen, weder nach Ost oder West viel überschritten habe. Hier deckt sich also die Kenntnis dieses Brauches wiederum mit dem was uns sonstige ethnographische Momente und die Ergebnisse linguistischer Forschung, besonders jene Prof. KERN's, betreffs der Abstammung und Wanderung der Völker Indonesiens lehren.

Zuerst kommt hier nun das Blasrohrpfeilgift der Batak zur Besprechung für welche wiederum der Saft von *Antiaris toxicaria* als wesentlicher Bestandtheil nachgewiesen wird; die Eingebornen von Nias sollen ein Gift aus Kopf und Eingeweiden von Giftschlangen bereiten, wofür sie sich desselben bedienen, theilt Dr. L. nicht mit; Pfeile gehören bekanntlich nicht zu den Waffen der Niasser. Andererseits ist Bogen und Pfeil auf Mentawei in Gebrauch, das Gift ist ein zusammengesetztes: Tabak, *Capsicum*, die Wurzel des *Tuba*-Strauches sollen dem Saft des *Umei*-Baumes beigemischt werden; nach einer andern Angabe soll auch hier *Ipoh*-(*Ipo*-)Gift[1] (*Antiaris toxicaria*) zur Verwendung kommen; zu einem bestimmten Ergebnis leiteten Dr. L.'s Untersuchungen in dieser Richtung nicht. — Auf Java kommt nach Dr. L. *Antiaris* im Süden vereinzelt vor, der Frage nach dem Gebrauch von giftigen Blasrohrpfeilen gegenüber können wir antworten, dass ein solcher heut nirgend mehr stattfindet. — Ueber das Gift der Blasrohrpfeile der Eingebornen von Celebes ist noch nichts Sicheres bekannt; dagegen konnte Dr. L., betreffs des der Dayaken auf Borneo, auf Grund der Untersuchung reichlichen Materials feststellen, dass *Strychnos* und *Antiaris* die Lieferanten der wirksamen Bestandtheile sind. — Dass durch die Negritos auf Luzon ein Pfeilgift aus *Rabelaisia philippensis* PLANCH. bereitet werde, können wir auch auf Grund einer uns vorliegenden Mittheilung von Dr. AL. SCHADENBERG bestätigen; besonders jene der Provinz Infanta bedienen sich desselben und bereiten es aus einem Extract der Rinde.

Das Pfeilgift der Aino auf Yesso wird aus den Knollen von *Aconitum* bereitet; in jedem Dorf sind es nur wenige ältere Männer welche das Gift unter Zauberformeln, Gebeten etc. für alle Jäger herstellen.

Aus dem weiten Gebiete Oceaniens gelangt zuerst Neu-Guinea zur Besprechung; Dr. L. führt Gewährsmänner für den Gebrauch vergifteter Pfeile an, während andere dem widersprechen. Wir meinen dass diese Frage endgültig durch DE CLERCQ's Mittheilung in negativem Sinne entschieden ist, sowie dass das, was die Eingebornen Neu-Guinea's, und überhaupt des ganzen melanesischen Gebietes unter einem vergifteteten Pfeile verstehen, nämlich einen solchen der mit Substanzen denen man übernatürliche Kräfte beilegt, beschmiert oder in Berührung gebracht, durch unsere, an jene Mittheilung geknüpften und auf die Berichte verschiedener Forscher basirten Ausführungen vollkommen klar gestellt sei (Siehe DE CLERCQ & SCHMELTZ: West- en Noordkust van Nodorr. Nieuw-Guinea pg. 115 & 116). — Das ganze weite Gebiet dürfte als „giftpfeilfrei" zu erklären sein; übrigens gelangte auch Dr. LEWIN bei seinen Untersuchungen zu keinem, für das Vorkommen sprechenden, positiven Resultat. Zu dem von Dr. L. Mitgetheilten sei zuerst bemerkt dass D'ALBERTIS selbst an die Mittheilung, dass ein Eingeborner ihm einen Pfeil als giftig bezeichnet habe, die Worte knüpft, dass er selbst nicht davon überzeugt sei. (Siehe unsere Ausführungen l. c. pg. 116 und D'ALBERTIS, New-Guinea II pg. 35). — Dass auf Neu-Britannien die Pfeile nicht vergiftet werden ist sehr natürlich, weil Bogen und Pfeil nicht zu den Waffen dieser Eingebornen zählen. — Ueber die Vergiftung der Pfeile auf den Neu-Hebriden, derjenigen Gruppe Melanesiens deren Pfeile durch den Tod Comm. GOODENOUGH's berüchtigt geworden, gaben wir auf Grund von Mittheilungen des verstorbenen J. WEISSER einen Bericht in Revue d'Ethnographie II, pg. 181 sq., der einen Auszug eines in der Sitzung des Verein für naturwissenschaftliche Unterhaltung zu Hamburg vom 3 Dec. 1880

[1]) Vergleiche über die Deutung des Wortes „*Ipoh*": v. D. WALL in Tijdschrift voor het Binnenl. Bestuur VIII (1893) pg. 255.

gehaltenen Vortrages bildet und den wir, da derselbe bis jetzt nur in Gestalt eines Flugblattes für die Vereinsmitglieder gedruckt, demnächst hier in extenso bringen werden. Während aber in jenen Mittheilungen verschiedene Pflanzen sowohl für das Gift, wie für ein Gegengift genannt werden, ergaben Dr. LEWIN's Untersuchungen dass vegetabilisches Gift an den ihm vorgelegenen Pfeilen nicht nachzuweisen war. Bekannt ist dass auch die Untersuchungen der dazu ernanten französischen Commission auf Neucaledonien 1883 kein Resultat ergaben. Dass indes dennoch die Neu Hebriden-Pfeile Tetanus erzeugen können ist, wie im Falle GOODENOUGH, bewiesen. — Ueber vergiftete Pfeile von den Viti-Inseln hörten wir nie und bezweifeln die von Dr. L. citirte Angabe stark.

Aus Amerika untersuchte Dr. L. vergiftete Pfeile vom Rio Ipurinà, Rio Negro, von Dr. ERNST! (nicht Dr. CARACAS) Caracas erhalten, von den Catauixi am Tapauvá-Fluss und von den Goajiro; das Gift der letzteren erwies sich bei den Versuchen wirkungslos und konnte nicht festgestellt werden, in den übrigen Fällen war es das bekannte *Curare*, über dessen Bereitung etc. aus *Strychnos*-Arten Dr. L. eingehendere Mittheilungen macht. Die Choco-Indianer in Columbien sollen ihr Gift aus den Ausschwitzungen der Hautdrüsen einer Kröte gewinnen, die Cayapas-Indianer in Ecuador aus einer *Solanee*. Die Indianer Mexicos sollen früher, mit Ausnahme der Seri, nie Pfeilgifte benutzt haben, indes wird neuerdings der Verwendung des Saftes der *Sebastiana Palmeri* RILEY für diesen Zweck erwähnt; die nordamerikanischen Indianer bedienten sich in früheren Zeiten des *Cynanchum macrophyllum* PERS. für den gleichen Zweck.

Wir schliessen hiemit unseren Auszug aus der obengenannten Arbeit, den wir ausführlicher gestalteten, weil dieselbe an dem Ort, wo sie erschien, von den meisten, sich für ethnographische Forschungen und deren Resultate Interessirenden, übersehen werden dürfte. Auch diese Arbeit bildet wieder einen Beweis dass die Zeit gekommen, wo die Materialsammlungen in unseren Museen Früchte zu tragen beginnen. Die Bereitung der Gifte und ihrer Zusammensetzung, deren Kenntnis der Naturmensch auf empirischem Wege erlangte, hat stets das Interesse von Forschern und Laien erregt, und wir sind, gleich Dr. L. überzeugt, dass dies Interesse in demselben Maasse steigen wird, als der Gebrauch von Giftpfeilen nach und nach verschwindet und die Erkenntnis der wirksamen Bestandtheile jener Gifte dahin führt, sie als segenbringende Heilmittel zu verwenden.

XVI. Neuere Beiträge zur Ethno-Botanik. — Die Beiträge zur Kenntnis der Rolle welche die Pflanzen im Leben der Naturvölker spielen, beginnen sich täglich zu mehren. Den werthvollen Arbeiten SCHRÖTER's und VAN DE POLDER's (Ueber Bambus, siehe dieses Archiv Vol. VII pg. 211 & VIII pg. 35), LEWIN's (Pfeilgifte, dieses Archiv Vol. VII pg. 207 und über Kawa, Betel etc.) und GRESHOFF's (Fischgifte, siehe oben pg. 38) reiht sich jetzt eine solche von Dr. W. G. BOORSMA (Mededeelingen uit 's Lands Plantentuin XIII, 1894) an, welche wiederum manche ethnographisch wichtige Mittheilung birgt. Zuerst erwähnen wir eine Untersuchung über ein, in der einheimischen Medicin eine wichtige Rolle spielendes Mittel „*Prânâdjiwâ*" d.h.: „Trost der Seele", wofür die Früchte der *Euchresta Horsfieldii* BENN., und die Saaten der *Sterculia Javanica* R. BR. zur Verwendung kommen und das gegen Brustkrankheit, Blutspeien und selbst gegen Phtisis angewandt wird. — *Gambir utan*, ein als Mittel gegen Malaria in hohem Ansehen stehendes Medicament, wird nach der Untersuchung von Dr. B. von zwei verschiedenen Pflanzen, *Jasminum glabriusculum* BL. und *Ficus Ribes* REINW. gewonnen. — Ueber die Arten des Geschlechtes *Dioscorea*, deren Knollen bei vielen Völkerschaften als Nahrung zur Verwendung gelangen, begegnen wir eingehenden Mittheilungen über die Kultur, die Zubereitung der auf Java „*gadung*" genannten Knolle von *Dioscorea hirsuta* BL., die giftigen Bestandtheile der Knollen einer Reihe von Arten, sowie der in der Medicin zur Verwendung kommenden anderer Arten. Wir möchten das über dieses Pflanzengeschlecht Mitgetheilte besonderer Aufmerksamkeit empfehlen.

Ferner hat Dr. M. GRESHOFF die Herausgabe eines, unter der Aegide des Kolonial Museum in Haarlem erscheinenden Werkes (Nuttige Indische Planten), von dem die erste Lieferung uns vor Kurzem zuging, begonnen. Dasselbe wird sich wie schon in der ersten Lieferung, auch in der Folge als eine Publication erweisen, die alle Beachtung seitens der Freunde der Völkerkunde verdient. Abgesehen von der botanischen Beschreibung, der Synonymie, geographischen Verbreitung, den inländischen Namen und Ergebnissen chemischer Untersuchung, wird von jeder Art die Anwendung derselben nicht allein im Haushalt der Bewohner Indonesiens, sondern auch bei andern Völkerschaften, auf deren Wohnsitz sich die Verbreitung erstreckt, mitgetheilt. Aus dem Inhalt der gegenwärtigen Lieferung, in welcher zehn Arten zur Behandlung gelangen, theilen wir das Folgende mit.

Die Früchte von *Aleurites Moluccana* WILLD. (*A. triloba* FORST.), „Kemiri-noten" in Indonesien, engl. „Candle-nuts" genannt, dienen pulverisirt und mit Baumwolle oder Cocosfaser gemengt als Beleuchtungsmaterial. Ferner wird ein, auch beim Batikken gebrauchtes Oel aus denselben gewonnen, und werden sie auch im Haushalt der Inländer für verschiedene Zwecke und Spiele verwandt. Mit verkohlten Früchten wird Leib und Gesicht bei Tänzen etc. auf manchen Inseln Oceaniens schwarz gefärbt. (Gehören die Kerne des *Badja*-Baumes der Bataks, dessen Russ zum Schwärzen der Zähne benutzt wird [Globus LXVII pg. 70] nicht auch hieher?) Aus dem Holz des Baumes werden u. A. auf Java die *Topeng*-Masken, auf den Südsee-Inseln Canoes verfertigt. Der Bast bildet auf Tahiti ein Gerbmittel — Zum Schluss knüpfen sich an die Früchte eine Reihe von Sprichwörtern die pg. 4 mitgetheilt werden; wir erwähnen u. A. *„Muntjang labuh ka puhu"* (sundanesisch nach K. F. HOLLE). „Die *Muntjang*-Frucht fällt bei der Wurzel nieder", d. i.: „Der Apfel fällt nicht weit vom Stamm" oder „Ins Aelternhaus heimkehren".

Von *Anacardium occidentale* L., einem ursprünglich südamerikanischen Baum, der jedoch in einem grossen Theil Indonesiens heimisch geworden, finden verschiedene Theile, Wurzel, Bast, Saft etc. Verwendung in der inländischen Heilkunde.

Die Früchte von *Litsaea sebifera* BL. enthalten ein Fett welches früher ziemlich allgemein als Material für Kerzen, *„minjak tangkalak"*, verwandt wurde. Heut durch Petroleum grossentheils verdrängt, begegnet man dieser Verwendung nur noch in armen und fern im Innern liegenden Dörfern. —

Bei *Pangium edule* REINW. begegnen wir der seltenen Erscheinung dass eine Pflanze einen wichtigen Nährstoff liefert, während sie gleichzeitig der Träger eines äusserst gefährlichen Giftes ist. Die Samen (*Pitjung*) werden, nachdem vorher das Gift auf einfache Weise extrahirt, gegessen, und dienten früher zur Bereitung von Lampenöl. Der Saft der Blätter gelangt in der inländischen Heilkunde, die Rinde beim Fischfang zur Verwendung; ferner wird durch Einwickeln von Gegenständen in Blätter dieser Pflanze, oder Waschen derselben mit einem Absud solcher, daran haftendes Ungeziefer getödtet, während zum Schluss die Blätter auch noch als fäulnisswehrendes Mittel Verwendung finden. Interessant ist auch die Verwendung der gestossenen Samen als Kochsalz-Surrogat zur Conservirung frischer Seefische in Bantam. Alle die zuletzt genannten Wirkungen finden im Blausäuregehalt der Pflanze ihre Erklärung. — Von Interesse möge hier noch sein zu erwähnen, dass sich auch an diese Pflanze ein Sprichwort knüpft; bei den Batak antwortet nämlich Jemand dem ein überflüssiger Rath gegeben wird oder dem eine von vorn herein deutliche Sache erklärt wird, *„Hu boto do hapesong kalalango"* d. h. „Ich weiss schon dass Pangium betäubend wirkt". —

Dennoch sagt Dr. G. (pg. 16) dass vielen Europäern in Indien die giftige Eigenschaft der Pflanze nicht bekannt ist.

Von *Samadera Indica* GAERTN. gelangen die Früchte resp. Saaten in der Heilkunde, u. a. gleich der Rinde als Mittel gegen Fieber zur Verwendung.

Die Samen von *Sesamum Indicum* DC. bilden ein bekanntes und wichtiges Material für Oelgewinnung; der bei der Bereitung durch Inländer sich ergebende oelreiche Rückstand in Kuchenform wird in Britisch-Indien als Viehfutter und, in Zeiten der Hungersnoth, sogar als Nahrung für den Menschen verwandt. Das Stroh findet als Brennstof und Dung Verwendung; aus Russ von Sesamoel bereitet man Chinesische Tusche. — In den Erzählungen und Gebräuchen orientalischer Völker spielt Sesam-Samen eine grosse Rolle. In den Erzählungen Tausend und Eine Nacht ist Sesam das die Thür öffnende Zauberwort; in der Mythologie der Hindus ein Symbol der Unsterblichkeit und bei den Todtenfesten in Gebrauch. — In der indischen Umgangsprache bezeichnet ein Sesamkörnchen die allergeringste Menge; ein unbedeutender Mensch wird mit wildem Sesamsamen, worin kein Oel, verglichen; schwören dass Sesamsamen kein Oel enthält, steht an Stelle unseres „etwas Weisses Schwarz nennen" etc. BÖHTLINGK's grosses Werk über Sanskritsprüche enthält noch eine weitere Anzahl Sprichwörter, nach dem Vorkommen solcher im Indischen Archipel fragt Dr. G. die Leser seiner Arbeit.

Die Blätter der *Euphorbia pilulifera* L., galten nach PISO und MARCGRAF als Mittel gegen Schlangenbiss, und haben jetzt Ruf als Asthma-mittel.

Von *Hydrocotyle Asiatica* L. werden die Blätter in frischem Zustande auf Wunden gelegt um die Heilung zu befördern. Der Saft und ein Extract der Pflanze finden in der Medicin mehrfache Verwendung.

Eine eigenthümliche Erscheinung bietet *Gaultheria leucocarpa* BL. Aus dieser Pflanze lässt sich auf chemischem Wege sehr reine Salicylsäure und Carbolsäure darstellen. Das aus den Blättern dieser Pflanze und der *G. punctata* BL. gewonnene und mit Cocosoel vermengte Oel bildet eine bekannte inländische Arznei: *Minjak gandapura;* unvermengtes Oel dient als Parfum der Sarongs inländischer Grossen zu Djocjâkârta.

Die Früchte von *Parinarium glaberrimum* HASSK. werden nach RUMPHIUS durch die Ambonesen in Form eines Teiges zum Bestreichen der Fugen ihrer Fahrzeuge statt Schiffspappe verwandt, ebenso wie die Pfeiler und das übrige Holzwerk der Häuser, zum Schutz gegen Wurmfrass, damit bestrichen werden. Ferner bilden sie einen Bestandtheil einer beliebten Zuspeise, etc. — In einer Note weist Dr. G. darauf hin dass auch die Früchte von *Parinarium Senega-*

lense, das *Néou* der Neger, durch letztere leidenschaftlich gern gegessen werden [1].

A. G. VORDERMANN, dem unsere Wissenschaft schon seit Langem einen beschreibenden Catalog Chinesischer und inländischer Nahrungsmittel (Geneesk. Tijdschrift voor Nederl. Indië Deel XXV, 1885) verdankt, hat neuerdings in derselben Zeitschrift wieder zwei Arbeiten unter dem Titel: „Analecta op bromatologisch gebied" veröffentlicht, die hier ebenfalls erwähnt werden müssen. Die erste derselben (Deel XXXIII, 1893) bringt Beiträge zur Kenntnis der Bereitung etc. einer Reihe Nahrungsmittel der Chinesen und Inländer auf Java und Madura, von denen wir das Folgende hier wiedergeben.

Béh-ko (麥膏) ist eine aus Klebreis und Gerste durch Chinesen auf Java hergestellte, halbdurchscheinende, klebrige Masse. Ausser der sehr eingehenden Schilderung der Bereitung selbst, die in China seit uralten Zeiten bekannt, giebt der Verfasser eine solche der dafür gebrauchten Geräthe; die Masse bildet eine durch inländische Aerzte verordnete Arznei gegen chronischen Bronchial-Katarrh; aber hauptsächlich eine beliebte Näscherei der inländischen Jugend, ähnlich unseren Bonbon.

Die Bohnen von *Phaseolus radiatus* L., *Lik taō* 緑荳 (Chin.), *Katjang idju* (Mal.), fehlen in keinen Chinesischen *warong* (An öffentlichen Wegen von Bambus errichtete Verkaufsbuden für Speisen und Getränke, wo solche zugleich bereitet und genossen werden, siehe VETH, Java I, pg. 615 ff.) der bedeutenderen Orte auf Java; sie werden gegenwärtig fast ausschliesslich durch Chinesen und Eingeborne genossen, während sie zu RUMPHIUS Zeiten einen Bestandtheil des Proviants aller in Indien fahrenden Schiffe bildeten und auch auf Tafeln der Europäer erschienen, was der Verfasser nirgends mehr bemerkte. Dieselben, nach V. ihres bedeutenden Gehaltes an Nährstoff halben, wohl eines Platzes unter den Speisen der Europäer würdig, bilden das Material für eine andere Speise, *Taōgê* 荳芽 (Chin.) *Togee* (Bat. Mal.), aus den Schösslingen der Bohnen bestehend, welche auf eine durch V. beschriebene, eben nicht sehr appetitliche Weise durch Chinesen in Batavia Tag für Tag in grossen Mengen erzeugt werden. — Wie die Bohnen von den Tafeln der Europäer verschwunden sind, gehört auch die Erzeugung dieser Schösslinge an Bord von Segelschiffen als Mittel gegen Scorbut, gleichfalls durch RUMPHIUS im Herb. Amboinense erwähnt, der Vergangenheit an. Sie bilden einen der zahllosen Bestandtheile der sogenannten „Reistafel" oder werden durch einen ambulanten, gewöhnlich eingebornen Händler, den *tukang taōgê*, in den Bazaren, den stärker besuchten Vereinigungspunkten und längs den Strassen zu Batavia verkauft und sofort fürs Verzehren fertig gemacht. An dem einen Ende seines Tragejoches trägt er ein Kohlenbecken über dem eine kupferne Pfanne angebracht, und am andern einen Korb im dem die Ingredienten der Speise, die erwähnten Schösslinge, Brei von Soja-Bohnen, in Cocosoel gebratene Zwiebeln etc. sich befinden.

Von den Bohnen der *Soja hispida* L., die bekanntlich in Folge ihres grossen Stickstoffgehaltes ein werthvolles Nahrungsmittel bilden, werden durch Hrn. V. drei Varietäten: hellfarbene, braune und schwarze (*Hu taō*, 附荳, *Âng taō*, 紅荳, *O taō* 烏荳, Chin.; *Kadelé putih*, *merah*, *item*; Bat. Mal.) erwähnt. Aus der ersten der genannten Varietäten wird durch Chinesen der sogenannte Bohnenkäse „*Taō-hū*" 荳腐, oder nachdem dieser, um ihn länger bewahren zu können, in Stücke geschnitten und in einen Absud von *Curcuma longa* L. getaucht ist, „*Taō-koa*" 荳乾 genannt, bereitet. Ueber beide Sorten die sowohl durch Chinesen als Inländer gegessen werden, hat auf Grund chinesischer Quellen Prof. G. SCHLEGEL ebenfalls berichtet (T'oung Pao, V [1894] pg. 135 ff.) und dabei zugleich Mittheilungen über Soja-Oel und Soja-Brod, ein bewährtes Nahrungsmittel für Diabetes-Kranke, gemacht.

Zuckerrohr, Reismehl, Wurzelstöcke von *Alpinia galanga*, Knoblauch und eine Citronen-art bilden die Bestandtheile weisser mehliger Kugeln (*Tsiū piáng* 酒餅 Kheh Chin.; *Péh khak* 白粬 Fuh-kien Chin.; *Ragi*, Mal.) die man allenthalben in den Bazaren und Chinesischen Warongs verkauft, sie werden durch Chinesen bereitet und bilden ein Gährmittel das bei der Herstellung von *Tsao* 糟 Chin., *Tapej* Mal. zur Verwendung kommt. Hiervon werden zweierlei Sorten, je nachdem für Nahrung oder für technische Zwecke (Reiswein- und Arakbereitung, Indigofärben auf Chinesische Weise) bestimmt, aus besserem oder minder gutem Reis etc. hergestellt

[1]) Wir können den Wunsch nicht unterdrücken dass sowohl die vorliegende Arbeit Dr. G.'s, als auch die über Fischgifte durch Uebersetzung ins Englische oder Deutsche einem grösseren Leserkreise zugängig gemacht werden.

und, in ersterem Falle in Pisangblätter verpackt, täglich Morgens in den grossen Bazaren an Inländer, die darauf erpicht sind, in Mengen verkauft.

Fester *brĕm* oder Zucker-*brĕm* bildet eine, jedoch nicht für Kinder bestimmte Näscherei die aus dem eingedickten Saft der vorerwähnten *tapej* bereitet und in cylinder- oder kegelförmigen Stücken verkauft wird. Die Bereitung derselben, gleich der von Reiswein (*Tsiú djin*, *ló tsiú* 酒仁, 老酒 Fuh-kien Chin., *Brĕm* Mal.) von Arak und *Sio tsiú*, *Arak tjina* Mal., wird durch Hrn. V. ausführlich und in allen Einzelheiten beschrieben, und bietet manches, auch vom ethnographischen Standpunkt Interessantes; wir können hierauf jedoch hier nicht weiter eingehen, ebenso wenig wie auf das was Hr. V. schliesslich über die Gewinnung von Palmwein (*Tuak manis*, Bat. Mal., *Lahang*, Sund.; *Legèn*, Jav.; *Laäng*, Maduresisch) aus den abgeschnittenen Blüthenkolben von *Cocos nucifera* L., *Borassus flabelliformis* L., *Arenga obtusifolia* und *A. saccharifera* L., dessen weitere Bereitung, Bestandtheile, Gährung etc. sagt. Gegohren heisst derselbe *Tuak kras*, Bat. Mal.; *Lahang bari*, Sund.; *Werak*, Jav. und *Tuak*, Maduresisch; er bildet dann einen berauschenden, besonders bei Soldaten, obwohl ihnen verboten, beliebten Trank. — Den Schluss des ersten Theils der Analecta bilden Mittheilungen über die Bereitung von Essig *Tjuka* Mal.; *Tshò* Chin., und *Tuak*, *Tapej*-Saft etc.

Der zweite Theil (l. c., Deel XXXIV, [1894]) enthält Untersuchungen über Farbstoffe mit denen, gleich wie bei uns Näschereien und Genussmittel, in Indien die der Chinesen und Eingebornen gefärbt werden. „Das Auge des Zuschauers wird manchmal „gefesselt durch die hübschen Farbenabwechslun„gen welche Verkaufsstände indischer Früchte zeigen, „nicht weniger aber beim Anblick der Farben in „denen inländische und Chinesische Gebäcke und „wohl auch kühlende Getränke prangen um das „Publikum anzulocken".

„Purpurne Sirup-Sorten, rosenfarbenes Eis, grüne „schlüpferige *tjintjau*, Granatkörnern ähnlicher *sĕkot*„*tong;* braune klebrige Stücke in Form eines Paralle„lepipedum von *tèng-tèng*, vielfarbene Scheibchen von „*Kwé-putu*, granatfarbene, glänzende Cylinder mit „schneeweissen Enden die als *Kwé-talang* verkauft „werden; all dies giebt nur einen schwachen Begriff „der Vielseitigkeit in der inländische und chinesische „Näschereien an den Mann gebracht werden".

Bei manchen derselben sind diese Farben, die dem Stoff selbst eigenen, oft aber sind sie die Folge eines Zusatzes, der nur den Zweck hat das Auge zu ergötzen.

Weiss liefert das Endospermium der Cocosnuss, Schwarz erlangt man von verbrannten Cocosblättern oder einer zu den Compositeen gehörenden Pflanze, *Anaphalis longifolia* DC. Gleichfalls dienen zur Erzeugung schwarzer Chinesischer Schriftzeichen auf Gebäck die schwarzen Samen von *Celosia argentea* H. die, bevor das Gebäck in den Ofen kommt, darauf gelegt werden. Braun liefert gebrannter Zucker und wird zumal für das Färben von *Petis*, einen Extract von Fleisch, Fisch oder Krabben verwandt. Von Roth bespricht Hr. V. acht verschiedene Sorten, unter denen auch Fuchsin figurirt. Besonderes Interesse beansprucht die *Ang Khak* 紅 粬 genannte Sorte, welche aus China eingeführt wird und dort aus gekochten Reiskörnen auf denen man eine Schimmelbildung hervorruft, erzeugt wird. Ausser Gebäck und Nahrungsmitteln, wird manchmal auch Reiswein mit diesem Product gefärbt; selbst für die Verfälschung von Wein dürfte es durch Chinesen benutzt werden. — Für weitere rothe Färbemittel kommen *Caesalpinia sappan* und *Carthamus tinctorius* in Betracht, ferner Zinnober, sowie schliesslich noch die Pflanzen *Iresine Herbstii* H., *Hibiscus rosa sinensis* L. und *Basella rubra* L. — Von den vielerlei Gelb ist das eine aus *Gardenia*-Früchten, ein zweites aus *Curcuma longa*, das dritte aus Saffran und das vierte aus dem Holz von *Artocarpus integrifolia* L. erzeugt. — Orangenroth erhält man durch Zusatz von Betelkalk zu dem Gelb der *Gardenia*-Früchte oder statt dessen eines Tropfen Fuchsin-Lösung. — Grün wird in vier verschiedenen Sorten gewonnen, aus den Blättern von *Cordyline cernua* Planch., *Clitorea ternatea* L., *Sauropus albicans* Bl. und *Phaseolus lunatus* L.; Blau kommt ebenfalls in vier Sorten vor, deren eine aus Anilinfarbe, die zweite aus künstlichem Ultramarin, die dritte aus Indigo besteht, während die vierte wieder aus Blättern der Blumenkrone von *Clitorea ternatea* L. gewonnen wird. Von jeder der genannten Farbsorten schildert Hr. Vorderman deren Bereitung und verschiedenerlei Verwendung und giebt ausserdem die Resultate der, durch ihn vorgenommenen microskopischen, etc. Untersuchung. Für weitere Details müssen wir auf die höchst interessante Arbeit selbst verweisen.

Noch bemerken wir, dass derselbe unermüdliche Forscher, der das Javanische Leben wie kaum ein Anderer kennt, vor kurzem auch eine Anleitung zur Kenntnis Javanischer Heilmittel dem Druck übergeben hat (l. c. Deel XXXIV, [1894]).

Zum Schluss dürfte es hier am Ort sein noch hinzuweisen auf Ludwig Hösel's Studien über die geographische Verbreitung der Getreidearten Nord- und Mittelafrikas".

Leipzig 1890. — Diese auf ein reiches Quellenmaterial basirte fleissige Arbeit bietet in ihrem knappen Umfange weit mehr als der Titel verspricht.

Zuerst werden uns nach Anordnung und Abstammung die Getreidearten geschildert, die der Verfasser in eigentliche und uneigentliche eintheilt. Zu ersteren zählt er Gerste, Weizen, Mais, Sorghum, Duchn (alle nur angebaut); *Eleusine*, *Tef* und Reis (zwar angebaut, aber auch häufig wild gefunden); zu den uneigentlichen gehören nach ihm wild vorkommende Gräser deren Samen regelmässig zur Nahrung dienen (z. B. *Pennisetum distichum*), oder nur in Zeiten der Noth genossen werden (*Vilfa spicata* [*Akresch*]), *Dactyloctenium aegyptium* [*Fagamkan*]; *Panicum turgidum*, u. A.).

Nachdem der Verfasser sich über die Namen der einzelnen Arten verbreitet, wobei er die bei den Völkern Inner-Afrikas gebräuchlichen in einer Tabelle zusammenstellt, skizzirt er die Unterarten, schildert die Bedeutung der wildwachsenden für die Existenz der innerafrikanischen Völker, und giebt schliesslich eine Aufzählung derselben.

Hierauf erhalten wir eine eingehende Besprechung der geographischen Verbreitung, die Bedingungen und Hindernisse der Ausbreitung werden behandelt, wobei die Rolle des Menschen von besonderem Interesse. Diesem schliesst sich dann ein Kapitel an, welches der Schilderung des Anbaues (Art und Zeit), den Beschäftigungen des Ackerbauers, der Verwendung des Getreides (Mehlbereitung, Brotbacken, Bierbrauen) und der Aufzählung und Beschreibung der Ackerbaugeräthe, Reibstein, Mörser etc. gewidmet ist und an dessen Schluss der Verfasser eine Uebersicht der, ihm bekannten, Abbildungen dieser Geräthe giebt, wie wir sie in ähnlicher Weise für manche andere Fälle uns wünschen möchten. Den Schluss der Arbeit bildet ein kurzer Excurs betreffs des Preises des Getreides in Afrika, sowie Bemerkungen zu einer sauber ausgeführten Karte der Verbreitung der Getreidearten Nord- und Mittelafrikas.

Aus dem von uns betreffs der letzterwähnten Arbeit Gesagten dürfte genügend erhellen dass selbe nicht allein als ein werthvoller Baustein zur Ethno-Botanik zu betrachten sein dürfte, sondern sich durch ihren letzten Theil sicher auch dem Museums-ethnographen als ein willkommener Beitrag zur Kenntnis der darin behandelten Ackerbaugeräthe erweisen wird.

XVII. Le Singe anthropomorphe des Indes néerlandaises. Au cours des recherches faites depuis 1891 dans les Indes néerlandaises, pour former une collection paléontologique de Java et de Sumatra, un médecin militaire, M. Dubois, a trouvé le crâne, une molaire et un os de la cuisse d'un singe anthropomorphe fossile. Cet animal, qui parait plus voisin de l'homme que les types connus jusqu'à présent, a été baptisé *Pithécanthropus erectus*.

Le Pithécanthropus récemment découvert près de Touloung-Agoung est vraisemblablement une forme disparue de ce groupe d'anthropomorphes plus voisins de nous. Il faut noter cependant que l'on n'a trouvé que des fragments de son squelette. Le caractère de la station verticale, tiré de la forme de son fémur, le rapproche de l'homme, mais cela existe aussi chez le gibbon, qui, au contraire, par beaucoup d'autres caractères, s'éloigne plus que les autres de l'espèce humaine.

La découverte du *Pithécanthropus erectus* est donc un fait géologique intéressant, mais rien ne permet d'affirmer que l'on tient dès aujourd'hui la forme de transition entre l'homme et l'ancêtre, que d'aucuns voudraient lui attribuer (Voir „A Travers le Monde", Suppl. au Tour du Monde N°. 4, 26 jan. 1891).

Dr. D. J. Cunningham, Prof. d'Anatomie à l'université de Dublin a fait une conférence sur le même sujet à la Société royale de Dublin, dont nous trouvons un extrait dans Nature, London 28 febr. 1895.

Ce savant arrive dans le cours de sa démonstration aux conclusions suivantes:

„From what has been said, it will be seen that „the skull and the tooth, even granting that they „are from the same individual, present no such „characters, as would warrant the formation of a „new family. The cranium at least is undoubtely „human. Most certainly they are not derived from „a transition form between any of the existing an-„thropoid apes and man; such a form does not and „cannot exist, seeing that the divarication of the „ape and man has taken place low down in the „genealogical tree, and each has followed, for good „or bad, its own path. The so called *Pithecanthropus* „is in the direct human line, although it occupies „a place on this, considerably lower than any human „form at present known".

Nous avons lu d'autres communications sur la même question dans l'Anthropologie VI (1895) pg. 165 ff.; par le prof. Carl Vogt, qui défend la nature transitoire du Pithecanthropus, dans le Berliner Tageblatt du 20 janvier et 3 mars derniers; etc. etc.

XVIII. Pedro Sarmiento de Gamboa: Geschichte des Inkareiches. Eine erste Frucht der von der Preuss. Regierung angeordneten Beschreibung der Handschriften in den Preussischen Provinzen, die mit der des reichen Schatzes an solchen der Göttinger Bibliothek eröffnet wird, ist die Wiederauffindung der Originalhandschrift des obengenannten Werkes, von der Jiménez (in „Tres Relaciones") sagte, dass sie (die Geschichte) als für immer verloren angesehen werden müsse.

In den „Nachrichten der Kgl. Gesellschaft der Wissenschaften zu Göttingen" 1893 pg. 1 & ff. berichtet WILH. MEIJER (Speyer) über diesen Fund und giebt neben Nachrichten über SARMIENTO selbst, dem auch, und nicht MENDAÑA die Ehre der Entdeckung der Salomo-Inseln zukommt, eine kurze Beschreibung der Handschrift nebst Inhaltsaufgabe; während der Wortlaut derselben durch Prof. R. PIETSCHMANN veröffentlicht werden wird.

XIX. Conférences au Musée Guimet. Paris. — Ces conférences publiques et gratuites, d'enseignement supérieur populaire, sur l'histoire des religions et l'ethnographie comparée des peuples de l'Orient, ont commencé en décembre 1894. Elles ont lieu chaque dimanche à 2 heures et demie, et sont faites par MM. L. DE MILLOUÉ, conservateur-bibliothécaire, EM. DESHAYES, conservateur-adjoint, H. GALIMENT, bibliothécaire-adjoint.

XX. Le catalogue d'une collection très riche de livres sur la géographie et l'ethnographie et de cartes en vente chez MM. F. MULLER & Co. à Amsterdam, vient d'être publié par ces libraires. Nous appelons l'attention des savants sur ce catalogue.

XXI. Nous avons reçu le catalogue Nº. 146 de l'antiquaire KARL W. HIERSEMANN à Leipsic, qui contient un grand nombre de livres sur la Muséologie et l'art de collectionner.

J. D. E. SCHMELTZ.

III. MUSÉES ET COLLECTIONS. — MUSEEN UND SAMMLUNGEN.

VII. Das Museum Dithmarscher Alterthümer in Meldorf. — Das Museum ist gegründet im Jahre 1872. Es ist Eigenthum der beiden Kreise Norder- und Süder-Dithmarschen. Trotzdem dem Vorstande stets nur sehr geringe Mittel zur Verfügung standen, ist es ihm doch nach und nach gelungen, manches schöne Stück an Schnitzereien, Stickereien, Goldschmiedearbeiten u.s.w. dem Lande zu erhalten.

Nachdem die Sammlung in den ersten Jahren nach verschiedenen Häusern hin und her wandern musste, fand sie im Jahre 1884 ein Heim in dem früheren Hauptpastorate der Stadt. Dies Gebäude, zweifelsohne aus sehr früher Zeit stammend, — die Giebelseite wurde 1601 umgebaut, — bot im Jahre 1524 dem Reformator HEINRICH MÜLLER von Zütphen Herberge, bis er von einem trunknen Bauernhaufen nach Heide zum Scheiterhaufen geschleppt ward. — Da die Sammlung sich im Laufe der Zeit ausserordentlich vergrösserte, bot dies Gebäude keinen Raum mehr, und so beauftragte der Kreis Süder-Dithmarschen 1893 den Architekten VOIGT in Kiel mit der Erbauung eines neuen Museumsgebäudes. Dasselbe wurde im Herbst 1894 fertig gestellt und augenblicklich ist der Vorstand mit der Neuordnung und Neuaufstellung beschäftigt.

Das Museumsgebäude lehnt sich in seiner Bauweise an das altsächsische Bauernhaus an. Der Lichtraum — das Gebäude hat z. T. Oberlicht — entspricht der „grossen Diele" oder Tenne. Zu beiden Seiten, im Erdgeschoss wie im ersten Stock, befinden sich die stubenartig abgetrennten Räume zur Unterbringung der Alterthümer. Am Ende des Lichthofes wird sich der freistehende Heerd erheben. Hieran schliessen sich zwei Stuben, Piesel oder Pesel genannt; die Stube rechts enthält den sogenannten Swinschen Pesel, eine reich geschnitzte Bauernstube aus dem Jahre 1568, die Perle des Museum. Swinscher Pesel heisst die Stube, weil der Landvogt MARCUS SWIN aus dem berühmten Dithmarscher Geschlecht der Wurthmannen, diese Stube für sich bauen liess.

Sie hat vom Fussboden bis zur Decke Eichenholztäfelung als Wandbekleidung. An zwei Seiten läuft eine feste Wandbank mit reicher Intarsiaarbeit herum. Die Fensterpfosten sind reich geschnitzt. An der Nordseite befinden sich 2 grosse freistehende Bettstellen mit prächtig geschnitzten Säulen und Baldachinen. Die vierte Seite zeigt einen Kamin und die Eingangsthür. Ein Schrank über dem Kamin ist reich geschnitzt und mit Intarsien versehen. Zwischen den beiden Betten steht ein grosser, überreich beschnitzter Schrank von kolossalen Dimensionen. — Die Decke besteht aus reich profilirten Kasetten. — Der Pesel stand früher in einem Bauernhause in Lehe bei Lunden. Als im Jahre 1884 das Haus in Feuer aufging, gelang es unter ausserordentlichen Anstrengungen, das Zimmer vor der Zerstörung zu bewahren. Der Vorsitzende unsers Museums, Hr. Landrath JÜRGENSEN wusste die Vertretung des Kreises Süderdithmarschen zu bewegen, die für die Renovirung nöthigen, sehr beträchtlichen Kosten aufzubringen. HEINRICH SAUERMANN in Flensburg hat den Pesel glanzvoll wieder hergestellt.[1]

Das Museum ist reich an den prächtigsten Schnit-

[1] Photographien vom Pesel sind zum Preise von 1 resp. 2 M. beim Photographen CLAUSSEN in Meldorf zu haben. Eine Mappe mit 10 Bildern kostet 15 M.

zereien. Die vorhandenen Truhen und Laden sind so recht geeignet, ein Bild des Blühens und des allmählichen Verfalls der Schnitzkunst in unserm Lande zu geben. Prachtvoll ist eine Renaissancetruhe mit Medaillonbildern, umgeben von Pflanzenornament. — Eine andere Truhe zeigt in grossen, quadratischen Füllungen sog. Faltenwerk oder Pergamentrollenschnitzerei, darüber schmale Füllungen mit Rollwerk und Fruchtgehängen. — Von vorzüglicher Arbeit ist eine Truhe aus der Uebergangszeit, welche in 4 Füllungen Scenen aus der Geschichte vom verlornen Sohn darstellt. Die ganze Form gehört der Renaissance an, während die Verzierungen zum Theil barock sind. — Die Laden aus dem letzten Theil des 17. u. des 18. Jahrhunderts sind meist flach geschnitzt, mit einfachem Tau- und Muschelornament.

Die Schränke sind z. T. sehr werthvoll. Besonders erwähnenswerth ist namentlich ein grosser Kleiderschrank aus dem 17. Jahrhundert mit reichem Figurlichen. Von grosser Schönheit und Seltenheit ist auch ein Hausstandsschrank, wohl aus der letzten Hälfte des 16. Jahrhunderts. Derselbe ist von edlem Aufbau, und hat unten 2, in der Mitte und oben je 3 Füllungen. Die Füllungen zeigen in Kartuschen meist Scenen aus der heiligen Geschichte. In zwei Füllungen steht je eine Figur in einer Nische mit Rollwerk und Muschelstücken. Eigenartig und selten an diesem Schranke ist, dass der Uebergang zwischen dem äusseren und dem inneren Rahmenstück jeder Füllung durch viele kleine Konsölchen gebildet wird. — Ausser diesen besitzt das Museum noch eine Reihe erwähnenswerther Schränke.

Typisch für unsere Gegend sind die sogen. „Hörnschapchen", zweiseitig beschnitzte Eckschränke. Sie dienten als Geräthschränke, sind wohl nur in Dithmarschen vorgekommen und hier in grosser Zahl. Das Museum ist in der glücklichen Lage, dem Beschauer eine grössere Anzahl in den verschiedensten Ausführungen vorzuführen. Auch hier zeigt sich treffend der Niedergang der Kunst. — Eins, von 1601 ist prachtvoll, die Pilaster tragen reiche Gesimse, die daran herumgekröpft sind; Ornamentik, Figuren und Pflanzen sind ausgesprochen Renaissance. Ein zweiter Schrank, aus etwas späterer Zeit, fällt auf durch die ungewöhnliche Höhe. In den Füllungen befinden sich allegorische Figuren, sowie Kartuschen mit Rollwerk und Fruchtgehängen.

Eine Peselthür, aus dem Anfange des 17. Jahrhunderts ist vorzüglich. Oben befindet sich das Wappen der Todiemannen, eines alten berühmten Geschlechts Dithmarschens.

Die Tische sind meist holländischen Ursprungs. zwei von ihnen, von trefflicher Arbeit aus Eschenholz, stammen aus der Zeit FREDEMANN DE FRIES's. Der eine hat reiche Ebenholzeinlagen.

Die Sammlungen von Webereien, Stickereien, Klöppeleien sind bemerkenswerth. Ein grosser, gewebter Bankpfühl ist ausgezeichnete Arbeit. — Wenige Museen, vielleicht nur das Flensburger, können sich rühmen, eine so reiche Auswahl von alten, gewebten Bettvorhängen, sogen. Beiderwands zu besitzen, wie das unsere. Die allerverschiedensten Muster und Farben sind vorhanden. Hervorzuheben sind das grosse, sowie das schiefe Tulpenmuster.

Reichhaltig ist die Sammlung von Silbersachen. Ein Prachtstück ist der reichvergoldete Trinkbecher mit dem Wappen der Wittingmannen und der Inschrift: DVSSE + BEKER + HORET + WITTEMAN + MANS + GESCHLECHTE + THO + THO + BVSEN + ANNO 1580. Ein Löffel trägt das Wappen der Wurthmannen und die Inschrift: HANS + NANNE + KARSPELVAGET. Dieser NANNE starb 1581. Prächtige Arbeiten in Filigran zeigen, dass die Frauen Dithmarschens sich wohl zu schmücken verstanden, wie denn die Silbersammlung so reichhaltig ist, dass sie in Verbindung mit den alten Röcken, Jacken und Miedern ein deutliches Bild der alten Trachten giebt.

In einer gothischen Kapelle werden im neuen Museum die vielen kirchlichem Alterthümer aufgestellt. Die Reste zweier Epithaphien aus der Meldorfer Kirche sind treffliche Werke der Barockzeit. Vor allem ist an ihnen die herrliche Marmor- und Alabasterarbeit zu rühmen. Zahlreiche Figuren aus der Zeit der Gothik und der Renaissance sind vorhanden.

An Töpfereien und Fayencen sind namentlich Delfter und Schleswig-Holsteinische Fabriken durch beachtenswerthe Stücke vertreten.

Ausser dem Swinschen Pesel befindet sich im Museum noch eine zweite Bauernstube aus dem vorigen Jahrhundert. Stehen die Betten des Swinschen Pesels frei, so sind in diesem Zimmer die Betten sogenannte eingemachte, in die Wand eingelassene. Die Panele sind geschnitzt und sehr hübsch bemalt. Die Fenster sind geschmückt mit reichlich 200 Wappenscheiben, versehen mit den Wappen der Dithmarscher Geschlechter.

Trinkkrüge, Schalen und Teller aus Zinn und Messing sind in grosser Zahl vorhanden. Ein Mörser ist mit einem gothischen Band und der Inschrift: IC + BEN + GEGOHTEN + INT + IAER + ONS MCCCCCXXXIII versehen. J. Goos.

VIII. Ethnologisches Gewerbemuseum, Aarau. — Für dieses an ethnographischen Gegenständen sehr reiche, unter dem Schutze der „Mittelschweizerischen geographisch-kommerziellen Gesellschaft" stehende Museum (Siehe Bd. III pg. 34) wurde 1894 ein eigenes Gebäude errichtet und hoffte man dasselbe schon bald in Gebrauch nehmen zu können. Die Vermehrung der Sammlungen nimmt in erwünschter Weise ihren Fortgang, namentlich scheinen japanische Gegenstände in reicher Zahl einzugehen. Das Jahrbuch, von der obengenannten Gesellschaft unter dem Titel „*Fernschau*" herausgegeben, enthält an Arbeiten von speziell ethnographischem Interesse im vierten Bande (1890) eine mit vielen Abbildungen gezierte Studie über *Löffel* von KARL BÜHRER und im fünften (1892) einen höchst anregend geschriebenen Aufsatz von Prof. Dr. JUSTUS BRINCKMANN (Hamburg), *Ueber den Einfluss Japan's auf das europäische Kunstgewerbe* als Einleitung zu einer Studie ueber *Japanische Färberschablonen*, worin die Anwendung und Bedeutung sowie die Herstellung derselben klar und deutlich geschildert werden. Aus der reichen Anzahl derartiger Schablonen welche das Museum besitzt sind 48 auf prächtigen Farbendrucktafeln der Arbeit beigefügt, ausserdem ist selbe mit einigen schönen Textabbildungen geschmückt.

IX. *Collection d'Amulettes italiennes* de M. le docteur JOSEPH BELLUCCI à *Pérouse*. — Nous avons reçu, il y a quelque temps, le catalogue de cette collection intéressante, qui a été envoyée à l'exposition universelle de Paris en 1889. La collection comprend 412 exemplaires, formés d'objets différents en métaux, minéraux, pierres, verres, ambre, jais; d'animaux ou de leur parties et de végétaux ou de leur parties. Dans le catalogue les amulettes sont soigneusement décrits et la description de chaque objet comprend le nom par lequel on désigne ordinairement l'amulette, l'indication de sa vertu, ou des vertus principales attribuées à l'objet ou aux objets, ainsi que la provenance.

Nous faisons suivre quelques renseignements plus particuliers sur ces amulettes puisque nous croyons que cela peut intéresser nos lecteurs.

Pour les *pierres de foudre*, qui préservent des coups de foudre, on se sert de morceaux de silex ou de grès silicieux en forme naturelle, qui correspondent à celle d'une pointe de flèche préhistorique, des pointes de flèche en silex, des pyrites taillées, des racloirs, des têtes de javelots, ou de lances, en silex, des haches polies en pierre de différentes espèces, (Jadeite, Serpentin etc.), etc.

La *pierre serpentine* préserve de la morsure des animaux vénimeux, des reptiles en particulier, et empêche son effet, quand il s'est déclaré. Nous voyons que l'on fait usage pour cet amulette de cailloux de différentes formes et de différents minéraux. Quand cette pierre avait la forme d'une hache polie, on lui attribuait aussi la vertu des pierres de foudre. La *pierre néphritique*, qui chasse les maladies des reins et les guérissait quand elles se déclaraient, est faite de cailloux en Jadéite ou de tablettes du même minéral, ou de plasme chloritique. Le Jaspe sanguin, l'Agathe et la Cornaline en différentes formes, forment la matière dont on a fait les *pierres sanguines ou de sang*, empêchant la sortie naturelle du sang de toutes les parties du corps; en arrêtent l'écoulement quand il se déclare, et d'une façon spéciale si on l'applique sur des blessures. Le *pierre de lait* ou des *boules lactées* aident la sécrétion du lait; elles consistent en grains de jaspe, en boules ou pièces de formes différentes d'Agathe, de Calcedoine ou de Sélénite, d'un grain de corail blanc, qui préserve aussi contre les sorciers ou d'un Otolite d'un gros requin.

Le *Jaspe* sert aussi comme amulette pour préserver contre l'écoulement du sang en général, et en particulier appliqué sur les blessures; et aussi pour assurer la régularité des menstrues; et les *Granates* préservent de la tristesse et du chagrin, tandis que l'amulette, qui préserve les yeux des maladies et chasse la mélancolie, est fait de saphir. La *pierre de la croix* est un disque poli en staurotide à bord cannelé et préserve contre les sorciers et les charmes; la dernière vertu est également attribuée à l'*Ambre* qui préserve aussi des ensorcellements.

Contre le *mauvais oeil* il y a une quantité d'amulettes. Nous trouvons dans le catalogue de M. BELLUCCI le *verre du mauvais oeil*, préservant aussi contre la fascination, qui est une pièce de verre d'une forme très différente et, en un seul cas, en forme humaine. Pour le même but on se sert de la *pierre du paon*, fragment de malachite, de boules en Agathe ou en Calcédoine, de pièces de *Corail rouge*, souvent avec index ithyphallique, d'une coquille (*Cardite* et *Cypraea*) d'une pince d'écrevisse, d'une pièce de corne de cerf ou d'une pièce d'Ivoire, d'une lame cordiforme en nacre, d'une dent de sanglier, de cochon, ou de chien; des objets faits en or, p. e. d'une clef, d'une main, d'un coeur, d'un disque, d'un poisson on d'une sirène etc.; du pied de la taupe, d'un scarabée en jais, de poils ou d'os du blaireau et d'un crapaud, d'une grenouille ou d'une branche en argent. Plusieurs de ces amulettes contre le mauvais oeil ont encore d'autres vertus, e. a. le verre du mauvais oeil préserve aussi contre la fascination, et l'un de ces verres (le n°. 35 du catalogue pg. 33) favorise en même temps la sécrétion du lait, tandis que le dernier est aussi le cas avec les boules en calcédoine. Un des amulettes en corail rouge possède la vertu d'empêcher la perte du sang des différentes parties du corps et un autre assurait en même temps la régularité des menstrues.

La *Cypraea* est également un amulette pour favoriser la sécrétion du lait; la corne de cerf préserve contre la fascination, etc. etc.

La *pierre étoilée*, un amulette dont on se sert souvent, préserve les petits enfants des vers intestinaux, et en même temps contre le mauvais oeil et la fascination; c'est une pièce d'un madreporite fossile en forme d'une tablette cordiforme, elliptique ou rectangulaire. La *pierre contre les sorciers* consiste d'une tablette en argillite ou en schiste chloritique, et la *pierre de la grossesse* est une pièce de limonite argileuse en forme de boule ou de caillou; le dernier amulette assure le cours régulier de la grossesse, attaché ou suspendu au bras gauche, pendant le temps- de la gestation; pendant que la femme est en travail d'enfant, cet amulette est d'un secours très efficace quand il est attaché à la cuisse gauche. L'*Hématite* est un amulette contre les sorciers et le mauvais oeil et pour arrêter l'écoulement du sang. Les *pierres de St. Lucie*, d'une matière calcaire, préservent les yeux des malades et les guérissent quand ils sont attaqués; les *pierres du crapaud*, petits cailloux calcaires, qui sont recueillis sur les bords d'un étang occupé par des crapauds, servent contre les venins; les *pierres de limaçon* guérissent la maladie dite „*gravelle*", et les *pierres des hirondelles* servent comme amulette contre les maladies de la tête et contre les affections douloureuses des yeux. La *pyrite* a la même vertu que la pierre de St. Lucie et préserve aussi des coups de foudre; „*poids en plomb*" est le nom des amulettes contre les vers dans les plaies purulentes des animaux; et le *Gland de St. Anselme*, nommé aussi „pierre du lait", est un grain d'albâtre, qui préserve les champs des tempêtes de grêle et facilite la sécrétion du lait. Pour l'amulette contre la douleur des dents et des douleurs artritiques, et en quelques endroits contre le vertige, on se sert d'une coquille, le *Dentalium elephantinum*, tandis que la *pierre de limaçon*, étant la coquille du limaçon, est l'amulette contre les fièvres intermittentes; appliquée sur l'artère radiale pendant la fièvre, ayant la vertu d'en ralentir la fréquence et de rendre le pouls normal. — La tubercule radicale d'une dent de réquin fossile est nommé „*petite corne de serpent*, et sert comme amulette contre les vers intestinaux et en même temps contre le mauvais oeil; l'*oeil de St. Lucie*, l'opercule d'une espèce de *Trochus*, est très utile pour conserver la bonne vue, pour chasser les maladies des yeux et pour les guérir, dès qu'elles se manifestent. — Des *dents de réqnius fossiles*, quelquefois nommées „*pierre de foudre*", sont l'amulette contre la foudre ou pour favoriser la dentition des petits enfants et pour éloigner d'eux le mauvais oeil et les vers intestinaux; pour ce dernier but on se sert aussi d'un amulette qui est formé d'une *dent de cochon*, tandis que la *dent de loup* forme celle pour aider la dentition chez les enfants et la *dent canine du chien* une autre contre le mauvais oeil et sert aussi comme moyen de protection contre les chiens enragés.

Dans la fin du catalogue nous trouvons une énumération des moyens les plus divers dont on se sert contre les sorciers, contre différentes maladies etc. Nous y remarquons le *bois du sorcier*, qui est un fragment d'un bâton d'*Ilex agrifolia*, l'*angle de la grande bête*, étant un fragment d'ongle de *Rhinocéros*, d'un fragment d'un crâne humain (contre l'épilepsie, le mal caduc, le mal du Saint), de différentes médailles et monnaies, des clefs en bronze, en argent et en fer, etc.

Par ci par là M. Bellucci donne l'histoire de ces objets, qui est quelquefois très intéressante. En terminant notre revue de cette belle collection, qui est d'une très haute importance pour l'étude des superstitions populaires, nous espérons que le propriétaire nous donnera un des ces jours une description détaillée et illustrée de quelques spécimens de sa collection.

X. *Museum of fine Arts. Department of Japanese Art. Boston.* — We have received with great pleasure the catalogue of a special exhibitiou, held in the year 1894 in this institution, of a number of ancient Chinese Buddhist paintings lent by the temple *Daitokuji* of Kioto, Japan. The catalogue, which is written by Mr. Fenollosa, opens with an introduction in which Mr. F. gives a short, but plain sketch of the history and the influence of the Chinese art of painting from its origin up to the days of the Sung-dynasty, when Chinese painting, in its third great period, rose to its culmination. This introduction is followed by a description of 44 of the series of paintings, whilst from N°. 5 of them is given a photolithographic reproduction as a frontispiece to the catalogue.

The paintings were executed in the golden period of art for the Zen-sect in China, whence they were brought by its pioneers to their first temples erected in Japan, wherein they have since remained. They represent the magical deeds of the great Rakans, men who in the flesh, by a life of inner absorption have won power over nature, over the wills of men and of the elemental world. This series has been attributed variously from early days in Japan, now to the pen of Zeugetsu Daishi and now to the hand of Ririomin; but Mr. Fenollosa, who gives a biographical sketch of the latter, comes after a critical enquiry to the conclusion that none of both has executed them and that we shall be within the limits of safety in regarding this series as made up of works by the followers of RIRIOMIN and executed at different times during the course of the twelfth century. It is said that they were brought to Japan by a Chinese Zen-priest in the year 1240; first they were preserved in the temple Kenahoji of Kamakura; afterwards at Sowunji of Odowara, whence they were removed by HIDEYOSHI in 1590 to Daitokuji in Kioto, where they have been treasured until the past year. This temple, then sadly in need of repair, has been permitted, by the Japanese Government, to dispose of these paintings, and has accepted the invitation of the above mentioned Museum to give them a first public exhibition to the western world.

XI. The Bowes Museum of Japanese Art Work. Liverpool. — Mr. JAMES L. BOWES, H. I. M.'s hon. Consul for Japan, the well known author of several works on Japanese Art, has arranged his rich collections at Streatlam Towers, Prince's Road Liverpool, where they are opened free to the public since June 19, 1890. In the past year Mr. B. has published a richly illustrated handbook to his Museum and distributed it as a present to all members of the Japan Society, London; from it we gather a few particulars about the Museum which may be of interest to our readers.

The Museum is extremely rich in objects illustrating the art of pottery in Japan, which are exhibited in 25 cases and frames. All the renowned kilns are represented by specimens and, besides these, we find also interesting pieces of prehistoric wares, from which an image of a human figure must be mentioned as being associated in Japan with the ancient custom of burying around a dead chieftain his living servants; and further a dish attributed to the priest GIOKI who is supposed to have introduced the potters wheel into Japan in the 8th or 9th century. From the more recent wares we note from Hizen a specimen of the earliest porcelain made in Japan by SHOSNI A. D. 1504—1527 and another from the beautiful porcelain painted in colours by KAKIYEMON, statnettes made at the Mikawachi and others made at the Ohokowachi-kiln and specimens of Old Japan porcelain made for the Dutch traders and others for native use made during the past two centuries. Of Satsuma we find examples of Sunkoroku, Mishima and Seto-kusuri and such of the soft and crackled faiance for which this kiln was a century ago so renowned. From the productions of the famous factory of Kaga the examples shown comprise objects made or painted by the artists who founded the factory and such from the earlier years of the present century, when the kiln, after having been during a long period closed, has been re-opened. From the potters of the Imperial city of Kioto we see the rude tea bowls, known as Raku-ware, made by the famous family of CHOJIRO, each generation of which, from the time the family has been founded in the middle of the 16th century by AMEYA, until the present day, has made, with a little variation, the same unsightly ware as that originated by the founder, which has always been highly appreciated in Japan, especially by the members of the tea-clubs, who used it in the ceremonial tea-drinking known as Chanoyu. From Owari the collection contains two of the little brown stone jars used for holding tea, made in the 13th century by TOSHIRO, known as the „Father of Pottery".

Lacquer ware is also well represented; the tools used in this art and the different processes are shown and, like the different styles of ornamental lacquer, shortly but distinctly explained in the „Handbook". The specimens of lacquer fill 14 cases and are arranged in them in chronological sequence. The earliest example is a tiny figure of a Kwannon attributed to the 10th century; a classified series of typical specimens illustrates the progress of the art during the rule of the TOKUGAWA family from 1603 to 1868 and among these we meet with objects showing the highest perfection in the art of lacquering.

The Cloisonné Enamels are represented by a series of fair examples, both ancient and modern wares. In the „Handbook" Mr. BOWES delivers a concise sketch of the history of this art and a few notes on the procédé of enammelling.

Of paintings and books the Museum possesses numerous examples, which are exhibited in 35 cases and frames. The different schools of painting are well represented and in the handbook we find a great number of useful notes regarding them. The same is the case with the metal works, Mr. BOWES understands the way of teaching us to appreciate the beauty of the treasures contained in his collections. We note of metal works very interesting specimens of armour from the MIOCHIN-family, the ship of good fortune, fashioned in silver and gold, examples of sword furniture from the 15th century to the present generation, swords, flower vases etc. etc. — The collection of altar cloths, robes and embroideries, arranged in 14 cases and frames, illustrates in some degree the beauty and variety of the productions of the loom and the needle for which Japan has been celebrated for many centuries. — Three cases are filled with specimens of Ivory and Woodcarving; among the latter we mention a group representing the Shojo, the Japanese bachanalians —

imaginary beings who are supposed to live beneath the sea and to visit shore, whenever they wish for a carouse or to indulge in sake, the wine of the country, a love for which is their besetting sin. Some interesting notes on them are given on page 41 of the Handbook.

Finally we have to mention numerous relics of the great family of the TOKUGAWA. There is amongst them an ink slab formed of an Amethyst, which measures eight and a half inches in length by eight inches in breadth; the gem is cut into the form of a peach and Japanese assert that this work was done during the 15th century. Further we find two pieces of porcelain made by princely potters for presentation to the ruling Shogun, a long lacquer box in which the Shogun would send a letter to a neighbouring prince, who returned it after withdrawing the letter, etc. etc.

At present Mr. BOWES is preparing a catalogue of the paintings and books of his Museum, of which he has already published the description of a pair of framed rolls illustrating the gardens of Uyeno and Arakusa at Yedo.

XII. The Hemenway-Expedition collections. — We learn with pleasure from an article in l'Anthropologie (VI pg. 118) that these collections which have been formed from 1887 to 1894 in Arizona and New-Mexico out of the funds so liberally allowed by the late Mrs. HEMENWAY have been entrusted to the Peabody Museum at Cambridge. It has been expressely stipulated that our collaborator Mr. WALTER FEWKES, who succeeded in 1890 Mr. CUSHING, will have also in the future to superintend the collections, in which the phonographic cylinders with the religious songs of the Moquis and Zuñis, collected by Mr. FEWKES are of a special interest.

We hope to hear one day that this trust will be changed into a gift to the Museum.

XIII. Museum für Völkerkunde, Leipzig. Seitdem wir hier zuletzt dieser Anstalt erwähnten (Vol. III pg. 157) sind höchst erfreuliche Thatsachen zu verzeichnen. In erster Linie wurden die pecuniären Schwierigkeiten, worunter das Museum litt und die selbst das Fortbestehen des, die eigentliche Basis desselben bildenden Vereines zeitweise gefährdeten, durch, vom Rath der Stadt Leipzig in äusserst liberaler Weise gewährte Hülfe beseitigt und zweitens ist im Jahr 1894 mit der Ueberführung und Aufstellung der Sammlungen in den lange geplanten und nun endlich vollendeten prächtigen Bau, der aus den Mitteln der GRASSI-Stiftung errichtet wurde, begonnen. (Siehe Abb. und Beschreibung: Lpz. Ill. Ztg. 24 März 1895).

Die Vermehrung der Sammlungen seit 1888 zeigt erfreuliche Fortschritte und hatte das Museum sich vieler Zuwendungen seitens Gönnern im In- und Auslande zu erfreuen. Aus den seitdem erschienenen Jahresberichten lassen wir hier einiges betreffs der Neuerwerbungen folgen.

Europa. Neben einer Sammlung Frauenhauben aus dem 18 und 19 Jahrhundert aus Süddeutschland, einer Kantele, Stickereien, Frauenkleidern, Schmuckgegenständen etc. aus Finnland, dem Modell eines lettischen Bauernhauses mit Einrichtung aus der Umgegend von Dünaburg, empfing das Museum antike Amphoren und Thongefässe (letztere aus Gräbern) sowie Frauenkleider aus Griechenland und die Nationaltracht einer Frau aus Rumänien.

Asien. Von den verschiedensten Völkern dieses Erdtheils begegnen wir Eingängen; so von Daghestan (Fussbekleidungen), aus Süd-Arabien, Persien (Musikinstrumente), Sibirien, von den Baschkiren (Hochzeitskette), Tungusen und Samojeden (Kleidungsstücke), Jakuten, Tschuktshen, Korjaken und Kamschadalen, aus Simla, Birma (Malereien, und eine sehr reiche Sammlung von Gegenständen (worunter solche von den Shan), Siam, Laos (Dolch und silberner Halsring), Annam (Messer mit Silbergriff) China, Korea und Japan (Ritterrüstung, Frauendolche und Puppen). Ferner von den Sulu-Inseln, Sumatra (Gegenstände von den Karo-Batak), Java (Gegenstände von den Baduwis, gebatikte Stoffe, antiker Goldring von Pasuruan, Waffen aus Bantam und Puppen als Schmuck chinesischer Gräber) und von Bali (hölzerne Götzenbilder, Wasserbehälter und Bronzebecher).

Afrika. Aus aegyptischer Provenienz begegnen wir Gräberfunden von Achmin-Panopolis (Stoffe und ein Nackenkissen), von Teneriffa Gegenständen von den Guanchen. Verschiedene, theils umfangreiche Erwerbungen sind zu erwähnen von der Goldküste (Giftdolch), den Haussa, aus Togo (Töpfe, Messer, Trommel etc.), Kamerun, Gross Batanga (Boot), Alt Kalabar, Congo (Fetisch, sowie Gegenstände der Baluba und Bakuba aus Dr. L. WOLFF's Nachlass), Loango (geschnitzte Elephantenzähne), von den Kaffern (Tabakspfeife von Umtata Transkei und Fellschild der Swazies), von Mozambique und Sambesi (Wasserpfeife), den Eingebornen am Ukerewe Su, den Dschagga am Kilimandscharo und den Somali.

Amerika. Von den Indianerstämmen des Nordens sind Gegenstände von den Dakota und aus Ohio erworben, ihnen reihen sich solche aus Venezuela (Modell einer Indianerhütte, Bogen und Pfeile, Blasorohr, Körbe, Hängematten etc.), aus Niederländisch Guyana (sehr reiche Sammlung), Brasilien

(Funde aus Sambaquis, prähistorische Steingeräthe, Begräbnisurne), **Bolivien** (Objekte von den Yuncareles-Indianern), **Columbien** und **Paraguay** an. Aus **Guatemala** sandte Dr. SAPPER Musikinstrumente, Webeapparate etc. der Kekchi-Indianer; aus **Ecuador** findet sich das Bruchstück einer Goldplatte, Grabfund, erwähnt; aus **Mexico** Alterthümer, sowie Waffen, Geräthe, Schmucksachen, Thongefässe, Hausrath, Musikinstrumente etc. der heutigen Eingebornen, und **Californien** ist durch Bogen und Pfeile der Palmitos-Indianer repräsentirt. Von **Peru** ging die reiche VELTEN'sche Sammlung Alterthümer ein, von **Chiriqui** werden drei silberne Amulette aus Gräbern erwähnt und von **Chile** silberne Ohrringe der Araukaner, prähistorische durchbohrte Steine etc.

Australien. Aus **Südaustralien** und **Victoria** gingen Waffen etc. ein.

Oceanien. Eine reiche Sammlung wurde aus **Kaiser Wilhelmsland** erworben, ausserdem einzelne Gegenstände aus **Britisch Neu Guinea**; von **Trobriand** (ein Tanzschild), von **Neu Britannien** Tanzattribut und Schädel, von den **Salomon-Inseln**, **Neu Hebriden** u. A. (zwei Götzen); von **Neu Caledonien** gingen verschiedene Objekte ein; **Polynesien** ist durch einzelne Gegenstände von den **Samoa-** und **Tonga-Inseln** und von **Neu Seeland** (Steinbeil) bereichert.

Schliesslich sei noch der reichen prähistorischen Sammlung von **Le Grand-Pressigny** (Indre et Loire) in Frankreich gedacht, welche dem Museum von der verstorbenen bekannten Archaeologin Fräulein IDA VON BOXBERG geschenkt wurde.

J. D. E. SCHMELTZ.

IV. REVUE BIBLIOGRAPHIQUE. — BIBLIOGRAPHISCHE UEBERSICHT.

Pour les abréviations voir pag. 29.

GÉNÉRALITÉS.

II. En remarquant qu'on ne s'occupe plus tant de l'origine du genre humain, M. le prof. R. VIRCHOW, dans son discours d'ouverture de l'assemblée combinée des Sociétés anthropologiques de Berlin et de Vienne à Innsbruck (A. G. Corr. XXV p. 80), a traité de la question des races. M. le prof. LÖBISCH (p. 118) y a lu un discours sur la question de la nourriture au point de vue anthropologique et ethnologique. M. le doct. G. BUSCHAN (Gl. LXVII p. 21: Einfluss der Rasse auf die Form und Häufigkeit pathologischer Veränderungen) fait une contribution à la pathologie des races; le même journal contient une nouvelle étude du Dr. A. H. POST (p. 30: Zur Entwickelungsgeschichte der Strafe). M. le doct. OTIS TUFTON MASON (Woman's Share in Primitive Culture. New-York) consacre un livre illustré à la part que la femme a dans les origines de la civilisation. Des sujets plus spéciaux sont traités par M. R. TORIL (Tokyo X p. 56: Distribution of Snow-Shoes and their local Names. Av. cartes); et par M. OSCAR MONTELIUS (Ant. T. XIII n°. 1: Orienter och Europa. Av. fig.), étude d'ethnographie comparée sur les sépultures préhistoriques.

EUROPE.

MM. R. PONTNAU et E. CABIÉ (Anthr. V p. 641. Av. fig.) décrivent un cimetière gaulois à Saint-Sulpice. M. HANS HILDEBRAND (Ant. T. XV n°. 2: Skara Domkyrka) ajoute à sa description des figures de la cathédrale de Skara et de ses antiquités.

Le même journal (XIV n°. 3: Standar och dragonfanor) publie une description d'étendards du XVIIe siècle, par MM. T. J. PETRELLI et E. S. LILJEDAHL, accompagné de belles planches coloriées. Gl. contient des communications de M. LEHMANN-FILHÈS (LXVII p. 12: Isländischer Hexenspuk im 17ten Jahrhundert), traduit de l'islandais; et de M. F. GRABOWSKY (p. 15: Die benagelte Linde auf dem Tumulus in Evessen. Av. fig).

Le XVe rapport officiel de l'administration du musée provincial de la Prusse occidentale donne un résumé des collections préhistorique et archéologique, accompagné de 16 illustrations. A. G. Corr. publie des discours de M. B. REBER (p. 112: Die vorhistorischen Sculpturendenkmäler der Schweiz und speziell diejenigen des Kantons Wallis); du prof. C. TOLDT (p. 87: Zur Somatologie der Tiroler); de M. SZOMBATHY (p. 97: Ueber den gegenwärtigen Stand der präbistorischen Forschung in Oesterreich); et du doct. C. v. MARCHESETTI (Ueber die Herkunft der gerippten Bronzecisten).

Nous remarquons dans Cesky Lid des contributions de Mme. LUCIE BAKESOVA p. 481: (Sur les ornements en Moravie); M. V. PAULUS (p. 484: Noces dans les environs de Chrast); M. A. HAJNY (p. 497: Danses tchèques); M. M. DVORAK (p. 524: Des superstitions rurales du siècle passé). Des superstitions en Gallicie font le sujet de nouvelles communications du Dr. R. F. KAINDL (G. G. Wien XXXVII p. 624: Die Wetterzauberei bei den Rutenen und Huzulen). Ungarn publient des contributions de M. L. KALMANY (III p. 213: Kinderschrecker und Kinderräuber in der magyarischen Volksüberlieferung); Dr. L. BAROTI

(p. 219: Beiträge zur Geschichte des Vampyrismus); M. A. STRAUSZ (p. 227: Zur Volksmedizin der Bulgaren); Dr. F. S. KRAUSS (p. 234, 276: König Matthias und Peter Gereb. Ein bulgarisches Guslarenlied aus Bosnien, avec des annotations intéressantes); M. le prof. K. FUCHS (p. 240: Eine alte Beschwörungsformel); M. le chevalier V. K. v. ZIELINSKI (p. 250: Die Abstammung der polnischen Zigeuner nach ihrer Tradition); Dr. M. PAPAI (p 257, 261: Der Typus der Ugrier; p. 283: Der Holzbau der Palovzen); M. J. R. BUNKER (p. 287: Heanzische Sprichwörter).

M. W. H. COZENS-HARDY (G. J. p. 385: Montenegro and its Borderlands) fait une peinture enthousiaste des Monténégrins. M. GASTON VUILLIER (T. du M. livr. 1767 suiv.: La Sicile) s'étend sur les superstitions du pays.

Citons enfin les études du prof. G. SERGI (Atti della Societa Romana di Antropologia I p. 231: Varietà Umane della Russia e del Mediterraneo; Bull. della R. Acc. Medica di Roma XXI fasc. 1: Studi di Antropologia laziale).

ASIE.

M. le doct. FR. HIRTH (Die Länder des Islam nach chinesischen Quellen. Leiden) développe les notions chinoises sur les pays de l'islam dans un livre qui fait supplément au tome V de T. P.; l'étude plus spéciale du doct. F. VON LUSCHAN (A. G. Corr. XXV p. 199: Ueber orientalische Fibeln) est un résultat de ses recherches en Orient; M. J. BLEIBTREU (Persien, das Land der Sonne und des Löwen. Freiburg i. B. Av. fig.) publie ses notes de voyage en Perse.

As. S. China XXVI contient des articles de M. E. H. FRASER (p. 1: The Fishskin Tartars); M. T. W. KINGSMILL (p. 44: A comparative Table of Ancient Lunar Asterisms); M. Z. VOLPICELLI (p. 80: Wei-Ch'i, jeu chinois); M. J. J. M. DE GROOT (p. 108: Militant Spirit of the Buddhist Clergy in China). Les rites nuptiaux en Chine font le sujet d'une étude de M. J. W. YOUNG (T. I. T. XXXVIII p. 1: Het huwelijk en de wetgeving dienaangaande in China); et d'une communication de M. B. A. J. VAN WETTUM (T. P. p. 371: A pair of Chinese marriage contracts) avec la reproduction coloriée des contrats. Ce dernier journal publie encore des notices du Dr. F. HIRTH (p. 390: Der Ausdruck So-fu), qui remarque que cette expression ne saurait signifier des peaux d'oiseau de paradis; de M. O. FRANKFURTER (p. 393: Die böse Sieben) sur les sept classes de femmes dans le bouddhisme; et du Dr. G. SCHLEGEL (p 459: Characters on leaves and bark of Trees). Tokyo p. 46 publie une notice archéologique de M. S. YAGI (On a large Sepulchral Mound called „Sentsubo" in Harima. Av. fig.); Trans. J. S. II contiennent des études de M. N. OKOSHI (P. 3: Japanese Proverbs and some Figurative Expressions of the Japanese Language); et de Mrs. C. M. SALWEY (p. 30: On Japanese Fans. Av. pl.); M. QUÉDA TAKOUNOSOUKÉ (La céramique japonaise. Paris) consacre un livre aux centres de l'art céramique au Japon; M. FR. VON WENCKSTERN (A Bibliography of the Japanese Empire. Leiden) a compilé une liste classifiée de tout ce qui a été publié en Europe en rapport au Japon, depuis l'an 1859, a laquelle est ajoutée une reproduction de la Bibliographie japonaise de M. LEON PAGES, qui s'étend depuis le XVe siècle jusqu'à 1859.

Le livre intéressant de Mlle MARY FRANCES BILLINGTON (Woman in India. London. Av. pl. et fig.), fruit d'études personnelles dans les zenanes, décrit la vie des femmes hindoues depuis la naissance jusqu'à la mort. As. S. Bombay III publie des communications de M. H. W. BARROW (p. 197: On Aghoria and Agorapantis) sur une secte d'anthropophages; de M. SARAT CHANDRA MITRA (p. 253: Superstitions regarding Drowning and Drowned Persons; p. 266: On the Ceremonies performed by the Kabirpanthi Mahants of the Saran Districts on their Initiation as Chelas and their Succession to the Mahantship; p. 270: Further notes on the Chowk Chanda and the Panchami Vrata); et de M. PURUSHOTTAM BALKRISHNA JOSHI (p. 275: On the Rite of Human Sacrifice in Ancient, Mediaeval and Modern India and other Countries). M. CHARLES LEMIRE (T. du M. livr. 1773: Aux monuments anciens des Kiams) décrit une excursion archéologique en Annam.

Le quatre-vingtième anniversaire du nestor des géographes néerlandais, M. le prof. VETH, qui aussi est un de nos très estimés collaborateurs, a été de la part de ses nombreux amis et admirateurs l'occasion de lui offrir, en guise de bouquet, les fruits récents de leurs études (Feestbundel van taal-, letter-, geschied- en aardrijkskundige bijdragen ter gelegenheid van zijn 80sten geboortedag aangeboden aan Dr. P. J. VETH. Leiden). Nous nous bornerons a en indiquer ici les principales contributions d'un caractère ethnographique, celles de MM. J. P. N. LAND (p. 13: Toonkunst op Bali); G. SCHLEGEL (p. 16: Een Chineesche wachttoren, av. pl.); B. F. MATTHES p. 121: Over een Boegineeschen krisband of sjerp, av. pl.); F. A. LIEFRINK (p. 205: Balische Godenbeelden); VAN DELDEN LAERNE (p. 229: Eenige Hindoe-oudheden in het regentschap Trenggalek, res. Kediri, av. 4 pl.); A. G. VORDERMAN (p. 241: De transmigratie en signaturenleer in de Javaansche geneeskunde); J. J. M. DE GROOT (p. 265: Iets nader omtrent de verbreiding en de geschiedenis van het betelkauwen); W. HEIN (p. 273: Ein Beitrag zur Verwendung der Menschengestalt in Dajakischen Flechtwerken, av. ill.) C'est encore à cette occasion que se rattache la publication d'un nouveau livre du savant octogénaire. (Het paard onder de volken van het Maleische ras. Leiden) donné en supplément à notre journal. M. J. A. AECKERLIN (I. G. XVI p. 1532: De pangkat papadon in de Lampongsche Districten) publie une étude sur les distinctions honorifiques, le papadon, proprement papoudoukan, étant le siège du chef d'une marga. Le même journal (XVII p. 177: Ethnographische bijzonderheden betreffende de onderafdeeling VIII Kota en VII Loerah) contient des notes sur la religion et les superstitions, en supplément aux observations que M. G. J. HARREBOMEE a faites à propos de l'ethnographie de Sumatra-central, décrite par M. A. L. VAN HASSELT. Ned Zendingst. VI contient des contributions ethnographiques du missionnaire E. FEIGE (p. 257: Schetsen uit Borneo) sur la vie de famille spéciellement des Olou-Mäanjan; et de M. A. VAN DER LINDEN (p. 304: Iets over het eiland Kisser). Nous remarquons une reproduction coloriée du dessin de nattes des Dajaks avec des observations de M. F. W. VAN EEDEN, dans Bull. Kol. M. 1894 p. 28: Matten van de Kahaban Dajaks, res. Borneo's Westkust).

Les Med. Ned. Zend. contiennent des contributions de M. ALB. C. KRUYT (XXXVII p. 200: De Foejabereiding in Poso); de M. J. K. WIJNGAARDEN (p. 207: Savoeneesche straffen); et des notes sur les Bataks (p. 227: Een en ander uit de aanteekeningen van R. TAMPENAWAS te Pernangenen). L'ethnographie des îles Philippines est représentée par un livre du R. P. FR. BUENAVENTURA CAMPA (Los Mayoyaos y la Raza Ifugao. Madrid).

AUSTRALIE ET OCEANIE.

L'album de MM. A. B. MEYER et R. PARKINSON (Album von Papua-typen. Dresden) donne 54 planches phototypiques avec 600 figures de la Nouvelle-Guinée et du Bismarck-archipel. N. K. W. 1884 publient des communications ethnographiques sur les iles Angal et Senin, au nord de la Nouvelle-Guinée (p. 46); et des notes sur l'île Krakar ou Dampier (p. 47). Les Cunningham Memoirs nº. X de la R. Irish Academy publient une étude sur l'ethnographie papoue de M. ALFRED C. HADDON (The Decorative Art of British New-Guinea. Dublin. Av. 12 pl.).

AFRIQUE.

M. G. DELBREL (Bull. S. G. XV p. 199: Notes sur le Tafilelt) donne des communications sur les Filâla, de race berbère. M. EMILE CARTAILHAC (Anthr. p. 683: Le temple de Koptos et l'Egypte préhistorique) fait une notice sur les découvertes de M. FLINDERS PETRIE. Le tome XXXII de la série de Littératures populaires de toutes les nations (Paris) contient des contes populaires inédits de la vallée du Nil, recueillis par S. E. YACOUB ARTIN Pacha. Des tribus de l'Afrique orientale sont décrites par M. C. W. HOBLEY (G. J. IV p. 97: People, places and prospects in British East Africa); et par M. le baron de SCHRENCK (Ill. Z. p. 70: Völkertypen aus Ost-Afrika), qui y ajoute de bonnes illustrations. M. le doct. L. CATAT (T. du M. livr. 1769 suiv.) continue son récit de voyage en Madagascar. M. le doct. BESSON (Anthr. p. 674) décrit les rites funéraires en usage chez les Betsiléos (av. pl.).

AMÉRIQUE.

Il est déjà fait mention du musée désigné comme un souvenir permanent de l'exposition de Chicago; le nom de M. FIELD, qui y a contribué un million de dollars et dont la munificence a bientôt entrainé quelques autres millionnaires de la grande cité de l'Ouest, est attaché à cette oeuvre monumentale. Le premier numéro du Journal du Musée contient l'histoire et une description de l'inauguration.

M. J. WALTER FEWKES (Am. Folkl. VII nº. XXVI: The Walpi Flute Observance) publie une étude de dramatisation primitive. Une autre cérémonie est décrite par M. J. MOONEY (A. U. p. 270: Songs of the Indian Ghost Dance). M. FITTIER DE FABRÉGA (T. du M. N. G. p. 184: Exploration dans le Costa Rica) décrit les tribus indigènes de la Talamanca.

M. P. VAN HOOFF S. J. publie dans le Feestbundel cité plus haut (p. 113: Bij de Iquito's voor 150 jaren) une lettre d'un jésuite au Brésil en 1757; et M. J. D. E. SCHMELTZ (Antike südamerikanische Waffen und eine Trompete aus dem ethnographischen Reichsmuseum zu Leiden. Av. 1 pl.) y décrit des objets provenant de la domination des Néerlandais en Brésil.

LA HAYE mars 1895. Dr. G. J. DOZY.

V. LIVRES ET BROCHURES. — BÜCHERTISCH.

XIV. FRANZ VON SCHWARZ: **Sintfluth und Völkerwanderungen.** Stuttgart, Ferd. Enke, 1895 8º.

Eine umfangreiche, von redlichem Wollen zeugende Studie, die leider in Folge dessen dass der Verfasser, wie er selbst in der Vorrede (pg. IV) sagt, „in allen Disciplinen mit Ausnahme der Meteorologie Neuling war", an manchen Schwächen leidet. Wir müssen uns eines Urtheils betreffs anderer Wissenszweige enthalten, allein auch bei der Durchsicht des ethnographischen Inhalts wird der berührte Mangel öfter fühlbar.

Als ein besonderes Verdienst des fliessend geschriebenen Werkes möchten wir hier auf die Erweiterung unserer Kenntnis der Existenz von Fluthsagen bei den verschiedenen Völkern des Erdballs, wofür zuerst durch RICHARD ANDREE der Grund gelegt, hinweisen; der Verfasser bietet uns eine gedrängte Uebersicht derselben, beinahe elf Seiten umfassend, wo wir ihren Inhalt kurz, sowie das Volk bei dem sie sich finden und die Quellen angegeben finden. Der Verfasser betont die Einheit des Menschengeschlechtes, alle Menschen stammen von einer einzigen Urrasse ab, die Urheimath des Menschengeschlechtes lag im Süden der Sahara. Alle Völkerschaften bei denen Fluthsagen sich finden wohnten ursprünglich an den Ufern eines grossen centralasiatischen Binnenmeeres, dessen Stelle heut durch die Mongolische Wüste eingenommen wird, das nach dem Verfasser in Folge geologischer Vorgänge um 6000 Fuss in die Höhe gehoben wurde und also um ebenso viel über dem Spiegel der übrigen Meere lag, und im Jahre 2297 v. Ch. plötzlich im Folge eines Durchbruches in einem ungeheuren Strome, dessen Geschwindigkeit, Breite und Tiefe vom Verfasser mit mathematischer Genauigkeit angegeben wird, abfloss. Dass die Existenz eines asiatischen Binnenmeeres in Chinesischen Quellen eine Stütze findet und dass dieselbe von Gelehrten nicht bezweifelt wird, ist bekannt; eine Beurtheilung der Hebungs- und Abflusstheorie des Verfassers aber müssen wir einer berufeneren Feder überlassen. — Central-Asien geht nach ihm einer trostlosen Zukunft entgegen.

Sehr lesenswerth sind die Ausführungen des Verfassers über die Ursitze des Menschengeschlechtes, denen 160 von den 518 Seiten des Buches gewidmet sind und die mit Vorsicht studirt, sicher zu weiteren Forschungen anregen werden. Wie im ersten Theil, dem Stammbaum des Menschengeschlechtes (237 Seiten), treten auch hier manche Schwächen zu Tage. So bieten zich z. B. in der Völkertafel mit Bezug auf Indonesien mehrfach Unrichtigkeiten; bedenklich klingt die Angabe über die Wohnsitze der Neu Caledonier, etc. etc.. Die Profile aztekischer Skulpturen werden mit denen der heutigen Juden verglichen und eine phönicische Einwanderung in Amerika angenommen. Auch de Guigne's Anschauung über Berührungen der Chinesen mit Amerika (schon im 5 Jahrh. n. Ch.) werden wieder aufgewärmt; uns däucht dass Prof. Schlegel die Haltlosigkeit derselben, sowie dass unter Fusang die Insel Karafto (Sachalin) verstanden werden muss, in überzeugender Weise nachgewiesen hat (T'oung Pao III [1892] pg. 101 ff.).

Derart Einwendungen gegen vieles vom Verfasser Vorgebrachte liessen sich noch mehr erheben, allein wir wollen selbe unterlassen mit Rücksicht auf den ernsten Willen welcher den Verfasser beseelte. Mögen daher die Mängel seiner Arbeit auch Fachleute nicht vom Studium derselben abschrecken, damit seine Hoffnung, „dass sich Gelehrte finden würden, welche nachträglich das was in seinen Anschauungen allenfalls mangelhaft und nicht streng wissenschaftlich sein sollte, richtig stellen und weiter verarbeiten würden" (Vorwort pg. IV) erfüllt werde.

Dass Druck und Papier des Werkes von der auf dasselbe verwandten Sorgfalt der Verlagshandlung zeugen, soll nicht verschwiegen werden.

J. D. E. Schmeltz.

XV. Prof. Dr. Otto Stoll: Suggestion und Hypnotismus in der Völkerpsychologie. Leipzig, K. F. Köhler's Antiquarium 1894. 8°.

Le docteur Stoll, professeur de géographie et d'ethnologie à l'université de Zürich, bien connu par d'excellents travaux sur le Guatemala, a traité un sujet pour lequel sa double qualité de médecin et d'ethnologue le rendait plus particulièrement compétent. Le rôle de la suggestion et de l'hypnotisme dans la psychologie ethnique était jusqu'ici fort mal connu et presque totalement négligé par les ethnologues. M. Stoll a eu l'heureuse idée de réunir une foule de matériaux pour servir à l'appui de sa thèse: que la suggestion et l'hypnotisme sont un des facteurs les plus puissants dans les manifestations psychiques des peuples et des individus de tout temps et de toute race. Beaucoup de ces manifestations, jusqu'ici insuffisamment interprétées, paraissent sous une nouvelle lumière dès qu'on se place au point de vue du docteur Stoll. Il s'ensuit que la psychologie est la vraie base de l'ethnologie.

Après avoir expliqué ce qu'il entend par suggestion et hypnotisme dans le sens que la médecine moderne a donné à ces mots, M. Stoll décrit successivement, et en faisant preuve d'une vaste érudition, les phénomènes suggestifs chez les peuples ouralo-altaïques, les Chinois, les Japonais, les populations de l'Inde, les Malayo-Polynésiens, les Hébreux et dans l'ancienne Perse. Il examine ensuite le Nouveau Testament et passe en revue les Islamites, les Africains, les Indiens d'Amérique, les Australiens, la Grèce antique et l'Egypte, l'Europe enfin, depuis le moyen-âge jusqu'à nos jours. Le shamanisme entier avec sa thérapeutique suggestive, les guérisons miraculeuses, les miracles de la légende, les oracles, les épidémies psychiques, les sectes religieuses, les suggestions collectives, tout enfin y passe et tout cela est discuté, analysé et mis à sa propre place avec beaucoup de sagacité. Exempt de tout préjugé, M. Stoll envisage froidement son sujet, n'épargne rien et s'il blesse souvent les esprit susceptibles parmi ses lecteurs, d'autres lui seront reconnaissants d'avoir réduit à leur propre valeur certaines choses dont l'auréole de sainteté et de mystère avait jusqu'ici paralysé quelque peu la critique.

Vu l'impossibilité d'analyser et de commenter en quelques lignes un ouvrage de cette importance, nous devons nous borner à en recommander l'étude à tous ceux qui s'intéressent à la psychologie humaine. Qu'il nous soit permis cependant une observation en terminant.

Si nous acceptons avec M. STOLL l'unité psychique du genre humain (ou de l'espèce humaine), il nous paraît que l'auteur pousse un peu trop loin les choses en disant que les caractères psychiques des races ne sont qu'une chimère (p. 497). L'unité psychique de l'humanité est indiscutablement dans le fond basée sur quelques traits et passions; mais ces traits et passions peuvent varier dans la forme et en intensité, et ce sont justement ces variations qui constituent ce qu'on appelle le caractère psychique distinctif d'une race ou d'une nation par rapport à une autre. Or, si les foules humaines sont suggestibles comme les individus, cette suggestibilité a aussi ses limites chez les unes et chez les autres. La suggestion est certainement un facteur très puissant, mais l'hérédité psychique par contre joue un rôle trop important pour qu'il soit permis de la laisser de côté en parlant du caractère psychique d'une race. Si l'ouvrage de M. STOLL ne dit pas le dernier mot sur ces questions, il est néanmoins vrai que son travail servira de base aux recherches futures sur ce sujet. A ce titre M. STOLL a rendu un nouveau service à la science. Dr. H. TEN KATE.

XVI. Dr. HERMAN F. C. TEN KATE, Verslag eener reis in de Timorgroep en Polynesië. Leiden, E. J. Brill 1894. 8º.

Jusqu'à ces derniers temps les Hollandais avaient été singulièrement indifférents à une connaissance plus profonde de leur riche empire colonial. Hardis navigateurs ils effrontaient les périls de mer de tous genres en visitant les côtes les plus éloignées, mais ils se souciaient peu de pénétrer dans l'intérieur des terres. Ils se contentaient pendant plus d'un siècle de l'oeuvre magistrale du pasteur réformé FRANÇOIS VALENTIJN sans éprouver aucun besoin d'en savoir plus long sur les Dayaks, les Bataks et tous ces autres sauvages, qui cependant à mesure que leur domination s'étendait, devenaient leurs voisins ou leurs sujets. Si vers le milieu de ce siècle le jour commençait a se faire pour l'intérieur de ces iles, c'était grâce à des étrangers, des Allemands surtout, à un JUNGHUHN, un SCHWANER, un ROSENBERG, à tant d'autres qui du gouvernement n'obtinrent qu'un appui médiocre, et du public qu'un bien mince intérêt.

Mais l'état des choses s'est beaucoup amélioré depuis que la Société de géographie, la Société de recherches scientifiques aux Indes néerlandaises ont pris l'initiative d'organiser des expéditions nationales.

Le voyage du docteur TEN KATE s'est effectué par l'entremise de la Société de géographie. Le choix était excellent, car M. TEN KATE a fait ses épreuves en fait d'excursions scientifiques, et ses études variées le mettent à même de se consacrer à ses observations anthropologiques favorites, tout en reservant une large part aux autres branches de l'histoire naturelle. Aussi son rapport offre d'autant plus de matière d'intérêt, qu'il comble une lacune sensible dans notre connaissance des iles orientales de l'Archipel, notamment Florès, Soumba, Roti et Savou.

En vue de constater les différences entre les Indonésiens, les Polynésiens et les Melanésiens M. TEN KATE a fait des observations anthropométriques sur 1318 individus, tant hommes que femmes. Ses résultats confirment en général les opinions répandues; quelquefois cependant ils les modifient, comme l'observation que les Tahitiens et les Polynésiens divers, tant enfants qu'adultes, sont plus brachycéphales que les Tongans. Ces derniers, qui présentent le plus de traces de mélange avec un élément mélanésien, ont la taille la plus élevée entre tous les Polynésiens. C'est aussi la taille qui, selon M. TEN KATE, forme le trait le plus distinctif entre les Indonésiens en général et les Polynésiens. Cependant il résulte de ses observations que les Soumbanais, qui, à son avis, sont le peuple le plus franchement indonésien, ont, au moins pour les femmes, la plus haute taille, tandis que les tailles les plus petites appartiennent aux hommes savonnais, qui pour la pureté du sang viennent après.

Quant a l'ethnographie, le musée de Leide a profité du zèle intelligent de notre voyageur. Il a fait un excellent usage du temps restreint qu'il pouvait consacrer a chaque étappe; il a recueilli plusieurs objets inconnus et un grand nombre d'objets dont le musée ne possédait encore aucun spécimen. Cette collection, il a raison de le dire, démontre à la fois les analogies et les différences qui existent surtout entre l'ergologie des divers peuples de l'Archipel Timorien. Ce sont autant de pièces justificatives. Aussi jette-t-elle une lumière nouvelle sur la distribution géographique de certains objets, tels que l'oreiller en bois, l'escabeau, le masque, la sarbacane, l'arc, le javelot, la lance, les ornements en coquille de Tridacna, etc.

Mais en dehors de la collection de nouvelles observations ont été faites relatives à la sociologie, aux croyances religieuses, aux rites funéraires, aux habitations, aux joujoux d'enfant, au maniement de l'arc et des flèches, au caractère psychologique enfin.

La première description précise et la distribution des grands monuments mégalithiques dans l'ile de Soumba et la trouvaille de poterie chinoise dans ces tombeaux méritent d'être mentionnées ici plus particulièrement.

En empruntant ce résumé à l'auteur, nous voulons y ajouter que la douzaine de planches qui accompagne ce rapport, offre une bonne série de types de maisons des différentes iles, des monuments funéraires et des types d'indigènes. G. J. DOZY.

XVII. HENDRIK P. N. MULLER & JOH. F. SNELLEMAN: Industrie des Cafres du Sud-Est de l'Afrique. Avec 27 planches, dont 7 en couleurs. Leide, E. J. Brill, 1894. 4°.

Das vorliegende Werk dürfte besonders den Museumsethnographen eine willkommene Erscheinung sein. In gleicher, ja noch erschöpfenderer Weise wie in SCHWEINFURTH's Artes Africanae uns die Waffen, Geräthe etc. von Völkern eines anderen Theils Afrika's geschildert werden, bietet uns dasselbe ein Bild des Lebens und Treibens der Kaffernstämme Süd-Ost-Afrikas. Während der erstgenannte der beiden Verfasser, in Folge mehrfacher Reisen mit den hier in Rede stehenden Stämmen in directen Verkehr getreten ist und sich schon früher durch, auf Grund seiner Erfahrungen basirte, Publicationen vortheilhaft bekannt gemacht (Siehe dieses Archiv Vol. II pg. 76), hat sich der zweite gelegentlich seiner Theilnahme an der, durch die Niederl. Geogr. Gesellschaft im Jahr 1877 ausgerüsteten Expedition nach Central Sumatra und an dem späterhin erschienenen, die gewonnenen Resultate schildernden Werke, als ein tüchtiger Beobachter erwiesen. Dass die gemeinsame Arbeit beider auch hier ein gutes Resultat ergeben würde, war nicht anders zu erwarten.

Das Werk zerfällt in zwei Theile, eine „Notice sur les indigènes du Sud-Est de l'Afrique" die Herrn MULLER zu verdanken ist, während der andere, die Erläuterung und Beschreibung der abgebildeten Gegenstände umfassend, zum grössern Theil Herrn SNELLEMAN's Arbeit ist. Die Stämme von denen Artefacte zur Schilderung gelangen, sind, wie wir in der „Notice", der wir hier zuerst folgen, lesen, die Betschuanen, Basutos, Zwazies, Amatonga, Matabele, M'zille, Landinas, Bauhais, Maschonas, Barus und Mangadja. Diese Stämme bezeichnen sich nicht selbst mit den hier angeführten Namen, sondern ziehen es vor sich nach ihren Häuptlingen zu benennen; sie befinden sich im Zustande der Migration und man darf daher nicht sicher sein nach einigen Jahren einen Stamm noch dort anzutreffen, wo er vorher seinen Sitz hatte. Hiefür giebt Herr M. mehrere Beispiele; die Leichtigkeit womit der Wechsel des Wohnsitzes vor sich geht, hat zur Folge dass die Macht der Häuptlinge keine territoriale, sondern eine persönliche ist, d. h. sie erstreckt sich nicht auf das bewohnte Terrain, sondern auf die Bewohner selbst, der Häupling regiert einen Stamm, aber nicht ein bestimmtes Land. Die Macht ist erblich, wenn auch nicht stets in directer Linie, die Ausübung derselben verdankt man göttlicher Gnade und derselben nicht gehorsamen, ist eine der ärgsten Sünden in den Augen der Schwarzen. Die eben angedeuteten Umstände stehen nach Herrn M. in engem Zusammenhang mit der Beschäftigung der meisten der in Rede stehenden Stämme, der Viehzucht, behufs deren selbe oft die Weidegründe wechseln müssen und dadurch fortdauernd in Fehden verwickelt sind. Anders aber ein Volk dessen Thätigkeit der Landbau, es haftet an dem Grunde den es bewohnt und der es ernährt, seine Organisation ist weniger kriegerisch und der Industrie bietet sich weiterer Spielraum. Beide Erscheinungen zeigen sich in dem Gebiete auf das sich die Publication bezieht; im Süden, wo reiche Weidegründe und oft auftretende Dürren, widmen sich die Eingebornen fast ausschliesslich der Viehzucht; dagegen müssen im Norden am Zambesi, wo das Klima und die Tsétsé-Fliege derselben im Wege stehen, die Eingebornen ihr Leben durch die Arbeit fristen und sind genöthigt den Boden zu bestellen. Die Folgen dieser Vorgänge spiegeln sich an den Eingebornen wieder, sowohl psychisch als physisch wie der Verfasser dies in klarer Weise weiter ausführt, und woraus wir ersehen dass Angehörige der Ackerbau treibenden Stämme zwar einen weniger muskulösen Körper zeigen und minder kriegerisches Talent, dass sie aber, wie ihre Wohnungen und ihre Artefacte dies deutlich beweisen, geistig viel höher stehen als diejenigen welche sich der Viehzucht widmen, und mehr industrielle Anlage besitzen als diese.

In seiner kurzen, aber prägnanten Schilderung der äusseren Erscheinung der Eingebornen, die nach ihm kräftig und wohlgebaut sind, erwähnt der Verf. eines zu Inhambane beobachteten Albino (pg. 9). Die braune Farbe der Haut ist kräftiger als in Süd-Afrika, Bartwuchs kommt derart selten vor dass derjenige, der sich dessen rühmen darf, sich besonderer Beachtung erfreut. Körperbehaarung fehlt fast ganz, dagegen ist das Haupthaar kräftig entwickelt; Kahlköpfigkeit in Folge Ausfallens des Haars ist unbekannt. Andererseits wird aber das Haupthaar, besonders das der Kinder, gänzlich abrasirt, welche Sitte, gleich wie bei den Mondombe der Westküste, sich auch bei den Völkern am Zambesi weit verbreitet findet; ob damit irgend welches Ritual verbunden, erwähnt der Verf. nicht. Auf die Frisur wird grosse Sorgfalt verwandt und die Form der Coiffure bildet eines der hauptsächlichsten Stammesabzeichen. Der eigenthümliche Geruch des Negers ist stärker oder schwächer, je nachdem die Ernährung besser oder schlechter; die

Haut zeigt oft Spuren der Wurmkrankheit (*Jigga* und Guinea-Wurm); am Zambesi findet eine eigenthümliche Deformation des Sexualorgans der Mädchen statt, eine solche der Zähne kommt nicht vor und ebensowenig der Gebrauch der Augenschminke (*Kohl*). Gehör und Gesicht sind weit entwickelter als beim Weissen, dennoch ist das Auge nicht geübt um, dem Eingeborenen neue Gegenstände, z. B. Bilder erfassen zu können und oft erkennen sie nicht einmal das, in ihres eigenen Nähe befindliche Original eines Portraits.

Der Verf. erwähnt der Ausdauer welche sie in der Erfüllung eines übernommenen Auftrages zu entwickeln im Stande sind, obwohl sie regelmässige Arbeit nicht als eine Pflicht erachten. Die Mehrzahl der Arbeiten wird durch die Weiber verrichtet, die Männer widmen sich in erster Linie der Jagd, dem Kriege und den Lehnsdiensten für die Häuptlinge etc.; Näharbeiten werden gleichfalls durch Männer verrichtet. Der geregelte Betrieb eines bestimmten Geschäftes ist eine Seltenheit; dasjenige worin sie sich auszeichnen ist die Bearbeitung von Metallen und kommen selbst, wie der Verf. sagt, unter ihnen gute Goldschmiede vor. Weder die Schiffahrt auf dem, noch die Fischerei im Meere ist Sache der in Rede stehenden Stämme, dagegen wird beides auf und in den Flüssen lebhaft betrieben.

Betreffs des Charakters äussert der Verf. dass jene Schwarzen grosse Kinder sind, fröhlich und aufgeräumt, sind sie, gut behandelt, der Treue fähig; sie sind höflich unter einander und gegenüber dem Weissen. Betreffs der Sprachen finden wir nur wenige kurze Mittheilungen; in dem was betreffs der Nahrung gesagt wird, begegnen wir der, dass Eier und Milch verschmäht werden.

Als Geldsurrogate dienen eiserne Schaufeln, Messingdraht, Glasperlen, Rum etc.; der Gebrauch von Geld gewinnt an Ausdehnung und nahe der Küste zirculiren Münzen aller Art, besonders englische und portugiesische; der im Nord-Osten so verbreitete Maria-Theresienthaler wird im Süd-Osten nur wenig verwandt. Wo Viehzucht betrieben wird, ist das Product derselben das Zahlmittel, Baumwollstoffe von bestimmten Sorten und Maassen spielen ebenfalls eine Rolle im Tauschverkehr.

Die oft behauptete frühzeitige Geschlechtsreife der Eingebornen wird vom Verf. bestritten, nach ihm erlangen die Männer im funfzehnten und die Frauen im dreizehnten Jahre dieselbe, obwohl eine genaue diesbezügliche Angabe unmöglich ist. Der geschlechtliche Verkehr ist sehr frei, Ehebruch wird als eins der natürlichsten Dinge der Welt betrachtet und zwar getadelt, aber nicht hart bestraft, besonders dort wo oft Berührung mit Weissen stattfindet. Hält sich eine Persönlichkeit von einigem Ansehen in einem Eingebornen-Dorfe auf, so bestimmt der Häuptling einige junge Mädchen, die die Nacht mit dem Besuch durchbringen und ihm die Fliegen mit Blattfächern abwehren müssen.

Das Erbrecht ist nicht bei allen Stämmen das gleiche, gewöhnlich erbt der Bruder eines Heimgegangenen alle Weiber desselben, der Rest seiner Habe fällt seinen Söhnen zu; die Töchter erben, wie überall im Orient, nicht. — Zahlreicher Nachkommenschaft erfreuen sich die in Rede stehenden Eingebornen nicht, Herr M. ist geneigt die Ursache in der, zumal bei Reicheren gepflegten Polygamie und im Mangel genügender sanitärer Vorsorgsmassregeln zu suchen.

Das Begräbnis findet am selben Tage, wo der Todte verstorben, statt; Begräbnissplätze bestehen nicht, dem Manne werden oft seine Waffen und andere Gegenstände, deren er sich bediente mitgegeben; auf dem Grabe einer Frau zerschlägt man die von ihr benutzten Töpfe etc. und lässt die Scherben dort zurück. Während der Trauerzeit dienen den Gatten als Kleidung blaue Kattuntücher oder selbstgefärbte, rohe schwarze Stoffe; als Schmuck schwarze Glasperlen oder geschwärzte Binsen; ähnlich vollzieht sich die Trauer der Kinder. Nach dem Tode erheben die Hinterbliebenen einen grossen Lärm und finden Gesänge, Tänze etc. statt. —

Ueber Tänze und Spiele giebt der Verf. mancherlei Mittheilungen und geht dann zur Besprechung der übernatürlichen Anschauungen über. Der Glaube an die Unsterblichkeit der Seele besteht, die Geister der Verstorbenen werden angerufen; oft wählen sich selbe ein Thier als Sitz und wir finden, wie im malayischen Archipel, auch hier das Crocodil im Verband mit dieser Anschauung genannt, während auch der Löwe als Geistersitz gilt. Einzelne Eingeborne geben vor sich in ein Raubthier z. B. einen Löwen verwandeln zu können, umgeben sich mit einem Geheimnis, leben abgesondert von ihren Stammesgenossen und werden von diesen hoch verehrt und beschenkt, um sich deren Freundschaft zu versichern. Sie gelten auch als Orakel. — Eine eigentliche Religion, sagt der Verf., existirt bei diesen Stämmen nicht, ebensowenig findet man Idole; indessen glaubt man an eine höhere Gewalt, am Zambesi *„maloungo"* genannt, die ihren Sitz im Himmel hat und der die Naturereignisse zugeschrieben werden. Aberglaube nimmt die Stelle einer Religion, die *„feticheros"* die der Priester ein; sie entdecken Verbrechen und heilen durch Zaubermittel Krankheiten. In ganz Südost-Afrika glaubt man dass Unfälle durch bestimmte Individuen verursacht werden, besonders durch alte Weiber. Die Anwendung des bekannten Gottesurtheils *„moavi"*, d. i. vergiftetes Holz findet sich auch hier; der aus demselben bereitete Trank wird aber nicht durch die beiden Parteien selbst genossen, sondern zweien Hunden gegeben; die Partei deren Hund stirbt muss die betreffende Strafe zahlen. Am oberen Zambesi, besonders bei den *Marutse Wabunde* und den *Mangadja* wird das Gift, wie bei verschiedenen Stämmen der Westküste, noch durch Menschen selbst getrunken.

Sklavenhandel besteht, soweit portugiesischer Einfluss sich geltend macht, nicht mehr, obwohl Häuptlinge und vornehmere Personen Leibeigene besitzen.

Den Häuptlingen zahlen die Eingebornen Steuern; während Schwarze im südlichen Theil der Colonie Mozambique als Häuptling eine Rolle spielen, treten am unteren Zambesi Mestizen an deren Stelle, die, was den Charakter betrifft, unter den Schwarzen stehen und in pallisadirten Niederlassungen mit ihren Untergebenen wohnen. Die Niederlassungen der Schwarzen erfahren eine eingehende Besprechung, die durch gute Abbildungen (Taf. XXV & XXVI) unterstützt wird. Je mehr man sich dem, durch Weisse bewohnten Gebiete nähert, desto mehr zeigt sich ein Rückschritt im Bau der Wohnungen, gleich wie in der Industrie, und im Allgemeinen in der Cultur der Schwarzen. Sie verlieren ihre eigene, ohne, mit geringen Ausnahmen, sich die der Weissen, besonders in Ost-Afrika, anzueignen, sagt der Verf.

Der Schilderung der Eingebornen, schliessen sich einige Worte mit Bezug auf die Tafeln an; dieselben führen uns 356 Abbildungen, meist von Herrn M. selbst gesammelter Gegenstände, sowie Wohnungen, einzelne Rassentypen etc. vor; nur einzelnes stammt aus anderen Sammlungen. Wir erhalten hier ein sehr gutes Bild der Kunstfertigkeit und der Industrie der geschilderten Stämme, wobei wir jedoch gern eine gewisse Beschränkung in manchem Falle, die dem Werke zum Vortheil gereicht haben würde, gewünscht hätten. So hätten z. B. von den abgebildeten Wurfspeeren manche Formen ohne Schaden fortbleiben können, und statt deren hätten wir gern mehr Detailabbildungen der prächtigen, aus Eisen- und Messingdrath bestehenden Flechtarbeit, mit der Speere, Beilstiele etc. jener Völker umhüllt, gesehen, was für ornamentale Studien sich sehr nützlich erwiesen haben würde. Der Lithograph ist ausserdem in der Wiedergabe der Struktur manchen Materials, z. B. des Holzes der Nackenkissen, nicht besonders glücklich gewesen, und ferner ist das Zusammenstellen der Gegenstände zu „malerischen Gruppen" auf Tafeln, welche für wissenschaftliche Studien dienen sollen, unstatthaft. Im Allgemeinen jedoch machen die Tafeln einen recht guten Eindruck. Jeder derselben ist die detaillirte Beschreibung aller darauf zur Anschauung gebrachten Objekte beigegeben, wofür den Verfassern Herr C. M. PLEYTE in Amsterdam als Berather zur Seite stand; auch hier können wir nicht unterlassen unsere Ueberzeugung dahin auszusprechen dass durch das Zusammenfassen der, einer Reihe verwandter Gegenstände, z. B. Speeren, gemeinsamen Charaktere zu einem Satz, und durch Hervorhebung, im Anschluss an diesen, der jedem einzelnen Objekt eigenen Unterschiede, die Beschreibung prägnanter geworden wäre und an Deutlichkeit gewonnen haben würde. Indes ist dies nur eine Bemerkung nebensächlicher Art; auch die Beschreibungen zeugen so wie sie vorliegen, von grosser Sorgfalt und werden durch die auf pg. 35–49 gegebenen erklärenden Worte wirksam unterstützt.

Einzelne der dargestellten Gegenstände, z. B. eine Tischdecke aus Perlenarbeit, dienen nicht eigenem Gebrauch, sondern werden für den Verkauf an Fremde verfertigt. Die Bearbeitung des Leders wird hier nicht geübt, die Umflechtung der Lanzenschäfte etc. mit Drath unterscheidet sich von der bei den Zulus üblichen, das Härten des Eisens ist unbekannt. Beile dienen sowohl als Waffe wie als Geräth, das einzige Ackerbaugeräth ist eine von Frauen und Kindern benutzte Hacke; eine andere dient zum Baumfällen, was durch Männer geschieht. Die Lanzen zeigen fast stets eine zweite, meisselförmige Spitze am untern Ende, dazu dienend um die Waffe schief gegen den Boden zu stützen oder auch um, von hinten angegriffen, zum Stoss nach rückwärts, ohne den Arm zu wenden. Keulen sind im Gebiet von Mozambique sehr selten, Wurfspiesse fehlen. Schilde fehlen am unteren Zambesi, dagegen besitzen die Zulu und diesen verwandte Völker solche, welche bei den eigentlichen Zulu Unterschiede von denen der übrigen Stämme zeigen. Bogen und Pfeil sind in Gebrauch, die Scheiden der Dolche, aus Holz oder Elfenbein, sind meist mit Schnitzarbeit verziert. Neben dem Rauchen von Taback, kommt auch das des Hanfes vor; das Schnupfen ist allgemein gebräuchlich. Die Perlenarbeiten der Zuluweiber sind von denen der am Zambesi verschieden, die Unterschiede werden genau erörtert. Neben dem von Sorghum gebrautem Kaffernbier treffen wir noch eine Anzahl anderer berauschender Getränke. Die Nackenschemel bieten je nach den Stämmen bestimmte Unterschiede, ein hölzernes Thürschloss ist auf Taf. XV Fig. 7 abgebildet. Für Zwecke der Bekleidung, die nur geringer Art, kommt neben meist europäischen gewebten Zeugen, geklopfte Baumrinde, und zwar im Hinterland von Inhambane, in Betracht. In einer Beilage erhalten wir Notenbeispiele von Liedern der Zambesi-Stämme, welche, wie uns scheint, stark mit Portugiesischen oder Spanischen Motiven durchsetzt sind.

Wir sind am Ende unserer Besprechung, die wir

umfangreicher gegeben als dies sonst im Allgemeinen unsere Gewohnheit ist, und zwar deshalb um die Aufmerksamkeit unserer Fachgenossen auf eine Arbeit zu lenken, welche solcher völlig würdig. Sie verdient ihre Entstehung dem Sammeleifer eines Mannes, der jene Länder besuchte für Zwecke des Handels; man wirft dem Kaufmann oft vor dass er kein Verständnis für die Zwecke der Wissenschaft habe und schüttet unserer Meinung nach dabei das Kind mit dem Bade aus. Möge der Vorwurf auch manchmal berechtigt sein, jedenfalls aber dürfen wir uns der Erkenntnis nicht verschliessen, dass, wo der Kaufmann dem Handel neue Bahnen eröffnet, auch der wissenschaftlichen Forschung der Weg geebnet ist. Dabei sind aber dann die Fälle wo die Pioniere des Handels selbstthätig fördernd für die Aufgaben der Forschung eintreten, wie in unserm Falle, gar nicht so selten. Wird dann überdem noch Sorge getragen das Erforschte zum Gemeingut der Wissenschaft zu machen, desto mehr ist solches Streben anzuerkennen! Verfasser und Verleger haben sich für die hier vorliegende Veröffentlichung nicht geringe Opfer auferlegt; möge eine weite Verbreitung des Werkes sie dafür entschädigen. Es sollte mindestens in keiner ethnographischen Sammlung fehlen, wir sind an monographischen Behandlungen der Artefacte bestimmter Völker leider nicht sehr reich; die hier vorliegende Arbeit verdient diese Bezeichnung in vollem Maasse.

XVIII. Prof. K. Martin: **Reisen in den Molukken, in Ambon, den Uliassern, Seran (Ceram) und Buru.** Mit 50 Tafeln, einer Karte und 18 Textbildern. Leiden, E. J. Brill, 1894. 2 Bde., lex. 8⁰.

Das vorliegende Werk hier zu besprechen bereitet uns eine ganz besondere Freude; wenn wir im ersten Bande dieser Zeitschrift, p. 32, den Wunsch äusserten, „dem Verfasser möge es noch oft vergönnt sein uns „mit Ergebnissen seiner Mussestunden zu erfreuen", schneller wie wir erwartet ist derselbe in Erfüllung gegangen. Bot er uns in dem dort besprochenen Werke eine, auf eigener Erfahrung beruhende Schilderung der westindischen Besitzungen Niederlands, heut führt er uns, in entgegengesetzter Richtung, dahin wo es ihm vergönnt gewesen einen Theil jenes berückend schönen Gebietes, das wir unter dem Namen der Molukken zusammenfassen, besuchen zu können. Die Eindrücke welche er auf dieser Reise empfing, giebt er uns frisch und ohne fremde Zuthat zurück; sein Stil ist fesselnd und so wird es uns leicht ihm zu folgen auf seinen Wanderfahrten und mitzugeniessen wo er uns erzählt von dem Zauber, der die Natur jener Inseln umgiebt auf denen sich einstmals so viel Menschenleid und Weh abgespielt.

Des Verfassers eigentliches Forschungsfeld waren die im Titel genannten Gebiete, ausserdem besuchte er, jedoch nur flüchtig, eine Anzahl Plätze auf Java, Bali, Celebes, etc., worüber er jedoch nicht weiter berichtet. Was er uns aber über das auf seinem Forschungsfelde Erlebte und Beobachtete mittheilt, dürfte sich, was eingehende Behandlung des Stoffes, verbunden mit einer klaren, leicht fasslichen Sprache angeht, dem Besten an die Seite stellen was bis jetzt an Reiseschilderungen aus dem Gebiet des Malayischen Archipels existirt. Wir müssen es uns natürlich versagen an dieser Stelle auf die eigentliche Reiseschilderung, sowie auf die vielen Mittheilungen betreffs der Geognosie, der Pflanzen- und Thierwelt des erforschten Gebietes näher einzugehen und können allein bei dem verweilen, was der Verfasser an ethnographischen Notizen seinem Berichte eingestreut. Und dies ist nicht wenig! und dabei in so sachgemässer Weise gegeben, dass wir uns nicht vieler Beispiele erinnern wo ein, ethnographischen Forschungen für gewöhnlich fern stehender Beobachter das, was er mit Bezug auf solche mittheilt, in gleich klarer und prägnanter Weise zum Ausdruck bringt. Ein Beispiel hiefür bietet u. A. die Schilderung der seranesischen Schilde, pg. 191/192, die betreffs ihrer Form denen nahe liegender Gebiete verwandt, sich jedoch stets durch e i n e l ä n g s d e s R a n d e s b e f e s t i g t e R o t a n l e i s t e von diesen unterscheiden, was n u r bei Schilden von Seran der Fall und also d e n T y p u s k e n n z e i c h n e t; dieser Unterschied ist, wie die Beschreibung zeigt, dem Verfasser nicht entgangen. Fragen wir nach der Ursache dass die Mittheilungen desselben den, von uns gekennzeichneten Character tragen, so möchten wir sie in des Verfassers naturhistorischer Schulung suchen; soll das Studium und das Sammeln ethnographischer Gegenstände und Beobachtungen gute Früchte tragen, so muss dies vor Allem, unserer Ueberzeugung nach, auf naturwissenschaftlicher Grundlage geschehen.

Eine erschöpfende Uebersicht dessen, was uns durch Prof. Martin an ethnographischen Beobachtungen geboten wird, zu geben, ist uns bei dieser Veranlassung unmöglich und beschränken wir uns darauf hie und da einen Griff in das Gebotene zu thun, um unseren Fachgenossen diese reiche Fundgrube näher zu bringen. Zuvor möchten wir aber einen Augenblick bei dem verweilen, was betreffs des Habitus etc. der Eingebornen selbst gesagt wird.

Die Dorfbevölkerung von Ambon und den Uliassern bildet eine, von Seranesen, Leuten von Halmahera, Ternate, nebst Malayen und einzelnen Europäern entstandene Mischrasse, deren sittsames Betragen unter einander, bei ihren Vergnügungen, M. betont, während die Freiheit des geschlechtlichen Umgangs in einer näher bezeichneten Anschauung wurzelt und dadurch genügend erklärt wird. — Die Bevölkerung Seran's zerfällt in die zwei Gruppen der *pata siwa* und *pata lima*, deren erstere sich wieder in zwei Gruppen theilt; die Verbreitung über die Insel wird soweit möglich festgestellt. Dies Volk zeigt Verschiedenheiten im Typus und auf pg. 79 sagt M. dass papuanische Gesichtszüge vorherrschen. Aehnliches wird pg. 288 betreffs der Alfuren von Buru gesagt; zwar ist dem inzwischen (Globus LXVII N°. 10) widersprochen, allein so lange nicht eine fachkundige, anthropologische Untersuchung beider Inseln Gegentheiliges ergeben, neigen wir uns M.'s Anschauung zu, nicht allein weil er, wie er pg. 288 sagt, selbst Gelegenheit gehabt die betreffenden Eingebornen mit Papua's zu vergleichen, sondern auch darum weil sich, besonders bei der Bevölkerung Seran's, in der Ethnographie eine Reihe von Anklängen an die der Papuas findet, deren auch der Verfasser selbst pg. 104 & 120 einzelne anführt, wobei jedoch der Kunstsinn der Eingebornen Neu-Guinea's eine höhere Stufe zeigt als der jener von Seran (pg. 209). — Am Ajer besar auf Seran fand M. eine Gemeinde von Tabelloresen, die in mehrfacher Beziehung höher entwickelt als die seranesischen Alfuren, und u. A. selbst zu schmieden verstanden. — Auffallend ist wenn M., pg. 50, zeigt dass die Eingebornen der Uliasser kein Auge für die sie umgebende Natur haben, und pg. 205 den Ortssinn bei den Seranesen bestreitet, wo doch sonst stets Naturmenschen der letztere, sowie eine scharfe Beobachtung der sie umgebenden Natur nachgerühmt wird.

Kleidung und Schmuck der besuchten Eingebornen finden eine erschöpfende Schilderung, besonderes Interesse beansprucht die Beschreibung der aus geklopfter Baumrinde bestehenden Schaamgürtel (*tjidako*) von Seran, von denen bestimmte Formen, resp. für Männer, junge Mädchen und verheirathete Frauen bestehen (pg. 245/247). Im Schmuck von Seran finden sich Anklänge an solchen von Neu-Guinea; die Nassascheibchen welche sich stets an solchem mit melanesischem Typus finden, treten auch hier auf (pg. 250). Tatuirt ist auf Seran fast jedermann; bekanntlich geschieht das Tatuiren bei der Aufnahme in die mehrfach, u. a. durch LUDEKING besprochene geheime *Kakean*-Genossenschaft. — Von Wohnungen lernen wir auf Seran verschiedene Formen kennen, auf Buru solche deren Wände aus Baumrinde bestehen. Der Hausrath ist nie sehr belangreich. — Von Jagdgeräthen fand M. bei den Alfuren von Ajer besar schon gute Gewehre, ausserdem bedienen sich diese, sowohl als die der Nordküste von Seran, zweier Arten Speere, einer mit Bambus-, der andere mit Knochenspitze, die uns schon lange im ethnographischen Reichsmuseum vorliegen, deren Zweck wir aber erst durch M. kennen lernen und die wiederum eine Parallele zu Speeren von Neu-Guinea bieten. Fallen sind auf Seran und Buru beobachtet, auf letzterer Insel auch selbstschiessende Pfeile für Hirsche (pg. 303), obwohl Pfeil und Bogen hier fehlen (287). In den Häusern auf Seran aufgehängte Geweihe und Unterkiefer von Hirschen sind nicht nur Jagdtrophäen, sondern sollen auch in Zukunft eine glückliche Jagd sichern (236). Sehr instructiv wird die Anwendung des Wurfnetzes geschildert (189). — Ein eingehendes Bild giebt M. von der Sagubereitung auf Seran, der dabei benutzte Klopfer gleicht der Form nach dem von Neu-Guinea, ist aber sowohl hier als auf Ambon und den Uliassern gänzlich aus Bambus verfertigt (207—210). — Die Böte der Nordküste von Seran unterscheiden sich betreffs ihrer Form sowohl von denen der Südküste, als von solchen von Ambon (232), das für die *Orembai* auf Seran benutzte Ruder stammt von den Uliassern (87); auf Saparua bedienen sich die Frauen, beim Tragen der dort gefertigten Wasserkrüge auf dem Kopf, als Unterlage entweder ihres eigenen Haarstranges oder eines Ringes von Zeug (47). Als Zahlungsmittel ist Geld auf Seran unbrauchbar, unter den Tauschwerthen hat besonders Salz einen hohen Werth, weil dies durch die *pata-siwa* nicht bereitet werden darf (144). — Wiederholt begegnen wir mehr oder minder eingehenden Mittheilungen über einheimische Industrien so u. A. (pg. 11) über die Destillation eines berauschenden Trankes aus Palmwein auf Ambon; pg. 121 wird die Bereitung von Zeug aus Baumrinde auf Seran erwähnt und dabei gekerbter, als Klopfer dienender Steine, die leider nicht näher beschrieben sind. Die Einwohner von Slemann, Abth. Wahai, auf Seran zeichnen sich durch gute Flechtarbeiten aus (225); die Bereitung von Kajuputi-Oel auf Buru geschieht in sehr primitiver Weise und wird durch M. eingehend geschildert. — Von Waffen finden sich auf Seran neben Lanzen und dem, *Parang* genanntem Hiebmesser, Bogen und Pfeile die des Näheren beschrieben werden; meist sind erstere aus Bambus gefertigt und nur ein einziges Mal begegnete M. einem Bogen aus Palmholz (196), also eine weitere Stütze für RATZEL's Theorie betreffs der geographischen Verbreitung beider Bogenarten. Der instructiven Beschreibung des typisch seranesischen Schildes wurde schon oben gedacht, neben diesem findet sich auf derselben Insel auch jene kleinere, mit Muscheln eingelegte Form, die, wie wir meinen, für Ternate typisch ist, auch auf Halmahera vorkommt und wohl kaum, wie M. annimmt, eine verkleinerte Nachbildung der grösseren seranesischen Form (235) ist. Auf Buru fehlen Schilde, weil man sich, wie dem Verf. gesagt ward „in einem Frauenlande befindet, in dem kein Krieg geführt wird" (325). — Die Kopfjagd der Alfuren von Seran und deren Ursachen finden eingehende Betrachtung (151). — Die Gemeinde- resp. Rathhäuser auf Seran (*Baileo*), neben denen sich stets ein Opferstein findet, erinnern an jene auf den Pelau-Inseln (*Bay*); zumal was den pg. 78 abgebildeten Giebel betrifft (KUBARY: Ethn. Beitr. zur Kenntnis des Karolinen Archipels, pg. 242 ff. & Taf. XXXIX—XLII); Logirhäuser finden sich sowohl auf Seran (98, 280) als auf Buru, wo diese *Tilan* heissen und gleichzeitig für Berathungen dienen (282), weil Rathhäuser hier fehlen (253). — Interessant ist die Mittheilung über die geheime Gesellschaft der *Kakeanisten*, in deren Aufnahme-Ceremonie augenscheinlich Suggestion und Hypnotismus eine Rolle spielen (155). Dem Eide wird durch die Eingebornen von Wahai, Seran, hoher Werth beigelegt (231); unter dem Namen *Matakau* sind Drohzeichen, meist roh geschnitzte Thiergestalten, zu verstehen (52, 134), während die, „*Sassi*" genannten Verbotszeichen (53, 134, 202) jedenfalls einem, dem polynesischen *tabu* ganz ähnlichen Brauch dienen. Im Vorbeigehen sei bemerkt dass soeben H. SCHURTZ uns mit einer ausgezeichneten Arbeit über die Tabugesetze (Preuss. Jahrbücher, Bd 80.) beschenkt hat; über die schädliche Wirkung derselben, auf den Viti-Inseln, wo selbst die Europäer zum Schaden der Eingebornen davon Nutzen ziehen, findet sich Lesenswerthes in Mitth. der geogr. Gesellschaft, Wien 1895, pg. 1 ff. — Hütten worin sich Frauen während der Zeit der *Menses* aufhalten, und auch die Geburt eines Kindes abwarten, fand M. auch auf Seran (153. 176. Vergl. auch für Pelau: KUBARY, Op. cit. pg. 252, *Auloñá*); Reifefeste, bei Gelegenheit der Erreichung der Pubertät durch Mädchen, werden abgehalten (153); über das Eheleben birgt das Werk manche beachtenswerthe Mittheilung. — Tänze und Musikinstrumente finden eingehende Besprechung, als letztere dienen neben Trommeln, Flöte und Gong einige, aus Bambus gefertigte Instrumente, von denen namentlich jenes auf pg. 62 von den Uliassern beschriebene Blaseinstrument höchst interessant und erst, wie der Verf. hörte, in neuerer Zeit entstanden ist. Als Trompete fand M. auf Seran neben der Tritonmuschel auch *Cassis cornuta* (75). — Der Gesang wird mehrfach besprochen, jedoch ist M. betreffs des Entstehens der Melodien anderer Meinung als Prof. JOEST; auf pg. 225 erhalten wir ein Notenbeispiel. Sollten die vom Verf. geschilderten Geigen nicht als Guitarren gedient haben?, wir sind geneigt selbe nicht als aboriginen Ursprungs aufzufassen. — Als Tanzattribute finden sich das hölzerne Hiebmesser, Speer und Schild benutzt. — Betreffs der übernatürlichen Anschauungen begegnen wir vielen Mittheilungen; Anzeichen von Höhenkult finden sich auch auf Ambon und Seran (13, 209, 215), von wo ANDRIAN dessen nicht erwähnt. Hierin sind wir geneigt die Ursache zu sehen dass die von M. beschriebene (215) Bekleidung junger Leute mit dem Schamgürtel, und dadurch deren Mannbarkeitserklärung auf dem Gipfel des Gunung Lumute statt fand, und nicht darin dass die Prediger dem Tragen dieses Kleidungsstückes abhold. — Die Weise des Darbringens von Opfern finden wir mehrfach beschrieben (51, 270, 377), auch Hunde figuriren auf Seran als solches beim Decken eines *Baileo* oder der Reparatur eines Daches an Stelle der früher geopferten, erbeuteten Schädel, welche in den *Baileo* der Strandbewohner der Gegend von Hatusua nicht mehr vorgefunden wurden (77). Auch Schädeldienst war früher gebräuchlich (326), *Mustika*, (Kalkhaltige Concretionen in Thieren und Pflanzen 377), Sirih und Pinang, Essgeschirr, Kleidungsstücke, Waffen, kurz die allerverschiedensten Dinge werden auf Buru bei verschiedenen Veranlassungen, um Glück zu erflehen, in kleinen Hütten, „*huma-koin*, die M. Gebetshütten nennt, unter Anrufung der Ahnen geopfert und auf dem Boden derselben verwahrt (283. 377). Aehnliche Bauten finden sich auf den Pelau-Inseln (Siehe KUBARY Op. cit). Von Begräbnisstätten beschreibt M. verschiedenerlei Formen.

Mit dieser Auslese aus dem, was M. uns an Beobachtungen ethnographischen Charakters bietet, sind wir dem reichen Inhalt bei weitem nicht gerecht geworden und müssen uns schliesslich darauf beschränken unsern Fachgenossen den hier, für den in Rede stehenden Theil der Molukken gebotenen Schatz zur Benutzung wärmstens zu empfehlen. Da M. im Text nur selbst Beobachtetes giebt und die Mittheilungen früherer Beobachter in Noten am Fuss der Seiten heranzieht, so ist eine Controlle des Gebotenen leicht möglich. Auf uns machen M.'s Mittheilungen den Eindruck als die eines Mannes, der vom Ernst seiner Aufgabe durchdrungen ist; desto weniger angebracht erscheint uns eine Kritik wie wir solcher in der Indischen Gids 1895, Febr., pg. 222 ff. begegnen, die trotz aller Lobeserhebungen, bedenklich nach Splitterrichterei riecht und selbst, wo sie M.'s Ausspruch betreffs der Veränderung, die in der Kleidung der Eingebornen Buru's seit WILKEN's Zeit vorgegangen, streift, über das Ziel wegschiesst, wie uns ein Vergleich van W.'s Mittheilungen mit denen M.'s lehrte. Auch was M. uns bot wird mit der Zeit noch Lücken zeigen, das ist in der Unvollkommenheit alles Menschenwerkes begründet; allein derart Vergesslichkeiten wie uns eine bekannt, wo Jemand der eine bedeutende Neu-Guinea-Sammlung zusammengebracht, beim Anblick einer bekleideten Gypsfigur eines Papua behauptete die Papua tragen keine Schurze von Casuarfedern, trotzdem SAL. MÜLLER dies angiebt, und trotzdem seine eigene Sammlung einen solchen enthielt, sind M. sicher nicht untergelaufen. Dafür bürgt uns das Auge des Naturforschers!

In sehr erwünschter Weise wird der Text durch einen, den zweiten Band bildenden Bilderatlas unterstützt; die photolithographischen Bilder erscheinen manchmal recht undeutlich, dagegen sind die lithographischen, sowohl schwarze wie bunte, tadellos gerathen. Die durch M. gesammelten Gegenstände erhielt das ethnographische Reichsmuseum in Leiden zum Geschenk, wo sie nun weiterem Studium zugängig sind.

Mit bekannter Munifizenz ermöglichte die Niederländische Regierung die Herausgabe des Werkes; der Verleger sicherte sich durch das Gewand in welches er selbes kleidete, selbst ein ehrendes Zeugnis! Möge es nun eine weite Verbreitung finden, nicht allein in Kreisen unsrer Fachgenossen, sondern auch darüber hinaus. Wer sich ein offenes Herz für Naturschilderungen bewahrte, wer an solchen Genuss findet, er wird beim Lesen gleich uns manch schöne Stunde erleben! J. D. E. SCHMELTZ.

VI. EXPLORATIONS ET EXPLORATEURS, NOMINATIONS, NECROLOGIE. — REISEN UND REISENDE, ERNENNUNGEN, NECROLOGE.

XIX. Nous venons de recevoir l'agréable nouvelle qu'on vient de constituer à Vienne le „*Verein für Oesterreichische Volkskunde*" afin de collectionner tous ces objets, legendes etc. des peuples autrichiennes, qui disparaissent sous nos yeux et d'éditer un journal „*Zeitschrift für Oesterreichische Volkskunde*". Le bureau de la Société, qui compte déja 291 membres est installé à Vienne IX, Liechtensteinstrasse 61, Mezzanin 10; la cotisation est fixée à *f* 1, ou à *f* 3 si l'on désire recevoir le journal de la Société.

XX. M. J. BÜTTIKOFER et le prof. G. A. F. MOLENGRAAFF *dans l'ile de Bornéo*. — Le supplément à la livr. 5 du Tour de Monde (2 fevr. 1895) contient une notice sur l'expédition dont MM. B. & M. ont fait partie et dont nous n'avons pas encore parlé dans nos Archives, puisque les rapports de M. BÜTTIKOFER sont plutôt intéressants au point de vue zoologique. M. MOLENGRAAFF, qui a rejoint plus tard l'expédition, a rapporté quelques observations ethnologiques dont nous donnerons un extrait dans une des prochaines livraisons, parce que ce savant nous a prié de ne pas encore mentionner, pour le moment, le résultat de ses recherches. Quant à son itinéraire, il nous écrit la note suivante: „J'ai fait une excur„sion du Kapoeas supérieur jusqu'aux sources du „St Tebaoeng et de là, traversant la chaine des mon„tagnes Madi, par terre aux sources du Melawi, où „j'ai atteint une distance plus longue d'environ de „30 kilomètres en amont, que celle atteinte par M. „VAN DER WILLIGEN. Ensuite je suis descendu le Melawi „pour une certain parcours, pour me rendre à l'em„placement des plus hautes montagnes qui séparent „le Bornéo de l'Ouest de celui du Sud, et qui n'avait „pas encore été foulé par le pied d'un Européen. „J'ai monté au sommet de la plus haute montagne „connue dans la partie néerlandaise de l'ile; ensuite „je me suis dirigé vers l'Orient, j'ai passé la chaine„de-montagnes frontière, je suis descendu les rivières „Samba et Katingan, jusqu'à la mer de Java, et j'ai „accompli de cette façon mon excursion à travers le „Bornéo, suivant une route presqu' entièrement „inconnue".

Nous remarquons que la dite expédition a été organisée par la *Société pour l'avancement de l'exploration scientifique des Colonies Néerlandaises*. Quoiqu'elle ait été subventionnée par le Gouvernement Néerlandais, elle n'a pas été faite aux frais du Gouvernement, comme le dit erronément la notice du Tour du Monde.

Le premier voyage de M. BÜTTIKOFER en *Libérie* a été fait aux frais de feu le prof. H. SCHLEGEL, directeur du Musée d'histoire naturelle à Leide; et un autre a été subventionné par le Gouvernement Néerlandais.

La gravure d'un tombeau d'un Chef dayak insérée dans la notice mentionnée plus haut est une reproduction réduite de la planche VIII de l'ouvrage de C. BOCK: *Reis in Oost- en Zuid-Borneo*.

Le capitaine P. C. VAN DER WILLIGEN, de l'armée des Indes Néerlandaises mentionné par M. MOLENGRAAFF, a traversé l'ile de Bornéo depuis le 5 avril jusqu'au 1er août 1894, par une autre route que M. MOLENGRAAFF. Nous lisons un rapport interessant, concernant son voyage, dans *l'Indische Gids* 1895 (févr.) pg. 246.

XXI. † Dr. JUL. JACOBS. Nous venons d'apprendre la triste nouvelle que cet habile ethnologue et savant collaborateur de nos archives est mort à Makassar, Selebes, agé de 53 ans. Le défunt est bien connu par ses ouvrages: „Eenigen tijd onder de Baliers", „de Badoej's" et „Het Familie- en Kamponglevenop Groot Atjeh". J. D. E. SCHMELTZ.

Fig. 4, 6 & 7 ex mus. ethn. Lugd. Bat.

R. Raar, lith.

P.W.M.T.

ALTE GEBRÄUCHE BEI HEIRATHEN, GEBURT UND STERBEFÄLLEN

BEI DEM TOUMBULUH-STAMM IN DER MINAHASA (NORD SELEBES).

VON

DR. J. G. F. RIEDEL,

'S GRAVENHAGE.

(Mit Tafel X).

Während der *padi*-Ernte,[1]) der passendsten Zeit für das Anknüpfen einer mehr oder minder intimen Bekanntschaft, verabreden die jungen Leute gewöhnlich um zusammenzuwohnen oder um, wie sie es eigenartig ausdrücken, Heerdgenossen[2]) zu werden. Nachdem das Zeichen der Zustimmung, bestehend aus feingeschnittenem Tabak und einem abgetragenen Kleidungsstück, einander anvertraut ist, unterwirft der Jüngling sein Vorhaben der Beschlussnahme seiner Eltern und ältesten Blutsverwandten. Zu diesem Zweck wird ein Familienrath berufen, um zu erwägen ob die erwählte Frau den vermeintlichen Ansprüchen entspricht und in den Familienkreis aufgenommen werden kann. Stellt es sich in Folge der Untersuchung heraus dass die Erwählte nicht von Sklaven abstammt und dass unter ihren Blutsverwandten keine unheilbare, erbliche Krankheiten herrschen, so wird durch den Vater oder dessen Stellvertreter dem Jüngling erlaubt sein Anliegen öffentlich vorzubringen. Dies thut er indem er sich direct an den Vater seiner Zukünftigen wendet, der die Tochter in seiner Gegenwart fragt ob sie geneigt sei die Heerdgenossin des Jünglings zu werden. Hat der Vater hierüber Gewissheit erlangt, so theilt er dem Jüngling mit, dass er späterhin wohl das eine oder andere vernehmen soll, weil zuvor eine Familienzusammenkunft gehalten werden muss um über die Werbung und die Grösse des Brautschatzes zu berathen. Auch auf andere Weise finden Werbungen statt, nämlich durch die Eltern selbst, die sich dafür jedoch der Unterhändler[3]) bedienen, um dabei das Wort zu führen. Diese warten gleichfalls die herkömmliche Zusammenkunft ab, um den Brautschatz zu bringen.

Die fragliche Zusammenkunft wird solange als möglich verschoben, einestheils um die nöthigen Vorbereitungen für die zu feiernde Festlichkeit zu machen, anderentheils weil es nicht zum guten Ton gehört schnell zu beschliessen. Nach Empfang einer günstigen Ant-

---

[1]) Während der *padi*-Ernte haben die jungen Leute reichlichere Gelegenheit einander zu begegnen, und ist es ihnen auch erlaubt sich von den Uebrigen zu trennen, ohne dass es Anstoss erregt. Das ist gleichfalls der Fall bei den *mahapalus*, dem gemeinsamen Bestellen der Felder, durch vereinigte Gruppen von Jünglingen und Mädchen. *Padi*=Reis.

[2]) *Masanaäwuh*, Heerdgenosse werden, *maĕndoh sanaäwuh* einen Heerdgenosse nehmen; „heirathen".

[3]) Diese Unterhändler heissen *gagarĕn* und sind gewöhnlich ältere Männer oder Frauen.

wort jedoch ist der Vater des Jünglings verpflichtet innerhalb drei Tagen die Abgesandten der Familie, meistens zwei Brüder, oder die nächsten Verwandten von Muttersseite nach der Wohnung der Zukünftigen zu senden unter Mitnahme des Brautschatzes. [1]) Dieser wechselt je nach dem Stande des Mädchens von drei Stücken schwarzer oder weisser Leinwand und einigen Tellern, bis zehn und mehr Stücken schwarzer Leinwand, einer Anzahl Teller und Schüsseln, mit Vorliebe solche Chinesischen Ursprungs, ferner Vieh, Fischteiche, Sagopalmhaine und Sklaven.

Um zu zeigen dass der Jüngling als *waranei* [2]) eine nicht zu verschmähende Partie ist, wird auch auf geheimnissvolle Weise Haar von durch ihn geschnellten Köpfen, in rot gefärbte Baumrinde gewickelt, vorgezeigt. Der bewusste Brautschatz wird hernach auf den dafür bestimmten Ort niedergelegt und von den anwesenden Verwandten des Mädchens die absichtlich zusammengekommen sind um die Abgesandten zu erwarten, in Augenschein genommen. Falls sie damit zufrieden, oder als Beweis dass sie der Verbindung zustimmen, laden sie die Abgesandten zum Essen ein.

Nach Beendiging desselben wird während des Kauens von *sirih-pinang* [3]) die Zeit abgesprochen und festgestellt, wann die *sumĕnsĕng*, das für jene Gelegenheit vorgeschriebene Festmahl gegeben werden soll. Gewöhnlich findet dies zwischen dem fünften und siebenten Tage statt. Nachdem dies abgemacht, kehren die Abgesandten heim um ihr Widerfahren den Verwandten des Jünglings mitzutheilen.

Es ist nicht verboten um Frauen von anderen Stämmen zu Heerdgenossen zu haben. Gehört der Jüngling aber zu einer anderen *negari* [4]) dann sind die Bedingungen schwerer und der Brautschatz grösser.

Unterdessen wird alles vorbereitet um die Feierlichkeit je nach Rang und Stand mit höchstem Glanz zu feiern. Am Abend vor dem besprochenen Tag ersucht der Vater, sowohl der des Jünglings als der des Mädchens, beide, von diesem Abend bis zum folgenden Morgen ihre Ohren mit Baumwolle vollzustopfen, damit sie kein unheilverkündendes Vogelgeschrei hören, und ferner sich in ihre Gemächer zurückzuziehen. Gegen zehn Uhr Morgens am bewussten Tag versammeln sich die Blutsverwandten des Jünglings, alle festlich gekleidet im Hause seines Vaters. Auch der Jüngling wird zum ersten Mal in ein Prachtgewand gekleidet, ebenso wie die *walians* [5]) wenn diese die Feste zu Ehren der *ĕmpungs* [6]) leiten. Sobald alles den bestehenden Gebräuchen gemäss geregelt ist, wird der Jüngling mit Musik, oder unter dem Schlagen der *momongan* [7]) und des *tiwal* [8]), Taf. X Fig. 7, um die bösen Geister zu entfernen, nach der Wohnung des Mädchens geführt. Eine alte Frau, die ein Stück rother oder blauer Leinwand, mitunter auch eine grobe irdene Schüssel, für die Mutter des Mädchens bestimmt, mitnimmt, geht voraus. Der

---

[1]) *Pĕmaja;* Die Personen die *pĕmaja* bringen, heissen *waluk.*
[2]) Der Tapfre; ein Held.
[3]) *Sirih* = Chavica betle; *pinang* = Areca catechu.
[4]) Dorf oder Stadt.
[5]) Der Hauptmann oder Führer bei den Festen die zu Ehren der *ĕmpungs* gegeben werden; kein Priester in der eigentlichen Bedeutung des Wortes, denn ein Häuptling oder Held kann zugleich *walian* sein, wenn er nur eine geläufige Zunge besitzt und in den Gewohnheiten der *ĕmpungs*, ihrer Abstammung u. s. w. erfahren ist.
[6]) *Ĕmpungs* = zu Göttern erhobene Ahnen, die zu den *makaruwah syouw* gehören; die zweimal neun, und die *makatĕlluh pituh* oder die dreimal sieben, Abkömmlinge von Lumimuut und Toar, (s. Note 4 Seite 94), dem ersten Menschenpaar.
[7]) Kupferne Becken, der Gong.
[8]) Grosse Trommeln, die einen dumpfen Ton geben.

Jüngling folgt ihr langsam und würdevoll, während die übrigen Familienmitglieder, Männer und Frauen, den Zug schliessen.

Sobald der Jüngling in dem Hause seiner Zukünftigen angekommen ist, bekommt er einen bestimmten Sitz, während die Verwandten sich auf, auf den Boden ausgebreiteten neuen Matten unter den Familienmitgliedern des Mädchens niederlassen. Nachdem die älteren ihr *sirih-pinang* gekaut haben, kommt das Mädchen, in *patola*-Tücher [1]) gekleidet und mit *kelana* [2]) behängt, gleich denen der *walian-wewene* [3]), Taf. X Fig. 1 aus dem für sie bestimmten Gemach zum Vorschein und bietet dem Jüngling stillschweigend aus einem geschmackvoll gearbeitetem Gefäss *pinang*, *sirih*, Kalk und Tabak an, während sie zu gleicher Zeit an seiner linken Seite Platz nimmt. Die *pinang* geniesst er ohne ein Wort zu sprechen, scheinbar in Gedanken vertieft, und giebt das Gefäss der jungen Frau zurück, die dann ihrerseits davon Gebrauch macht. Hiernach essen, obgleich dies kein Zwang ist, die jungen Leute, auch wohl gemeinschaftlich mit dem *walian*, Taf. X Fig. 2, des Mädchens Reis aus einem *woka*-Blattgefäss. In Folge des erst beschriebenen Vorganges werden aber die jungen Leute nun als Heerdgenossen betrachtet. Inzwischen ist die *sumĕnsĕng* bereitet und werden die Familienmitglieder und Freunde zu Tische geladen. Der Jüngling sitzt neben dem Mädchen, das von Onkeln und Tanten umringt ist, während die Eltern gewöhnlich im Hintergrunde bleiben. Bevor die Mahlzeit anfängt, steht die *walian-wewene* auf und sagt: „*Sĕmpung e wailan*" [4]), o Empungs gebet dass wir alle alt werden, haltet fern von uns alle Uebel [5]), Müdigkeit und schlechte Träume [6]), die älteren sowohl wie die jüngeren, o Empungs zeiget uns den geraden Weg, auf dass wir denselben stets bewandeln mögen, *o wailan* [7]).

Theil einer Matte von roth, gelb und schwarzer Faser.

Es wird nöthig erachtet, dass während des Festmahls durch die älteren Männer und

---

[1]) Bunte Kleider aus Seide, oder Kattun mit Mustern ostasiatischen Ursprungs.

[2]) Zierrathe für Frauen aus Suassa oder Gold.

[3]) Eine Frau der eine gleiche Wirksamkeit wie dem *walian*, zufällt.

[4]) Eine Invocation um die Vornehmen und Angesehenen die in der Nähe der Empungs sich aufhalten und mit diesen verkehren, zu warnen, damit sie die Empungs günstig stimmen. *Oh wailan*, ein Ausruf der Ehrfurcht; *wailan pasyouwan*, das Gefolge der Empungs zu denen *pasyouwan tĕlluh*, deren neun die Vornehmsten sind, gehört.

[5]) *Sakit* bedeutet auch böse Geister.

[6]) Die *Toumbuluher* fürchten sich sehr vor bösen Träumen, weil diese durch böse Geister erzeugt werden.

[7]) *Sĕmpung e wailan, oh Empung pakatuahane kami peleng wo piki-pikiĕnlah un sakit, wo un ranoi wo in nipih lewoh, wya se tuah wo sitareh tumouw, oh Empung turuhane kami un lalang karondoran in wanan pahalampa-lampanganta in takar inanya eh wailan.*

Frauen den jungen Leuten weise Lehren ertheilt werden, nämlich wie sie ihre Haushaltung einrichten, ihre Aecker bearbeiten und ihr Vieh versorgen müssen, um gesund, wohl und zufrieden zu sein. Andere Gespräche sind nicht erlaubt. Zu gleicher Zeit vertheilen die Verwandten des Jünglings kleine Geschenke an die Familienmitglieder des Mädchens, die hiernach heimwärts kehren. Wenn die Eingeladenen weg sind, bringt die eine Schwester der Mutter der jungen Frau diese mit dem Jüngling in das für beide bestimmte Gemach, wo sie bis des Morgens des folgenden Tags gegen neun Uhr eingeschlossen bleiben. Am selben Morgen gegen zehn Uhr wird, sobald die Verwandten des Jünglings wieder vereinigt sind, ein zweites Festmahl gegeben und alles in derselben Weise als den vorigen Tag geregelt. Nach dem Essen vertheilen die Verwandten des Jünglings kleine Geschenke und bereitet die *walian-wewene* das Opfer für die Empungs, aus Reis, einem gekochten Huhn und rohem Schweinefleisch bestehend, alles zierlich auf einer neuen *woka* [1]) angerichtet mit einer neuen Reiswanne, Taf. X Fig. 3, als Unterlage. Wenn sie dies in der Mitte des Hauses nächst einem der Hauptpfeiler niedergesetzt hat, winkt einer der anwesenden *walians*, Taf. X Fig. 2, und die *walian-wewene* die jungen Leute zu sich heran, heissen sie vor dem Opfer stehn und lassen sie zugleich die Enden der *woka* und die Hände der beiden *walians* festhalten. Diese, *silanan* genannte, Feierlichkeit dient zur Bekräftigung des beiderseitigen Gebrauchs des *sirih-pinang*.

Nachdem der *walian* das Zeichen zum Schweigen gegeben hat, spricht er mit erhobener Stimme: „O *wailans*, Ihr Empungs, Beschirmgeister der unseren, kommt hienieden und esst vom Reis und Fleische dass Euch durch diese Heerdgenossen geopfert wird; gebet ihnen ein hohes Alter und Glück, haltet fern von ihnen alle Uebel, Müdigkeit und schlechte Träume, dasselbige fragen wir auch von Euch Ihr Empungs, die dieses Haus bewohnen, Ihr Empungs die Ihr Euch zu Kalahwakan, Kasosoran, Kasĕndukan und Karondoran [2]) aufhaltet, Ihr Empungs die im Himmel und auf Erden seid, lasset diese jungen Heerdgenossen ein langes Leben und Glück haben, o *wailan*" [3]). Beide *walians* werden danach als die Zeugen der jungen Leute betrachtet, die freiwillig übereingekommen sind um gegenseitig Heerdgenossen zu werden.

Jetzt begeben sich die jungen Leute, mit der *walian-wewene* vorauf, zur *sĕsĕndeën* oder der allgemeinen Opferstätte ausserhalb der *negari*, wo sich der *watu lalanejan* oder Opferstein befindet, der geweihte *tawaän*-Baum [4]) steht und die *kawok* oder Ratte begraben liegt [5]). Dort angekommen kehren sie bis an die Vordertreppe ihres Hauses zurück um wiederum zur Opferstätte zu kehren, also zweimal denselben Weg zurücklegend. Die *walian-wewene*,

---

[1]) Das Blatt einer Palmen-Art, der *Livistonia rotundifolia*.

[2]) Mythische Plätze zu *Tuhur in tanah* auf *Wulur mahatus*, die Berge zwischen der Minahasa und Bolaäng-Mongondouw.

[3]) *Oh wailan Empung rĕnga-rĕnganta jah iregĕs kinei, mei kamu wo mei kumahan um beneh wo sumĕrrah si koökoh tinaliwatu wana silanan ni sera touw sanaäwuh, i wehemei katuahan wo kalawiran nera, wo sera piki-pikiënlah un sakit wo un rawoi wo in nipih lewoh, ipáregĕsomei in tanuh niĭtu eh wailan Empung mĕmaleh am baleh yai, wo se Empung wyang Kalahwakan, Kasosoran, Kasendukan wo ang Karondoran, wo se Empung wili puruk un langit wo se wya rundeng in tanah ijajo-ajoh mange wana ungkatutuah nera wo ung kalawiran nera touw sanaäwuh wĕrru eh wailan.*

[4]) *Dracaena terminalis.*

[5]) Das erste lebendige Wesen auf Erden war nach dem Volksglauben die Ratte und zugleich auch die Besitzerin des Erdbodens. In Gleichnissen wird ihrer Haare erwähnt, um eine unendliche Menge anzudeuten. Bei der Anlage einer neuen Negari wird ausserhalb derselben mit der nöthigen Feierlichkeit eine Buschratte begraben und ein *tawaän*-Baum gepflanzt, damit die Bewohner der Negari der Wohlfahrt und des Glückes theilhaftig werden. Als allgemeine Opferstätte findet man hier ebenfalls den Opferstein. Der Ratte müssen die Kinder die ersten Zähne opfern.

die vorausgeht, hat indessen einige trockne Zweige [1]) von ungefähr einem Meter Länge in die Erde gesteckt, an der Stelle wo man vermuthet dass die Ratte begraben liegt. Sie lässt jetzt die jungen Leute nach einander die Zweige festhalten und ihr nachsagen: „O Empungs, die Ratte ist zugleich mit der Erde entstanden [2]) gebet mir und meinem Heerdgenosse ein langes Leben, lasset uns Ueberfluss von Allem haben, ebensoviel wie ihre Haare, *o wailan* [3]).

Sie kehren dann heimwärts um *sirih-pinang* zu geniessen und auszuruhen, da in der Zwischenzeit sich auch alle Gäste entfernt haben. Nach Empfang der Nachricht dass von einer anderen Person ein Bambus mit *saguweer* [4]) gefüllt, drei Stücke Brennholz vom *lahĕndong*-Baum [5]) von einer bestimmten Länge und ein Bündel *paku*-Blätter [6]) nach der Opferstätte gebracht sind, geht der Jüngling, die junge Frau und die *walian-wewene* dorthin; der erste ein neues Kapmesser, die zweite ein neues Stück geklopfter Rinde vom *lahĕndong*-Baum auf ihrem Kopf tragend. Hier giesst die *walian-wewene* in einem *woka*-Behälter ein wenig *saguweer* und bietet es den jungen Leuten an, worauf der eine nach dem anderen einen Schluck nimmt, dabei sprechend: „*O wailan*, lass mich und meinen Heerdgenosse ein hohes Alter erreichen" [7]). Auf dem Heimwege trägt der Mann den *saguweer*-Bambus [8]), die Frau das Brennholz [9]) und das Bündel *paku*-Blätter. Da die Feierlichkeit hiermit beendet ist, wird die Frau als Gattin betrachtet und bleibt der Jüngling als deren Gatte jedoch an einem eignen Heerde, in dem Hause ihres Vaters wohnen.

Nicht selten kommt es auch vor dass man, um die Bezahlung des Brautschatzes Vermögenslosigkeit halben zu umgehen, auf eine andere einfachere Weise, ohne die oben beschriebenen Feste zu feiern, sich einen eignen Heerd gründet. Dies geschieht sobald sich bei dem Mädchen Zeichen der Gravidität einstellen. (Nachforschung betreffs der Vaterschaft ist bei den Toumbuluhern verpflichtend). Es geschieht auch mehrmals dass junge Leute mit einander verabreden, absichtlich eine Nacht derartiger Weise in einem Gemach zu verbringen, dass sie von einem der Familienmitglieder dort entdeckt werden. In beiden Fällen sind die jungen Leute verpflichtet in der Folge zusammenzuwohnen und einen eignen Heerd zu haben. Der Jüngling oder Gatte ist dadurch jedoch gezwungen, auch für die Eltern des Mädchens, oder ihre Verwandten zu arbeiten ohne irgend ein Recht zu haben auf die Kinder, welche der Verbindung entspriessen möchten.

Das Zusammenwohnen mit Wittwen, oder mit geschiedenen Frauen findet ohne viel Umstände statt. Es wird nur ein gewöhnliches Mahl gegeben, während durch Vermittlung der *walian-wewene*, den Empungs ein ebenso einfaches Opfer dargebracht wird. Dasselbe geschieht wenn Häuptlinge und angesehene Personen zwei oder mehr Frauen nehmen, in welchem Fall jede Frau wieder ihren eignen Heerd hat. Auch kommt es wohl vor dass geschiedene Frauen und Wittwen ohne jedwede Förmlichkeit einen eignen Heerd mit dem

---

[1]) Dies deutet an dass die Jugend vorbei, und man ernsthafter sein muss.

[2]) Hat deshalb ein hohes Alter.

[3]) *Oh Empung kĕlah si kawok meirĕngane antanah, makatuah wo makalawir niaku wo si kaäwuhku, wen susur um buhukna en susur angkanahaän kailĕkan nami in takar inanija eh wailan.*

[4]) Palmwein, der Saft der *Arenga saccharifera.*

[5]) *Sponia sp.*

[6]) Eine *Polypodiacee*, die als Erfrischungsmittel roh und gekocht genossen wird. Symbol der Gesundheit.

[7]) *Oh wailan pakatuahane aku wo si Kaäwuhku.*

[8]) Das Abzapfen des Saguweer und das nach Hause tragen der damit gefüllten Bambus wird als Arbeit der Männer betrachtet.

[9]) Die Frauen sind verpflichtet das Brennholz in den Wäldern zu sammeln und dies nach Hause zu bringen. Für den Mann ist es beleidigend wenn von ihm erzählt wird, er trage das Brennholz heim.

Manne ihrer Wahl gründen. Im Kriege eroberte Frauen werden ohne Feierlichkeit zur Heerdgenossin genommen.

Sobald die Frau das Gefühl empfindet als bestände ihr Körper aus zwei Theilen [1]), nämlich zwischen dem vierten und fünften Monat der Schwangerschaft, lässt sie durch ihren Gatten oder eine ihrer nächsten weiblichen Verwandten einen *walian* zu sich kommen um ein Opfer zu Ehren der Empungs zu bereiten und auf der Opferstätte des Hauses niederzulegen; nämlich einige Arten geweihter Blätter und Blumen, einige zierlich bearbeiteten *woka*, einige in zwei Hälften gespaltene, jedoch nicht gänzlich von einander gelöste *pinang*-Nüsse und ein wenig gekochten Reis, das eine und das andere auf einer neuen Reiswanne regelmässig arrangirt (Taf. X Fig. 3). Ferner wird dort noch ein Messer, ein Lendengürtel und einige Meter dünn geklopfter Baumrinde [2]) in Bereitschaft gehalten. Diese Feierlichkeit heisst *maäjoh ĕmbĕt wo un sĕsĕmpĕn* [3]).

Der *walian* ersucht bei seiner Ankunft zuerst die Eltern ihre Ohren mit Baumwolle zu verstopfen damit sie nicht durch böse Geister gestört werden. Nachdem die Reiswanne fertig und auf der Opferstätte niedergelegt ist, nimmt der *walian* in die rechte Hand ein *tawaän* und in die Linke ein einige Wochen altes Küchlein, stellt sich nun vor die Opferstätte hin und sagt, während dessen mit dem *tawaän* wehend: „O Empungs, Ihr die Ihr die höchsten seid von allen Empungs und Ihr die Ihr die Beschützer seid der Frau, die das Opfer darbringt, die Beschützer von LUMIMUÜT und TOAR [4]), kommt zu uns damit wir zusammen gegenüber einander stehend und einander festhaltend die Spitze des *tawaän* und das Küchlein, sowie den Lendengurt und das Messer berühren, kommt alle mit den Schutzgeistern der Hausgenossen, auf die Opferstätte dieses Hauses, auch Ihr Empungs die im Wasserbambus [5]), bei den Verzierungen von *woka* und *tawaän*, an dem Orte wo die Kiefer der Schweine hängen [6]) seid und erfreut Euch, kommt alle zusammenstehen und lasst die Leber des Küchleins gut sein, kommt alle Ihr Empungs die Ihr die Grenzen der Negari bewacht, Ihr die die Kraft seid der Negari, Ihr LUMIMUÜT und TOAR, Du PINONTOAN der Du auf dem Vulkan Lokon bist, Ihr Empungs die zu Kalahwakan, Kasosoran, Kasĕndukan und Karondoran wohnt, senkt euch nieder, berührt das *tawaän* und das Küchlein und gebet den Eltern des Kindes das geboren werden soll, ein reines Herz, ein hohes Alter und Glück; eins, zwei, drei, vier, fünf, sechs, sieben, acht, neun [7]), *o wailan pasyouwan* [8]).

---

[1]) *Ruwah un awak*, gewöhnliche Bezeichnung einer schwangeren Frau im Sprachgebrauch unter den Toumbuluhern.

[2]) Hierfür wird hauptsächlich die Rinde des *Ficus rhizocarpa* gebraucht.

[3]) Uebergabe von Lendongurt und dem Messer.

[4]) LUMIMUÜT und TOAR, das erste Menschenpaar, dem Toumbuluhschen Kultus zufolge.

[5]) Die mit reinem Wasser gefüllten Bambus werden im Hause an einem bestimmten Ort, der als mehr oder minder geweiht angesehen wird, verwahrt.

[6]) Der Ort wo die Kiefer der Schweine hängen wird gewöhnlich als geweiht betrachtet, nicht allein weil die Empungs des Hauses dort mit Vorliebe verweilen, jedoch hauptsächlich auch weil man fürchtet, dass bei Nichtachtung oder Geringschätzung jener Knochen die *nimuhukur* oder die Seelen dieser Thiere Unglück herbeiführen könnten. Nach anderen, mehr modernen Erklärungen, werden die Knochen an einen ins Auge fallenden Ort gehangen, als Zeichen des Wohlstandes und des Reichthums. Solche von wilden Schweinen dienen speciell dazu um zu zeigen dass der Bewohner schnell und muthig ist.

[7]) Bei dem Aussprechen jener Zahl macht der *walian* einen Schritt vorwärts, sitzend schlägt er jedes Mal mit der Hand auf die Erde. Die Zahlen drei, sieben, und neun sind heilig bei den *Toumbuluhern*.

[8]) *Oh Empung lahloh wangko ne Empung wo Empung rĕnga rĕngan ni mahaposan wo ni Luminuüt wo ni Toar, iregĕse kamu wo kita mei maruhruh makaämpet kita kumarimĕnga* (*Karimenga* = *Calamus aromaticus*, *Kumarimenga*, etwas widmen, heiligen, salben) *un tawaän wo si koökoh wo un ĕmbĕt wo un*

Nachdem der *walian* sich einige Male verbeugt hat, schwingt er wieder das *tawaän* und sagt: „O Empungs lasst von hier durch das *tawaän* verschwinden alle Uebel, Müdigkeit und schlechte Träume, *o wailan* [1])

Darauf wird das Küchlein geschlachtet und das Blut in einem Becken von junger *woka* aufgefangen. Fliesst das Blut in einer geraden Linie, dann soll ein Sohn, fliesst es aber in Windungen dann soll eine Tochter geboren werden. Hierauf werden die Federn ausgerupft, die Leber herausgeholt und befragt ob das Kind unter glücklichen Zeichen zur Welt kommen wird. Dann wird die Leber in reinem Wasser gekocht, in Stücke geschnitten und vom *walian* auf der Opferstätte niedergelegt. Nachdem dies geschehen ruft er mit lauter Stimme: „O Empungs senkt euch nieder, kommt, esst von der Leber, machet von dem hier geopferten Pinang Gebrauch, esset davon und gebet dem Kinde Perlen und Ohrgehänge aus Tomback, angenehm klingende Lanzen [2]) und Schwerter von Kinilouwschen Fabrikat [3]). O beschert dem Kinde Ueberfluss von Padi und anderen kostbaren Sachen, gebet ihm ein langes Leben, Ihr Empungs, Ihr die Ihr die Negari kräftig macht, die Negari beschirmt, die Ihr zeitlich auf der Opferstätte ausserhalb der Negari wohnt, Ihr Empungs die zu *Tuhur in tanah* [4]) hauset, auch Ihr Empungs SOPUTAN, RUMĔNGAN und PINONTOAN, Ihr alle die zu Kalahwakan, Kasosoran, Kasĕndukan, Karondoran seid, Ihr die den Horizont, den Ort wo die Sonne auf- und untergeht, die Grenze der Erde wo der Aufenthaltsort der Empungs Kumanbong ist bewacht, wo PENDAH den Landbau lernte, die Armen zu Sklaven machte und wo der tapfere TAWAELE den Tod fand. *O wailan pasyouwan* [5]).

Von Neuem schwingt der *wailan* das *tawaän* und lässt Vater und Mutter vor sich kommen indem er Letzterer den Lendengurt und das Messer übergiebt, dabei sagend: „Gebrauch den Lendengurt bis das er gänzlich vergangen ist und das Messer wickle ein, sieben bis neun Tage nach einander [6]). Dieses Messer trägt die Frau aber bis nach der Entbindung bei sich um den bösen Geistern Furcht einzuflössen [7]).

Nach Ablauf dieser Feierlichkeit entfernen die Eltern die Baumwolle aus ihren Ohren und ist der Vater verpflichtet das Schneiden seines Haares zu unterlassen, auf dem *kehetan* [8])

---

sĕsĕmpen, iregĕs omei wo se Empung rĕnga-rĕngan ne makawaleh wituntambar, memaleh in nahasŭh wo sundājo in tawaän wo in rĕrĕtahan an areh wo tumĕmise mei maruhruh makaämpĕt wo maweilah un ate leos ni koökoh itiï, o iregĕs e kamu eh Empung sihirang wanua enteh wanua, se Empung Lumimuüt wo Toar si Pinontoan wana Lokon wo se Empung wanang Kalahwakan, Kasosoran, Kasendukan, Karondoran iwawah mei kumarimĕnga un tawaän wo si koökoh rinagĕsan wo iwehe nera touw sanaririhketan un ate leos ikatuah wo ikalawir ĕsa rŭwah tĕlluh ĕpat lima ĕnem pituh waluh syouw oh wailan pasyouwan.

[1]) *Oh Empung iwaswasoma ŭn tawaän un sakit wo un rawoi wo in nipih lewoh eh wailan.*

[2]) Lanzen an deren Oberende eine Art metallener Schelle befestigt ist.

[3]) Im Dorfe Kinilouw wurden früher die besten Schwerter geschmiedet.

[4]) *Tuhur in tanah*, Säule oder Stützpfeiler der Erde, auf dem *Wulur mahatus*, ein Gebirge das zwischen der Minahasa und Mongondouw liegt.

[5]) *Oh Empung iregĕso kamu wo mei kumahan un ate wo lumĕmah wanam pĕmosanan ragĕsan ne kamu in Empung sumĕrrah mei wo iwehehkan mei si okih tŭnaw wo sinahir kĕlana timbĕga, tinĕlungan wo santih ne Kiniloŭw wo ilampanga wana makaweneh lakĕr wo ang kaänahan wutĕr wo matouw pakatutuahan e Empung ĕnteh wanua, sihiring wanua wo an tahas linelejan wo se watu rarambakan ne Empung witi Tuhur in tanah ikaäjoh se Soputan, Rumĕngan wo Pinontoan wo wanang Kalahwakan, Kasosoran, Kasĕndukan, Karondoran wŏ wana liput un langit sarangsangan ni ĕndoh witun tembir in tanah wanam baleh ni Empung Kumambong wo si Pendah mĕnĕneroh timuhutul an pĕngumahan, wo si lĕngei maĕndoh atah wo si waranei Tamaele si kapateh oh wailan pasyouwan.*

[6]) *E un ĕmbet yai jah ĕmbĕtĕn takar itu in malewoh, un sĕsĕmpĕn itiï sĕmpehĕn witu pituh takar in syouw naändoh ung kaureh.*

[7]) Dem Volksglauben nach fürchten sich die bösen Geister vor Eisen.

[8]) Eine Trinkstätte die ausserhalb der Negari liegt, zwischen- oder in einem Hain von Aren-Palmen, wo die Männer des Morgens und des Abends zum Trinken zusammenkommen, um Saguweer zu holen oder um einander zum Berathen von Angelegenheiten zu treffen.

nicht aus einem umgekehrten Bambus [1]) *saguweer* zu trinken, den *saguweer*-Bambus und die *pinang*-Tasche, nicht über seine Schultern zu hängen, aber an der Seite zu tragen, keine Kokosnuss zu raspeln, seine Hand nicht in einen Reistopf zu stecken, nicht vor der geöffneten Thür zu stehen, noch mit den Beinen übereinander zu sitzen, keine verwachsene Früchte zu essen, keinen Streit mit seiner Frau anzufangen und bei dem Binden der einen oder anderen Sache keine feste Knoten zu machen, während es der Frau verboten ist Nachts auszugehen, Totenfesten beizuwohnen, jemanden zu schelten, verwachsene Früchte zu essen und etwas Schweres oder Aufgehäuftes zu tragen.

Sobald die partus erwartet wird, verbietet die Frau ihrem Manne, sowie auch einigen ihrer nächsten weiblichen Blutsverwandten, das Haus zu verlassen und lässt sie durch eine der letzteren die Hebamme oder *sumosompoi*, die ihr während der Entbindung helfen muss, rufen. Sobald diese ins Haus gekommen ist nimmt selbe eine grosse Menge *padi*, ein Haumesser und ein Stück schwarzer Leinwand, alles bereits vorher durch den Mann bereit gelegt und bringt diese zur Opferstätte. Darauf beginnt sie je nachdem sie dies nöthig erachtet die Kreisende zu massiren, um dem Kinde die erwünschte Lage zu geben und unter dem Murmeln einer bestimmten Formel, die folgendermaassen lautet: „*O wailan* Kawukahan, Kapulĕsĕn, für Euch liegt auf der Opferstätte *padi*, ein Haumesser und ein Stück schwarzer Leinwand [2]), nehmet dies o Empungs und lasset unser kleines Kind den ebenen Weg bewandeln, auf dass es tauglich wird um Euch dereinst zu opfern, o Empungs [3]). Die Entbindung findet darauf in halb sitzender Stellung auf einem Holzblock, der bedeckt ist mit einem alten Kleidungstück des Vaters, und von dem Manne im Rücken gestützt, oder stehend und mit bei den Händen ein herabhängendes Rotantau festhaltend, statt, jenachdem die Hebeamme oder *sumosompoi* dies nöthig erachtet.

Sobald das Kind geboren ist, nimmt die Hebamme ein durch sie vorher zubereitetes Stück scharfen Bambus von einer bestimmten Sorte und schneidet damit unter dem Aussprechen von Glückwünschen die Nabelschnur an der gebräuchlichen Stelle ab. Die *placenta* wird durch die *sumosompoi* fortgebracht, um in einem neuen irdenen Topf mit Essig verwahrt [4]), oder in eine *sompoi*, Tasche, gelegt, irgendwo an einer für Andere unbekanntem Stelle vergraben zu werden. Dem Kinde wird, nachdem es durch die Mutter gebadet ist, eine Mischung von fein gestampfter Sirihfrucht und anderen scharfen Kräutern auf die Nabelwunde gelegt und dasselbe danach in Leinwand oder weicher geklopfter Baumrinde gewickelt. Hierauf wird es mit dem Gesicht nach Süd-Westen, dem Aufenthaltsort von Lumimuüt und Toar zu Tuhur in Tanah gekehrt und dreimal geschüttelt um es zu erschrecken, damit es nicht bange werde, oder während seines Lebens Zeichen von Furcht gebe. Die Hebamme bestreicht darauf die Lippen des Kindes mit etwas Salz und lässt es einige Zeit an der Mutter saugen. Nachdem der Körper der letzteren durch einige alte Frauen langsam mit einem Stück im Feuer erweichten *pisang*-Stammes bestrichen und die Hüfte mit dem vom *walian* empfangenen Lendengurt umwunden ist, giebt man der Mutter einen Absud von sauren, zusammenziehenden Blättern, unter welchen die der *Jambosa*-Arten,

[1]) Der Bambus darf nämlich nicht mit dem unteren Ende nach oben gehalten werden.
[2]) Das hier Geopferte fällt nach der Entbindung der *sumosompoi* anheim.
[3]) *Eh wailan Kawukahan, Kapulĕsĕn, kĕlahmoma un toholol sanawantang wo an wĕwĕntas wo ang kariwuh endohĕn nyouw in Empung wo sya ilampangei wana lalan pinaras si pujun wo sya maĕndoh rumaragĕs ni kamu in Empung.*
[4]) Um bei späterer Erkrankung des Kindes, mit heilkräftigen Kräutern vermischt, als Arznei zu dienen.

die erste Stelle einnehmen und lässt man sie sich nach einem stillen Ort zurückziehen, der gehörig geheizt werden kann. Hier liegt sie gänzlich bedeckt bei einem Feuer-Heerd, während unter ihrer Lagerstätte noch erhitzte Steine mit Wasser befeuchtet, um Dampf zu erzeugen, gelegt werden. Zweck dieses ist, die Wöchnerin einige Tage lang in starkem Schweiss zu erhalten. Als Nahrung reicht man ihr stark gewürzte, mit viel Ingwer zubereitete Speisen. Während dieser Zeit wird das Kind durch eine andere Frau gesäugt.

Am vierten Tag wird der *walian* und die Frau *sumosompoi* gerufen um bei einer zweiten Feierlichkeit, *sumosor si okih* [1]) genannt, gegenwärtig zu sein. Ist alles bereit so nimmt der *walian*, falls das Fest einem Sohn gilt, einen jungen Hahn, im anderen Falle aber eine junge Henne in seine linke Hand, und das *tawaän* mit der Rechten schwingend, eröffnet er die Feierlichkeit indem er sagt: „*O wailan* Empung, Ihr Schutzgeister der Eltern und des Kindes, Ihr *wailan* Kawukahan, Kapulĕsĕn, kommt alle, lasst uns gemeinschaftlich den Hahn — oder die Henne — tödten, der Euch geopfert werden soll, lasst das Kind sieben Mal baden im Wasser in welchem die Erde gebadet wurde [2]), lasst es saugen an der rechten Brust [3]) woran Ihr Empungs auch gesogen habt, auf dass es alt werden möge und glücklich bleiben, und dieses weil es Euch ein Opfer darbringt, *o wailan*" [4]). Hierauf bestreicht er die Mutter, die das neugeborene Kind trägt, den Vater und die anwesenden Blutsverwandten mit dem *tawaän* und sagt: „O Empungs lasst durch das *tawaän* alle Uebel, Müdigkeit und böse Träume sich von ihnen entfernen, gieb sie denjenigen die die Grenzen der Erde bewohnen (den Fremden nämlich) *o wailan*."

Nun wird der Hahn, oder die Henne, geschlachtet, aufgeschnitten und die Leber untersucht. Ist diese gut befunden, so sagt der *wailan* [5]): „So wird durch diese Leber bestätigt dass das Kind unter glücklichen Umständen wachsen wird und dass es so lange als möglich nichts entbehrt; geschieht dies nicht, dann haben uns die Alten vorher hintergangen" [6]).

Nachdem die Leber auf eine festbestimmte Weise in einem Bambus gekocht ist, wird sie und die Brust des Hahnes oder der Henne mit anderen Opfergaben, wie gekochtem Reis, *sirih-pinang*, Kalk, *saguweer*, jedes in einem Behälter auf, durch den *walian* eigenthümlich gefaltetem *woka*, gelegt und auf zwei neuen Reiswannen regelmässig angeordnet. Eine dieser Reiswannen bringt die *sumosompoi* dem Kinde [7]) die andere bringt der *walian* nach der Opferstätte, indem er spricht: „O Empung sieh hier Deine Speise, Trank und *sirih-pinang*; auch von Euch, Ihr Beschirmgeister der Festgeber, sowie von den vielen Empungs die auf Erden sind, die zu Kalahwakan, Kasosoran, Kasĕndukan und Karondoran wohnen, die am Rande und über dem Horizont ihren Aufenthalt haben, ich

---

[1]) Das Kind nach unten (die Flur des Hauses liegt höher als der Erdboden) bringen.

[2]) Dem Volksglauben nach wurde die Erde bevor es Menschen gab wiederholt gebadet oder bespriengt mit einem befruchtenden Wasser.

[3]) Man glaubt dass die Empungs alle an der rechten Brust ihrer Mutter gesogen haben. Mit diesem Ausdruck giebt man den Wunsch zu erkennen, dass das Kind den Empungs ähnlich werden möge.

[4]) *Oh wailan Empung rĕnga-rĕngan nera touw sanaririhketan wo ni okih wo wailan Kawŭkahan Kapulĕsĕn jah iregĕs o mei kamu wo kita meimo kumarimĕnga si koŏkoh ragĕsan ni kamu in Empung, wo sya lanəjenlah pakasyo-syouw witun rano ne limanej an tanah wo sya papasusuĕnlah witu susu kakahan sinusuan nyouw in Empung wo sya matuah malawi-lawir wen sya marage-ragĕs ni kamu in Empung, eh wailan.*

[5]) *Oh Empung waswasanolah un tawaän un sakit wo un rawoi wo in nipih lewoh iwehe witi se tĕmbir in tanah eh wailan.*

[6]) *Jah tentumo an ate ni koŏkoh linelehan si okih sombor wo lawir karĕngan sya en reikahan pahasarosarotanlah apa takar ung kaure-ureh, jah saha reikahan tentu jah tinowohan uman ne tuah puhuhna.*

[7]) Um die *Empungs* nach dem Kinde zu locken.

vertraue dass ich Eurer keinen übergeschlagen oder vergessen habe" [1]). Darauf sagt der Vater des Kindes „sie sind alle anwesend" [2]), worauf der *walian* fortfährt: „TUMALENGKEI, TUMALONDOK, Ihr Schutzgeister der Eltern und des Kindes, kommt auch Ihr hernieder und geniesst vom Opfer das für Euch bestimmt ist, *o wailan*" [3]).

Der *walian* nimmt nun alle *woka*-Behälter von der Reiswanne, reiht diese an ein Rotantau und wirft sie aus einem der Fenster indem er sagt: „O Empungs sowie dies alles nach unten fällt, lasst zum Besten des Kindes auch hier in das Haus niederkommen Ueberfluss von *padi* und Leinwand, gebt ihm ein langes leben und Glück *o wailan* [4]).

Wenn dies beendet ist, begiebt sich die Hebeamme, die gleich der Wöchnerin festlich gekleidet ist, mit dem Kinde auf den Armen in grösster Eile, ohne links noch rechts zu sehen, auf dass die bösen Geister sie nicht bemerken, zur *sĕsĕndeën* oder der allgemeinen Opferstätte, ausserhalb der Negari. Vor ihr gehen zwei Kinder, je nachdem das Kind ein Sohn oder eine Tochter, Knaben oder Mädchen, die ein Stück Brennholz und ein Kolongan-Blatt [5]) mitnehmen, während die Mutter eine *sompoi* oder Tasche bringt, in welcher etwas, in ein Paquet gewickelter, gekochter Reis.

Am Orte angelangt, hält die *sumosompoi* die *tawaän*-Pflanze mit der rechten Hand und spricht: „Hier ist die Ratte, die ebenso alt ist wie die Erde und der Horizont, lasse das Kind alt werden und Glück geniessen *o wailan*" [6]). Desgleichen thut und sagt die Mutter, legt das Packet mit Reis unter den *tawaän*-Baum als Opfer nieder, und thut das, durch die Kinder mitgebrachte Brennholz und Kolongan-Blatt in ihre *sompoi* oder Tasche.

Hierauf kehren sie nach der Wohnung zurück, wo ein grosses Festmahl zur Ehre des Kindes gegeben wird, zu welchem alle Blutsverwandten und Freunde eingeladen werden. Die Eltern setzen sich zwischen den *walian* und die *sumosompoi*. Das Mahl dauert den ganzen Tag und die ganze Nacht, doch bevor die Speisen angerührt werden, erhebt sich der *walian* und sagt: „*O wailan*, ihr Beschützer der Aeltesten, ihr Schutzgeister die ihr gleichen Alters seid wie das Kind, ihr Empungs die dieses Haus bewohnt, freut Euch mit den Empungs die auf dem Wasser und auf dem Lande sind, die zu Kalahwakan, Kasosoran, Kasĕndukan und Karondoran ihren Aufenthalt haben, vereinigt Euch mit uns, wir bitten von Euch für das Kind ein hohes Alter und Glück, entfernt von ihm alle Uebel, Müdigkeit und böse Träume, lasst es saugen an der rechten Brust an welcher auch Ihr Empungs gesogen habt, *o wailan*" [7]). Drei Tage hernach wird das Kind nach aussen gebracht um gebadet zu werden, und bei der Heimkehr nimmt die Mutter ein Stück

---

[1]) *Oh Empung kĕlahma ung kahanan wo sĕrrahan wo ĕlĕppen wo lĕmahĕn ne Empung rĕnga-rĕngan nera Empung lumakĕ-lakĕr wya rundeng in tanah wo se Empung ang Kalahwakan, Kasosoran, Kasĕndukan wo ang Karondoran wo ne witi puruk alelci un langit, wen reimo si linihur wo linimpanga se wailan ne Empung.*

[2]) *Wanah mo mah.*

[3]) *Tumalengkei Tumalondok se Empung rĕngarĕngan ni amah wo inah wo ni okih yai iregĕs kinei mei kamu meikumahan wo sumĕrrah mĕlĕp wo lumĕmah wanam pamusangan ragĕsan ne kamu in Empung eh wailan.*

[4]) *Oh Empung tanuh kinei ang karagosan ing kahan mei wusang pĕnekci wya waleh ijai wya si okih an weneh wo an rokoh wo ilĕngkohmolah ung katutuah wo kalalawir eh wailan.*

[5]) Das Blatt einer *Aroideae*, gekocht als Schweinefutter benutzt. Das Blatt gilt als Symbol des Reichthums.

[6]) *Kĕlah si kawok mei rĕngan an tanah wo an langit, makatuah makalawir si okih eh wailan.*

[7]) *Oh wailan mangĕmpung opoh wo se Empung rĕnga-rĕngan ni okih wo se Empung mĕmaleh am baleh ijai kumehekehlameminĕmis wo se Empung witi loun wo wya rundeng wo wya wulur wo senduk in tanah wo se Empung ang Kalahwakan, Kasosoran, Kasĕndukan woang Karondoran jah maruhruh makaämpĕt kita sumilan angkatutuah wo kalalawir ni okih wo sya piki-pikiĕn un sakit wo un rawoi wo in nipih lewoh wo sya papasusulah witu susu kakahan sinusuan nyouw in Empunge wailan.*

Brennholz und ein Bündel *paku*-Blätter mit nach ihrer Wohnung. Am folgenden Tage wird das Kind nach dem Acker mitgenommen, nachdem der Vater das Geschrei des Vogels *pehe-tuah* [1]) vernommen hat. Das Säugen dauert gewöhnlich ein ganzes Erntejahr.

Zwischen dem vierten und fünften Mondmonat kommen die Eltern gewöhnlich überein dem Kinde einen Namen zu geben. Diese Feierlichkeit heisst *ngumaran* [2]). Hierzu begiebt sich der Vater gegen Abend des dafür gewählten Tages zum *walian* und theilt ihm sein Vorhaben mit. Der *walian* verspricht den folgenden Tag gegenwärtig zu sein und trägt dem Vater auf dafür zu sorgen, dass zwei getrocknete und eine frische *woka*, woran kein Fleck oder Riss sein darf, zusammengebracht werden, sowie einen Hahn oder Henne, nebst einem frischen Hühnerei. Er gebietet dem Vater ferner sich vor Tagesanbruch, gleich der Mutter die Ohren mit Baumwolle zu verstopfen, damit sie durch böse Geister nicht gestört würden. Nach Sonnenaufgang erscheint der *walian* im Hause der Eltern, die ihn beide in Festtracht empfangen und bereitet das Opfer für die Empungs. Zu diesem Zweck wird eine neue Reiswanne genommen auf welche der *walian* die durch ihn gefalteten *woka*-Behälter mit *sirih-pinang* und Kalk niederlegt. Ferner nimmt er den Hahn oder die Henne in seine Linke und während er das *tawaän* mit seiner Rechten schwingt sagt er: „Poh, poh, poh, poh, poh,.[3]) TUMALENGKEI TUMALONDOK, Schutzgeister, unsre und des Kindes, kommt Ihr alle, in unsrer Gegenwart gegenüber einander stehn, einander festhaltend, lasset die Festgenossen alt werden, Glück haben, lasset die Empungs die zu diesem Hause gehören alle vergnügt sein, o Empungs, Ihr die in Kalahwakan, Kasosoran, Kasĕndukan, Karondoran Euren Aufenthalt habt, Ihr die im Horizont und auf Erden wohnet, warnet einander und kommt alle in unsere Nähe um den Hahn, oder die Henne, Euer Opfer zu besehen, eins, zwei, drei, vier, fünf, sechs, sieben, acht, neun, *o wailan pasyouwan*, lasse den Hahn, oder die Henne, eine reine und unbefleckte Leber haben, *o wailan*" [4]). Der Hahn, oder die Henne, wird sodann mit dem *tawaän* in die Rechte genommen und während er damit die Mutter, welche das Kind trägt, den Vater und die anwesenden Blutsverwandten berührt sagt er: „O Empungs lasset von hier mittelst des *tawaän* verschwinden alle Uebel, Müdigkeit und böse Träume, geht diese denjenigen welche die Grenzen der Erde bewohnen *o wailan*" [5]).

In Aller Gegenwart schlachtet der *walian* den Hahn, oder die Henne, und nachdem das Thier geöffnet ist, untersucht er die Leber. Wird sie gut befunden, so sagt er: „Gleichwie die Erde und der Horizont gewaschen sind, ebenso rein ist die Leber des Hahnes (der Henne) die den Empungs geopfert wird, lasset das Kind im Glück erwachsen, ohne dass

---

[1]) Die von den Vögeln ausgestossenen Laute haben bei den Auguren bestimmte Namen, einer deren ist der *pehe-tuah*.

[2]) Einen Namen geben.

[3]) Ruf um die Aufmerksamkeit zu erwecken, mehr bestimmt die der *Empungs rĕnga-rĕngan*, der Schutzgeister die gleichzeitig mit dem Geist des Menschen bei der Geburt entstehen und der drei, fünf, sieben oder neunmal zu wiederholen ist.

[4]) *Poh poh poh poh poh Tumalengkei Tumalondok Empung rĕnga-rĕngan nami wo ni okih, iregĕse kamu mei märuhruh makaämpĕt wo sera pakatuahane wo pakalawirane sera peleng, wo se Empung mĕmaleh am baleh yai kumehekeh tumĕmimĕmis wo se Empung wanang Kalahwakan, Kasosoran, Kasĕndukan, woang Karondoran wo se Empung witi langit wo wya rundeng in tanah tawahano mo mange se wailan karimĕnga maruhruh, makaämpĕt kita si koökoh ragĕsan ni kamu in Empung ĕsa ruwah tĕlluh ĕpat lima ĕnem pituh waluh syouw eh wailan pasyouwan, karimenga ate leos eh wailan.*

[5]) *Oh Empung waswasanolah un tawaän un sakit wo un rawoi wo in nipih lewoh iwehe witi se tĕmbir in tanah eh wailan.*

ihm etwas entbehrt, so lange als möglich, *o wailan*" [1]). Hierauf wird die Leber von der Galle gereinigt und mit dem Fleisch gekocht. Das Ei wird gleichfalls hard gesotten und in fünf gleiche Theilen getheilt, wonach der *walian* das eine und das andere mit Reis und Saguweer auf die Reiswanne in den bewussten *woka*-Behältern auf die Opferstätte niederlegt, indem er sagt: „*Syouw wailan pasyouwan*, hier hast Du das Opfer der Empungs, lass sie kommen und das Geopferte geniessen, lasse kommen die zu Kalahwakan, Kasosoran, Kasĕndukan und Karondoran ihren Aufenthalt haben, ich werde auch TAWAELE rufen, der zuerst gestorben ist, der zusammen ist mit den Geistern der Vorväter der Alten und ihrer Blutsverwanten, kommt Ihr alle auch und esst von demjenigen was auf der Opferstätte der Empungs liegt, sprechet nicht mit Euren Kindern und Enkeln, nabet Euch ihnen nicht, rührt ihr Vieh nicht an von jetzt ab, denn Ihr seid den Empungs gleich gestellt, an ihre Opferstätte gerufen bei Tag und Nacht; nachdem ihr gegessen habt, kehrt zurück zu Eurer dunklen *negari* und steckt dort das Licht an, *o wailan*" [2]).

Nun nimmt der *walian* etwas Reis, Fleisch und ferner von all demjenigen was geopfert wird und streut dieses in der Umgebung der Opferstätte aus, trinkt dabei einen Schluck des *saguweer* und sagt: „O Empungs entfernt alle Uebel, Müdigkeit und böse Träume, geht diese denjenigen die die Grenzen der Erde bewohnen, *o wailan*" [3]).

Darauf nimmt der *walian* alle *woka*-Behälter von der Opferstätte fort, reiht diese an ein Rotantau, wirft sie durch eines der Fenster nach draussen und sagt: „So wie diese Speisen nach unten fallen, so lasset auch in dieses Haus zum Besten des Kindes Ueberfluss an Padi und Leinwand sinken, gebt ihm ein hohes Alter und Glück, *o wailan*" [4]).

Nun legt der *walian* eine trockne *woka* auf eine Reiswanne, stellt darauf einen irdenen Topf mit gekochtem Reis und legt ferner drei gleich grosse Stücke Schweinefett oder Scheiben Speck, eine vorn, eine rechts und eine zur linken Seite des Topfes. Ausserhalb der *woka* legt er auf die Reiswanne etwas *padi* und eine *kamiri*-Nuss [5]). Hierauf nimmt er drei Blattstengel der *woka*, zwei von der rechten und einen von der linken Seite des Blattes, macht aus dem Reis und den Stücken Speck ein Packet, hält die drei Blattstengel in der rechten Hand und lässt diese auch von der Mutter des Kindes mit ihrer Rechten festhalten indem er sagt: „*O wailan* ihr Beschützer der Aeltesten, ihr Schutzgeister der Eltern und des Kindes, kommt alle der Feier der Namengebung beiwohnen, lasset das Kind alt werden und glücklich sein, gebet ihm viel Padi und Leinwand, lasset die Empungs es verhätscheln, *o wailan*" [6]).

---

[1]) *Tanuh a niwoasan an lanah wo an langit wo un ate ni koöhah ragĕsan ni kamu in Empung lawir sya sombor reikahan si sarot apa sya takar ung kaure-ureh eh wailan.*

[2]) *Syouw wailan pasyouwan kĕlahmo ang kahan wo un sĕrrah ne Empung iregĕskinei mei kamu kumahan wo sumerrah, iregĕs ei se wanang Kalahwakan, Kasosoran, Kasĕndukan, Karondoran wo sya tawahang ku molah si Tamaele tareh nimatę nikouw si makawali-wali se nimuhukur ne minangaopoh, minangatuah wo seminangapahatuari puhuhna jah iregĕse kamu mei kumahan sumĕrrah mĕlĕp lumĕmah wana terah ni Empung wo kamu tyah manuwu-nuwuh wya se okih wo se pujun nyouw wo tyah maharete-reteh wo tyah mahaunĕunĕi an numah, wo tyah mahatawih-tawih se tatamuhĕn in takar inanija wen kamu pahasaäsaran okan se Empung wo tawahan wya panusan éndoh wo wĕngi tanuh nija jah kumahan o kamu wo mĕngilĕk olah wanüa karimbeng-bengan wo tutungĕn eh wailan.*

[3]) *Oh Empung waswasanolah un sakit wo un rawoi wo in nipih lewoh, iwehe witi se tĕmbir in tanah eh wailan.*

[4]) *Oh Empung tanuh kinei ang kagogohan ingkahan wo angkaragosan in sĕrrah, ambeneh wo rokoh iwehe mei am baleh yai wya si okih katuahan wo kalawiran e wailan.*

[5]) Die Frucht der *Aleurites triloba*. Symbol des Wohlbefindens oder der Gesundheid.

[6]) *Oh wailan mangĕmpung opoh Empung rĕnga-rĕngan ni touw sanaririhkĕtan wo ni okih iregĕs kinei mei kami kumahan sumĕrrah wanam pahanga-ngaranan si okih wo sya mĕnampul weneh rokoh lakĕr wo sija loholohohĕnpe ne Empung eh wailan.*

Dann hält er die Reiswanne, mit dem Packet darauf, gegen Westen während er sagt „Eins, zwei, drei, vier, fünf, sechs, sieben, acht, neun, o *wailan pasyouwan*, es ist hingestellt gegenüber dem Empung MANALEA, lasset das Kind alt werden, Glück haben, Ueberfluss an Padi und Leinwand o *wailan*" [1]; ferner gegen Süden, indem er sagt: „Eins, zwei, drei, vier, fünf, sechs, sieben, acht, neun, o *wailan pasyouwan*, es ist hingestellt gegenüber dem Empung MANAMBĔKA, lasset das Kind alt werden, Glück haben, Ueberfluss an Padi und Leinewand o *wailan*" [2]; gegen Osten gewandt sagt er: „Eins, zwei, drei, vier, fünf, sechs, sieben, acht, neun, o *wailan pasyouwan*, es ist hingestellt gegenüber dem Empung MANAMBEANG, lasset das Kind alt werden, Glück haben und Ueberfluss an *Padi* und Leinwand o *wailan*" [3], endlich gegen Norden: „Eins, zwei, drei, vier, fünf, sechs, sieben, acht, neun o *wailan pasyouwan*, es ist hingestellt gegenüber dem Empung MANGATUPAT [4]) lasset das Kind alt werden, Glück haben, Ueberfluss an Padi und Leinwand o *wailan*" [5]. Den Inhalt der Reiswanne theilt der *walian* hierauf in vier gleiche Theile und, nachdem er gesagt hat: „*syouw wailan pasyouwan*, es ist in die Höhe gehoben zu denen die zu Kalahwakan, Kososoran, Kasĕndukan und Karondoran wohnen, auch zu denjenigen die ewig ausserhalb der Grenzen des Horizonts ihren Aufenthalt haben, lasset das Kind alt werden, Glück haben, Ueberfluss an Padi und Leinwand, o *wailan*" [6], kehrt er das Unterste der Reiswanne zu öberst.

Nun nimmt der *walian* ein Bischen Reis in seine Rechte und fragt den Vater, oder wenn dieser nicht gegenwärtig ist, die Mutter oder anderen Blutsverwandten welchen Nahmen das Kind führen soll. Einer der Anwesenden, gewöhnlich der Bruder der Mutter oder einer ihrer nächsten Blutsverwandten, antwortet: „O nimm nur einen von denen unserer Ahnen von Vaters oder Mutters Seite". Darauf steckt der *walian* den Reis in den Mund des Kindes, indem er sagt: „(Namen) hier hast Du Deine Speise, mögest Du glücklich sein und alt werden, o *wailan*" [7]. Der Bruder oder ein anderer männlicher Blutsverwandter der Mutter kaut während dessen etwas *pinang*, übergiebt dies dem *walian*, der davon dem Kinde ein wenig in den Mund stopft und sagt: „(Namen) hier hast Du Dein *pinang*, mögest Du alt werden und Glück haben, o *wailan*" [8]. Während er hierauf den Ueberschuss des Opfers zusammenbringt, ruft er: „O *wailan* hier ist der Antheil der Ahnen von Vaters und Mutters Seiten, lasst Euer Enkelkind alt werden und Glück haben, berührt es nicht und naht Euch ihm nicht von jetzt ab, denn Euch soll geopfert werden, ebenso wie den Empungs" [9]. Wenn er das Uebriggebliebene hierauf eingepackt hat,

---

[1]) *Esa ruwah tĕlluh ĕpat lima ĕnem pituh waluh syouw oh wailan pasyouwan, nimeimo ikaruhruhlah witi se Empung Manalea ungkatutuah ungkalalawir wo panampulanna weneh wo rokoh lakĕr eh wailan.*

[2]) *Esa ruwah tĕlluh ĕpat lima ĕnem piluh waluh syouw oh wailan pasyouwan nimeimo ikaruhruhlah witi si Empung Manambĕka ungkatutuah ungkalalawir wo panampulanna weneh wo rokoh lakĕr eh wailan.*

[3]) *Esa ruwah tĕlluh ĕpat lima ĕnem pituh waluh syouw oh wailan pasyouwan nimeimo ikaruhruhlah witi si Empung Manambeang ungkatutuah ungkalalawir wo panampulanna weneh wo rokoh lakĕr eh wailan.*

[4]) Ein Empung der nicht zu den Toumbulu'schen Empungs gehört, aber doch nun und dann als Wächter des Nordens angerufen wird.

[5]) *Esa, ruwah, tĕlluh, ĕpat, lima, ĕnem, pituh, waluh, syouw oh wailan pasyouwan, nimeimo ikaruhruhlah witi si Empung Mangatupat ungkatutuah ungkalalawir wo panampulanna weneh wo rokoh lakĕr eh wailan.*

[6]) *Syouw wailan pasyouwan nimeimo kinei ikalondok a wana se Kalahwakan Kasosoran Kasĕndukan, Karondoran wo wana si mei kalalo wanan puruk alelei un langit, ungkatutuah wo ungkalalawir wo panampulanna weneh wo rokoh lakĕr eh wailan.*

[7]) *E(ngaran) kĕlah mo ung kahannu wo un sĕrrahmu wo makalawir ingkouw wo matutuah eh wailan.*

[8]) *E(ngaran) kĕlah mo un lĕmahennu makaluah wo makalawir ingkouw eh wailan.*

[9]) *Oh wailan kĕlah um beleng ne minangaopoh na wya kasaruh wo wya kasaruh, wo pakatuahane wo pakalawirane si pujun nyouw wo kamu tyah mahatawi-tawih wo tyah muharete-reteh wanam pahalampalampangan na in takar inanya wo mange wen kamu paharagĕ-ragĕsan okan tanuh se Empung.*

nimmt der *walian* dies nebst der Reiswanne in seine Wohnung, um es dort auf die Opferstätte niederzulegen. Die Mutter, die das Kind in ihren Armen trägt, folgt ihm. Bei dem Hause angekommen muss sie sich jedoch dreimal der Treppe nähern, bevor sie das Haus betritt und zwar den rechten Fuss auf den ersten Tritt setzend. Nachdem der *walian* das Opfer niedergelegt hat, kehrt die Mutter durch jenen gefolgt heimwärts zum Festmahl zu Ehren des Kindes, an welchem gleichfalls alle anwesenden Blutsverwandten und Freunde theilnehmen müssen.

Den folgenden Tag geht die Mutter, feierlich gekleidet, mit einem Korb voll Padi nach dem Hause des *walian*, und erhält dafür im Tausch die Reiswanne zurück. Von diesem Tage an darf man das Kind bei seinem Namen nennen, und darf es feste Speisen, wie z. B. gekochten Reis, *pisang* und Erdfrüchte geniessen.

Wenn ein Sohn das Alter von fünf oder sechs Monaten erreicht hat und gesund ist, entschliesst sich der Vater ihn, auf dem dafür gewählten Tag, nach der *kehětan* zu bringen um das, *awejan* genannte Fest zu feiern. Zwecks dessen wird der *walian* befragt, der den Vater beauftragt für alles Nöthige zu sorgen, nämlich für einen *wilar*, [1]) eine *porong*, [2]) ein Stück weisser Leinwand, ein Messer, einen Hund männlichen Geschlechtes, ein Stück Bambus von drei oder vier Gliedern, mit *saguweer* gefüllt, eine Leiter die gegen die *aren*-Palme gestellt wird, einige frische *woka* und einen Hahn. Zugleich befiehlt er den Eltern um gegen Tagesanbruch des bestimmten Tages ihre Ohren mit Baumwolle zu verstopfen damit die bösen Geister sie nicht stören.

Nach Ankunft des *walian* im Hause der Eltern bereitet er die Opfer für die Empungs aus *pinang*, *sirih* und Kalk bestehend, in den dafür durch ihn verfertigten *woka*-Behältern, von welche ein Theil auf eine Reiswanne, der andere auf ein *lahikit*-Blatt [3]) niedergelegt wird. Darauf erbittet er sich vom Vater den *wilar* und den *porong*, sowie das Stück weisser Leinwand. Indem er diese in den Händen hält lässt er das Kind, das durch den Vater getragen wird, an seine rechte Seite kommen und, mit dem Gesicht gen Osten, sagt er: „O *wailan*, Ihr Beschützer der Aeltesten, Ihr Schutzgeister, die gleichen Alters seid als dieser Knabe, o Empungs kommt alle zu uns, gegenüber einander stehen und einander festhalten, lasset uns zusammen den *wilar* und den *porong* dem Knaben geben, damit er lange leben werde und Glück habe, o Ihr tapfren *wailans* von den Empungs die in grosser Anzahl ausserhalb des Horizonts am Gesichtskreis und auf der Erde wohnen, auch Ihr die Euren Aufenthalt nehmet zu Kalahwakan, Kasosoran, Kasěndukan und Karondoran lasset uns zusammen den *wilar* und den *porong* dem Kinde überreichen damit es alt werden möge und Glück habe, eins, zwei, drei, vier, fünf, sechs, sieben, acht, neun o *wailan pasyouwan*" [5]). Darauf redet er den Knaben an indem er sagt: (Namen) „hier hast Du Deinen

---

[1]) Ein Schamgurt für Knaben von geklopfter Baumrinde.

[2]) Eine Kopfbedeckung aus Baumrinde geflochten oder von Rohrgeflecht. (Taf. X Fig. 4 stellt die „*Tudung*" genannte Kopfbedeckung vor die von dem pg. 93 Zeile 11 von oben erwähnten Mann getragen wird.)

[3]) Die *Arenga saccharifera*.

[4]) Eine *Musacee*.

[5]) *Oh wailan mangěmpung opoh, Empung rěnga-rěngan, ni utuh iregěs kinei mei kamu in Empung wo kita maruhruh makaämpel wo kita měmajoh un wilar wo am porong ni utuh makatuah mokan wo makalawir ni sya, oh wailan waranei ne Empung wo Empung lumakě-lakěr wanam puruk alelei un langit wo wya rundeng intanah wo se wanang Kalahwakan, Kasosoran, Kasěndukan, Karondoran. maruhruh makaämpět kita mei wo maäjoh un wilar wo un porong ni utuh makatuah mokan wo makalawir ni sya, ěsa ruwah telluh ěpat lima ěnem pituh waluh syouw eh wailan pasyouwan.*

wilar und Deinen *porong*, mögest Du alt werden und Glück haben, solange als möglich" [1]. Der *wilar* wird darauf durch den *walian* dem Jungen umgelegt und der *porong* demselben auf dem Kopf gesetzt.

Ferner begeben sich die drei Festgenossen, Vater, Sohn und *walian*, nach der *kehetan*, eben ausserhalb der Negari. Der *walian* geht voraus und trägt den mit *saguweer* gefüllten Bambus, die Leiter, das Messer, eine *woka* und das *tawaän*. Der Vater, mit dem Kind in seinen Armen, folgt ihm und der Helfer des *walian* diesen, den Hund an einer Leine führend. In der *kehetan* angekommen sucht der *walian* eine junge gut entwickelte Aren-palme, von welcher noch nicht gezapft worden ist, für diesen Zweck aus. Vor dieser stehend und sie mit dem *tawaän* anfächelnd, sagt er: „O Empungs lasst mittels dieses *tawaäns* alle Uebel, Müdigkeit und schlechte Träume verschwinden, gebt diese denjenigen die die Grenzen der Erde bewohnen, o *wailan*" [2]).

Nachdem die Leiter und der Bambus mit *saguweer* gegen die Aren-Palme gestellt sind, heisst der *walian* den Vater mit dem Kinde in seinen Armen sich nächst ihn, mit dem Gesicht nach Osten, stellen und indem er sich verbeugt und mit dem *tawaän* fächelt sagt er: „O *wailan*, Ihr Beschützter der Aeltesten, Ihr Schutzgeister des Knaben und von uns allen, o Empungs kommt alle bei uns stehen, während wir einander festhalten, lasset uns zusammen den Knaben das *saguweer* Zapfen lehren, lasset ihn alt werden und glücklich sein, entfernt von ihm alle Uebel und Müdigkeit und schlechte Träume, o *wailan*" [3]).

Darauf ergreift der *walian* das Messer mit seiner rechten Hand, hebt dieses in die Höhe, während der Vater seine linke Hand umfasst, und sagt mit gebietender Stimme: „O erwache doch du süsse Feuchtigkeit, bewege dich du süsse Feuchtigkeit, lass die süsse Feuchtigkeit die im Baume sitzt unten, in der Mitte und in der Krone und der Rinde zum Vorschein kommen, lasst all das Süsse sich sammeln in der Blütendolde, so sei es" [4]).

Ferner führt der *walian* die Bewegung aus, als ob er die Blüthendolde abschneidet. Der Vater hebt seine Hand auf als ob er den Saft aus der Blütendolde auffängt und nach unten bringt. Darauf macht der *walian* aus der *woka* ein Trinkgefäss und während der Vater die Bewegung ausführt als gösse das Kind den *saguweer* in das Gefäss, sagt der *walian*, den Behälter in die Höhe hebend,: „O *wailan* die Ihr Beschützer der Aeltesten, Schutzgeister des Knaben und von uns allen seid, Ihr tapfre unter den Empungs auf Erden und dort oben, kommt alle und trinkt vom Baume des Kindes und lasset es alt werden und glücklich sein; o *wailans* bittet doch dass die späteren Geister von Ahnen, die nach den Empungs gestorben sind, den Baum des Kindes nicht berühren, weil ebenso wie den Empungs auch ihnen geopfert werden soll. o *wailan*" [5]).

---

[1]) *E(ngaran) kĕnuh mo un wilar wo um porongmu, makatuah wo makalawir nikouw takar ung kaure-ureh.*

[2]) *Oh Empung waswasanolah un tawaän un sakit, wo un rawoi wo in nipih lewoh iwehe witi setĕmbir in tanah eh wailan.*

[3]) *Oh wailan mangĕmpung opoh Empung rĕngarĕngan niutuh wo rĕnga-rĕngan namipeleng oh Empung iregĕse kamu wo kita maruhruh makaämpĕt wo kita mei mapakehet si utuh wo pakatuahan ei wo pakalawiran ei ni sya wo piki pikiënlah in sakit wo in rawoi wo in nipih lewoh eh wailan.*

[4]) *Emapoloh mawongkee panombalane poloh tombale mawongke pĕnombalane polo-poloh tombal kamu e wana tuhur wanan unĕr wo wana rawis e poloh tombal kamu e wanam palahapa wo wanan nukal e poloh tombal marewok o mei wyam pusuh jah e.*

[5]) *Oh wailan mangĕmpung opoh Empung rĕnga-rĕngan in utuh wo in rĕnga-rĕngan nami peleng wo se waranei ne Empung wyan tanah wo wanan atas jah mĕlĕpange kamu wanang kehetan ni utuh wo sya pakatuahan wo pakalawiran eh wailan sĕmpung si mŭrih se nimuhukur, wo sera tyah mahatawi-tawih ang kehetan ni utuh wen sera pahasĕmpu-sĕmpunge okan tanuh se Empung eh wailan.*

Hierauf giebt der *walian* dem Vater des Kindes einen Blattstengel der Arenpalme, womit das Kind den Hund schlägt, indem der *walian* mit rauher Stimme sagt: „er soll (als *waranei*) auch Köpfe abschlagen" [1]). Dies hörend schlägt der Helfer desselben den Hund mit einem Knüppel todt und bringt ihn nach der Wohnung des Knaben.

Unterwegs ist der Vater verpflichtet jedem, dem er begegnet, einen Schluck *saguweer* im Namen des Kindes anzubieten, und sobald das Haus erreicht ist beeilt der *walian* sich ein Stück vom Schwanz des Hundes abzuschneiden, diesen an eine dünne Schnur zu binden und um den Hals des Kindes zu hängen [2]), als Zeichen dass es in die Geheimnisse der Männer eingeweiht ist [3]). Das Schwanzstück bleibt so lange hängen bis die Schnur abgenutzt ist und einige Tage später von selbst abfällt.

Nachdem der *walian* einen Augenblick geruht hat, nimmt er etwas Reis und ein Stück Fleisch des Hahnes der inzwischen in einem Bambus gekocht ist und legt dieses auf die Opferstätte in die Reiswanne, während auf dem *lahikit*-Blatte ein Stück rohes Fleisch, sowie das Herz des getödteten Hundes niedergelegt wird. Dabei sagt er: „O Empungs sebet hier das für Euch bereitete Opfer, Reis, Fleisch, *saguweer*, *sirih-pinang*, bestimmt für die vielen Empungs auf Erden und über derselben, sebet hier die für Euch bereiteten Speisen, Ihr Tapfren unter den Empungs TUMALENGKEI, TUMALONDOK, Ihr Schutzgeister derjenigen die dieses Fest feiern und auch von uns, schwebt hernieder und esset von der Opferstätte der Empungs, sowie die Empungs die dieses Haus bewohnen, die zu Kalahwakan, Kasosoran, Kasĕndukan und Karondoran ihren Sitz haben, und die ausserhalb des Horizonts und des Gesichtskreises ihren Aufenthalt nehmen, o *wailan*" [4]).

Ferner nimmt der *walian* einige Körner Reis und ein Stück des rohen Hundeherzens thut dieses in den Mund des Knaben und sagt: „O *wailan pasyouwan*, von Deinem Opfer hat der Knabe auch etwas genossen, lasse ihn alt werden und glücklich sein, o *wailan*" [5]). Die Reste des Opfers werden auf festgesetzte Weise von dem *walian* aus dem Hause geworfen, worauf die anwesenden Blutsverwandten und Freunde das Festmahl einnehmen.

Gegen Abend geht der Vater mit dem Jungen in seinen Armen nach der *kehetan* und holt dort einen, durch eine andere Person dort hingebrachten Bambus mit *saguweer* und nimmt diesen mit nach Hause, als habe der Knabe dies gezapft. Seiner Frau begegnend wird die Baumwolle aus ihren Ohren entfernt.

Viele Entbindungen finden aber auch statt ohne eine Ceremonie, in den Wäldern wo die Frau Brennholz sammelt oder in den Aeckern wo sie sich mit ihrem Manne zufällig befindet. Hier wird alles durch die Frau selbst besorgt ohne jede Hülfe. Das Kind wird durch sie nach dem Fluss oder Brunnen gebracht und nach der nöthigen Reinigung begiebt

---

[1]) *Minumahmo kinei lah si uluh.*

[2]) Auch um durch die Eigenschaften des Hundes beeinflusst zu werden.

[3]) Zu den Geheimnissen der Männer gehören ausser den Gebräuchen die bei dem Kopfschnellen üblich sind, noch das Durchschneiden des Praeputiums, welche Behandlung man aber erst in späterem Alter vornimmt.

[4]) *Oh Empung kelahmo ung kahanan sĕrrahan ĕlĕpan wo lĕmahĕn ne Empung lumakĕ-lakĕr wya rundeng in tanah wo wanan nulas kĕlahmo ung kahanan sĕrrahan ĕlĕpan wo lĕmahĕn ne waranei ne Empung Tumalengkei, Tumalondok se Empung rĕnga-rĕngan ne maka walian wo nami peleng iregĕs kinei mei kamu kumahan wana ragĕsan ne kamu in Empung wo se Empung mĕmaleh am baleh nami wo se Empung ang Kalahwakan Kasosoran, Kasendukan Karondoran wo witi puruk alelei un langit eh wailan.*

[5]) *Oh wailan pasyouwan ung kahannu wo un sĕrrahmu pusuh ne korotei ni ĕndoh ni utuh e makatuah wo makalawir nisya eh wailan.*

sich die Mutter mit dem Kinde in ihren Armen nach Hause, wo sie, nachdem sie die nöthigen Mittel die sie selbst gemacht, getrunken hat, sich einige Stunden beim Feuer ausruht.

Jeder Sterbefall wird in der Negari durch jämmerliches Geschrei und lautes Weinen von allen, im Hause des Toten anwesenden, Weibern verkündet. Bei vornehmen Leuten sowie *ahakai im banua*[1]), *walian*, *tětĕrusan*[2]) *waranei*, *tounahas*[3]) und *leleën*[4]) ladet man gleich nach dem Entschlummern drei bis neun der ersten *walians* ein, um als *mawasal* oder Führer des Todten ins Schattenreich zu dienen. Vor der Ankunft dieser Leute wird der Todte durch seine nächsten Verwandten so schnell möglich gebadet, mit seinen besten Kleidern angethan, in eine sitzende oder hockende Stellung gebracht, mit rother oder weisser Leinwand umwickelt, zuweilen auch mit Seide und rotem Tuch behängt und darauf mit Rotantauen umbunden; nur das Gesicht bleibt theilweise unbedeckt. Hierauf werden die übrigen Kleidungstücke, Waffen, Zierathe und anderen Geräthe des Todten herbeigeschafft und neben ihm niedergelegt und eine Frau in schwarz und weisser Trauerkleidung nimmt Platz neben der Leiche um dem Toten von Zeit zu Zeit *sirih-pinang* in den Mund zu stecken.

Sobald die mit Kriegskleidung angethanen, mit Schwert und Schild bewaffneten *mawasals* nach und nach gekommen sind, fertigen sie das *baleh ni nimuhukur* oder das Seelenhäuschen an. Dies besteht aus einem, von Bambus in Form einer Wohnung zusammengestelltem Gerüst, das mit *padi*-Halmen, *woka*, *tawaän* und *werot*-Blättern[5]) mit rotem Tuch, Seide oder Kattun verziert ist, während innerhalb desselben eine neue Reiswanne mit neun Stück geöffneten *pinang*-Nüssen, *sirih*, Kalk, Tabak, ein Körbchen mit *padi* und ein Stück *kunir*-Wurzel niedergelegt wird[6]).

Die Seele könnte, sobald sie den Körper verlassen hat, umherirren und Böses oder Unheil anrichten, wenn kein Platz für sie bereit wäre. In diesem Häuschen bleibt sie um die Bitte der *mawasals* anzuhören, dem Begräbnis der Leiche beizuwohnen und darauf zum Versammlungsort der Seelen, auf dem Berge *Sinajawan*[7]), sich zu begeben. In gleicher Zeit wird an der linken Seite eines der Fenster, in der Nähe der Opferstätte des Todten, ein auf eigenthümliche Weise behauener Bambus mit *padi* gefüllt, niedergelegt und mit einem rothen Tuch bedeckt. An die rechte Seite hängt man ein grosses Stück schwarzer Leinwand. Ferner wird aus diesem Fenster ein Rotantau gespannen und an der Erde befestigt, an welchem kleine Packete mit *padi* und verschiedenen Arten von Küchenkräutern in Bündelchen gebunden, zum Zweck dass der Todte sie auf die Reise mitnehme, aufgehängt werden. Bei *walians* und *tětĕrusans* hängt man überdem noch rothe *tawaän*, *werot* und andere geweihte Blätter daran auf. Sobald das Seelenhäuschen fertig ist fordert der älteste *mawasal* die Wittwe auf zum letzten Mal mit dem Todten Pinang zu kauen und darauf mit allen anwesenden Personen das Haus zu verlassen. Die

[1]) Hohe und Vornehme, Adlige, die Wurzel der Negari.
[2]) Der Befehlshaber im Krieg.
[3]) Der Vorfechter; auch der Leiter beim Bauen der Häuser und anderen Arbeiten, der „Kundige".
[4]) Der Sachverständige in Landbauangelegenheiten.
[5]) *Codiaeum variegatum.*
[6]) *Curcuma longa;* wird auf Reise mitgenommen als Heilmittel für kleine Wunden. (Taf. X Fig. 6 ist die pg. 91 Zeile 15 von oben erwähnte Dose.)
[7]) Ein Berg wo die Seelen derjenigen die nach den Empungs gestorben sind, sich versammeln. Hier wohnen die Männer, von den Frauen geschieden, je in besonderen Negarien.

Wittwe hat inzwischen ein schwarzes Unter- und ein weisses Oberkleid angezogen, in ihren Händen hält sie eine *Citrus limetta*, um die Quälgeister von sich abzuschrecken und, zum Zeichen ihrer Betrübnis, ein abgefasertes Stück Rinde des *lahĕndong*-Baumes.

Die im Hause allein zurückgebliebenen *mawasals* scharen sich darauf um den Todten und der älteste von ihnen stampft drei Mal mit dem rechten Fuss, und schlägt drei Mal mit dem Schild in seiner rechten Hand auf den Boden, dabei eine herausfordernde Haltung einnehmend, um den bösen Geistern, die die Seele des Todten beunruhigen möchten, Furcht einzuflössen. Ist dies geschehen so richtet er das Wort an die Empungs und anderen Geister indem er sagt: „Verzeihung frage ich zehnmal, hundertmal, tausendmal an Euch Empungs die in diesem Hause wohnen, die die Pfeiler dieses Hauses stützen, Euch Tapfren unter den Empungs die auf den Flächen und Bergen wohnhaft seid, Euch Tapfren unter den Empungs die Ihr zu Kalahwakan und Kasosoran, Kasĕndukan und Karondoran Euren Aufenthalt habt, diejenigen die beim Gesichtskreis und über dem Horizont sind." „Auch Euch bitte ich um Verzeihung Ihr Grossen und Vornehmen in der Seelenstadt der Frauen, Ihr Grossen und Vornehmen in der Seelenstadt der Männer, weil Ihr mich nicht beschränkt habt, oder mir entgegen gearbeitet, nicht getödtet oder gekrümmt habt oder mich mit Blindheit geschlagen. Aus diesem Grunde fürchte ich mich nicht, mit Euch, Ihr Alten, zusammenzugehen, denn ich bin der echte Nachkomme derjenigen die die Todten begleiten, der Abkömmling der Ahnen, der Führer; erhört mich Ihr Alten, Ihr Ahnen, wahrhaftig ich bin ein Abkömmling der Empungs, nach dem Stammbaum, der mit LUMIMUÜT und TOAR beginnt, o *wailan*" [1]).

Hierauf spricht er sich zum Todten wendend; „Was Dich betrifft, reinige Dich, kämme Dein Haar neunmal, nimmt Deinen neuen doppelten Schamgürtel und lege selben neunmal um [2]); nimm Deinen vielfarbigen Lendengurt mit, Dein Tuch aus *mongondouschen* Fabrikat, Deinen mit dem *agah* [3]) verzierten Kopfschmuck, Deinen glänzenden Halsschmuck, Deine elfenbeinernen Armbänder, die Du im Turnier gewonnen, Dein Schwert das noch mit Blut befleckt ist, Dein Schild auf dem noch die Spuren der Schwerthaue sichtbar sind, Deinen Stock der Dir zur Ehre gereicht; nimm alles mit, Deine Essschüsseln, Dein Trinkgefäss, Deine Gartengeräthe: Kuhfuss, Kapmesser und Beil, Dein *saguweer*-Messer und die *woka*, die Dich gegen Regen schützen soll. Und nun werde ich TAWAELE als weiteren Führer im Schattenreiche rufen, weil er gewöhnlich die Geister der Ahnen begleitet hat. Auch Du Todter bist durch deine Eltern, die Ahnen gerufen; siehe sie kommen Dir entgegen, sie gehen Dir voraus, um Dir den Weg zu zeigen nach Deinem Ahnen (Namen), nach seinem Hause wo es dunkel ist in Folge des aufgespeicherterten *padi* und wegen des Ueberflusses der Kostbarkeiten; dort sollst Du stets gesättigt sein, da Du Dich auf den Reichtum deiner Ahnen stützest, reise nun allmählich ab, der Weg ist frei und siehe Dich nicht um" [4]).

---

[1]) *Oh sangalikumokan makapulu-puluh, makahatu-hatus wo makariwu-riwuh se Empung mamaleh am baleh ijai wo se tinĕndek simihirang am baleh yai wo se waranei ne Empung wya rundeng wya wulur wo wya sĕnduk intanah jah wo se waranei ne Empung ang Kalahwakan, Kasosoran, Kasĕndukan, Karondoran witun alelei wo puruk un langit, yah wo se ahakai im banua wewene wo se ahakai im banua tuama nisera sangaliangku wen reimo mahapontol niaku, wo reimo makakawĕt niaku wo reimo makauntul niaku, wo reimo makapelong niaku wo reimo makawuta niaku. Jah niana woaku reimo mainde makawalima nikouw in tuah wen aku jah karĕngan suruh ne makawalimah se nimate wen kĕnuh aku jah karĕngan suruh ne makaopoh ne makawali, jah tali-talingannumah in tuah wo ne minangaopoh puhuhna wen nulit tuhuh kapontol ne Empung in wya si Lumimuüt wo si Toar woan mei, eh wailan.*

[2]) Dies geschieht gewöhnlich wenn man eine lange Reise antritt.

[3]) Der Kopf des *Buceros bicornis.*

[4]) *Wo niana ko in mate lumaneiolah wo sumururolah um buhukmu makasyouw pipiturĕn, jah wo komi-*

Die übrigen *mawasals* schlagen nun in Zwischenpausen auf die *tiwal*, zum Zeichen dass der Leichnam weggebracht werden muss. Die männlichen Blutsverwandten und Freunde betreten das Haus und bringen selben nach aussen. Ein Knabe besteigt die Tragbahre von hinten, auf den ganzen Weg durch jämmerliches Wehklagen von seiner Trübsal Zeugnis ablegend. Auf dem Begräbnisplatz angekommen, wird die Leiche in den *tiwukar*, ein viereckiges steinernes Gehäuse, Taf. X Fig. 5, niedergelegt und mit einem schweren steinernen Deckel bedeckt. Auf dem Wege nach dem Begräbnisplatz wird vor und hinter dem Zug *padi* gestreut. Bei dem *tiwukar* werden die Geräthe, Waffen, Kleidungsstücke des Todten niedergelegt, während eine Anzahl Schüsseln und Teller des Todten hier zerschlagen werden. Sein Lieblingshund wird ebenfalls hier getödtet. Oberhalb des *tiwukar* wird ein Dach errichtet. Schwarz gekleidete, weinende weibliche Blutsverwandte, den Kopf verdeckt, folgen der Leiche, die guten Eigenschaften und Tugenden des Verstorbenen lobend.

Am dritten, fünften oder neunten Tage wird für die *mawasals* ein Mahl gegeben und die *maeres*-Feier neun Tage nach einander abgehalten, um das Werk der *mawasals* zu beenden. Diese, mit dem Kriegsanzuge angethan und mit Schwert und Schild bewaffnet, gleich wie dies am Tage des Begräbnisses der Fall war, führen der eine nach dem anderen Abends beim Nachhausegehen den Kriegstanz auf dem Grundstück des Todten aus, um der Seele, falls sie sich noch nicht entfernt hat, Furcht einzuflössen, damit sie nicht zurückkomme um die Hausgenossen zu quälen. Nach der Volksanschauung ist die Seele, da sie den Körper verlassen musste, in der ersten Zeit verstimmt und trachtet sie darum den Hinterbliebenen Böses zu thun. Hat sie sich einmal im Schattenreich niedergelassen und fühlt sie sich dort heimisch, dann hat sie kein Bedürfnis mehr zurückzukehren, es sei denn dass man sie unter dem Darbringen von Opfern anruft.

Bevor das *rumomang*-Fest, welches eigentlich aus grossen Mahlzeiten zum Besten aller Negari-Genossen besteht, um ihre Trübsal zu vermindern, gefeiert wird, nehmen die Familienmitglieder die dieses bestreiten können, die erforderlichen Maassregeln um ein oder mehr Köpfe schnellen zu lassen. Die Freunde dieser Sitte bieten sich bei Zehnen, gegen eine Belohnung von zwölf bis sechsunddreissig Stücken weisser oder schwarzer Leinwand an. Die erbeuteten Köpfe werden des Nachts, auf geheimnisvolle Weise, neben dem *tiwukar* begraben, während am folgenden Tag der Sohn oder einer der männlichen Blutsverwandten des Todten zum Begräbnissplatz geht, das Dach über dem *tiwukar* abbricht und die übriggebliebenen Pfeiler mit dem Blut der Erschlagenen, das zu diesem Zweck durch die Kopfschneller in einem Bambus gesammelt und der Familie gebracht ist, beschmiert. Die Waffen, Geräthe und weiteren, dem Todten gehörenden Gegenstände werden wieder heim gebracht.

Man achtet geschnellte Köpfe erforderlich, in der Ueberzeugung dass die Seelen der Erschlagenen der Seele des Todten Gesellschaft leisten, die darum nicht mehr auf die Erde

---

larolah un wilarmu pinaruruh lintak pakasyouw, wo komĕndoh molah un sawitmu tinojapu wo um pupulĕsmu winongondouw wo um porongmu rinaruntangan niagah wo un sualangmu sinaäsal un suluh tanuh si lolohoĕn wo ungkalah garingmu kinaätoh witum pĕturahan, wo umbĕngkoŭwomu ni marojongan in dahah, wo ung kĕlungmu siniwal tinoktokan ne santih topolawas wo un sompoimu kinarĕmbang wo un taisimu ni pahasigisigihanlah mĕndohmo um peleng kakanan un lĕlĕpannu wo um bewĕnduhmu, bahi pisouw, patih wo un pahagi kŏkehetmu wo kolah mĕndoh mei un simbĕlmŭ. Jah wen kĕnuh itawahkumo si Tamaele tareh ikapateh wen nisya si makawaliwali se nimuhukur ne minangaopoh puhuhna wo itawah mo ma si minangaopohmu wo minangatuahmu wen nisera se sumungkule niko wo makapuhuhna mange ipĕnek witum baleh ni opoh (ngaran) umbaleh karimbĕmbĕngan um beneh pinirpiran ung kalluah wo um bantang jah wana wo ko wĕsuh mahere-here wanang kinailĕkan ne opoh, mawenetu ngumĕrĕ-ngĕrĕr wen lalanmu iparaso, tahan tyah mo mahalenge-lenge mei.

in der Nähe ihrer Blutsverwandten, die noch am Leben sind, zurückzukehren verlangt.

Am Tage wo das Dach des *tiwukar* abgebrochen, wird durch weiss und schwarz gekleidete, verschleierte Frauen und Mädchen, begleitet durch *tiwal*, *momongan* und *kulintangs* [1]) auf dem Grundstück des Sterbehauses der *manggolong*-Tanz zu Ehren des Todten aufgeführt. Während des Tanzes wird in der Mitte des Grundstückes ein Gerüst von Bambus errichtet auf dem gekochter Reis und in Bambus zubereitetes Schweinefleisch niedergelegt wird.

Die Familienmitglieder streuen fortdauernd *padi* um die Tänzerinnen, während andere von all denjenigen was der Verstorbene in seinem Garten gepflanzt hatte, zuvor Aeste und Zweige geholt haben und diese in den Boden des Grundstückes stecken, um den Todten günstig zu stimmen. Nach Ablauf des Tanzes wird durch die Tänzerinnen um die Speisen die auf dem Gerüst liegen, gefochten. Die nächsten weiblichen Blutsverwandten wälzen sich als seien sie wahnsinnig auf der Erde und reissen sich am Haar um ihre Trübsal zu zeigen. Jeden Abend kommt der älteste der *walians*, der als *mawasal* fungiert hat, ins Sterbehaus um die Abstammung des Todten von LUMIMUÜT und TOAR zu bekräftigen und die Ahnen zu verherrlichen, damit sie ihm hold sind und ihn auf dem *Sinaiawan* gut empfangen.

Am folgenden Morgen begeben sich die weiblichen Blutsverwandten mit der Wittwe, oder dem Wittwer, alle verschleiert zum allgemeinen Badeplatz, gewöhnlich ein strömender Fluss ausserhalb der Negari, um die Trübsal mit dem Wasser verschwinden zu lassen [2]).

Den Empungs wird nach dem Bad Reis und Fleisch geopfert, bei welcher Gelegenheit durch eine der alten Frauen gesagt wird: „O Empungs kommt hernieder, esset Reis und das Fleisch der Betrübten und gebet uns andere Speisen, die wir mit Freuden geniessen können c *wailan*" [3]). Von hier gehen sie zur *sesendeën* oder allgemeinen Opferstätte ausserhalb der Negari um ein Opfer darzubringen, damit sie die Aecker besuchen können ohne diese zu entweihen, und kehren dann, nachdem sie die Trauerkleider abgelegt, heimwärts.

Nach einiger Zeit wird der Acker des Todten von den Hinterbliebenen besucht. Hier wird gleichfalls ein Gerüst von Bambus aufgestellt, worauf von allem was im Acker wächst und durch den Todten gepflanzt wurde, etwas niedergelegt wird. Sobald dies geschehen ist, versammeln sich alle um das Gerüst, während einer der ältesten mit lauter Stimme ruft: „O (Namen) nimm doch von all demjenigen das hier ist etwas für Deine Reise mit, ziehe nun allmählich weg und sieh nicht um, denn auch wir reisen ab" [4]).

Während der ersten *padi*-Ernte wird im Acker des Todten ein Häuschen von ungefähr einem Meter im Quadrat errichtet. Hier legt man Reis, Gemüsekräuter, Bodenfrüchte, Zuckerrohr, *pinang*, *sirih*, Kalk, *saguweer*, sowie Kochgeschirr, das eine und andere in Miniaturnachbildungen, für den Todten, als Lohn für seine Mühe und Arbeit nieder. Dies alles bleibt solange stehen bis es verwest ist.

Geringe Leute werden nicht in einem *tiwukar* begraben, sondern einfach in Baumrinde vom *lahendong* oder einem Stück von Bambusfasern gewebten Zeuges gewickelt. Sie dürfen auch nicht mehr als einen *mawasal* nehmen. Früher wurden die derart eingewickelten

[1]) Kleine kupforne Becken.

[2]) *Nimeimo iajurlah karya un ranoh peleng un gĕnang lewoh.*

[3]) *Oh Empung iregĕse wo mei kumahan wo sumĕrrah ung kahan wo un sĕrrah ne touw makarawoi wo irehe mei kahanĕn tarihis ipakahan nami eh wailan.*

[4]) *E(ngaran) mĕndoh mo kouw um peleng ijai waki lalan papalampangannu, mawenet o ngumĕrĕ-ngĕrĕr, tyahino manalenge-lengemei wen kami mawenelo kasihih.*

Leichen sorgfältig auf die höchsten Zweige des Baume niedergelegt und hernach die Knochen in Grotten bewahrt, wobei Festlichkeiten statt fanden. Der Gebrauch des *tiwukar* ward durch einen *tounahas*, TANGKERE genannt, eingeführt.

Für die Frauen werden keine Köpfe geschnellt und auf dem Grabe Töpfe, Pfannen und ferneres Küchengeräth sowie Matten vernichtet.

HUNDE UND NATURVÖLKER

VON

DR. B. LANGKAVEL,

HAMBURG.

Vorbemerkung. — Wenn ich es unternehme über das Verhältnis des wichtigsten und verbreitetsten Hausthieres zu den Naturvölkern die Ergebnisse meiner Studien den Lesern gerade dieser Zeitschrift vorzulegen, so meine ich das auch begründen zu müssen. Von den 114 längeren oder kürzeren Aufsätzen und Notizen, welche ich während der letzten drei Lustra über den Hund schrieb, behandeln 22 die asiatischen, 4 die afrikanischen, 11 die amerikanischen, 4 die austral-polynesischen, die übrigen die europäischen; doch war in allen diesen Aufsätzen mein Hauptaugenmerk vornämlich auf die Feststellung der verschiedenen Rassen gerichtet. Was ich aber während dieses Zeitraumes über das Verhältnis des Hundes zu den Naturvölkern aus den weitschichtigen Literaturen der Erd-, Völker- und Thierkunde gesammelt, das soll in Kürze auf den nachstehenden Seiten dargelegt werden.

Die so oft aufgeworfene Frage nach der Urheimat der Hunde ist, so weit jetzt unsere Kenntnisse reichen, wohl mit dem Ausspruche ALFR. NEHRING's[1]) zu beantworten, „dass unsere wichtigsten Hausthiere überhaupt keine einheitliche Heimath besitzen", und dieses Wort möchte sich in gewisser Beziehung decken mit jener alten Ueberlieferung bei den Flatheads u. a., „dass, als der Sohn der Sonne zur Erde kam, er von einem Hunde begleitet war" [2]).

Schon seit ungemessenen Zeiträumen ist der Hund überall auf der Erde verbreitet. Es gibt nur sehr wenige Örtlichkeiten, in denen er fehlt oder sehr selten ist, und diese besprach ich ausführlich in einem Aufsatze in der Zeitschrift „Der Hund" von 1. April 1886. Was mir seitdem noch bekannt geworden, füge ich hier, weil es für spätere Bemerkungen wichtig, noch hinzu. In Asien ist der Hund sehr selten am Tarim nach PRSCHEWALSKY [3]). Auf Flores sind Hund und Pferd so ungewöhnlich, dass die Eingebornen bei deren Anblick auf die Bäume flüchten [4]), und eine ähnliche Furcht bezeigen die südamerikanischen Suyas

[1]) Zeitschr. für Ethnologie XX, (230). [2]) LORD, The Naturalist in Vancouver Island II, 240. [3]) PETERMANNS Ergänzungsheft N°. 53, S. 13. [4]) Zeitschr. der Ges. f. Erdkunde, Berlin XXIV, 113.

nach Dr. CLAUS[1]). Auf Kagerumaschina (Liu-Kiu) fehlen Hasen und Wildschweine, weshalb die Leute auch der jagenden Hunde nicht benöthigt sind[2]), sodann auf Minicoy[3]), den Malediven[4]), auf Hormuz im persischen Meerbusen[5]), auf St. Lawrence-Insel nach NORDENSKIÖLD[6]). In Südamerika fehlt der Hund bei den Bakaïri, Manitsanás, Bororó[7]), bei Afrika auf den Comoren[8]), bei den alten Tasmaniern[9]). Im Alterthum durften auf Delos keine gehalten werden[10]). Gegen die Bemerkungen RITTER'S[11]), LASSEN'S[12]) und KOLENATI'S[13]), über das Fehlen der Caniden in Hinterindien wendet sich CRAWFURD[14]).

In jenen Erdschichten, welche uns Kunde bringen über Mensch, Thier und Pflanze aus den, weit vor aller Geschichte liegenden Perioden, finden sich auch Knochenreste von Hunden. Die praehistorischen Funde, zumal in Europa, zeigen uns damals schon den Hund auf verschiedenen Stufen der Einwirkung und Beeinflussung auf das Leben der Menschen. Spuren gewaltsamer Eingriffe auf die Knochen dieses Thieres in seinen verschiedenen Lebensaltern mit messerartigen Instrumenten, ein Zerklopfen der Knochen mit Steinen, Zerschlagen des Schädels, um zum leckern Gehirn zu gelangen, lassen uns in demselben ein Speiseobjekt erkennen, und jene Ansicht, die ich schon vor vierzehn Jahren im Ausland[15]) aussprach, dass die Menschen auf der frühesten Stufe ihres Erdenwallens im steten Kampfe ums Dasein sich des Hundes, wie der andern Thiere nur bemächtigt hätten, um sie als Speise zu verwerthen, möchte ich auch jetzt noch viel mehr für die richtige halten. Die Magenfrage ist für Mensch und Thier die erste aller[16]), und anthropomorphe Affen und niedrigste Völkerstämme beweisen uns noch heute, dass von Früchten und Wurzeln der Wälder und Felder, von der Insektenwelt (Raupen, Grillen, Heuschrecken, Ameisenpuppen, Larven jeder Art), Würmern, Muscheln, Eidechsen u. a. sie sich erhalten können. Wo Nothwendigkeit befiehlt, da giebt es, was sogar gegenwärtig noch öfter vergessen wird, keine Ungerechtigkeit. Die Menschen befinden sich ihrer Organisation zufolge in der Nothlage entweder die Thierwelt auszubeuten oder vor Elend, Hunger und Kälte umzukommen. Erst von jenen Zeiten an, da der Mensch ausser seinen Gliedmassen sich Vertheidigungs- und Angriffswaffen zu beschaffen lernte, wird er auch wohl begonnen haben den Hund sich näher zu bringen, zu seinem Helfer im Kampfe. Von der frühesten Stufe, auf welcher der Hund nur Speiseobjekt war, hat sich noch bei einer grossen Anzahl von Völkerstämmen die Gewohnheit erhalten, ihn bald so, bald anders zubereitet zu geniessen, und das Verzeichniss jener Hunde-essenden Stämme, das ich 1881 gab, könnte ich jetzt leicht bis auf die Zahl 200 vermehren, doch sind darin einbegriffen auch solche, die vor noch nicht langer Zeit theils durch Hungersnoth, theils durch feindliche Nachbaren zu solchem Genusse gezwungen wurden. Wenn FR. RATZEL[17]) äussert: „Man darf im Allgemeinen behaupten, dass der Mensch auf der niedersten Kulturstufe immer erst das thut, was ihm gefällt, das Nützliche aber erst aufnimmt, wenn „Nothwendigkeit ihn drängt; so sehen wir den Hund als einzigen dauernden Gefährten zu „einer Zeit, wo sein Nutzen noch ein geringer war", so spricht er schon von einer gewis-

[1]) Deutsche Geogr. Blätter 1889, 226. [2]) Mitth. der Deutsch. Ges. f. Natur- und Völkerkunde in Ostasien, H. 24, 1881, S. 142. 146. [3]) Peterm. Mitth. 1872, 297. [4]) Ausland 1887, 763. [5]) Natur 1893, 273. [6]) Umsegelung Asiens II. 245. [7]) KARL V. D. STEINEN, Durch Central Brasilien S. 290. Unter den Naturvölkern Central Brasiliens S. 483. RODENBERGS Deutsche Rundschau 1. October, 1892. Zool. Garten 1889, 103; Verhandl. der Ges. f. Erdk. Berlin, XV, 376. Revue Coloniale Internat. III, 536. [8]) Ausland 1887, 509. [9]) Erzherzog LUDW. SALVATOR, Hobarttown, S. 15. [10]) STRABO ed. KRAMER B. II., S. 418, 14. [11]) Erdkunde V, 258. [12]) Ind. Alterthumskunde I, 301. [13]) Hocharmenien, S. 86. [14]) Hist. of Indian Archipelago S. 428. [15]) 1881, 658 und darnach Gartenlaube 1882, N°. 44. [16]) LOUIS BOURDEAU, Conquête du monde animal. [17]) Völkerkunde I, 57.

sen Kulturstufe, wie sie z. B. die Chambians zeigen, die allerlei Gethier zum Vergnügen zähmen [1]. Begabtere Menschen mögen sich schon früh an die Darstellung von Thieren gewagt haben, wie wir sie, um der bekannten europäischen nicht zu erwähnen, in dem Bericht MAURY's [2] über die Tumulus Tchoudes in Südrussland und Sibirien lesen. Wenn WAITZ (VI, 786) eines Tanzes erwähnt, in welchem Erwachsene Hunde darstellen, damit die Knaben lernen, über sie Gewalt zu bekommen, so möchte ich dies als ein Ueberbleibsel aus jener fernen Zeit betrachten, in welcher man durch List (Fallen) oder Waffen sich dieses Thieres zu bemächtigen strebte.

Es ist ein bemerkenswerthes Faktum, das phylogenetischer Erklärung einen gewissen Anhalt bietet, dass die Urzwergvölker nur ein Hausthier, den Hund, besitzen. Die Batua vom Lubi bis Tanganjika haben als Hausthiere neben einigen Hühnern nur den Hund, und zwar eine von den übrigen afrikanischen Hunden überaus vortheilhaft unterschiedene, windhundähnliche Rasse, die sich ganz trefflich zur Jagd eignet. Der Buschmann besitzt keine anderen Thiere als Hund und Laus, und nur den erstern nennen die zwerghaften Weddas auf Ceylon und die Negritos der Philippinen ihr eigen. Die hohe relative Veredlung des Hundes bei allen diesen Völkern nun erklärt sich einmal aus ihrem Jagdberuf, der sie frühzeitig und stetig auf die möglichst zweckdienliche Ausbildung eines thierischen Jagdgefährten bedacht sein liess und sodann aus der Beschränkung ihrer Thierzucht eben auf den Hund, der sonach seine Pflege und Wartung mit keinem Nebenbuhler zu theilen hatte. Diese Beschränkung aber — und darin liegt das Bedeutsame — beweist gleichzeitig wieder das stationäre Verhalten, welches diese Stämme einer gewissen Kultur gegenüber einnehmen. Da der Hund nun das älteste Hausthier, so hat sich das Volk, welches zu keiner weiteren Züchtung gelangt ist, damit, vermuthlich aus natürlicher Unfähigkeit zum Fortschritt, den ältesten und niedrigsten Entwicklungszuständen der Menschheit treu erwiesen; es erscheint mit andern Worten als Urrasse.

Wo noch jetzt das Hunde-Essen recht verbreitet ist, wo junge und fette Hündchen hohe Delicatessen sind, dort verwendet man schon auf die Puppies grosse Sorgfalt, und nur zu häufig sahen Reisende junge Mütter diesen die Brust reichen. So in Neu-Guinea [4], in Australien tödtet sogar der Vater das eigne Kind, damit die Mutter das Puppy säuge, und andere Fälle von dort werden öfter erwähnt [5], auf Tahiti [6], Hawaii, den Gesellschaftsinseln [7]. In Ober-Birma sah 1879 JOEST in Thagetmyo auf dem Bazar eine junge Birmanin säugend an der einen Brust ihren Sprössling, an der andern ein Hündchen, und in Mandalay wurde ihm versichert, dass junge Mütter es sich zur Ehre anrechnen, kleinen weissen Elephanten die Brust zu reichen; dass die Ainofrauen auf Yesso kleine Bären derartig aufziehen, ist allbekannt [8]. Wie JOEST jene Birmanin stillen sah, so WRANGEL [9] eine Frau aus den Polargegenden. Die Frauen der Paumarys am Puru säugen Hunde und Affen, desgleichen im Holländischen Guiana u. a. [10]. Im Gran Chaco stillt die Frau gern junge Hunde, aber niemals mutterlose Babies [11]. Bisweilen tritt auch der umgekehrte Fall, dass

---

[1] Verhandl. d. Ges. f. Erdk. Berlin XVI, 456; anders v. MARTIUS, Beitr. zur Ethnographie I, 17. [2] Archiv f. Anthrop. III, 365. [3] Zeitschr. d. Ges. f. Erdk. Berlin, XXVIII, 113 fg. [4] CH. LYNE, New-Guinea, S. 34. Ausland 1866, 570. FINSCH, Samoafahrten, S. 53 und in den Annalen des naturhist. Hofmuseums. Wien III, N°. 4, S. 322. Zeitschr. f. Ethnologie XXI, 13. [5] DARWIN Var. I., 48. WAITZ VI, 779. KEPPEL, A visit to the Indian Archipelago II, 172. Erzherzog LUDW. SALVATOR, Hobarttown, S. 65. [6] PESCHEL's, Neue Probleme, S. 44; vgl. Neue Deutsche Jagdz. VIII, 231. [7] Archiv. f. Anthropol. IV, 219. [8] Ausland 1886, 360. „Der Hund" XIV, 16. [9] Reise I, 214. [10] Ausland 1886, 265. 1887, 578. KAPPLER, Holländ. Guiana, S. 116 und HARTSINKS in BECKMANNS Physikal-Oekon. Bibliothek XIV, 19. [11] WAITZ III, 480.

Frauen, z. B. Chinesinnen auf Java, ihre Kinder von Hündinnen säugen lassen [1]. Die junge Perserin aber legt Hunde an, damit die Brustwarzen mehr hervortreten [2]. Aber nicht allein in jenen Gegenden, wo der Hund ein wichtiges Objekt für die primitive Küche geworden, wird er gut behandelt und gepflegt, sondern öfter auch dort, wo er der hülfreiche Jagdgefährte geworden, wie bei den Waganda [3]. Die Schilluk misshandeln nie ihre Hunde, erlauben auch nicht, dass andere es thun [4]. Der schöne Slugi ist Liebling des Arabers und seiner Kinder [5]. Die Bube behandeln ihn gut [6]. Bei den Battak hat jeder Jüngling einen besondern Hund als *„kaban"*, Gefährten, der deshalb bis ins hohe Alter sehr hoch gehalten wird [7]. Bei den Patagoniern werden Lieblingshunde förmlich adoptirt [8].

Wie schon die späteren praehistorischen Menschen sich des Hundes zur Jagd bedienten, so ist er auch solcher Gehilfe bei den Naturvölkern und fast in allen vier Erdtheilen finden wir ihn als solchen weit verbreitet, doch auf verschiedenen Stufen der Ausbildung. Ich würde es aber als eine Raumverschwendung betrachten, wollte ich hier alle Völkerstämme aufzählen, die mit mehr oder weniger ausgebildeten Jagdhunden jagen; dies Kapitel gehört ja in eine Geschichte der Jagdkunde. Nur wenige Beispiele mögen genügen zu zeigen, wie verschiedenartig die Jagden betrieben werden, für Australien [9], für Neu Guinea [10], für Amerika die Jagden der Tehuelchen auf Guanaco [11], in Matto Grosso [12], in Ecuador [13]. Die Eingebornen Españolas zogen eine kleine Hunderasse zur Jagd auf den Inseln [14]. Schon in vorcolumbianischer Zeit besassen die Taruma, wie noch jetzt, ausgezeichnete Jagdhunde, welche, wenn nicht beschäftigt, in einer Art Käfig gehalten wurden [15]. Die Bonni-Neger bestatten ihre Jagdhunde, im Buschnegerdorfe Guidappou hängt man ihnen Talismane um [16]. Ueber die Jagden bei Koljuschen, Huronen, Tlinkit vgl. man [17]. In Nord-Borneo setzt man 5—7 Hunde vom Fahrzeuge aus an verschiedenen Stellen ans Land, hört aus der Art des Bellens, wo ein Schwein angetroffen, landet dort und erlegt es mit dem Speere. Im Süden dieser Insel trennt man das Fleisch von den Beinknochen dieses Wildes, bindet es an einen Baum und hetzt darauf die Hunde, um sie muthig zu machen [18]. Charakteristisch sind auch die Jagden auf Hirsche und Schweine bei Bagobos und auf der Peel-Insel [19]. Zu derartigen Verstümmelungen der Jagdhunde, wie in früheren Jahrhunderten in Europa ausgeübt, wenn Hunde auf fremdem Gebiete jagten, haben die Naturvölker sich nie verstiegen. Ich erinnere nur an das englische Gesetz zur Zeit Heinrichs VII solchen den linken Lauf abzuhauen, und an die Verordnung auf Sylt vom Jahre 1702, ihnen „den einen Pooten oder gantze Klauen eines Vorder-Fusses abzuhauen" [20].

Kastrirt wurden zu verschiedenen Zwecken die Hunde schon frühzeitig und in weit

---

[1]) Diener, Leben in der Tropenzone, S. 72. [2]) Archiv f. Anthropologie V, 216. [3]) Zeitschr f. Ethnologie II, 138. [4]) 4. Jahresbericht der Geogr. Ges. Bern, S. 105. [5]) Kobelt, Reiseerinnerungen aus Algier, S. 304. [6]) Baumann, Fernando Póo, S. 88. [7]) v. Brenner, Besuch boi d. Kannibalen Sumatras, S. 251. [8]) Behm, Geogr. Jahrb. V, 142; Vgl. Ausland 1888, 349. [9]) Waitz VI, 729. [10]) Finsch, N. und seine Bewohner, S. 69. [11]) Zeitschr. d. Ges. f. Erdk. Berlin IX, 345. Giglioli, Viaggio intorno al globo, S. 968. [12]) Zeitschrift a. a. O. V, 249. [13]) Simson, Travels in the Wilds of E., S. 169. Hassaurek, Vier Jahre unter Spanisch-Americanern, S. 123. [14]) Oviedo XII, 5. Waitz IV, 323. Tippenhauer, Die Insel Haiti, S. 213. 316. 374. Journal Anthrop. Institute, London 1887, Febr. S. 272. [15]) Darwin, Var I. 23. 25. II, 276. [16]) Peterm. Mitth. 1862, 250. 247. Kappler, Holländ. Guiana, S. 80, und über die Jagdhunde der Warrans und Waikas ausführl. R. Schomburgk, Reise in Brit. Guiana I, 199. [17]) Zeitschr. f. Ethn. II, 316 und XVI, (234). Waitz III, 87. Krause, Die Tlinkit-Indianer 5. 89. Deutsche Geogr. Blätter IX, 224. Kann, Shores and Alps of Alasca S. 148. [18]) Geogr. Proceedings, London X, 6. Mitth. Geogr. Ges. Jena VI, 99. [19]) Zeitschr. f. Ethn. XVII, 22. Hawks, Exped. of an American Squadron, S. 233. [20]) The Nineteenth Century 1891, January, S. 116. H. Biernatzki, Schlesw. Holst. Lauenburg-Landesgeschichte II, 1847, S. 80.

von einander gelegenen Gegenden, z. B. bei den Kamtschadalen [1]), den Bewohnern Sachalins [2]) und in Togo [3]).

Der Fischfang wird bekanntlich von vielen Haarthieren eifrig betrieben, von den Hunden in den nördlichen Gegenden besonders zur Sommerszeit, damit deren Herren der Mühe des Fütterns überhoben werden. Ueber solche fischefangende Hunde schrieb ich zwei Aufsätze [4]), in dem zweiten theilte ich auch aus dem Werke HOWARDS [5]) die hochausgebildete Methode der Ainos auf Sachalin mit, denn sie übertrifft an Grossartigkeit die der englischen Fischer in der Colvyn-Bay an der Küste von Nord-Wales ganz beträchtlich.

Als Zugthiere finden die Hunde Verwendung vor Fahrzeugen auf dem Wasser oder auf dem Lande. Wie hier bei uns an einem Seile Treckschuten auf dem Plusse durch Leute am Ufer gezogen werden, gerade so im östlichen Sibirien durch Hunde, und zwar ziehen auf dem Jenissei vom Troizkyk-Kloster flussaufwärts regelmässig vier Hunde ein Boot und besser als vier der dortigen kleinen Pferde [6]). Aehnlich verwenden — natürlich stets nur im Sommer — sie die Jukahiren [7]), die Giljaken auf dem Amur [8]), die Kamtschadalen [9]).

Viel weiter verbreitet als diese Verwendung der Hunde ist die des Ziehens auf dem Lande, über welche ziemlich allgemein gehalten KOHL [10]) handelt, ausführlich aber und mit recht instructiven Abbildungen LORD und BAINES in ihrem Werke [11]). Welche Behandlung bei uns die bedauernswerthen Ziehhunde zu erdulden haben, erörtert die Neue Deutsche Jagd-Ztg. (XIV, 157). Schon in den ersten Decennien unseres Jahrhunderts wies HUMBOLDT [12]) auf die Bedeutsamkeit übereinstimmender Züge von Völkergewohnheiten hin, und YULE [13]) macht die treffende Bemerkung, dass Hundeschlitten in Asien jetzt bis zum 61° 30′ gebräuchlich wären, aber im 11. Jahrhundert auch zwischen Dwina und Petschora in Anwendung waren. Nach IBN BATUTA [14]) fanden sie noch im 14. Jahrhundert Verwendung im Lande der Finsternis, im Bulgarenlande (nämlich dem alten, im centralen Russland), wo man mit drei, mit dem Nacken ziehenden Hunden und einem Leithunde fuhr. Bei LANGMANTEL [15]) heisst es: „Auch sein in dem obgenannten lande Wassibar hüntt, die ziehen in den Marren und in dem Winter in den Schlitten .... und sind in der gröss als die esell und in dem land essen sie die hündt."

Noch jetzt werden in einigen Gegenden Polens und in den nordwestlichen Gouvernements Russlands Hunde bisweilen zum Ziehen von kleinen Lasten gebraucht, doch ist derlei Verwendung nicht weit verbreitet [16]); die Thiere sind auch zu schwach, aber die verhältnissmässig kleinen sibirischen Hunde leisten trotz grosser Magerkeit bedeutendes, ihre Kraft und Ausdauer sind staunenerregend. So äussert KENNAN [17]): Ich trieb ein Gespann von neun in 24 Stunden mehr als 150 KM.; sie zogen oft 48 Stunden ohne Futter d. h. einen Fisch von 1½—2 Pfund, zu erhalten. Im Westen lässt man die Hunde mit dem Becken, im Osten mit der Brust ziehen [18]). Nach ERMAN [19]) haben die Zeltsamojeden als Zugthiere nur das Ren, bei den andern aber und den Jakuten ziehen Hunde, und zwar

---

1) GILDER, Ice-Pack and Tundra, S. 17. 2) POLJAKOW, Reise nach S. S. 42. 3) Mitth. von Forschungsreisen in Deutsch. Schutzgebieten V, 12. 4) „Der Hund" 1884, N°. 48 und Schweiz. Zentralbl. f. Jagd- u. Hundeliebhaber 1894, N°. 5. 5) Life with the Trans-Siberian Savages, 1893, S. 51 fg. 6) MÜLLER, Unter Tungusen und Jakuten, S. 180. 7) WRANGELS Reise I, 214. 8) Journal Geogr. Soc. London 1858, 396. Peterm. Mitth. 1857, 314. 9) Peterm. Ergänz.-Heft N°. 54, 16. 10) Der Verkehr und die Ansiedlungen der Menschen, S. 75. 11) Shifts, Experience of Camp-Life, S. 353. 354. 358. 12) Reise in die Aequinoct.-Gegenden IV, 585. 13) Book of Marco Polo II, 43. 14) LEE, The travels of J. B., S. 78. 15) HANS SCHILTBERGERS Reisebuch, S. 39. 16) Russische Revue XI, 443. 17) Zeltleben in Sibirien, S. 124. 18) HIEKISCH, Die Tungusen, S. 78. 19) Reise um die Erde I, 701. 655. 296.

jeder durchschnittlich 20—35 Pud [1]). Ueber Tobolsk äussert l'Abbé CHAPPE D'ANTEROCHE [2]): "On ne voyage qu'avec des chiens qu'on attèle aux traineaux". Im Jenisseiskischen Gouvernement gab es 1864 in der Hauptstadt 115 Schlittenhunde, in der Stadt Turuchansk 43, im ganzen Kreise 860 [3]). Nach FINSCH [4]) kostet in Bereosoff ein Zughund zwei Rubel. Sie werden in Obdorsk so angeschirrt, dass der Zugstrang vom Schlitten durch die Beine nach einem um den Leib befestigten Ring von Hundeschwänzen geht; sie ziehen also mit den Hüften. Je mehr nach Osten, um so grösser wird die Zahl der Schlittenhunde, so gab es 1880 in Jakutsk 3792 [5]), und ausserdem reisen noch manche Jakuten mit Ren [6]). Schon WRANGEL [7]) beobachtete, dass an der Kolyma zu den Fahrhunden ausschliesslich nur männliche Thiere verwendet wurden, die Hündinnen hielt man nur der Nachzucht halber und ersäufte alle übrigen dieses Geschlechts; über die Klugheit der Leithunde war er erstaunt. An der Kolyma ist man auch der festen Ueberzeugung, dass dort nur der Hund allein gedeihen könne. Damit ist jedoch jeder Umschwung zum Besseren unmöglich gemacht, denn die Leute leiden oft Qualen des Hungers nur um ihre Hunde zu ernähren. Deren Zahl schätzt man auf 2265, und da jeder täglich 4 Heringe erhält, so werden im Jahr für sie allein 3,306900 Stück verbraucht. Zwischen der Lena und Beringsstrasse laufen vor jeder Narte 12 Hunde, die bei günstigem Terrain in einer Stunde 5 Seemeilen zurücklegen. In Schigansk kostet ein guter Leithund 40—60 Rubel [8]). Interessant sind die Schilderungen der Menschen und Hunde während des Winters am Ussuri [9]).

Die Kamtschadalen sind anerkannt die Meister im Führen der Hundeschlitten und im Abrichten der Hunde. Auch sie verwenden nur die Rüden, und jedes Gespann besteht aus zwölf und dem Leithunde; auf jedes Thier kommt durchschnittlich ein Pud Last, und in 24 Stunden werden bis 150 Werst zurückgelegt [10]). Der alte KRASCHENINNIKOW [11]) erwähnt, dass bergab nur mit einem Hunde gefahren wird, und WRANGEL [12]), dass man mit noch nicht völlig eingefahrenen Thieren anfänglich nur 10—15 Werst in einem Tage zurücklege; er ist auch der Ueberzeugung, dass der Gebrauch des Hundes als eines Zugthiers aus dieser Halbinsel stamme und dass früher alle Völker des nordöstlichen Asiens nur mit Ren gefahren wären. Die Zahl der Zughunde soll etwa 10000 betragen, durchschnittlich für jeden Haushalt 9, und der Preis eines zwischen 3—25 Rubel [13]). Hier sowohl wie bei den Tschuktschen werden sie durch eine Klapper angetrieben [14]). In neuerer Zeit scheinen die Anzahl der Gespannhunde, die Schittenlasten und die Preise mancherlei Veränderungen erfahren zu haben, denn GILDER [15]) sah in Petropaulowsk, 6 vor einem Schlitten mit einer Person; ein Gespann mit 9 guten Hunden solle 600 Pfund ziehen, während bei den Eskimo ebenfalls 9 eine Last von 1800—2000 Pfund auf Wochen täglich 15—20 engl. Meilen, selbst auf Monate, zögen. Er kaufte 40 ausgewachsene Thiere und zahlte für jedes 7½ Doll. YERMAN und BENNET [16]) fuhren in Schlitten mit 4 oder 6 Hunden. Als v. DITTMAR [17]) dort lebte, gab es Gespanne mit 8 grossen schwarzen Hunden und einem fuchsrothen Leithunde,

[1]) Peterm. Mitth. 1872, 361. [2]) Voyage en Sibérie I, 202. [3]) Peterm. Mitth. 1867, 330. [4]) Reise nach Westsibirien, S. 367. 590. Ausland 1882, 307. [5]) Russische Revue XI, 443. [6]) Peterm. Ergänz.-Heft N°. 54, 26. v. Middendorff, Reise IV, 1295 fg. 1330 fg. GILDER, Ice-Pack und Tundra, S. 301. SEEBOHM, Siberia in Asia, S. 43 über die in Turschansk. BULETSCHEF, Reisen in Ostsibirien I, 73. ERMAN, Reise um die Erde II, 427 über die Hundeschlitten bei Ochozk. [7]) Reise I, 212. [8]) Peterm. Mitth. 1879, 420. 168; 1887, 120. [9]) Extraits des publications de la Soc. Imp. Géogr. de St. Pétersbourg 1859, 78. [10]) Peterm. Ergänz. Heft N°. 54, 16. Zeitschr. f. allg. Erdk. N. F. XVI, 315. [11]) Beschreib. des Landes K. S. 237. 18. [12]) Reise II, 262. 25. [13]) Ausland 1891, 694. [14]) Zeitschr. f. Ethnologie 1872, (238). [15]) Ice-Pack and Tundra, S. 17. [16]) Journal of Voyages and Travels I, 478. [17]) Reisen und Aufenthalt in Kamtschatka, S. 160 in den Beitr. zur Kenntn. des russ. Reiches.

der allein 25 Rub. kostete, während jene 8 zusammen nur 40. Jeder hatte einen ledernen Halsriemen, zog also mit Brust und Nacken, und alle wurden nur durch Worte gelenkt.

Ueber die Zughunde der Tschuktschen erfahren wir durch Wrangel [1], dass nicht, wie an der Kolyma, je 2, sondern je 4 in einer Reihe laufen, durch HEDENSTRÖM [2], dass sie in einem Tage bis 200 Werst ausnahmsweise zurücklegen können, und endlich durch NORDENSKIÖLD [3], dass sie 21 Stunden hinter einander, ohne abgespannt zu werden, ziehen. Auch auf der Bering-Insel gibt es viele Zughunde, 600 allein ziehen Treibholz auf Schlitten [4].

Kehren wir von hier aus über die Insel Sachalin nochmals nach dem russischen Asien zurück, um noch einige Stämme zu erwähnen, die meist Zughunde einer kleineren Rasse führen, wie im Amur-Küstenlande [5], oder wie Tungusen, Lamuten zugleich auch Renschlitten führen [6]. Auf der Insel Sachalin werden allen Rüden die Schwänze abgeschnitten, damit sie ihnen beim Ziehen nicht hinderlich seien [7]. Die Oroken sind noch heute ein „Zwittergebilde von Ren-Nomaden und sesshaften, Hunde haltenden Fischern" [8]. Die Zughunde der Giljaken schildert H. RUSSEL-KILLOUGH [9], die der Jukahiren ein Reisender in Petermans Ergänzungsheften N°. 54, 17.

Im Alaska-Territorium gehen die, meist zu vier geordneten Gespannhunde so dicht hinter einander, dass, wie bei den oben erwähnten asiatischen, ein Abschneiden der Schwänze für nöthig befunden wurde; nur die Küstenstämme lassen den Hunden die Ruthen [10]. Ueber die Gespanne bei den Tlinkit berichtete KRAUSE [11], bei den Eingebornen in Baffins-Land BOAS [12], bei den Ottawas am oberen See LELANG und KANE [13]. Im Quelllande des Missisippi besassen früher die Hundeschlitten 3 Glocken; auch die Thickwood Cree bedienen sich im Winter der Schlitten [13a]. Auf Labrador werden die Schlitten von 10—20 Rüden und Hündinnen gezogen mit 2 Leithunden an 20—30 Fuss langen Zugriemen, während die Gespannhunde kürzere tragen. Bei Thauwetter im Frühjahre tragen die Hunde recht praktische Schuhe aus Seehundsleder, in welches „für die zwei vordersten Zehen, resp. Nägel, zwei Löcher geschnitten sind". Oberhalb der Zehen wird das Leder festgeschnürt. Dass bei solchem Thauwetter die Thiere schon nach drei Stunden ermatten, ist begreiflich. Bei leichteren Lasten gehen vor dem Schlitten 3—12 Thiere und ein Leithund an einem Riemen von 5 Meter Länge [14].

Der Eskimohund, von welchem 1647 LA PEYRÈRE [15] berichtete, dass er sehr gross wäre und wie ein Pferd benutzt würde, geht nach ROB. BROWN [16] so weit nach Norden als die Menschen, wird aber von den Eskimo nicht südlicher als Holsteinborg verwendet, weil das Meer im Winter nicht derartig zufriert, um es mit Schlitten befahren zu können. Wenn dieser Hund ausstirbt, müsse auch der Grönlander zu Grunde gehen; dies Ereignis wäre sicherer als das Aussterben der Prairie-Indianer nach dem Tode des letzten Büffels. Auf Grönland gehen gewöhnlich 6—8 Hunde neben einander, sie erhalten, bis endlich ihr

---

[1]) Reise II, 226. [2]) in Ermans Archiv XXIV, 132. [3]) Umsegelung Asiens I, 457; vgl. Ausland 1882, 699. Deutsche Geogr. Blätter V, 119. [4]) Deutsche Geogr. Blätter VIII, 234. [5]) RADDE, Reisen im Süd. v. Ostsibirien, S. 86. [6]) RATZEL, Anthropogeographie II, 73. Peterm. Ergänz. Heft N°. 54, 22. Peterm. Mitth. 1894. 135. [7]) POLJAKOW, Reise, S. 34. 42. Peterm. Mitth. 1881, 112. [8]) POLJAKOW a. a. O. 95. Peterm. Mitth. 1893, Literaturberichte S. 165. [9]) Seize mille lieues à travers l'Asie I, 192. [10]) Peterm. Mitth. 1892, 137; vgl. BANKROFT, Native Races I, 62. [11]) Die Tlinkit Indianer, S. 89. [12]) Peterm. Ergänz.-Heft N°. 80, S. 7 und BOAS in den „Hamburger Nachrichten vom 11.1.1889. [13]) LELANG, Fusang, S. 19. Kane, Wanderings of an artist, S. 26. [13a]) WAITZ III, 87. LORD, The Naturalist in Vancouver and Brit. Columbia II, 212—226. [14]) Peterm. Mitth. 1863, 125. NEUMAYER, Die deutschen Expeditionen und ihre Ergebnisse I, 173. 175. 183; II, 26. [15]) Relation du Groenland; vgl. NORDENSKIÖLD, Grönland, S. 420. [16]) Proc. Zool. Soc. London, 1868; vgl. Peterm. Mitth. 1869, 463.

Trotz gebrochen, viele Prügel mit einer Peitsche, deren meterlanger Stiel 6–8 lange Walrossriemen trägt; gegen die Mitte der siebziger Jahre gab es im ganzen Nordgrönland nur 155 Gespannhunde[1]. Am Nordufer der Hudsonstrasse und auf King William-Land ist die Dressur viel besser als in Grönland, weil hier die Peitsche fast fremd, man die Widerspenstigen nur mit Schneebällen straft, höchstens mit dem Wurf eines Stockes. Da anzunehmen ist, dass die Eskimo Hunde besassen, ehe ihr Verbreitungsbezirk so ausgedehnt als jetzt war, so ist es von Interesse, die Rufe zu untersuchen, deren sich die verschiedenen räumlich von einander getrennten Stämme bei der Leitung der Thiere bedienen. Der Grönländer Hans, so schreibt Bessels, hatte nur den Ruf *i! i! i! i!* kurz und in der Fistel gesprochen. Sollten die Hunde nach rechts gehen, so knallte er mit der Peitsche auf der linken Seite, und umgekehrt. Ein kurzer Pfiff bedeutet Halt! So ist es Brauch bei allen Bewohnern des missionirten Grönlands. Die am Ostufer des Smithsundes rufen ein heiseres *ha! ha! ha!* Die Richtung wird wie vorher angedeutet. Der Haltruf ist *oh!* In der Nähe von Ponds Bai wird bei rechts gerufen *wōa-ah-hă-hă-hă-*, bei links *ah-wōa-waha*, bei Halt *oh!*

In Cumberland für rechts *wōa-hau-hă*, bei links *ach-wōa-wit* oder *ach-wōa-wōa*, als Antrieb *hă-hă-hă*, und ähnlich bei Itanern am Smithsunde. Halt ist *ōh!*

Bei den Eskimo an der Hudsonstrasse ist nur der Laut *au! au! au!* und die auf King William-Land kennen auch nur den einen Ruf *kgu! kgu! kgu!* Die Peitsche ist unbekannt, eine Person geht voran, leitet die Hunde oder hält ein Stück Holz nach der entgegengesetzten Seite, als sie gehen sollen. Wie es in Alaska gebräuchlich, konnte Bessels nicht erfahren; manche meinten, dass sie nur Flüche gehört hätten, deren Färbung von der Widerspenstigkeit der Thiere oder der Erregbarkeit des Herrn abhinge. Auch dort gehe eine Person vor dem Schlitten. Die Zahl eines Gespannes wechselt zwischen 4 und 8, und die Last eines Schlittens wiegt nur ausnahmsweise mehr als 100 Pfund. Wohlgenährte Thiere machen auf glatter Bahn 4 deutsche Meilen in einer Stunde und ziehen 12 Stunden lang. Nach der Arbeit erhalten sie 2 Pfund Fleisch oder Fisch. Neumayer bemerkt a. a. O. S. 175, dass man in Labrador für rechts *auk! auk! auk!* für links *ra-ra-ra* gebrauche. Manche Eskimostämme suchen einen Stolz darin, dass ihre Hundegespanne gleichförmig gefärbt sind[2]. Nach A. v. Etzel sollen die Sage vom gefrornen Meere und die Erwähnung des Hundeschlittens, der nur in der nördlichsten Kolonie von Südgrönland bekannt ist, redende Zeugnisse fur eine Einwanderung nach Südgrönland von Norden her sein[3]. In Ostgrönland sind durch Krankheiten die Hunde ausgestorben[4]. Zum Schluss bemerke ich noch, dass die vom Obigen etwas abweichenden Angaben Andree's[5]) über Schlittengewicht und Schnelligkeit entnommen sind aus John Crawfurd: On the relation of domestical animals to civilization, in den Transactions of the Ethnol. Soc. London II, 387–468.

Ueber die höchsten Pässe des Himalaya und Tibets, wohin Ponies und Yacks sich nicht wagen, gehen als nie strauchelnde Lastthiere Schafe und Ziegen; die Schafe auch in Südamerika in der Umgegend von Bahia, an jeder Seite eine Wassertonne tragend, auf sehr schmalen Bergpfaden berg auf und berg ab. Bei den Indianern Nord-amerikas wurde der Hund zum Lastthier. Er, der im Leben überaus schlecht behandelt wird, im Tode

---

[1]) Geogr. Proceedings, London, VIII, 175. Nordenskiöld a. a. O. 451. Klutschak, Als Eskimo unter E., S. 50. Geogr. Magazine, London III, 179 mit genauen statistischen Angaben; v. Becker, Arktische Reise der engl. Yacht Pandora, S. 15. Bessels, Die amer. Nordpol-Exped. S. 141 fg. [2]) Darwin, Var. II, 276. [3]) Zeitschr. f. allg. Erdk. N. F. XII, 418. [4]) Peterm. Mitth. 1871, 422. [5]) Geogr. des Welthandels I, 90. 278.

aber — ein echt menschlicher Zug — um so grössere Anerkennung und Ehre findet, wurde schon zur Zeit von CORONADO, im Jahre 1540 von einem Stamm der Cumanchen, auf der Grenze der Provinz Durango, zum Transport der Zelte aus Büffelleder verwendet; und diese Sitte haben sie beibehalten [1]). Auch die Prairie Cree in Saskatchewan gebrauchen sie als Lastträger [2]), desgleichen andere am Kupferflusse bei Atnátanas [3]). Die alten Peruaner besassen gleichfalls solche Hunde [3a]). In Asien halten solche Lasthunde die sogenannten Jenissei-Ostjaken [4]), und in Kamtschatka gehen sie mit leichtem Gepäck die Gebirge hinauf [5]).

[1]) HUMBOLDT, Essai politique etc. III, 56; Reise in die Aequinoct. Gegenden IV, 585; Ansichten der Natur I, 138. BANKROFT, Native races I, 506. MÜHLENPFORDT, Versuch einer Schilderung von Mexico I, 159. 177. Verhandl. der Ges. f. Erdk. Berlin, XII, 268. RATZEL, Vereinigte Staaten II, 127. [2]) HIND, Canadian Red River Exped. II, 117. [3]) Deutsche Geogr. Blätter IX, 224. Abgebildet sind solche Hunde in dem mehrmals angeführten Werke von LORD und BAINES, S. 361. v. MARTIUS, Beitr. zur Ethnographie I, 672. [3a]) WAITZ I, 409. [4]) RADLOFF, Aus Westsibirien I, 189. [5]) KRASCHENINNIKOW, Beschr. des Landes K., S. 18.

Fortsetzung folgt.

I. NOUVELLES ET CORRESPONDANCE. — KLEINE NOTIZEN UND CORRESPONDENZ.

XXII. Dwarf Types in the Eastern Pyrenees. — In the Parisian scientific journal Cosmos, now defunct, there appeared on 20th August 1887 the following paragraph relative to a population of dwarfish people inhabiting a certain district of the Eastern Pyrenees:

> „Les Pygmées de la Vallée de Ribas. — Le Professeur MIGUEL NARATZA a découvert, dans la vallée de Ribas (province de Gérona, Espagne) un groupe d'individus très curieux. Les habitants du pays les appellent des Nanos. Ce sont des Nains. Leur taille ne dépasse pas 1 m. 10 à 1 m. 15. Ces pygmées sont bien bâtis et ont une apparence robuste. Leurs cheveux sont rouges, la face forme un carré parfait, les pommettes sont saillantes, les machoires fortes, le nez aplati. Les yeux, légèrement obliques, ressemblent à ceux des Mongols. Ils ont à peine quelque poils follets sur le visage" [1]).

The original account of the Spanish professor being unknown to me, I subjoin two extracts from a recent pamphlet by Mr. R. G. HALIBURTON [2]), bearing upon this subject. In May last, says Mr. HALIBURTON,

> "I succeeded, after a two years' search, in procuring a paper in Spanish by Professor MIGUEL MORAYTA giving a very clear and precise account of the Pygmies of the Val de Ribas, who, he says, are looked upon by their Catalan neighbours as belonging to a distinct race, and are called by them 'foreigners', or 'wonders' (fenomenus), as well as Nanos or Nanus. He says that they have Mongolian or Tartar eyes, square flat faces, and flat broad noses, and are from 4 ft. to 4 ft. 8 in. in height. A majority of them, when they reach 24 years of age, suffer from goitre, and are called Cretins, but Cretinism does not attack their larger neighbours, who for many centuries have lived near them".

And on a later page of the same pamphlet (p. 9) Mr. HALIBURTON gives the following English translation of Professor MORAYTA's description of these Pyrenean dwarfs:

> "Their height is about four feet, or one metre and ten or fifteen centimetres.... They are very broad cheeked, which makes them look stronger than they really are. In general they all walk inclined forward.... Their features are so characteristic, that when we have seen one, we think we have seen them all. They all have a red complexion, and red hair, but like that of a peasant who does not comb or take care of his hair. They have a round face that is as wide as it is long,

[1]) For this extract, I am indebted to Mr. J. S. STUART-GLENNIE, M. A., Barrister-at-law; London.

[2]) „Survivals of Dwarf Races in the New World"; From the Proceedings of the American Association for the Advancement of Science, Vol. XLIII, 1894.

but the cheek-bones are very prominent, and the jaw-bones strongly developed, which makes their faces seem square. To this square look the nose contributes. It is flat and even with the face, which makes it look like a small ball, and the nostrils are rather high up. The eyes are not horizontal, the inside being lower than the outside, and they look like the Chinese, or rather like the Tartar race. To this must be added that they have no beard, four or six hairs, not of a beard but of down, being all they have on their face. Their faces are fleshy, but flaccid to such an extent that they seem to have no nerves, which causes a good many wrinkles, even when they are young. To make it clear, I might say that these people have the face of an old woman. The men and women are so alike that I could not help thinking of the tradition that the Chinese men were recommended to dress differently from the women. If the Nanus were all to dress alike, it would be difficult to tell the men from the women. Their very large mouth helps to give them a strange appearance, with their very thick lips, which never cover their long and strong teeth. Their incisors are remarkable for length and strength. Their lips are always wet, as if they had too much saliva, which to my mind makes them very repulsive.... It may prove that the existence of this race at Ribas may end in showing that in very remote ages there existed in Europe a Tartar race which hitherto has not been discovered".

This subject has also been discussed by Mr. HALIBURTON [1]) and Mr. STUART-GLENNIE [2]); the latter writer contending that, while there are undoubtedly people of small stature in the Pyrenees, these are not representatives of a special race, but are merely crétins and „goitreux de petite taille", sprung from the same stock as the surrounding population, but dwarfed by disease.

Fig. 1.

As I had myself seen two or three specimens of those people, during a short residence in Roussillon in 1888, and being otherwise interested in the subject of dwarfs, the discussion just referred to stimulated me to visit the district specified by Professor MORAYTA in the month of May 1894. My stay in the district of Ribas only extended over a period of four days, and my experiences were therefore somewhat fragmentary. As I had anticipated, nothing resembling a separate community of dwarfish people is to be found, although one encounters an unusual number of dwarfs among the general population. It is generally agreed that formerly they were much more numerous, the Valle de Ribas having been described to me as a veritable "country of the dwarfs". But this fact is not necessarily in conflict with the belief that disease, and not race, is the real cause of their peculiar physical characteristics. Because their comparative scarcity at the present day may be explained on the ground that this disease is in course of being eliminated, by reason of altered and improved conditions of life. I may state, however, that of several educated Catalans whom I questioned, separately, on this subject, the majority were strongly of opinion that the "nanos" are the last remnant of a very primitive race, and are not mere aberrations from the general Catalan stock. Whichever of these conflicting opinions be the correct one, – and there is, no doubt, much to be urged on either side, – the information gleaned by me during my recent brief visit is worth placing on record, although it only consists of a few details of height and age, illustrated by means of the „Kodak".

[1]) In Nature, 26 Jan. 1893; in the Asiatic Quarterly Review, July 1893; and in The Academy, 5 and 19 Aug. 1893.
[2]) In The Academy, 22 July and 12 Aug. 1893.

The district of Ribas, specified by Professor MORAYTA, is situated in the north-western part of the Province of Gerona, and borders upon the French department of the Pyrénées Orientales. It is easily accessible from Barcelona, by the railway which runs due north to San Juan de las Abadesas; at which latter terminus, or at the previous station of Ripoll, one ought to alight in order to prosecute, among the various villages lying nearer the frontier, the search for specimens of this "nano" type. The first of the photographs here reproduced was obtained near the small town of Camprodon, at the junction of the rivers Ter and Riotort; but before arriving at Camprodon, on the road from San Juan de las Abadesas, one passes through the village of San Pablo de Seguries, in which, I was informed, more than one "nano" may be seen. However, wet weather and want of time both combined to prevent me investigating this point for myself.

This first picture (see foregoing page, Fig. 1) represents a young dwarf woman who lives at a farm about equi-distant between Camprodon and the Pueblo de Llanas. She is 21 years of age, 3 feet 10 inches

Fig. 2.

Fig. 3.

(1 m. 17) in height, and is perfectly intelligent and amiable, although her features are far removed from the classic type of beauty. When I saw her, she was just returning from gathering brushwood; and so petite is her figure that it was difficult to believe she was not merely a girl of twelve or thirteen. She is, however, a grown woman; and if the Pyrenean "nanos" are a distinct race, I should regard her as an excellent representative of the type. Indeed, if all those I had encountered had resembled her, there would have been no doubt in my own mind that the question is one of race, and race alone. There is nothing in her appearance to suggest disease; neither goitre, nor the imbecility of cretinism. She is a sturdy, healthy little woman, taking full part in the labours of the farm. On the other hand, her dwarfish, thickset figure, her broad, flat "snub" nose, her large, ugly mouth, and — it may be added — her brown hair (what Prof. MORAYTA calls "roux", and Mr. HALIBURTON „mahogany"), all tend to separate her from the general population and to link her with other dwarfish people in the same neighbourhood.

At this farm there was also a dwarf man, here represented (see Fig. 2). He was 30 years old, and stood 4 feet 8 inches (1 m. 42) in his stocking-soles. His profile shows admirably the true „nano" outline.

It may be added that this man, being an imbecile, is unable to do any work; and that his brother, who manages the farm, is not only an intelligent man, but is also of good stature. This latter fact is one of several which seem to me to indicate that the dwarf peculiarities are racial, and that the reason why a dwarf is occasionally seen in a family, whose other members are of normal height, is that a certain strain of ancestral blood has specially asserted itself in the individual in question. At this same farm, I saw another illustration of this theory. This was a boy of eleven years of age, apparently of weak intellect, whose stature was only 3 feet 3½ inches (1 m.), and whose features and physique were most distinctly of the "nano" type. Yet his mother was a well-grown, good-looking woman. His father, who is dead, was a small man; but I could not learn whether he was distinguished by any special characteristics of mind or body.

Fig. 3 (See foregoing page) shows a "nana" of 62, whom I photographed at the door of the fonda at Pueblo de Llanas, a village only a mile or so from the scene of the above photographs. This woman stands

Fig. 4.

Fig. 5.

4 feet 1 inch (1 m. 25) in her shoes; and she is imbecile, or half imbecile, and does not articulate clearly. At the same pueblo I was also shown a girl of 15, whose height was 3 feet 6 inches (1 m. 07). She had a huge goitre, a disfigurement absent from any of the dwarfs already described. It may be added that her features appeared to me to partake only in a slight degree of the ugliness so conspicuous in other dwarfs.

At Camprodon, I also photographed a shepherd, 33 years of age, whose stature was only 4 feet 1½ inches (1 m. 26). Although this was the smallest man I saw in the Eastern Pyrenees, there was nothing in his appearance, — except his diminutive size, — that would have struck me as exceptional. His features and figure were good, and he was perfectly intelligent. At Camprodon, also, I was told of a „nano" who acted as servant to a gentleman of the neighbourhood. He was described to me as of a very low type, almost animal in expression, and „a mere house-dog".

Across the mountains from Camprodon, a dozen miles or so, lies the small town of Ribas, the capital of the Valle de Ribas. But although I had been told at Llanas that this was „the country of the dwarfs", my own impression — limited, it is true, to the experiences of a day and a half, — was that they were

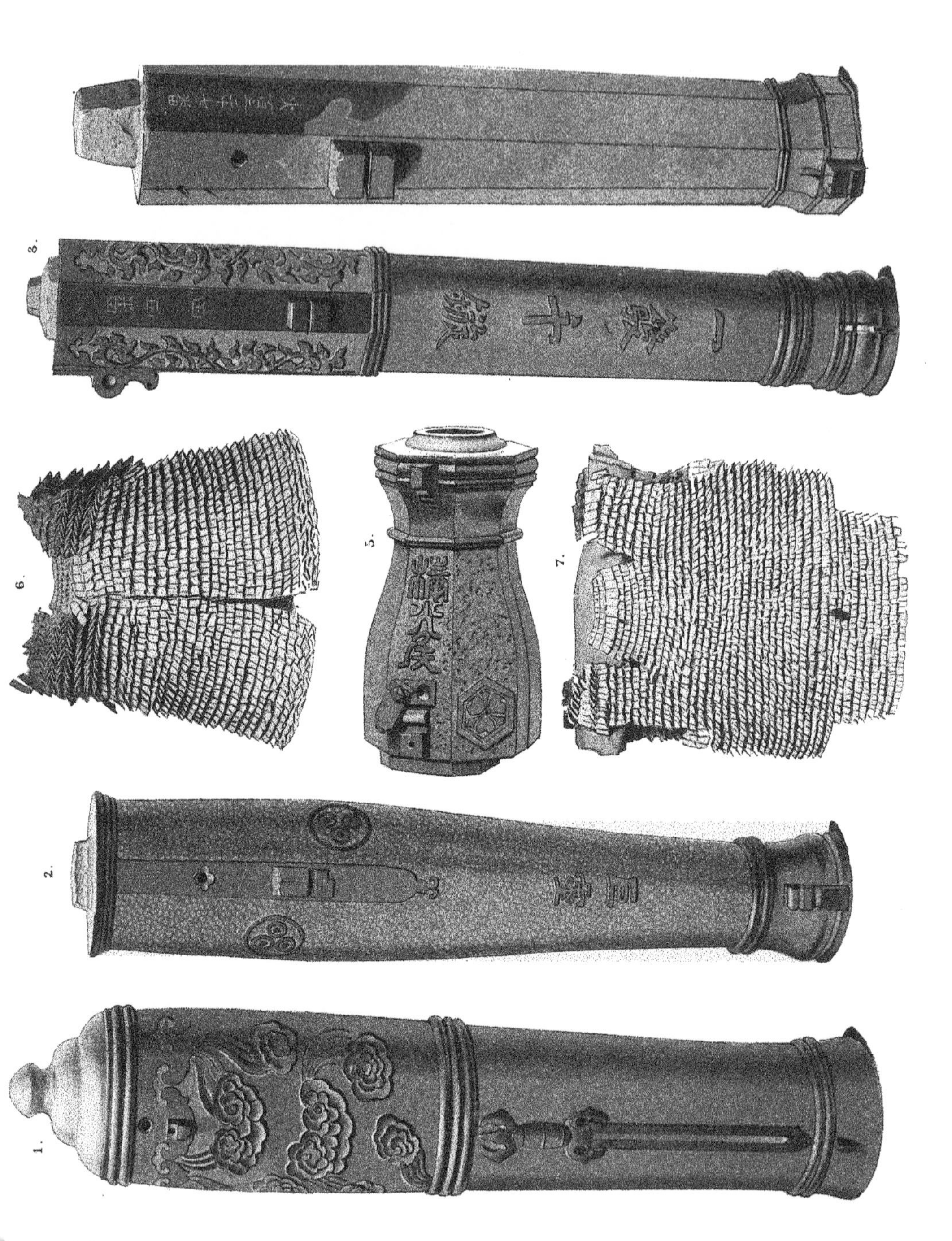

ex. mus. ethn. hamburgensis. R. Raar lith. P.W.M.T. imp.

fewer here than in the neighbourhood of Camprodon. Don Manuel Coma, of Ribas, who kindly assisted me in ferreting out a few specimens, informed me that the „nanos" have almost died out; although in former days they were very numerous. In Ribas itself, I only saw two people, a brother and sister, who were regarded by the townspeople as belonging to the „nano" type. Yet they were not specially dwarfish in stature, the woman being 4 feet 7½ inches (1 m. 4) and the man 5 feet (1 m. 5) or a little more. They had, however, the ugly faces and wrinkled brows so commonly seen among those Pyrenean dwarfs.

The woman represented in Fig. 4 lives with her brother near the mountain-village of Pardinas, which is situated between Ribas and Camprodon. Although apparently of weak mind, she is able to perform the duties of a swine-herd, and she fully realizes that two or three pesetas are of more value than one. She is 60 years of age, and appears to be a little above 4 feet in height; say, 4 feet 2 inches (1 m. 27). Her hair is of the characteristic brown colour. Her brother, whom I did not see, is said to be as small as she is.

At Pardinas, I found a dwarf who bore little resemblance to the others. His age is somewhere about 35 or 40, and his stature is 4 feet 5½ inches (1 m. 35). Black-haired and dark-skinned ("negro, — com' un demonio", said my guide), and with a huge goitre, he differs greatly from such a specimen as the young dwarf woman (Fig. 1). He is moreover, inarticulate in his speech, and quite devoid of reason. His low stature, and the deeply wrinkled forehead, are perhaps the chief points he has in common with the others.

Very different from him was the good-natured, intelligent little cow-herd of Ventolá (Fig. 5, see foregoing page) a village perched on the mountain-side, a few miles above Ribas. Although 70 years old, he is quite able for his day's work. His stature does not quite reach 4 feet 6 inches (1 m. 37). His short, broad nose, small eyes, and hairless face seem the most noteworthy details connecting him with other Pyrenean dwarfs.

These, then, were all the dwarfish people I encountered during a four days' stay in the neighbourhood of Ribas. I was told that if I went higher up the Valle de Ribas, by the old road on the left bank of the river, I should probably find a few more specimens. Moreover, the fact that I saw two or three others, in 1888, in the valley of the Tech on the French side of the Pyrenees, seems to indicate that examples of this type may be found anywhere between Ripoll and the Canigou. Still, they are evidently very scarce nowadays, as all my informants said.

Except for the hairless face of the men, it did not appear to me that there was anything peculiarly Mongolian about these people, as Professor Morayta asserts. Nevertheless, I am inclined to regard them as the remnants of a race. Undoubtedly, cretinism and goitre enter into the question. But, of the eleven dwarfs whom I saw in the Ribas neighbourhood, only two were afflicted with goitre. It is hard to believe that the little woman who figures first on my list owes her small stature and her other characteristics to the working of disease. And if those peculiarities are simply the outward signs of cretinism, and if cretinism is due to environment, how comes it that other people, living exactly the same life, are absolutely free from any such defects of mind or body? [1]

David Mac Ritchie.

XXIII. Ein alterthümliches Signalinstrument, früher bei den Köhlern im Harz in Gebrauch, bespricht Dr. R. Andree im 5ten Bande (1895) der Zeitschrift des Vereins für Volkskunde p. 103 ff. Dasselbe, Hillebille genannt, aus einem dünnen Buchenbrette bestehend, und mit eingeschnittenen Sprüchen und Zeichnungen verziert, hing in einem galgenartigen Gestell und wurde zum Geben verschiedener, bestimmter Signale benutzt, z. B. für das Zusammenrufen der Köhler von den weitverstreuten, von einer Köte (kegelförmige Hütte aus Fichtenstämmen) aus, überwachten Meilern, für Hilfssignale, etc., etc. Geschlagen wurde das Geräth mit einem hammerförmigen Klöppel aus Hainbuchenholz. Bei dem Versuch die Bedeutung des Namens klarzustellen kommt Andree zu keinem befriedigenden Resultat; nach einer Mittheilung, die wir Prof. Schlegel verdanken, bedeutet nach Fick, Indogerm. Wörterbuch pg. 728 *hila*, tönend, Getön; ahd. *hël* in *gi-hël*, *un-hël*, *mim-hël;* mhd. *hël*, *hëlln* = tönend, laut, glänzend; nhd. *hell* von *hall*, hallen. Ibid. pg. 815 findet sich *billa* = Glocke; engl. und holl. *bell*, *bel*. Demnach dürfte Hillebille wohl als tönende Glocke zu erklären sein.

---

[1] I have to acknowledge my indebtedness to Don José Pella y Forgas, of Barcelona, as also to Don Jacinto Auli (Camprodon), and Don Manuel Coma (Ribas), for their kind assistance in this matter.

Das Geräth wird vom Verf. mit ähnlichen, bei aussereuropäischen Völkern in Gebrauch, den Signal-Trommeln (hohlen Holzklötzen) in Afrika, dem ähnlichen *„Angramut"* von Neu-Brittannien (nicht Neu-Guinea, wo das Geräth in Kaiser Wilhemsland in ähnlicher Form angetroffen und in Constantinhafen *„Barum"* genannt wird. Siehe FINSCH: Bthu. Erf. u. Belegstücke pg. 254 [116]), den Klangplatten aus Venezuela und China, die übrigens wohl anderen Zwecken gedient haben dürften und dem Gong der Chinesen; letzteres weniger richtig weil der Gong nach Prof. SCHLEGEL aus dem Kessel der chinesischen Soldaten entstanden, der Nachts als Trommel diente. Dagegen bieten die fisch- oder drachenförmigen hölzernen Signalapparate, wie sich solche z. B. in der Nähe der Tempel in China und Japan finden, eher eine Parallele. Uebrigens zeigt sich auch hier wieder die stiefmütterliche Beachtung der niederländischen Literatur über Indonesien und zwar sogar seitens eines sonst so gewissenhaften Forschers wie R. ANDREE dies ist, indem ein Geräth welches in erster Linie in Parallele mit dem besprochenen verdient gestellt zu werden, vollkommen übergangen wurde, nämlich das Signalgeräth der Wachthäuser (*Gerdoe*) auf Java, ebenfalls meist aus einem ausgehöhlten Holzblock bestehend und *„Kentongan"* (Cat. Kol. Tentoonst., Amsterdam 1883, II Groep, pg. 382 N°. 112), oder *tongtong* (v. D. WALL—v. D. TUUK; Mal. Ned. Wdb. D. I, pg. 407) genannt. In manchen Fällen wird auch Bambus dafür verwandt. Im Verband mit dem durch A. betreffs der ‚Hillebille' Mitgetheilten, ist es daher vielleicht behufs eines Vergleiches nicht ohne Interesse, hier dasjenige was VETH (Java I, pg. 658) über das javanische Geräth sagt, in Uebersetzung folgen zu lassen:

„Ueberal längs der Wege und Pfade und an den „Ecken der *Dessa*'s (Dorfgemeinden) sind Reihen von *Gerdoe*'s" errichtet, in denen drei Wächter während „Tag und Nacht, je zwölf Stunden lang, Wache „halten.

„Der Abstand der Wachthäuser von einander ist „derart geregelt, dass sie innerhalb aller bewohnten „Strecken der Insel mit einander in Verband stehen. „In den grösseren Ortschaften sind sie manchmal „von Steinen erbaut und mit Dachpfannen gedeckt, „gewöhnlich jedoch nur aus Holz oder Bambus construirt und mit *Atap* (Blättern) gedeckt. Von vorn „sind sie gänzlich und im Uebrigen, oberhalb eines „Abstandes von drei Fuss vom Grunde, bis zum Dache „an allen Seiten offen. Von der Mitte des Daches „hängt ein grosser Cylinder, aus einem ausgehöhlten „Baumstamme bestehend, hernieder, welcher, mit „einem Stück Bambus geschlagen, einen eigenthümlichen Klang von sich giebt, den man mit Leichtigkeit von jedem anderen unterscheiden und während der Nacht auf weitem Abstand erkennen „kann. Durch verschiedene, genau bestimmte, auf „diesem Geräth erzeugte Signale, wird die Nachricht „von einem Brand, Raub, Mord oder *Amok* sofort „verbreitet und den benachbarten Wachthäusern „vermittelt, in welchen dann das betreffende Signal „in derselben Weise wiederholt wird."

Exemplare dieser Signalgeräthe, aus Holz und aus Bambus, besitzt das ethnographische Reichsmuseum zu Leiden; erstere haben eine einigermassen trogähnliche Gestalt, gleich solchen von Neu-Brittannien, Neu-Guinea und Kamerun; jene aus Bambus bestehen aus einem Gliede einer grossen Staude und sind von einer engen und langen, seitlichen Oeffnung versehen. Aus der Residentschaft Pasuruan liegt ein hölzernes Exemplar, in Form eines Fisches geschnitzt, vor; auch in der Residentschaft Menado, Celebes, ist unser Geräth in Gebrauch. — Auf Borneo findet sich in Reisfeldern ein ähnlicher Apparat, *„garuntung"* genant, aufgestellt, der jedoch dem Zwecke dient um Schweine, Hirsche etc. während der Nacht zu verscheuchen. Er besteht gleich der Hillebille aus einem aufgehängten Brette, gegen das ein Schlegel mittelst einer langen Rotanschnur vom Hause aus bewegt wird (HARDELAND, Dajakisch Deutsches Wörterbuch pg. 129).

Mit Bezug auf den oben angeführten Namen *tongtong*, auch wohl *„thong-thong"* geschrieben, macht uns Prof. SCHLEGEL darauf aufmerksam dass derselbe Chinesisches Ursprunges. Der Klang einer Trommel wird ausgedrückt durch das Wort *tong*, 鼕, 𪔛, 𪔂, 𪔍 oder 𪔵 geschrieben, oder durch das Wort *„thong"*, 鼞 oder 鏜 geschrieben. *Tông-tông Kó* (鼕鼕鼓) bedeutet eine rasselnde Trommel; *Thong-thong* oder *Thong-thong-thong* das Trommelschlagen.

XXIV. Kanonen aus Japan. Taf. X Fig. 1—5. Im gegenwärtigen Augenblick wo die kriegerischen Ereignisse alle Augen auf jenes ostasiatische Inselreich gelenkt, dürfte Abbildung und Beschreibung von vier Kanonen und einem Mörser, in deren Besitz das Museum für Völkerkunde zu Hamburg vor einiger Zeit gelangte nicht ohne Interesse sein [1]).

Dieselben bestehen sämmtlich aus gutem Bronze-

[1]) Die Japaner lernten zuerst um das Jahr 1540, in Folge Ankunft portugiesischer Schiffe, Europäische Gewehre und Kanonen kennen und übten sich, lernbegierig wie immer, schon bald in der Verfertigung

auct. del.　　　　　　　　R.Raar lith.

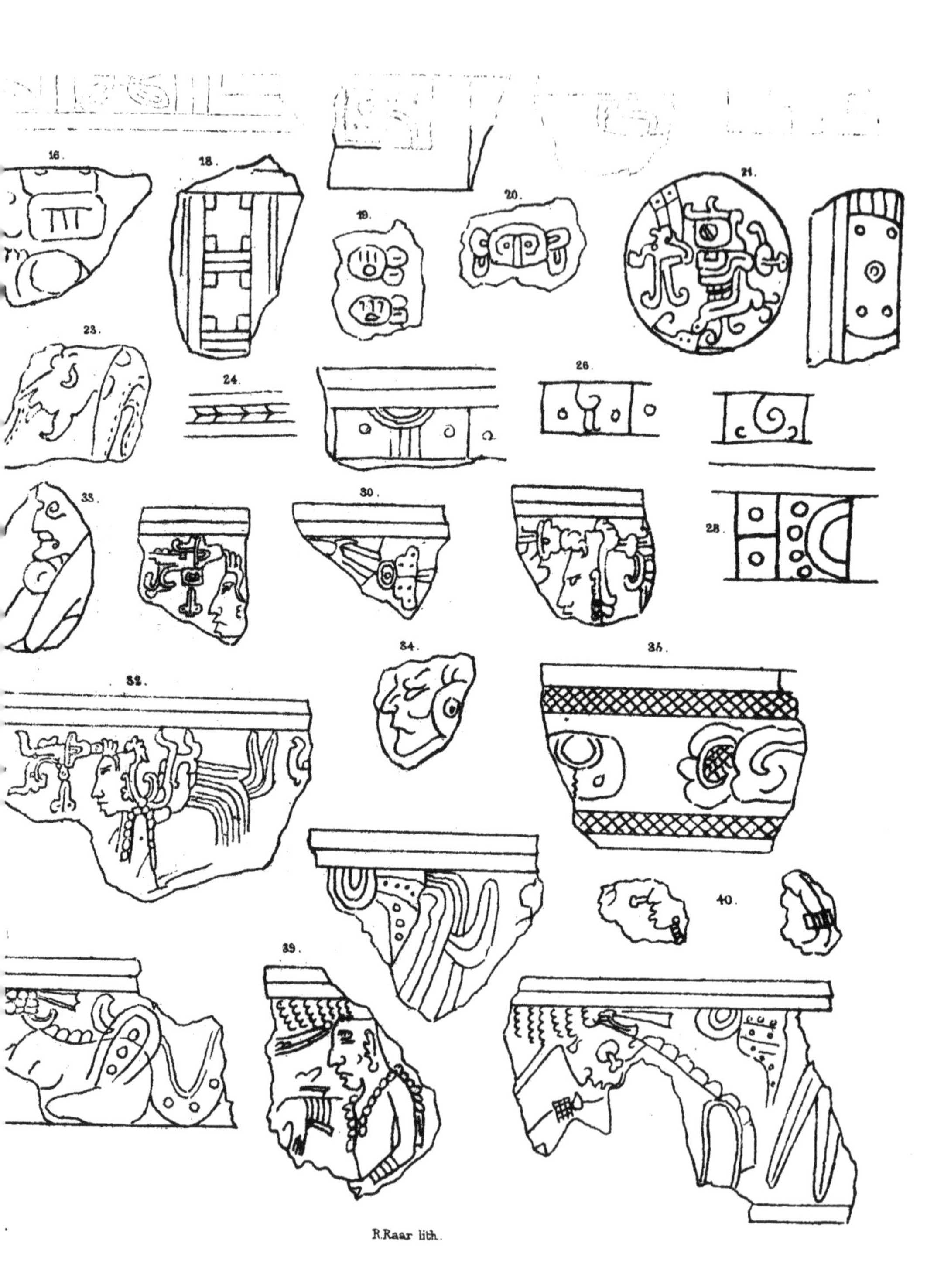
16.
18.
19.
20.
21.
23.
24.
26.
33.
30.
28.
34.
35.
32.
40.
39.
R.Raar lith.

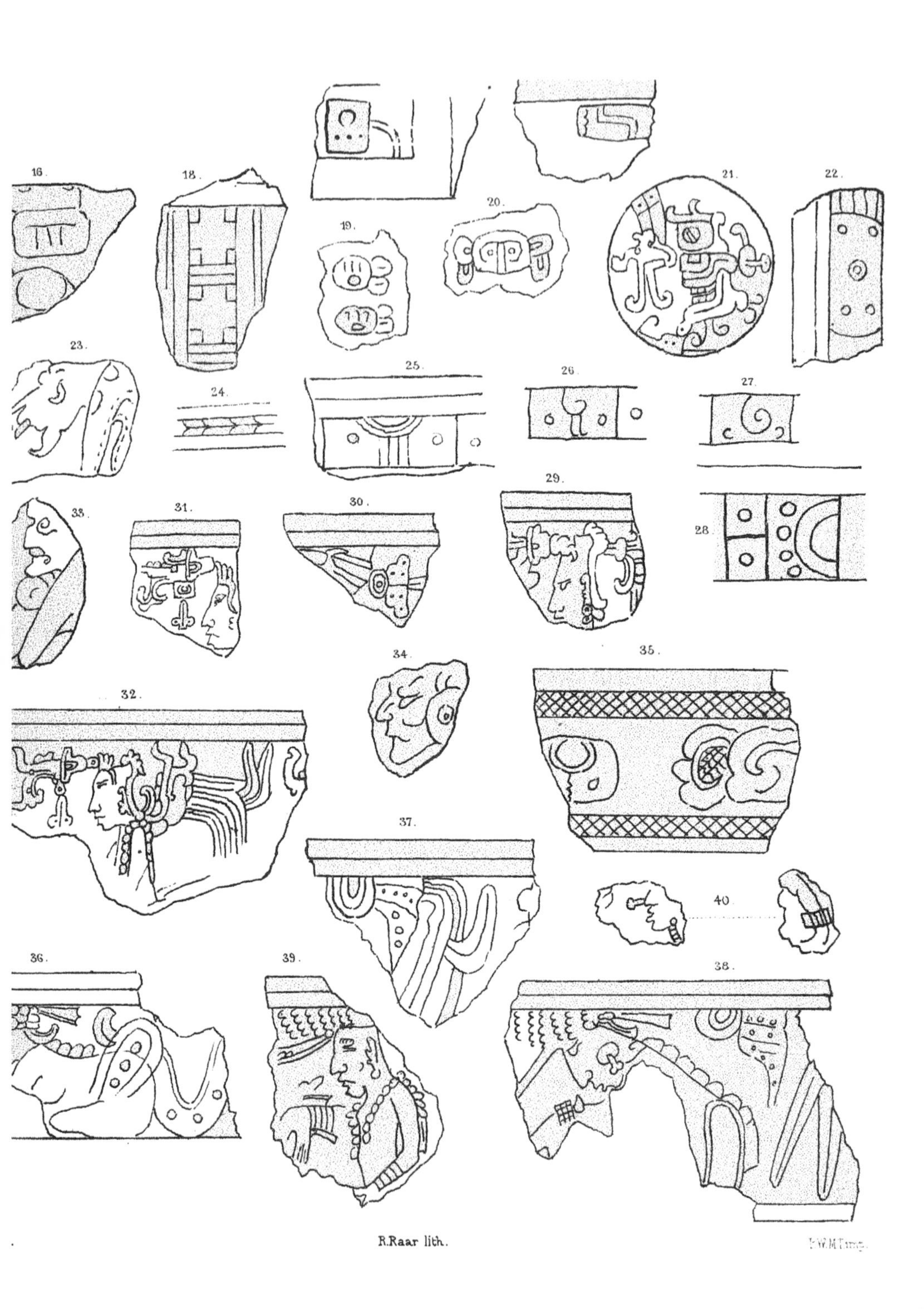
16.
18.
19.
20.
21.
22.
23.
24.
25.
26.
27.
28.
29.
30.
31.
32.
33.
34.
35.
36.
37.
38.
39.
40.
R.Raar lith.

guss und zeigen untereinander die folgenden Unterschiede:

Fig. 1. Gewicht 55 Kilo; Länge 70 cM. Form rund. Durchschnitt des Rohrloches 7 cM. Am hinteren Theil findet sich eine erhabene blattartige Verzierung [1]) und nach vorn eine solche die ein kurzes Schwert vorstellt.

Fig. 2. Gewicht 42 Kilo. Länge 61 cM.; Form rund. Durchschnitt des Rohrloches 4 cM. Verzierung am vorderen Ende: Zwei erhabene Schriftzeichen deren Bedeutung lautet: der grosse Geist. Am hinteren Ende befinden sich, ebenfalls erhaben, zwei Familien-Wappen [2]).

Fig. 3. Gewicht 21 Kilo. Länge 68 cM. Durchschnitt des Rohrloches 6½ cM. Die Form ist hinten achteckig, nach vorne rund. Am vorderen Theil findet sich die eingegrabene Aufschrift: „HIBUKI HAJIBO IOSHISUKE hat dies gemacht", und ausserdem, erhaben, die Zeichen *„ippatsu cen sen"*, das heisst: „einmal abgegeben tausend Geschosse". Ausserdem ist der hintere Theil mit Blattornamenten verziert. Das Zündloch ist bei dieser Kanone an der Seite angebracht, in der Form wie solches sich bei den alten Steinschloss-Gewehren findet.

Fig. 4. Gewicht 37 Kilo. Länge 63 cM. Durchschnitt des Rohrloches 4 cM. Form achteckig. Lauf unten mit feiner gepunzter, blätterartiger Verzierung. Es finden sich auf verschiedenen Seiten drei eingravierte Schriftzeilen, die aber theils nicht mehr deutlich zu entzifferen sind. Aus einer derselben ist zu ersehen, dass SUDUHACHIRO JOSHISUKE der Verfertiger war und zwar unter der Regierung von KWANSEI im 1sten Jahre, 3ten Monats, an einem glücklichen Tage [A⁰. 1789] [3]).

Fig. 5. Kl. Mörser, Gewicht 21 Kilo. Länge 26 cM. Rohrmündungsweite im Durchschnitt 5 cM. Form achteckig. An der Seite befindet sich das erhabene Familien-Wappen der SHINAGAWA en relief [4]), und auf der oberen Fläche eine leider noch nicht entzifferte Aufschrift.

HAMBURG. C. W. LÜDERS.

XXV. Alte Thongefässe aus Guatemala. Mit Tafel XII & XIII. — Guatemala gehört zu denjenigen Ländern Centralamerikas, in denen die alte Mayakultur geblüht hat, deren von den Handschriften hauptsächlich ausgehende Erforschung bereits so interessante Einblicke in ein hochentwickeltes Geistesleben gewährt hat. Was daher in Guatemala an Ueberresten der einheimischen, vorcolumbischen Kultur gefunden wird, verdient die besondere Beachtung der Amerikanisten.

Herr DIESELDORFF, ein Hamburger, der bei Coban im Innern von Guatemala eine Kaffeeplantage besitzt, hat seit einiger Zeit mit erfreulichen Erfolgen Ausgrabungen in seinem Distrikt vorgenommen. Dabei sind höchst interessante Thongefässe mit Darstellungen mythologischen Charakters gefunden worden, die grösstentheils in der Zeitschrift für Ethnologie (1893 und 1894) zur Publikation gelangt sind. Die hier veröffentlichten Zeichnungen sind Copien ähnlicher Darstellungen von bemalten Thongefässen, die Herr DIESELDORFF ausgegraben hat. Er hat diese Copien selbst angefertigt und mir zur Veröffentlichung zur Verfügung gestellt.

Leider sind es nur Bruchstücke; die Gefässe sind sämmtlich zerbrochen aufgefunden worden. Indessen enthalten sie so reichlich figürliche Darstellungen, Ornamente und selbst Hieroglyphenzeichen, dass sie zum Studium der alten Kultur jenes Gebietes genügendes Material liefern, um eine Veröffentlichung zu verdienen. Es sind insgesammt 40 Nummern.

Der Fundort ist bei allen Stücken mit Ausnahme von N⁰. 21 und 40, die Farm Petet, ungefähr eine Wegstunde von Coban entfernt. N⁰. 21 stammt aus Canaséc, jurisdiccion Chamelco und N⁰. 40 aus Chamá, einem zehn Leguas nordwestlich von Coban gelegenen Thale. Die Bruchstücke bieten im Einzelnen, abgesehen von dem grösseren Stück N⁰. 1, vielleicht nicht viel, aber alle zusammen geben ein charakteristisches Bild.

Zunächst zeigen sie zum Theil ganz geschmackvolle Ornamente und Randverzierungen, so N⁰. 11, 12, 18, 22, 24—28. Vielfach findet sich auf Gefässen aus dem Mayagebiet eine Randverzierung mit viereckigen Figuren, von denen man nicht recht sagen kann, ob sie Schriftzeichen sein sollen oder blosses Ornament. Als Schriftzeichen würden sie (so N⁰. 25—28) jedenfalls Tageshieroglyphen bedeuten, und in ihrer Form sehr lebhaft an die Formen der Tageszeichen in den sog. „Büchern des Chilan Balam" erinnern. Unzweifelhafte Schriftzeichen sind dagegen auf den Stücken N⁰. 1, 2, 4, 7, 8, 9, 14, 16, 17, 19, 20 und 35 vorhanden, leider zum Theil sehr verwischt. Auf

und dem Gebrauch dieser Mordgeräthe. (Siehe G. SCHLEGEL: Het geschil tusschen China en Japan. Versl. en Med. Kkl. Akad. van Wetensch., Amsterdam, XI Deel (1895) pg. 163). *Red.*

[1]) Pilze (*Agaricus*), das Zeichen des Glücks und der Unsterblichkeit. Siehe dieses Archiv Bd. III pg. 29 & G. SCHLEGEL: Problèmes géographiques (T'oung Pao, VI) pg. 18.

[2]) Das eine wohl das der Familie MATSURA (Siehe APPERT: Ancien Japon pg. 113 fig. 166). *Red.*

[3]) Die Chin. Karactere 火百之二十七番 geben keinen Sinn.

[4]) APPERT, l. c. pg. 107 N⁰. 130 & 132 giebt dafür SAKAI. *Red.*

N°. 1 können wir links oben, in der ersten Hieroglyphe wohl das Zeichen der Sonne, *Kin*, sehen. N°. 35 zeigt links das Zeichen *Kan*, mit dem auch die viereckige Figur auf N°. 25 Aehnlichkeit hat. Auf N°. 8 sehen wir das Tageszeichen *Ezanab*.

Die menschlichen Gestalten zeigen den wohlbekannten Charakter derartiger Darstellungen aus den Mayagebieten. Der Gesichtstypus, der schmale Kopf, die zurückweichende Stirn erinnert an die Darstellungen von Palenque und an den Codex Dresdensis. Auf N°. 1, 2, 10, 32, 39 u. a. sehen wir die charakteristischen Halsketten, und auch sonst zeigen sich in Schmuck und Kleidung die Eigenthümlichkeiten der südlichen Mayavölker (d. h. der südlich von der Halbinsel Yucatan im Innern von Guatemala, Chiapas und theilweise Honduras wohnenden), die ich in der Abhandlung: „Vergleichende Studien auf dem Felde der Mayaalterthümer", in Band III des Archives behandelt habe. Wir sehen den überreichen Kopfschmuck, das gemusterte ex, den Ohrschmuck, die Hand- und Beinzierden in den seinerzeit beschriebenen und abgebildeten Formen. Für die Einzelheiten lassen sich theilweise völlige Uebereinstimmungen mit Darstellungen des Codex Dresdensis beibringen, sodass ein gleicher oder nahe verwandter Ursprung sehr wahrscheinlich ist.

Die am besten erhaltene Darstellung N°. 1 zeigt zwei menschliche und zwei thierische Gestalten. In den letzteren haben wir jedenfalls verkleidete Priester zu sehen, die bei feierlichen Ceremonien die Maske eines ihrer Gottheit geweihten Thieres anlegten, die Gestalten sind ebenso wie bei N°. 2 sprechend und gestikulirend dargestellt. N°. 2 scheint eine Opferscene wiederzugeben. Auf N°. 23 sehen wir die Windungen einer Schlange, die so häufig in ähnlicher Weise in den Handschriften vorkommt, links scheint ihr Name dargestellt zu sein. Auf N°. 29, 31 und 32 fällt der umfangreiche Kopfschmuck aus Quetzalfedern auf, der in ganz gleicher Weise auf Darstellungen in Palenque erscheint. Höchst merkwürdig ist die Figur auf N°. 21. Fast könnte man das ganze für ein hieroglyphisches Schriftzeichen halten, indessen hat es doch wohl eine andere Bedeutung. Es stellt ersichtlich einen eigenthümlich stilisirten Kopf dar: unten sieht man den Kiefer mit den Zähnen, darüber die Nase und das Auge. Dahinter ist das Ohr angedeutet, von dem man nur den oberen Zipfel sieht, der untere Theil ist durch ein Schmuckstück verdeckt. Der vor diesem Kopf dargestellte Gegenstand ist nicht zu erkennen.

Im Allgemeinen bestätigen auch diese Reste, wie die sonstigen Funde des Herrn Dieseldorff, die schon früher (Archiv Bd. III) von mir vertretene Annahme, dass die wenigen Ueberbleibsel, welche der eigentlichen Mayakultur, der höchsten Kulturentwicklung der Neuen Welt überhaupt, angehören, nicht auf die Halbinsel Yucatan, als den Sitz dieser Kultur deuten, sondern auf ein Gebiet im Innern und südlich von Yucatan. Zu dieser Kulturgruppe gehört die Dresdener Mayahandschrift und der Codex Peresianes, die Alterthümer von Palenque und die von Copan, ein gemeinsamer Typus findet sich in den Innengebieten von Guatemala bis Honduras und Chiapas, der z. B. in manchen Fundstücken aus der Gegend von Coban eine ganz auffallende Uebereinstimmung mit den Darstellungen der Handschriften zeigt, während die Alterthümer von der Halbinsel Yucatan, ganz besonders die Reliefdarstellungen der Tempel und Paläste einen abweichenden Charakter tragen, der mehr an die Aztekischen Alterthümer erinnert.

Die Kulturgeschichte des alten Centralamerika liegt noch in tiefem Dunkel, und zu ihrer Aufklärung sind auch die geringsten und unbedeutendsten Ueberreste oft von Werth. Denn aus der Zusammenstellung und Vergleichung geringfügiger Einzelheiten lassen sich oft weitgehende Schlüsse über die Zusammengehörigkeit, den Ursprung und die Verwandtschaft grosser ethnologischer Gebiete und Kulturformen ziehen.

Berlin. Dr. P. Schellhas.

II. QUESTIONS ET REPONSES. — SPRECHSAAL.

I. Cuirasse d'écailles des iles indonésiennes? Voir Pl. XI fig. 6 & 6*a*.

Le gymnase de St. Willibrord des Pères jésuites à Katwijk sur Rhin possède une belle collection d'objets d'histoire naturelle et ethnographiques. Parmi les derniers se trouve, entre autres objets intéressants, la cuirasse dont nous donnons la figure, vue par devant et derrière.

Les écailles, d'une couleur brun-foncée consistent probablement de l'onveloppe squameuse du fruit d'un Cycas, d'après l'examen microscopique de M. L. Vuijck, agrégé au laboratoire de botanie de l'Université de Leyde, et elles sont attachées ensemble par des ficelles de cocos.

Nous n'avons jamais vu une cuirasse pareille dans une autre collection, et nous n'en trouvons aucune mention dans la littérature. Le conservateur de la dite collection, le R. P. Leop. Sterneberg, nous dit que la cuirasse a été donnée au gymnase avec d'autres objets par un missionnaire dans les îles indonésiennes, mais sans localité précise.

En conséquence nous prions ceux de nos lecteurs qui connaissent d'autres spécimens pareils au notre, de nous en indiquer la provenance.

II. Dagger and sheath from Celebes? — The weapon of which we give here a figure, has been received by the Museum of Science and Art at Edinburgh without indication of the exact locality.

We owe the following description of it to Mr. WALTER CLARK, Curator of the Museum.

"Blade of 'watered' steel, wrought à jour along "the back for two-thirds of its length, the remaining "third has a cutting edge, both faces are slightly "hollowed and bear flamboyant designs encrusted "in gold, the gold itself being delicately engraved; "handle of mottled brown wood carved with foliage. "Sheath of wood, covered with rattan, coated with "red and yellow lacquer, at the top is a mount and "lower down a floral 'button' (to which a red silk "cord is attached) both in nielloed silver, the four- "petalled flowers which partly make up the design "being 'picked out' in gold; a mount is missing from "the lower end. Length of dagger 0.46 metre. (Edin- "burgh Museum of Science and Art. Inv. N°. 92-538)".

We are inclined to believe that the weapon in question comes from the Bougis of Celebes. Is any of our readers able to indicate the exact locality?

J. D. E. SCHMELTZ.

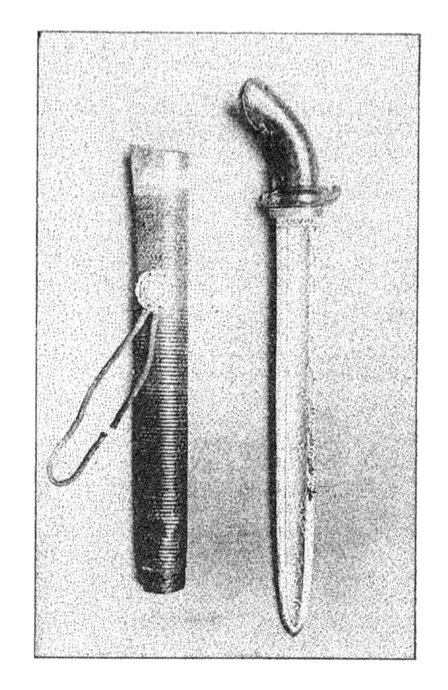

IV. REVUE BIBLIOGRAPHIQUE. — BIBLIOGRAPHISCHE UEBERSICHT.

Pour les abréviations voir pag. 29. Ajouter:

Or. = L'Oriente. **Z. A. O. S.** = Zeitschrift für afrikanische und oceanische Sprachen mit besonderer Berücksichtigung der Deutschen Kolonien.

GÉNÉRALITÉS.

III. La deuxième édition de l'ouvrage de M. le prof. F. RATZEL (Völkerkunde. Leipzig-Wien) est entièrement remaniée et illustrée de 28 planches, dont 15 coloriées, et de 513 figures d. l. t. M. le doct. L. SERRURIER (Gids 1895 n°. 3: Juridische ethnologie) publie quelques observations critiques à propos du livre du doct. S. R. STEINMETZ (Ethnologische Studiën zur ersten Entwicklung der Strafe nebst einer psychologischen Abhandlung über Grausamkeit und Rachsucht). Les races humaines font le sujet d'études de M. F. BOAS (Proc. Am. A. XLIII: Human Faculty as determined by Race); du doct. G. BUSCHAN (Gl. LXVII p. 43, 60, 76: Einfluss der Rasse auf die Form und Häufigkeit pathologischer Veränderungen); du doct. FRIEDRICH MÜLLER (Gl. p. 140: Abstammung und Nationalität). M. le prof. R. VIRCHOW (Corr. A. G. p. 144: Ueber Zwergrassen) traite un sujet qui de plus en plus attire l'attention des anthropologues. M. le prof. SERGI, qui déjà avait discuté cette question dans l'assemblée d'Innsbrück, a publié dans le bulletin de l'académie de médecine à Rome un mémoire (XIX n°. 2), qui a donné lieu à des observations de M. EMIL SCHMIDT (Gl. p. 65: Sergis Theorie einer Pygmäenbevölkerung in Europa).

„En psychologie, comme dans les autres sciences, il ne suffit pas d'amasser des faits par l'observation et l'expérience et de chercher à leur donner une précision de plus en plus grande. Il faut encore les classer." Voilà un précepte trop souvent oublié et que vient de nous rappeler M. L. MANOUVRIER (Rev. mens. V p. 41: Discussion des Concepts psychologiques. Sentiment et Connaissance. Etats affectifs). Le même journal contient, encore de la main de M.

MANOUVRIER (p. 69: Le Pithécanthropus. Comp. l'art. de M. PETTIT dans Anthr. VI p. 65), des observations à propos de la découverte de M. EUG. DUBOIS, qui croit avoir trouvé à Java les restes de l'ancêtre commun du singe et de l'homme; une étude de M. G. HERVÉ (p. 18: Les brachycéphales néolithiques); et des observations de M. J. V. LABORDE (p. 1.: La microcéphalie vraie et la descendance de l'homme. Av. fig.) à propos de trois frères microcéphales et d'un jeune chimpanzé femelle, où l'anteur croit reconnaître de l'atavisme. Une autre abnormité est décrite par M. R. W. REID (A. I. XXIV p. 105: Exhibition and description of the skull of a Microcephalic Hindu. Av. pl.). M. JOEST (Verh. A. G. p. 433) fait une communication sur l'homme chevelu Ram-a-Samy, en y ajoutant le portrait du sauvage qu'il considère comme une abnormité d'origine européenne.

Des questions d'ethnographie comparée sont traitées par le prof. A. BASTIAN (Verb. A. G. p. 446: Armbrüste und Bogen); par M. H. SCHURTZ (Abh. S. G. W. XV n⁰. 2. Das Augenornament und verwandte Probleme); par M. P. SARTORI (Gl. p. 107, 125: Die Sitte der Alten- und Krankentötung); et par M. M. BARTELS (Z. V. V. v. p. 1.: Ueber Krankheits-Beschwörungen). Le Folklore dans les deux Mondes (Paris) est le titre d'un livre du comte de CHARENCEY. Nous remarquons dans A. U. VI N⁰. 1 des articles de l'archiduc JOSEPH (Tiere im Glauben der Zigeuner); M. A. WIEDEMANN (Kinderchen bei den Aegyptern); M. L. SCHERMAN (Die Sterne im indogermanischen Seelenglauben); M. PAUL SARTORI (Zählen, Messen, Wägen); Dr. M. LANDAU (Liebezauber); du missionnaire A. SKRZYNSKI (Fuchskultus in Japan); de M.M. K. ED. HAASE (Die Wetterprophete in der Grafschaft Ruppin und Umgegend); H. VON WLISLOCKI (Quälgeister im Volkglauben der Rumänen); H. THEEN-STÜBY (Bienenzauber und Bienenzucht); Dr. A. H. POST (Mittheilungen aus dem Bremischen Volkleben); Dr. A. HAAS (Das Kind im Glaube und Brauch der Pommern); Th. VOLKOW (Seelenspeisung bei den Weissrussen); J. ROBINSOHN (Der Lirnik bei den Kleinrussen); KRAUSS (Makamen Minneheischender in Bosnien).

EUROPE.

M. ADR. DE MORTILLET (Rev. mens. V p. 66: Statuette en ivoire de la grotte du Pape à Brassempouy. Av. pl.) décrit une sculpture incomplète mais très remarquable de l'époque quaternaire, provenant des Pyrénées. Nature (15 et 22 nov. 1894: Early British Races) public une conférence faite à la Royal Institution par le doct. J. G. GARSON. M. S. REINACH continue (Anthr. VI p. 18. Av. fig.) ses études sur la sculpture en Europe avant les influences Gréco-Romaines. Des sujets archéologiques sont encore traités par MM. Dr. MORITZ HOERNES (Gl. p. 133, 158: Das Problem der mykenischen Kultur); SCHUMANN (Verb. A. G. p. 435: Bronze-Depotfund von Schwennenz, Pommern. Av. fig.); K. CERMAK (ibid. p. 466: Die Fundstelle der geschweiften Becher in Casian, Böhmen, und das Alter der dortigen jüngeren Lössschichten. Av. fig.); le prof. A. MAKOWSKY (ibid. p. 425: Spuren des Menschen aus der Mammuthzeit in Brünn); Dr. M. KRIZ (A. G. Corr. p. 139: Ueber die Gleichzeitigkeit des Menschen mit dem Mammuthe in Mähren); Dr. MONTELIUS (ibid. p. 128: Ueber die Kupferzeit in Schweden); F. FIALA (ibid. p. 132: Ueber einiges Neue von Glasinac); le baron de BAYE (Anthr. VI p. 1: Note sur l'âge de la pierre en Ukraine. Av. fig.), mémoire fondé sur des études faites sur place. Verh. A. G. publient des contributions de MM. HÖFT (p. 563: Mirika, Porst, Hopfen. Andeutungen für die Kunde früherer Zeit mit einleitenden geschichtlichen Notizen über geistige Getränke vorzugsweise aus der kimbrischen Halbinsel); Dr. ED. HAHN (p. 603: Der Hirse, seine geographische Verbreitung und seine Bedeutung für die älteste Cultur); A. TREICHEL (p. 410: Beiträge zu Schulzenzeichen und Verwandtes; p. 414: Collekten-Becken und Uhl von Charbrow, Kreis Lauenburg i. Pr. und ein Armenbrett zu Soest i. Westf. Av. fig.; p. 415: Von Quernen). L'architecture rurale fournit des sujets à M. J. EIGL (A. G. Corr. p. 163: Die Salzburger Rauchhäuser und die bauliche Entwicklung der Feuerungs-Anlagen am Salzburger Bauernhause); et au prof. R. HENNING (ibid. p. 167: Ueber das deutsche Haus). Nous remarquons dans le récit de voyage de M. A. MARGUILLIER (T. du M.: A travers le Salzkammergut) la description de fêtes populaires, la danse des sonneurs et celle de l'épée (p. 63) et des observations sur les superstitions et les moeurs (p. 74).

Des contributions folkloristes sont publiées par MM. O. SCHELL (Z. V. V. p. 67: Abzahlreimen aus dem Bergischen); LEHMANN-PILHÈS (ibid. p. 93: Einige Beispiele von Hexen- und Aberglauben aus der Gegend von Arnstadt und Ilmenau in Thüringen); R. ANDREE (ibid. p. 103: Die Hillebille. Av. fig.), description d'un instrument à donner des signaux, employé dans le Harz jusqu' au milieu de ce siècle et rappelant le gong ou tamtam de l'Extrême-Orient; J. D. E. SCHMELTZ (Verb. A. G. p. 557: Das Verständniss einiger volksthümlicher Gebräuche). M. E. SIDNEY HARTLAND décrit dans le journal de la Bristol and Gloucestersh. Archaeol. Soc. (The Whitsunday Rite at St. Briavels) une vieille cérémonie tombant en désuétude. M. J. PISKO (Verh. A. G. p. 560) raconte des légendes albanaises. M. N. VON STENIN (Gl. p. 85: Die Kalmücken im Europäischen Russland. Av. fig.) décrit les tribus mongols établies aux confins de l'Europe.

ASIE.

L'article de M. PASTUKHOFF, publié dans les Zapisti de la section caucasienne de la Soc. de Géogr. Russe, et dont Scott. (XI p. 67: The highest village of the Caucasus and the Shakh-Dagh) donne le résumé a un caractère plutôt géographique mais donne quelques particularités sur les Kourouchites. Le folklore oriental trouve un écho dans l'article de M. M. HARTMANN (Z. V. V. v. p. 40: Schwänke und Schnurren im islamischen Orient). Verb. A. G. publient des articles de M. G. FRITSCH (p. 455: Verunstaltungen der Genital-Organe im Orient); et de M. WALDEMAR BELCK (p. 479: Das Reich der Mannäer; p. 559: über transkaukasische Gurtelbleche und kaukasische Priap-Figuren). Le même journal (p. 488), rend compte du rapport de M. F. VON LUSCHAN sur les fouilles de Sendschirli. Des antiquités de la Paphlagonie sont décrites par M. KANNENBERG (Gl. p. 101, 120: Die Paphlagonischen Felsengräber. Av. fig.) M. C. HAHN (Gl. p. 149: Das heutige Chorasan) rend compte d'une conférence faite dans la société géographique de Tiflis par M. L. ARTAMONOW. Le récit d'une excursion en Palestine à l'est du Jordan, exécutée par M. G. ROBINSON LEES (G. J. V. p. 1.: Across Southern Bashan) contient des détails ethnographiques et archéologiques. Le journal L'Oriente, publication de l'Institut Oriental de Naples, dont nous venons de recevoir la première livraison, contient une étude de M. L. BONELLI (p. 15: Alcuni appunti sul Babismo).

Gl. (p. 39, 56. Av. ill.) raconte le second voyage de M. W. W. ROCKHILL en Tibet. T. P. VI contient la suite des Problèmes géographiques de M. G. SCHLEGEL (p. 1: San Sien Chan. Les trois iles enchantées); et un résumé bibliographique par M. H. CORDIER (p. 99: Les Etudes chinoises 1891—1894). M. W. H. WILKINSON (Am. A. VIII p. 61: Chinese origin of playing cards) observe qu'en chinois on emploie le même mot pour le jeu de dominos et le jeu de cartes. M. H. GALIMENT (Rev. mens. p. 38: La collection Varat au musée Guimet) fait une notice sur une collection ethnographique, faite en Corée. M. le doct. F. W. K. MÜLLER (T. P. p. 65: Aus dem Wakan Sansai Druye) traduit une légende japonaise; M. C. VALENZIANI (Or. p. 200: Osoma e Hisamatsu; comp. p. 65: La spiaggia di Suma) donne une étude sur le drame populaire en Japon. Nous remarquons dans Tokyo n°. 105 des articles illustrés de MM. R. TORII (A mode of ancient Japanese Hair-Dressing); S. TSUBOI (Ainu Grave Posts; n°. 106: „Tomoye" and some Ainu Designs); Y. OKAKURA (n°. 106: Notes on Corean Graves). MM. J. H. PORTER (Am. A. VIII p. 23: Caste in India); et C. TAGLIABUE (Or. p. 12: Il matrimonio delli fanciulli impuberi nell' India) publient des études sur la vie sociale en Inde. Signalons encore les articles archéologiques de M. T. RUPERT JONES (Natural Science 1894 p. 345: Miocene man in India); et de M. FR. NOELTING (Verh. A. G. p. 427: Ueber das Vorkommen von behauenen Feuerstein-Splittern im Unter-Pliocän von Ober-Birma. Av. fig.; p. 588: Vorkommen von Werkzeuge der Steinperiode in Birma), qui en développant ses objections contre l'origine humaine de ces fragments de silex, accentue la nécessité d'être prudent à tirer des conclusions dans des cas semblables. M. ADHÉMARD LECLÈRE (Cambodge. Paris) a recueilli et traduit une série de contes et légendes. M. A. G. VORDERMAN (Geneesk. Tijds. v. N. I. XXXIV p. 639: Analecta op bromatologisch gebied) publie une étude sur les substances usitées aux Indes pour colorier les aliments et les boissons. M. C. M. PLEYTE Wzn. (Gl. p. 69: Zur Kenntniss der religiösen Anschauungen der Bataks. Av. fig.) s'occupe des Bataks; M. L. Th. MAYER (Javaansche legenden en sagen. Batavia-Solo) reproduit des légendes javanaises. Le livre de M. H. NORMAN (The peoples and politics of the Far East. London) raconte les pérégrinations de l'auteur par tout l'Extrême Orient et contient de bonnes illustrations.

AUSTRALIE ET OCÉANIE.

Les notes de voyage de M. EUGÈNE GIRARDIN (T. du M. N. S. n°. 1 suiv.: En Australie méridionale) s'étendent sur un parcours de deux mille kilomètres, traversés à cheval en 1892—'93. M. W. VOLZ (A. A. XXIII n°. 1, 2: Beiträge zur Anthropologie der Südsee) joint à la description de 49 crânes provenant de l'ile de Pâques, une étude sur la repartition des races en Océanie avec une bibliographie étendue de la question. L'institution du tabou est discutée par M. H. SCHURTZ (Preuss. Jahrb. Bd. 80 p. 50: Die Tabugesetze). Gl. (p. 91: Die Rauchsignale der Eingeborenen Australiens) donne le résumé d'une conférence de M. A. F. MAGAREY, publié dans le Report of the fifth meeting of the Australasian Association (V p. 498). Science Progress (1894, oct. et nov.: The ethnography of British New-Guinea. With map) publie une étude du prof. A. C. HADDON. Le nouveau journal Z. A. O. S. (p. 83: Ein Beitrag zur Kenntnis der Kai-Dialekte) contient une contribution à la connaissance des tribus de la Nouvelle-Guinée, par M. le prof. W. GRUBE. M. GLAUMONT (Anthr. VI p. 40. Av. fig.) publie une notice sur l'art du potier de terre chez les Néo-Calédoniens. M. le doct. TH. ACHELIS (Ueber Mythologie und Cultus von Hawaii. Braunschweig) publie des études sur le développement de l'esprit religieux.

AFRIQUE.

La femme de l'Egypte ancienne est traitée par le doct. LYSANDER DICKERMAN (Am. G. S. XXVI p. 494: The Condition of Woman in Ancient Egypt); celle de l'Egypte moderne fournit un sujet à M. SCHWEINFURTH (Verb. A. G. p. 464: Hochzeitsgebräuche der unteren Volksklassen der Stadt-Araber und Fellahin in Aegypten). MM. F. GALLINA (Or. p. 28: Indovinelli Tigray) et I. GUIDI (p. 88: Strofe e Favole Abissine) font des contributions au folklore abyssin. M. M. BARTELS publie quelques notes dans les Verh. A. G. (p. 450: Drei Guanchen-Schädel von Tenerife. Av. fig.; p. 452: Siebenlinge; p. 453: Ein Menschenschwanz. Av. fig.). M. ALEX. L. D'ALBÉCA (T. du M. n°. 8 suiv.: Voyage au pays des Éoués) raconte un voyage au Dahomey exécuté en 1893—'94. M. J. KOHLER (Z. V. R. XI p. 413: Ueber das Negerrecht namentlich in Kamerun) publie une nouvelle étude sur le droit chez les nègres. Z. A. O. S. contient des contributions de M. J. G. CHRISTALLER (p. 5: Die Sprache des Togogebietes; p. 16: Die Adelesprache im Togogebiet); et de M. A. SEIDEL (p. 9: Das arabische Element im Suaheli; p. 34: Beiträge zur Kentniss der Shambalasprache in Usambara). M. LIOTARD (Anthr. VI p. 53) publie des notes anthropologiques sur les races de l'Ogooué. Le récit de voyage du doct. D. KERR-CROSS (G. J. V p. 112: Crater-Lakes north Lake Nyassa) donne des détails sur les Wanyakyusa et les Wakinga. L'Afrique méridionale fait le sujet des communications du missionnaire P. H. BRINCKER (Gl. p. 96: Pyrolatrie in Süd-Afrika); des notices de M. F. STUHLMANN (Verb. A. G. p. 422: Ein Wahehe-Skelet und die ethnologische Stellung der Lendu); et du prof. HANS SCHINZ (Gl. p. 143: Das Pfeilgift der Kalachari-Buschmänner); des observations ethnographiques de M. W. ALFRED ECKERSLEY (G. J. V p. 27: Notes in Eastern Mashonaland. Av. fig.) M. F. VON LUSCHAN (Verb. A. G. p. 444: Holzgefäss aus Simbabye. Av. fig.) décrit une trouvaille archéologique très remarquable, un plateau en bois avec des figures sur le bord représentant probablement le zodiac.

AMÉRIQUE.

M. EMIL SCHMIDT (Gl. p. 95: Untersuchungen über die physische Anthropologie der nordamerikanischen Indianer) publie un compte rendu des recherches du doct. F. BOAS. Le folklore d'une tribu de la Nouvelle-Écosse fait le sujet d'un article de M. STANSBURY HAGER (Am. A. VIII p. 31: Micmac Customs and Traditions). G. J. (V p. 158) rend compte du livre récemment paru du vice-amiral LINDESAY BRINE (Travels amongst American Indians, their ancient earthworks and temples. London), racontant ses excursions faites en 1869. M. J. W. POWELL (Am. A. p. 1: Stone Art in America) a étudié des tribus indiennes qui se sont maintenues à l'état de la pierre polie et recommande la prudence aux archéologues trop empressés à reconnaître des trouvailles paléolithiques. Le dixième rapport du Bureau d'Ethnologie, Sm. Inst. contient un mémoire détaillé de M. G. MALLERY (p. 25: Picture-writing of the American Indians) avec beaucoup de reproductions de pictographies et de dessins de tatouage tant américains qu'appartenant aux autres parties du monde et reproduits en vue de comparaison. Le même bureau publie une bibliographie des langues Wakashan, par M. J. C. PILLING; et une étude de M. INO GARLAND POLLARD (The Pamunkey Indians of Virginia). Ajoutons-y les notices du doct. WILBERFORCE SMITH (A. I. XXIV p. 109: The Teeth of Ten Sioux Indians. Av. pl.); du doct. W. J. HOFFMAN (Gl. p. 47: Zur Volkskunde der Deutschen in Pennsylvanien), et de Mlle E. LEMKE (Verb. A. G. p. 477: Spinn-Apparat und Nähnadel der Zuñi. Av. fig.).

Le premier bulletin de l'université de Chicago contient des contributions de M. FR. STARR (Notes on Mexican Archaeology. Av. fig.; Notes on current Anthropological Literature). M. J. C. PILLING (Am. A. VIII p. 43: The Writings of Padre Andres de Olmos in the languages of Mexico) nous fait faire la connaissance d'un des premiers missionnaires en Mexique, qui fut en même temps un écrivain très prolifique bien que peu de ses écrits ont été publiés. Le Bureau d'Ethnologie, Sm. Inst. publie une étude de M. CYRUS THOMAS (The Maya Year). Verb. A. G. contiennent encore des notices de MM. E. FORSTEMANN (p. 573: Das Gefäss von Chamá. Av. la représentation d'une fête chez les Mayas); P. DIESELDORFF (p. 576: Ein Thongefäss mit Darstellung einer vampyrköpfigen Gottheit. Av. pl.); E. SELER (p. 577: Der Fledermaus-Gott der Mayastämmen. Av. fig.); K. CERMAK (p. 470: Prähistorische Alterthümer in Ecuador. Avec des fig. illustrant une trouvaille de M. A. PETHS); et R. VIRCHOW (p. 386: Schädel aus Süd-America, insbesondere aus Argentinien und Bolivien. Av. fig.). M. S. MATHEWSON SCOTT (Am. A. p. 8: The Huacos of Chira Valley. Av. pl.) décrit une tribu indigène du Pérou.

LA HAYE, mai 1895. Dr. G. J. DOZY.

V. LIVRES ET BROCHURES. — BÜCHERTISCH.

XIX. Survivals of Dwarf Races in the New World. — By R. G. HALIBURTON. (From the Proceedings of the American Association for the Advancement of Science. Vol. XLIII. 1894.)

The main theme of this pamphlet is the indication of the existence of dwarf tribes in America. From various sources, Mr. HALIBURTON has obtained information regarding "a Chinese-looking little race" inhabiting Guatemala, "from four feet to four feet six inches in height" (1 m. 219 to 1 m. 371); and he observes (p. 10) — "There can be but little doubt that before long dwarf tribes will also be found to exist in South America". Indeed, he himself quotes two modern travellers who speak of a race of dwarfs dwelling about the head waters of the La Plata. He might have adduced still stronger evidence in support of his belief. Mr. CLEMENTS MARKHAM (Journal of the Anthropological Institute of Great Britain and Ireland; Feb. 1895) cites ACUÑA (1639), VON SPIX (1820), CASTELNAU (1847), and PENNA (1853) as his authorities for the statement that the Guayazis and the Cauanas are two dwarf populations inhabiting the region of the Amazon; of whom the latter are reported to be only "four or five spans high" (914 mm. to 1 m. 145). No doubt, some of these accounts are merely hearsay, and there may be some exaggeration in the smallness of stature just specified; but it is unlikely that all these independent reports are without foundation. And it is a fact that VON SPIX saw one of the River Jurua dwarfs when he was at Para in 1820.

Mr. HALIBURTON also states (though unfortunately he omits to quote the source of his information) that "the natives of Hispaniola told the companions of Columbus that the first created race were dwarfs, who were feeble and died out"; a statement which has much interest in connection with his references to Guatemala and Mexico. He refers further to the fact that Captain FOXE, when at Hudson's-Bay in 1631, reports the discovery of a number of skeletons whose maximum height was four feet (1 m. 219). Thus, although readers of Mr. HALIBURTON'S pamphlet may differ from him on several matters of detail, he produces distinct evidence of "Survivals of Dwarf Races in the New World". D. McR.

XX. Prof. EMIL SCHMIDT: Vorgeschichte Nordamerikas im Gebiet der Vereinigten Staaten. Mit 15 Abb. 4 Tafeln und 1 Karte. Braunschweig, Fr. Vieweg & Sohn 1894. 8°.

Der bekannte leipziger Anthropolog giebt in diesem hübsch ausgestatteten Bande eine Zusammenfassung der Ergebnisse der Resultate der Einzelforschungen auf dem Gebiete der Vorgeschichte von Nord-Amerika in klarer, übersichtlicher Weise.

Die Arbeit gliedert sich in die folgenden Kapitel: 1) die ältesten Spuren des Menschen im Gebiet der Vereinigten Staaten; 2) die prähistorischen Kupfergeräthe Nordamerikas; 3) die vorgeschichtlichen Indianer Nordamerikas östlich von den Felsengebirgen und 4) die vorgeschichtlichen Indianer im Südwesten der Vereinigten Staaten. Während die beiden ersten schon früher einmal anderweit publicirt sind, treten die beiden letzten hier zuerst an die Oeffentlichkeit und behandeln die Ergebnisse der neueren Mound- und Pueblo-Forschung.

Hier aber verlässt auch der Verfasser den referirenden Standpunkt und trachtet durch eingehende Untersuchungen festzustellen welchen Völkerschaften die Errichtung der Mounds und Pueblos zu verdanken ist. Betreffs der ersteren wird es ihm (pg. 165) auf Grund der Resultate historischer und archaeologischer Forschung, fast zu historischer Gewissheit dass die Vorfahren der Tscheroki die Erbauer der früher so räthselhaften Mounds des Ohio-Gebietes gewesen sind. — Gleicherweise kommt SCH. p. 216 zu dem Schluss dass die Erbauer und Bewohner der jetzt in Ruinen liegenden alten Ansiedelungen die unmittelbaren Vorfahren und nächsten Verwandten der heutigen Pueblobewohner gewesen sind.

Demjenigen der sich über die hier in Rede stehenden Verhältnisse in sachgemässer Weise, ohne die weit zerstreute originale Literatur nachschlagen zu müssen, orientiren will, wird die vorliegende Arbeit eine willkommene Erscheinung sein; trotzdem die Benutzung durch das Fehlen eines Registers erschwert wird. — Das Werk sei der Beachtung wärmstens empfohlen.

XXI. Dr. ČENĚK ZIBRT, Iak se kdy v Čechách tancovalo (Geschichte des Tanzes in böhmischen Ländern von der ältesten Zeit bis zur Neuzeit), v. Praze, Prag 1895.

Das Werk zerfällt in vier Bücher, deren erstes die Geschichte des Tanzes seit den heidnischen Zeiten bis zum Anfange des XIV. Jhts. behandelt. Der Tanz bildete bei den Slaven ursprünglich einen Theil des heidnischen Gottesdienstes und in Folge dessen verbot die Kirche diese Tänze als Ueberreste des alten Götzendienstes. Mit einer Schilderung der Tänze zur Zeit der Herrschaft der Rittersitten schliesst das erste Buch. Im zweiten folgt die Geschichte des Tanzes im XIV. und XV. Jht. Zuerst lernt man die alterthümlichen, böhmischen Musikinstrumente kennen. In dieser Periode erfreute sich der Tanz einer allgemeinen Beliebtheit, so dass es einige der zeitgenössischen Prediger und Moralisten für angezeigt hielten, gegen den Tanz und die Tanzenden strenge aufzutreten. Dann schildert der Verfasser den sogenannten „Veitstanz" und die „Todtentänze", die auch in Böhmen Eingang gefunden haben. Die übrigen Kapitel sind dem Volks- und Herrentanze, sowie dem Schwert- und Fackeltanze gewidmet. Das dritte Buch enthält die Geschichte des Tanzes im XVI. und in der ersten Hälfte des XVII. Jhts. Auch in dieser Periode sind dem Tanze erbitterte Gegner erstanden, ja selbst die Landtage bemühten sich, durch allerlei Verbote der steigenden Beliebtheit dieser

Kunst entgegenzuarbeiten. Trotz allen gegentheiligen Bemühungen hat in dieser Zeit der Volkstanz eine bedeutende Verbreitung gefunden, und nicht einmal den, eben damals in Böhmen eingeführten, italienischen Tänzen und Modeballeten ist es gelungen, die heimischen Tanzarten zu verdrängen. Das letzte Buch enthält eine Schilderung der Entwickelung der Tanzkunst von der zweiten Hälfte des XVII. Jhts bis auf unsere Zeiten. Hier werden böhmische Nationaltänze genau geschildert. Das Verständniss des Werkes wird durch die instructiven Abbildungen unterstützt.

Das typographisch und illustrativ vornehm ausgestattete interessante Buch verdient weiter bekannt zu werden, als innerhalb der der böhmischen Sprache mächtigen Kreise; hoffen wir dass sich eine geeignete Kraft für eine Bearbeitung und Uebersetzung in's Französische, Englische oder Deutsche finde.

XXII. OTTO KOCH: Die Kunstschätze Husums. 15 photolithographische Tafeln nach Originalaufnahmen, nebst erläuterndem Text. Husum 1894. fol.

Es ist eine betrübende Thatsache dass in unserem Zeitalter des Dampfes und der Electricität, nur allzuhäufig das Bestreben zu Tage tritt, mit dem aufzuräumen was uns von unsern Altvorderen überkommen, ohne weiter darüber nachzudenken ob dies durch die Nothwendigkeit bedingt sei, ob wir nicht unsere eigenen idealen Interessen dadurch schädigen indem wir das Material zu unserer Geschichte solchergestalt vernichten. Ist es doch schon schlimm genug dass der Zahn der Zeit sich hier oftmals verderbenbringend zeigt, desto schlimmer falls verständnislose Neuerungssucht nachhilft.

Freilich lässt sich ein Umschwung zum Besseren in den letzten Decennien nicht verkennen; Kunstgewerbemuseen, Museen für Volkskunde und Zeitschriften für Volkskunde wurden begründet und befinden sich noch immer in erfreulichem Wachsthum. Manch halbvergessener Brauch wurde solchergestalt literarisch festgelegt; manch schöner Baustein zur Kunde des Lebens und Treibens unserer Vorväter, zur heimischen Ethnographie ist vor drohender Zerstörung in jene Museen gerettet, wofür die vielerorts abgehaltenen Landesausstellungen mit ihren historischen Abtheilungen sich als wirksames Mittel erwiesen, weil in Folge derselben manch halbvergessener, in Privatbesitz noch erhaltener Gegenstand aus früheren Culturperioden, aus seinem Versteck zum Vorschein gebracht und den öffentlichen Sammlungen zugeführt wurde.

Auch für das vorliegende Werk gab eine solche, nämlich die im Sommer 1894 zu Husum abgehaltene, über welche wir pg. 28 eine Notiz brachten, zum Theil die Anregung und eine Reihe prächtiger Gegenstände, welche dort figurirten sind durch dasselbe dauernder Erinnerung bewahrt. Die, nach ausgezeichneten Photographien von OTTO KOCH, durch OBERNETTER, München, in bekannter vorzüglicher Weise vervielfältigten Tafeln führen uns zwei Bauerndielen, drei Kamine im Schloss zu Husum, ein Taufbecken, ein Altar, zwei Kanzeln, ein Kircheninterieur, zwei Beischlagpfeiler (eine Tafel), eine Wiege, vier Truhenfüllungen (eine Tafel) ein frisisches Zimmer und die Tracht einer Ostenfelder Bäuerin vor Augen. Wie aus dieser Aufzählung ersichtlich, entspricht der Titel dem wahren Charakter des Werkes nicht genau, denn Bauerntennen z. B. können doch beschwerlich zu „Kunstschätzen" gerechnet werden; wir würden daher „Bilder zur Culturgeschichte Nordfrieslands" lieber gesehen haben, weil es für diese einen Beitrag von nicht zu unterschätzendem Werthe bildet, für welchen die Volkskunde dem Herausgeber zu Dank verpflichtet ist. Wie lange wird es noch dauern dass sich Bauerndielen wie die hier im Bilde festgelegten noch erhalten werden, gegenüber dem Grossbetriebe der Landwirthschaft mit seinen modernen Hülfsmitteln wie Dreschmachinen etc., der die Individualität und das Streben des Einzelnen vernichtet. Dies selbe Jagen, um in möglichst kurzer Zeit möglichst viel zu erwerben, während ideale Interessen vernachlässigt werden, bildet auch die Ursache für den Untergang der einst in Schleswig in so hoher Blüthe stehenden Holzschnitzkunst von der uns das Werk hervorragende Beispiele, zumal in dem Altar von Schwabstedt vor Augen führt, in dessen vielen Figuren selbst die Gemüthsbewegung jeder einzelnen durch den Künstler deutlich zum Ausdruck gebracht. — Das Trachtenbild, die erwähnte Ostenfelder Bäuerin (siehe auch pg. 28), ist ausgezeichnet gerathen; wir können uns einer gewissen Wehmuth bei Betrachtung desselben nicht erwehren; schwinden doch diese schönen Nationaltrachten an denen Deutschland einst so reich unter dem Einfluss der nivellirenden Mode täglich mehr und mehr dahin.

Das Vorstehende möge genügen um die Aufmerksamkeit aller Freunde der Volkskunde auf diese Publication zu lenken; sie verdient selbe im höchsten Maasse. Den Tafeln ist eine kurze aber genügende Erklärung beigegeben, das Ganze befindet sich in einer geschmackvoll ausgestatteten Mappe und der Preis (M. 15.—) ist für das hier Gebotene ein erstaunlich billiger.

XXIII. OUÉDA TOKOUNOSOUKÉ: La céramique japonaise. Avec une préface par E. DESHAYES. Paris, E. Leroux, 1895. petit 8°.

Nous recommandons fortement ce petit livre, très intéressant, à nos collègues. L'auteur nous donne ici des notes très importantes sur les principaux centres de la fabrication céramique au Japon accompagnées de tableaux où nous trouvons le nom de poterie, faience ou porcelaine, le lieu de leur fabrication, les noms des prémières fabricants, les dates de la 1e fabrication et l'espèce de produits. Ces tableaux très facilement consultables aideront l'amateur débutant à classer dans sa mémoire les noms des artistes et des fabrications; à les reporter à leur date et aux centres; industriels auxquels ils appartiennent.

Dans sa préface, M. Deshayes décrit une cérémonie de thé à la légation japonaise à Paris en 1889, qu'il fait suivre d'une manière très claire et érudite de son impression ou sujet de l'influence que le Chanoyou ou la cérémonie du thé a eu sur l'art céramique dont les Japonais sont les maitres par excellence.

L'index à la fin de l'ouvrage, également dû à la main de M. Deshayes; facilite les recherches.

Nous souhaitons de tout notre coeur que ce travail consciencieux rendra quelque services à ceux qui aiment les beaux produits de l'art céramique, dont nos Musées renferment encore un si grand nombre, restés plus ou moins inconnus aux récherches scientifiques.

XXIV. A. Bastian: Indonesien oder die Inseln des Malayischen Archipels. V Lief. Java und Schluss. Mit 15 Tafeln. Berlin, Ferd. Dümmlers Verlagsbuchhandlung 1894. lex. 8°.

Hiemit schliesst der Bericht über jene vorletzte Reise Bastian's ab, durch die der Blick des Ethnologen in so energischer Weise auf die Inselwelt Indonesiens, jenes so viele ungehobene Schätze noch bietende Forschungsfeld gelenkt wurde. Die Folge war eine, mit der Heimkehr Bastian's ungefähr anhebende neue Epoche des Einheimsens von Schätzen auf jenem Gebiet und mancher Name von gutem Klang findet sich unter der Reihe derer die hier mitgeholfen um zu retten was noch zu retten ist. In diesem Schlusshefte bietet Bastian uns, nun von anderen Seiten solch rege Thätigkeit im Interesse der ethnologischen Forschung entfaltet worden, fast nur Mittheilungen zur Geschichte und Entdeckung Java's. In der Einleitung streift B. manche Frage von colonialpolitischem Interesse; er erkennt die Berechtigung eines Colonialbesitzes an, verlangt aber, und mit vollem Recht, in ernstester Weise eine gute und zwar auch ethnologische Schulung und Ausbildung der Colonialbeamten.

Nebenher enthält auch diese Arbeit wieder eine Unmasse von hauptsächlich psychologischem Material aus den verschiedensten Gebieten unserer Erde.

Von den Tafeln bilden dreizehn die photolithographische Reproduction eines auf Zeug gemalten Gemäldes, das aus einem Tempel auf Bali stammt.

J. D. E. Schmeltz.

VI. EXPLORATIONS ET EXPLORATEURS, NOMINATIONS, NECROLOGIE. — REISEN UND REISENDE, ERNENNUNGEN, NECROLOGE.

XXII. La Société d'Anthropologie à Vienne a célébré le 12 février dernier le 25e anniversaire de sa fondation, avec le concours des princes imperiales, d'autorités du gouvernement et des savants étrangers (MM. Virchow, Grempler, Bartels etc.).

XXIII. La Société d'Anthropologie de Munich, a célébré son 25me anniversaire le 16 mars dernier.

XXIV. A Russian ethnographic exhibition will be held this year in the Champ de Mars, Paris.

XXV. Herr Dr. Max Uhle schreibt uns neuerdings unterm 31 Dec. 1894 aus La Paz, und dürften folgende Mittheilungen auch die Leser des Archivs interessiren:

— — — — — „Ich habe einen bösen hiesigen Winter (europäischen Sommer) hier verlebt, während dessen ich wenigstens gründliche Aimara-Studien anstellen konnte. Eine vollständige, die bisherigen Aimara-Grammatiken sämmtlich übertreffende Grammatik wird einst die Frucht dieser Studien bilden dürfen. Seit Beginn September bin ich wieder, mit einer kurzen Unterbrechung, unterwegs gewesen; zweimal auf Coati (7 Tage) 1 Mal auf Titicaca (13 Tage), einige Zeit in Capacabana, später habe ich das so wenig untersuchte Ostufer des Sees von Huata bis Huaichu studirt und da gesammelt. Am Ostufer habe ich in den dort, vorläufig nur bis auf 1½ Legua vom See einwärts, von mir gesehenen und betretenen Ruinen von alten Pueblos, mit viel Häusern, Gürtelmauern, Brustmauern, Gässehen und Höfen, Zeugen einer ganz neuen, wenn auch barbarischen Cultur entdeckt. Die Bergruinen in dieser Gegend, unweit vom Ufer, lassen sich fast nicht zählen, so häufig sind sie; schön sind die Ruinen nicht, aber interessant und wegen der eigenthümlichen Dichtigkeit der alten Bevölkerung, auf welche sie zum Theil schliessen lassen, doch recht merkwürdig. Unter den Culturresten herrschen, was Artefacte anbetrifft, die Steingeräthe (geschliffene) vor; die keramischen Reste von da sind in allen diesen Culturregionen des westlichen Süd-Amerika sehr merkwürdig, weil sie erhabene und gravierte, an sich primitive Ornamente, den gemalten weit voraus, hauptsächlich verwerthen. Da ich aber auch Reste von wenigen incaischen Gefässen und von Bechern mit Bemalung etwa im stilistischen Character der Werke von Tiahuanaco innerhalb der Bergruinen fand, so scheint es mir, wegen der ersteren, dass diese alten Berg-Ansiedelungen und Bergpueblos bis in die Zeit der incaischen Besetzung des Landes herab, welche meiner Ansicht sehr jung vor der Zeit der spanischen Eroberung gewesen ist, bevölkert waren.

Während ich die Gestade des Titicaca-Sees bereiste, hatte sich Herr BANDELIER im Innern vergraben, eine interessante Bergruine am Westflusse des Illimani studirt; er reiste kürzlich nach Titicaca ab. Es mag sein, dass der Charakter der Ruinencultur, welche BANDELIER am Fusse des Illimani fand, dem der meinigen ähnlich ist, doch weiss ich nicht, ob er den vollständigen Charakter der seinigen hat, wie ich von den meinigen. Ich habe nur wenige nicht durchschlagende Stücke von ihm gesehen. Das Wesentliche wird er schon verpackt gehabt haben. Für identisch halte ich, weil mir die Beweise fehlen und weil manches dagegen spricht, seine Ruinencultur und die meinige nicht, schade dass BANDELIER wesentlich nur an einem Ort war, in Llujo bei Sebolullo. Jetzt bereite ich nun meine Abreise nach der Gegend von Tiahuanaco vor, dann kommen die Uros des Desaguadero daran. Nach der Puquina-Grammatik, bin ich sehr, doppelt, darauf gespannt wie das Uro vom Desaguadero sein wird. Die Puquina, sogenannte Uro-Sprache, der Grammatik von P. DE LA GRASSERIE ist ganz und gar verschieden von dem Uro, welches ich vor mehr als 3/4 Jahren in der Provinz Carangas ganz hübsch grammatisch festlegen konnte.

XXVI. M. le prof. MAX WEBER à Amsterdam, vient de retourner d'un voyage scientifique en Afrique orientale.

XXVII. Le comte DE GÖTZEN vient de traverser l'Afrique, en partant de la côte orientale, un peu au nord de l'ile de Zanzibar, et en arrivant à la côte occidentale par le Congo.

Nous trouvons une courte biographie du voyageur et un récit de son voyage dans „A Travers le Monde, supplément au „Tour du Monde", Nouvelle Sér. N°. 4 (26 janv. 1895).

XXVIII. Herr F. KRAUS, dessen, für das ethnographische Reichsmuseum zu Leiden in Corea zusammengebrachte Sammlung wir in diesem Archiv, Vol. IV pg. 45 ff. beschrieben, wirkt jetzt als Münzdirektor in Pretoria, Transvaal.

XXIX. Nous venons d'apprendre avec plaisir la nouvelle que le docteur L. SERRURIER, directeur du Musée national d'ethnographie à Leide se propose d'entreprendre un voyage d'exploration ethnographique et anthropologique en Bornéo, dans la seconde moitié de l'an 1896.

XXX. Prof. W. JOEST, hat bei A. Asher & Co., Berlin, in einem dreibändigen Werke, unter dem Titel „Weltfahrten", eine Reihe von Beiträgen zur Länder- und Völkerkunde erscheinen lassen, die mit Rücksicht auf die reichen, durch den Verfasser auf seinen weiten Reisen gesammelten Erfahrungen, sicher besonderes Interesse beanspruchen dürften.

XXXI. Sa Majesté l'empereur d'Allemagne, roi de Prusse, a décerné l'ordre civil Pour le Mérite à l'Arabiste bien connu M. le professeur M. J. DE GOEJE à Leide.

XXXII. Sa Majesté l'empereur d'Autriche a décerné l'ordre de la croix de fer, 2e classe à notre collaborateur M. le baron G. W. W. C. VAN HOËVELL, résident d'Amboina en reconnaissance du don précieux de sa grande collection ethnographique qu'il à fait au prince impérial FERDINAND VON ESTE (Voir notre article dans Vol. VII pg. 210 de nos Archives).

XXXIII. L'Université de Leide vient de conférer a M. le prof. G. K. NIEMANN à Delft le degré de docteur es sciences honoris causa.

XXXIV. M. le docteur H. TEN KATE, notre savant collaborateur, vient d'etre nommé membre honoraire de la Société royale néerlandaise de Géographie à Amsterdam.

XXXV. M. le prof. PECHUEL LÖSCHE de Jena a été appelé à Erlangen.

XXXVI. Dr. E. P. RAMSAY the curator of the Australian Museum at Sidney, N. S. W., has after twenty year's service, retired owing to ill-health. The trustees have appointed as his successor Mr. R. ETHERIDGE, jur. who has already on several occasions acted as Curator.

XXXVII. M. le prof. GUSTAF FRITSCH à Berlin, l'auteur de l'ouvrage: Die Eingebornen Süd-Afrikas est nommé Membre honoraire des Sociétés d'Anthropologie de Vienne et de Munich.

XXXVIII. M. le docteur F. VON LUSCHAN à Berlin vient d'être nommé membre honoraire de la Société d'Anthropologie à Munich.

XXXIX. M. le docteur W. RADLOFF, Directeur du Musée ethnographique à St. Pétersbourg vient d'être nommé membre correspondant de l'Académie royale des sciences à Berlin.

J. D. E. SCHMELTZ.

VIII. TAF. XIV.

phot.

R.Raar lith.

P.W.M.T. impr.

IN MEMORIAM.

Nous avons le triste devoir d'annoncer à nos amis la grande perte que nous avons faite dans la personne du professeur **P. J. VETH,** le doyen des ethnographes, notre fidèle collaborateur.

Il s'est doucement endormi à Arnhem, le jour de Pâques 14 avril dernier, après une courte maladie, dans sa 81e année.

Nous dirons ailleurs les grands services que le défunt n'a cessé de rendre à notre science, même encore dans la dernière année de sa vie. Qu'il nous soit permis de nous contenter ici de rendre un hommage de douloureuse gratitude à la mémoire de ce savant, dont la bienveillance à toute épreuve, l'aide et les bons conseils n'ont jamais fait défaut aux rédacteurs de cette Revue, à laquelle, dès sa fondation, il a porté un vif intérêt.

Requiescat in pace.

Pour la rédaction

J. D. E. Schmeltz.

EINIGE WEITERE NOTIZEN ÜBER DIE FORMEN DER GÖTTERVEREHRUNG AUF DEN SÜD-WESTER UND SÜD-OSTER INSELN.

VON

G. W. W. C. BARON VAN HOËVELL.
RESIDENT VON AMBOINA.

(Mit Tafel XIV).

In der grossen ethnographischen Sammlung welche durch mich im Juli 1893 S. K. & K. Hoheit FRANZ FERDINAND von Oesterreich-Este geschenkt wurde, befinden sich verschiedene Gegenstände, die entweder schwer zu erlangen, oder sehr selten sind. Ich fügte der Sammlung eine kurze Aufgabe der ethnographischen Objecte bei, die indes nur flüchtig abgefasst war und allein den Zweck hatte, mir selbst als Leitfaden in der Sammlung zu dienen. Es ist schade dass ich, in Folge der weiten Entfernung, verhindert gewesen bin einen mehr ins Einzelne gehenden beschreibenden Katalog anzufertigen. Ich hoffe indes noch später, gelegentlich der Heimkehr nach Europa, einmal die Gelegenheit dazu zu haben. Obwohl mir der in Wien herausgegebene „Führer durch die Sammlungen von der Weltreise Seiner Kais. Hoheit Erzherzog FRANZ FERDINAND" noch nicht unter die Augen gekommen, kann ich doch schon a priori sagen, dass sich darin Fehler finden, die vielleicht die Veranlassung zu wissenschaftlichen Irrthümern geben können. Dies geht für mich aus dem hervor was im Internationalen Archiv für Ethnographie, Band VII, S. 210 sich findet, wo eine, durch mich der Sammlung beigefügte, Tanzmaske von Englisch Neu Guinea als „*porĕka*-Maske" von Leti vermeldet wird.

Zu den durch mich oben als selten bezeichneten Gegenständen, gehört an erster Stelle das auf Tafel XIV Fig. 1, 1*a* & 1*b* abgebildete Götzenbild, von der Negari Olihit (an der Süd-Ostseite der Insel Jamdena, Timorlaut).

Dieses Bild ist als „Unicum" zu betrachten und wurde am Eingang eines der *Lingats* oder Trinkhäuser der Negari gefunden. Jede dortige Negari besitzt am Strande derartige offene Hütten, die als Wirthshäuser dienen, wo die Männer den grössten Theil des Tages faullenzen und ihre Zeit mit dem Trinken von *Sageru* und dem Putzen ihrer Waffen hinbringen. Die Jünglinge schlafen dort auch des Nachts.

Als Beschirmgeist des Ortes (genius loci) diente dieses Bild. Jeder der dort *Sageru* trank, schenkte ein wenig von der Flüssigkeit als Trankopfer in den Trinkbecher, welchen das Bild in der Hand hält. Man könnte es folglich als ein Tanimbaresisches Bacchusbild auffassen. Behufs besseren Verständnisses erinnere ich an dassjenige was ich früher über die Gottesdienstformen der verschiedenen Völker, welche die Süd-Oster und Süd-Wester-Inseln bewohnen (Siehe meine Monographie über Leti. Tijdschrift Bataviaasch Genootschap van Kunsten en Wetenschappen, Deel XXXIII) gesagt und was ich hier etwas ausführlicher wiedergebe.

Alle Heiden nämlich, sowohl auf Tanimbar, Timorlaut, Babar, Sermata, Damar, als auch auf den Leti-Inseln verehren als höchste Gottheit die Sonne, *Upu lera* (Herr Sonne), auf Tanimbar und Timorlaut auch *Dudilaā* genannt, und stellen sich diese vor als das männliche Prinzip welches die Erde, oder das weibliche Prinzip, befruchtet. Sie verehren *Upu-lera*, auffallender Weise durch eine von Kokosblättern verfertigte Lampe, *Palita*, symbolisirt, welche überall in ihren Häusern und auch am heiligen Feigen-(*Waringin*-)Baum sich aufgehängt findet. Einmal im Jahr, beim Eintritt der Regenzeit schwebt *Upu lera* in diesen Baum hernieder und befruchtet dann die Erde. Um ihm dieses Niedersteigen leicht zu machen steht in der Negari Tepa (Babar) unter dem heiligen Baum eine lose Treppe mit sieben Stufen, deren Geländer mit Schnitzwerk (Maeandern) verziert ist, während an dessen Enden ein Paar zierlich geschnitzte Hähne angebracht sind, als symbolisches Zeichen der Kunft des Sonnengottes, gleich wie das Hühnergeschrei den Sonnenaufgang ankündigt. Bei dieser Veranlassung finden sowohl auf den Leti-Inseln wie auf der Babar-, Sermata- und Luang-Gruppe grosse Feste, *Porĕka* genannt, statt. Mengen von Schweinen und Hunden werden dann geopfert und wahre Bacchanalien finden unter dem Baume statt, an denen sowohl Männer als Frauen Theil nehmen. Unter Sang und Tanz, wobei die durch Herrn C. M. Pleyte abgebildeten Tanzmasken mit Schweinezähnen verwandt werden, wird dann die Befruchtung der Erde plastisch vorgestellt, indem der Coitus öffentlich geschieht [1]. Für dieses Fest wird auf den Babar-Inseln als Zeichen der zeugenden und schaffenden Kraft der Sonne eine eigene Flagge oder besser, Wimpel gehisst, der *Kairenanu* genannt wird, ungefähr 1½ Meter lang, von weissem Kattun verfertigt und genau in der Form einer männlichen Figur geschnitten ist, mit daran befestigtem mit Kapok gefülltem Penis nebst Testiculi, der erstere im Statu erecto [2].

Von *Upu-lera* selbst aber verfertigt man keine Bilder, er ist zu erhaben als dass man sich direct mit ihm in Verbindung setzen könnte, und darum spielt Spiritismus hier eine grosse Rolle, und dienen die Seelen der Verstorbenen als Vermittler, so dass man diesen opfert, damit sie die Wünsche der Sterblichen dem *Upu-lera* mittheilen. An erster Stelle wird die Seele des Gründers der Negari verehrt, die in einem Bilde, welches in der Mitte des Dorfes, dicht bei dem heiligen Feigen-Baum errichtet, wohnt und das auf den Leti-Inseln *Urnuse* heisst. Wiewohl diese Bilder überall gefunden werden, sind sie auf Tanimbar und Timorlaut sehr roh geschnitzt, und nicht viel mehr als ein Stück Holz mit einem Gesicht daran; auf Babar und Leti dagegen weit künstlicher bearbeitet und mit Muscheln verziert (Siehe Riedel: Sluik- en Kroesharige Rassen, Plaat XXXV). Es liegt vor der Hand dass man diesem Bilde opfert und seine Vermittlung erbittet, wo es die allgemeinen Interessen der Negari gilt (Lares publici). Ferner besitzt jedes Haus seinen Schutzgeist oder genius loci, welcher die Interessen der Familie zu beherzigen hat. Dies ist natürlich der Geist desjenigen, der das Haus erbaute. Er wohnt in einer Figur welche in den Vorder-

[1]) Ich erinnere hier im Vorbeigehen an die Frühlingsfeste der germanischen Vorzeit und daran dass noch heut in einigen Theilen von Niederland (Süd-Holland, Dordrecht, Rotterdam u. s. w.) sich das Volk an den Pfingsttagen ins Freie begiebt um dort das Erwachen der Natur in ähnlicher Weise zu feiern (Dauwtrappen).

[2]) Auch dieser Wimpel der sehr schwierig zu erlangen ist, und welcher wie ich annehme noch in keinem Museum vorhanden oder irgendwo abgebildet, befindet sich in der Sammlung zu Wien.

giebel angebracht ist, und auf Leti *Opu mituarna* heist (Internationales Archiv für Ethnographie, Bd III pg. 188, 1890).

Für jeden Verstorbenen, gleichgültig ob es ein Mann oder eine Frau ist, wird ferner eine Figur verfertigt in der die Seelen nach dem Darbringen von Opfern zeitweise sich aufhalten können um die Wünsche der Sterblichen zu vernehmen und diese bei *Upu-lera* zu unterstützen. Oft findet man ganze Reihen derartiger Figuren auf den Böden der Häuser. Auf den Leti-Inseln, wo sie *Iëne* heissen, sind sie am kunstvollsten bearbeitet. Auf den Tanimbar- und Timorlaut-Inseln, werden sie *Walut* genannt und sind sehr roh geschnitzt, aber je westlicher man kommt, desto mehr prägt sich der Kunstsinn der Eingebornen darin aus. Bei den Heiden auf den Leti-Inseln, haben alle diese Bilder eine stereotype Form, die Männer in hockender Haltung mit emporgezogenen Knieen und übereinander geschlagenen Armen, genau in der Haltung in der die Todten begraben werden (Siehe RIEDEL: Sluik- en Kroesharige Rassen, Tafel XXXVII N°. 2).

Die Frauenfiguren der Heiden haben stets unter dem Körper gekreuzte Beine (*bersila*) und gemahnen uns speciell an altjavanische Kunst. Auch die Christen auf diesen Inseln verfertigen noch immer diese Figuren, jedoch dann mehr modernisirt, bemalt, bekleidet, mit hohen Hüten auf dem Kopf und auf Stühlen sitzend. Ja, man findet sogar unter den älteren Figuren auch solche mit Dreispitzen auf dem Kopf, wie Fig. II und III. Diese wurden durch mich in der Negari Djerusu (Insel Roma) gefunden.

Um nun zu unsrer Figur zurückzukehren, sei bemerkt dass sie, wiewohl als *genius loci* dienend, doch den *lares publici* zugezählt werden muss da der *lingat* ein öffentlicher Platz ist. Man sagte, die Seele des Gründers des Trinkhauses, der aller Wahrscheinlichkeit nach ein grosser Säufer gewesen, wohne in dieser Figur. Sie ist von Eisenholz verfertigt und scheint bereits aus alter Zeit zu stammen [1]) wofür spricht, dass das Fussstück welches in den Grund eingegraben, bereits theilweise verwest ist. Man bedenke, wieviel Decennien Eisenholz ohne merkenswerthen Schaden selbst in feuchtem Grunde zubringen kann. Während auf Tanimbar und Timorlaut die Götzenbilder sehr roh gearbeitet sind, äussert sich in dem hier in Rede stehenden einiger Kunsttrieb, obgleich sich über die Proportionen desselben wohl noch das eine oder andere bemerken liesse.

Nirgends sah ich denn auch eine so vollendet ausgeführte Figur. Sie ist ohne Fussstück einen Meter hoch; ausser dem Trinkbecher in der rechten Hand bestehen die Attribute aus dem Stück einer Kokosnus als Trinkschale und einem hölzernen Klopfer, mit dem, bevor mit dem Abzapfen des Saftes (*Sageru*) begonnen werden kann, der Blumenkolben der Kokospalme geklopft werden muss, um den Zufluss des Saftes zu befördern. Ferner sind das von hinten hoch heraufgebundene Haarband und die Haltung des Penis gegen den Bauch bemerkenswerth; letzteres vielleicht eine Erinnerung an die früher übliche Weise der Haltung des Geschlechtstheils, wie dies noch jetzt an der Südküste von Neu Guinea der Fall ist. Das Stück Spiegelglas in der Stirn dient nur zur Verzierung. Es ist mir nicht geglückt zu erfahren ob diese Figur noch einen besonderen Namen trage. Alle Götzenbilder auf Tanimbar, gleichgiltig welcher Art, scheint man *Walut* zu nennen.

---

[1]) Man sei beim Sammeln derartiger Figuren sehr vorsichtig, wenigstens an Orten, die durch die Postdampfer berührt und die also am meisten durch die Reisenden besucht werden. Die häufige Nachfrage nach Gotzenbildern hat dort eine Industrie zur Folge gehabt und werden sie absichtlich für den Handel verfertigt. Diese Figuren weichen oft von der wirklichen Form gänzlich ab, erzeugen gänzlich falsche Begriffe und haben natürlich für die Wissenschaft nicht den mindesten Werth.

Uetar vulgo Wetter. Auf dieser Insel finden wir eine gänzlich andere Form der Gottesverehrung als auf den mehr östlich liegenden, eben besprochenen Inseln. Hier kein Spiritismus oder Verehrung der Seelen der Heimgegangenen, keine Götzenbilder in welcher Form es auch sei, doch Animismus in der Form von Fetischismus. Die Bewohner dieser Inseln scheinen einen, von dem der Bewohner der mehr östlich gelegenen, gänzlich verschiedenen Ursprung zu haben und von Timor abzustammen, worauf auch die hier gesprochenen Dialekte (*līr*) die alle mit denen der Nordküste von Timor übereinstimmen, hindeuten.

Ausser dem Fetischismus begegnet man hier aber auch dem Begriff eines höheren Wesens, das „*Baibe wawaki*", eigentlich „der Alte, der dort oben wohnt" genannt wird. Auch das Wort *Deos* ist für *Baibe wawaki* hier bekannt, eine Folge ehemaligen Portugiesischen Einflusses.

An den „*Baibe wawaki*" wird bei Krankheiten geopfert, er ist derjenige, der das Gute und das Böse sendet. Der Begriff eines Gottes tritt aber bis jetzt nur sehr unbestimmt zu Tage. Göttliche Ehren werden Steinen oder Stücken Holz von besonderer Form erzeigt. Die bedeutendsten Fetische sind jedoch jene die in der Negari Huru verehrt werden und die aus einem Schwert (*Klewang*) und einer Speerspitze bestehen, welche, nach Mittheilung der Eingebornen, beide vom Himmel gefallen sind. Das sogenannte Schwert ist dermaassen verrostet und zerstört, dass es einem Schwert nicht mehr ähnlich sieht, sondern eher einem Stück alten Bandeisens, von der Dicke eines Tafelmessers. Das zweite Stück Eisen welches einigermaassen die Form einer Speerspitze hat, ist augenscheinlich ein Stück Meteoreisen. Die Legende betreffs des Ursprungs dieser Fetische gebe ich hier, sowie ich sie aus dem Munde des Volkes vernahm, wieder.

„In früheren Zeiten befand sich zu Huru ein Mädchen, welches sehr schön gewesen sein soll, und Atagara hiess. Dieselbe durfte nie ihr Haus verlassen und wurde durch ihre zwei Brüder Maolin und Maharat, streng bewacht. Dennoch bemerkten diese eines Tages, dass ihre Schwester schwanger, worüber sie sehr erzürnt waren. Sie ergriffen sie bei den Haaren und schwörten, sie zu tödten indem sie sagten: „Wer hat Dich geschwängert? Wir bewachen das Haus Tag und Nacht und doch bist Du schwanger geworden. Wer ist der Schuldige, nenne ihn, auf dass Ihr beide unter unseren Händen sterbet." „Darauf antwortete das Mädchen: „Brüder seid ruhig! ich bin freilich schwanger, doch von niemand hier auf Erden, aber der *Baibe wawaki* kam hernieder und hat mich befruchtet. Wollt ihr mir nicht glauben dann könnt ihr Euch heute Abend von der Wahrheit überzeugen; ich werde dann eine Schnur nehmen, und dessen eine Ende an meine Hand und das andere Ende an die Eure festbinden. Wenn der *Baibe wawaki* kommt, werde ich an der Schnur ziehen, Ihr müsst dann hinauf kommen damit ihr ihn sehen könnt." Und so geschah es. Kaum erschien der *Baibe wawaki*, so zog Atagara an der Schnur wodurch ihre Brüder erwachten. Sie eilten nach der Stätte wo jene sich befand, und obgleich dort kein Licht brannte, herrschte dort doch Tageshelle. Dort sahen sie den Mann den noch Niemand je erblickt hatte, bei ihrer Schwester sitzen. Sobald sie das Gemach betraten und der „*Baibe wawaki*" sie sah, rief er ihnen zu: „Nun Ihr mich gesehen habt, werde ich nie wieder hernieder kommen. Ich bin der „*Baibe wawaki*" der Eure Schwester befruchtet hat. Seid in der Folge nicht böse auf sie, wenn sie entbunden wird so soll das Kind ein Knabe sein, gebet diesem dann den Namen Maokiak. Wird der Junge später grösser und bittet er Euch um etwas, wie z.B. einen Klewang, *Tumbak* (Speerspitze), oder Spielzeug, gebet ihm dann nichts, doch saget ihm dass er sich an seinen Vater wenden solle, der dort oben wohnt, ich werde ihm alles geben." Hierauf verschwand er und wurde nicht mehr gesehen. Als das Kind zur Welt gekommen war, tauften sie es, wie die himmlische Erscheinung ihnen befohlen, mit dem Namen MAOKIAK. Eines Tages sass ATAGARA mit ihrem Söhnchen, das inzwischen 4 Jahre alt geworden war, in der Negari, wo auch andere Kinder mit hölzernen Kreiseln und Wassereimerchen aus *Kote*-Blättern (*Borassus flabelliformis*) spielten. MAOKIAK, der dies Spielzeug sah, bat seine Mutter: „Mutter gieb mir auch einen *Edok* (Kreisel) und ein *Naba* (Wassereimerchen)." Hierauf antwortete die Mutter: „Ich kann weder *Edok* noch *Naba* machen, bitte Deinen Vater darum, der wird Dir wohl alles geben was Du verlangst." „Wo ist mein Vater denn?" fragte MAOKIAK weiter. „Dein Vater ist im Himmel" antwortete die Mutter. Da blickte MAOKIAK gen Himmel und sprach: „Vater gieb mir auch einen *Edok* und einen *Naba!*" Sofort fielen ein Kreisel und ein Wassereimerchen von massivem Golde zu seinen Füssen nieder. Als MAOKIAK grösser ward, bat er seine Mutter um ein Schwert (*Opi*) und eine Lanze (*Tēr*) und die Mutter sagte wiederum: „Bitte Deinen Vater!" Der Knabe that dies auch jetzt wieder und empfing beides sofort. Als MAOKIAK erwachsen war heirathete er ein Mädchen aus der Negari Hera (Gross Timor), aber die Ehe blieb kinderlos. Nach dem Tode MAOKIAK's und seiner Frau erwies die Bevölkerung von Huru den vom Himmel gefallenen Gegenständen nicht mehr die schuldige Ehre und versäumte sie lange Zeit Schweine und Ziegen zu opfern, wodurch der *Baibe wawaki* erzürnt wurde und den Kreisel sowie das Wassereimerchen zurücknahm. Als das Volk dies bemerkte, wurde es sehr bange und opferte sofort Schweine und Ziegen in Menge, und dieses Sühnopfer hatte zur Folge dass das Schwert (*Klewang*) und die Speerspitze (*Tumbak*) im Besitz des Volkes blieben. Sie werden nun als Fetische und zwar beim „Regenmachen" gebraucht, sobald das gewöhnliche Zaubermittel, *Madesi* (nur im Schlachten eines Huhnes bestehend) nicht hilft.

Diese grosse Opferfeierlichkeit wird „*una diën helas*" genannt[1]). Zahlreiches Grossvieh wird dann geschlachtet und die Fetische werden mit dem Blute der Opferthiere beschmiert. Fällt dann mehr Regen wie gewünscht wurde, so reibt man die Gegenstände mit Kalk ein. Die heiligen Waffen müssen der Sage nach an dem Orte liegen bleiben, wo sie einstmals niedergefallen sind und ein Steinwall ist darumhin errichtet. Als ich denn auch, nach Besichtigung der Gegenstände, sie einigermaassen achtlos niederlegte, kam sogleich ein alter Mann, um sie unter Murmeln der nöthigen Beschwörungsformeln genau so nieder zu legen wie sie zuvor gelegen hatten.

Der Ort heisst Hiwaki, d. i. die grosse Negari, wie Huru in alten Zeiten genannt wurde. Später ward dieser Name dem gegenwärtigen Hauptort von Wetter gegeben.

Bemerkenswerth ist es dass wir auch hier Spuren der Maria-Legende (die Befruchtung einer Jungfrau durch die Gottheit) wahrnehmen, ebenso wie dieses bei vielen anderen Indischen- und Polynesischen Völkern der Fall ist. Siehe z. B.: GOUDSWAARD: De Papoewas van de Geelvinksbaai, p. 91 & ff.; wo eine ähnliche Legende mitgetheilt wird.

AMBOINA im December 1894.

---

[1]) Unter *helas* werden beide Gegenstände zusammen verstanden, lexicographisch bezeichnet das Wort „etwas Wunderbares", *una* = machen; *diën* = kalt. Folglich das Kaltmachen des Wunderbaren. (Dürfte hierunter nicht zu verstehen sein „die Besänftigung der Gottheit"? *Red.*)

Fortsetzung von Seite 117.

HUNDE UND NATURVÖLKER

VON

DR. B. LANGKAVEL,
HAMBURG.

So nützlich nun auch der Hund als Jagdgehilfe und Transportthier sich den Menschen erwies, so überliessen viele Völkerstämme es doch ihm selber, sich schlicht und recht zu nähren, wie er es that vor ihrer beiderseitigen Annäherung. Glücklicher — oder unglücklicher Weise — gehört er ja zu den Allesfressern, und diese Eigenschaft liess ihn brauchbar erscheinen, um bei den Wohnungen grösserer oder kleinerer Ansiedlungen eine Art Strassenpolizei, nebst Geiern u. a. zu übernehmen, wie man sie noch jetzt in manchen orientalischen Kulturstaaten antrifft. Was der Mensch nicht mehr gebrauchte in seiner Behansung — Unrath, todte Hausthiere, Knochen der Jagdthiere und manchen Orts auch menschliche Leichen — wurde hinausgeworfen, wurde Speise für die meist leeren Magen der ungepflegten Hunde.

Aus dem klassischen Alterthum sind uns zahlreiche Berichte erhalten, dass menschliche Leichname den Hunden zum Frass vorgeworfen wurden, HEKTOR bedrohte damit den AJAX und entging später diesem Geschick nur durch PRIAMUS' Thränen. In PÖHLMANN's Schrift: „Die Uebervölkerung der antiken Grossstädte" sind auf S. 135 zahlreiche diesbezügliche Stellen aus alten Schriftstellern gesammelt. In Asien finden wir vornämlich bei den mongolischen Völkerschaften eine völlige Gleichgültigkeit gegen Leichname der Misera plebs. Schon vor Jahrtausenden wurden in Baktrien nach ONESICRITUS, bei den Hyrkaniern nach CICERO, bei den Sogdianern nach STRABO solche den Hunden preisgegeben. TH. v. BAYER [1]) berichtet, dass bei den Kalmücken die minder Vornehmen nach dem Tode ins Wasser oder auf der Steppe den Hunden und Geiern etc. zum Frass hingeworfen, die Vornehmen aber verbrannt werden. Ein gleiches Loos der Bettler in Kuldscha erwähnt RADLOFF [2]). In Urga, schreibt PRSCHEWALSKY [3]), haben auf dem Marktplatze die Bettler ihre nesterartigen Lager. Liegt einer im Sterben, so umstehen ihn die Hunde und warten auf seinen letzten Athemzug; dann wird er gefressen. Leichen besserer Klassen bringt man nach dem Kirchhofe, Hunde bilden das Gefolge und besorgen dort die Beerdigung in ihren Magen; nur Fürsten, Gögen und höchste Lamen werden wirklich bestattet. Im bekannten Gleichnis vom armen LAZARUS, der die Brosamen ass, so von der Reichen Tische fielen, kamen die Hunde und leckten ihm seine Schwären. Wird es seinem Körper, nachdem die Seele in den Himmel gekommen, viel anders ergangen sein? Wenn in den Städten Chinas nach EXNER's Bericht [4]) ein Bettler im Sterben liegt, werden von Beamten dessen Personalien genau festgestellt, man lässt ihn aber liegen, bedeckt ihn mit Matten und darüber gelegten Steinen, damit die Hunde ihn nicht lebend annagen; ist er endlich todt, dann thun sie ihre Pflicht. Die Kamtschadalen glauben an die Fortdauer der Seele nach dem Tode; in dem heissen Verlangen nach

---

[1]) Reiseeindrücke aus Russland, S. 435. [2]) Aus Westsibirien II, 312. [3]) Peterm. Mitth. 1876, 8. [4]) China, S. 163.

diesem besseren Lande lassen sich Väter öfter von den Kindern erdrosseln oder den Hunden vorwerfen [1]. Da in den „bis jetzt" untersuchten Höhlen Polens man zwar Spuren menschlicher Industrie gefunden, aber keine Gebeine von Menschen, so hielt man dies für einen negativen Beweis [2] dass hier einst Mongolen lebten, welche ihren Hunden die Todten vorgeworfen; ein positiver aber wären manche Ortsnamen wie Sagan, mong. *zagan* = weiss, *zebrzydowo*, *zebr* = Wolf; *Karsy*, *Kars* = Steppenfuchs u. a. m. Interessant ist die Thatsache [3] dass gerade im Centrum des weiten Raumes, auf welchem wir den Ortsnamen *Psar* zerstreut finden, *Psie polje* = *Pasje polje* = Hundsfeld bei Breslau, liegt. Dieses Hundsfeld erwähnt schon am Anfang des 13. Jahrhunderts der polnische Chronist VINC. KADLUBEK und berichtet darüber, dass hier im Jahre 1109 die Schlacht zwischen dem polnischen Fürsten BOLESLAW und dem deutschen Kaiser HEINRICH V stattgefunden. Die Deutschen wurden besiegt, viele blieben auf dem Schlachtfelde liegen, die Hunde schwärmten von allen Seiten herbei und frassen sich so satt, dass sie davon toll wurden; caninum campestre locus ille nominatur. Aber ein älterer Chronist, Namens GALLUS, welcher im 12. Jahrhunderte lebte und dieselbe Schlacht beschrieb, berichtet garnichts von tollen Hunden [4]. Es unterliegt also keinem Zweifel, dass *Pasje polje* = Hundsfeld seinen Namen nicht nach der Schlacht vom Jahre 1109 bekommen, sondern älter als dieses Ereignis, und wahrscheinlich desselben alten Ursprungs ist wie die vielen Orte des Namens *Psar*. In der schönen Zeit des europäischen Mittelalters sich durch Hunde überflüssiger Menschen zu erledigen, dafür finden sich zahlreiche Beispiele. Ich erinnere nur an den bekannten CID, der, als es zum Verbrennen der Gefangenen an Holz fehlte, sie von Hunden zerfleischen liess [5]. Solche Bluthunde haben dann später in Amerika auf höhern Befehl haarsträubende Thaten vollführt.

Wenn wir durch STANLEY hören, dass in Usukuma, und ferner, dass in Uganda die Hunde auch in der Schlacht gegen die Feinde Verwendung fanden [6], so kennt eine derartige Verwendung auch schon das Alterthum. Als MARIUS die Cimbern geschlagen, hatten seine Legionen noch einen Kampf mit den Weibern und Hunden zu bestehen. Die Kelten hatten, wie ein Bronzehund aus Herculanum zeigt, für ihre Hunde Halsbänder mit Stacheln und metaline Brustplatten zum Schutze. In der Schlacht bei Murten 1476, da das Volk in Schlachtordnung stand, fingen die Hunde gleichfalls Krieg an. Die burgundischen wurden von den eidgenössischen überwunden, ein Anzeichen der Niederlage ihrer Herren. Die Türken stellten auch Hunde auf die Aussenposten. Dass in unsern Tagen des weit gepriesenen Friedens Hunde zu Kriegshunden ausgebildet werden, beweist die schon gewaltig angeschwollene Literatur über sie. Zum Schluss dieses Abschnittes nur noch die Notiz, dass auf Robben Island (bei Kapstadt) die Hunde Leichname der an den Pocken Gestorbenen zu fressen hatten [7].

Oben wurde der Hunde als Strassenreiniger Erwähnung gethan; sie machen sich aber auch nützlich als sorgsame Kinderfrauen, denn nach einer brieflichen Mittheilung des Herrn CH. J. PASEDAG, früherem Hamburgischen Consul zu AMOY, pflegen dort die Mütter ihre Säuglinge nur abzuhalten, der dabei stehende Hund verzehrt die herauskommenden Excremente und reinigt mit der Zunge sauber die Aftergegend; auch auf Sumatra reinigt er die

[1] PESCHEL, Volkerkunde, S. 416. Zeitschr. f. Ethnol. III, 206. [2] PRSCHEWALSKY, Reisen in der Mongolei, 5. XIII. [3] Deutsche Rundschau f. Geogr. u. Stat. XV, 414. [4] RÖPELL, Gesch. Polens I, 670. [5] Gartenlaube 1893, 442. [6] Journal Geogr. Soc. London 1876, 28. Zeitschr. f. Jagd- und Hunde-Liebhaber, St. Gallen, 1892, 169. [7] J. STANLEY LITTLE, South Africa II, 274.

derartig beschmutzten Babies, wie v. BRENNER (a. a. O. S. 251) wiederholt beobachtete. Hier, wie auch in Aegypten, um dies nebenbei zu bemerken, urinirt der Hund auch nicht mit aufgehobenem Beine, sondern in kauernder Stellung.

Verwendet werden vom Hunde nicht nur die flüssigen und festen Ausscheidungen sondern auch alle Körpertheile des todten. Die Eskimo Amerikas giessen den Urin auf die zerbrechliche Decke der künstlichen Schneegruben und fangen dadurch die nach dem Salzgehalt dieses Stoffes lüsternen REN [1]). Den kalkreichen Koth, für den es in Berlin eine eigene Börse gibt, das sogenannte pharmaceutische Enzian, benutzten westasiatische Völkerschaften als Gerbstoff. Von dort kam dieser Gebrauch nach dem hundereichen Konstantinopel zur Bereitung von Maroquin [2]), und gegenwärtig werden ganze Ladungen davon von dort nach den Vereinigten Staaten verschifft zur Saffianbereitung [3]). Die Tlinkit werfen Hundeleichen an langen Leinen ins Meer; nach einiger Zeit sind sie vollgespickt mit Dentalien und werden dann emporgezogen [4]). Ueber die Verwendung der Zähne zu Waffen und Schmuck, vgl. weiter unten. Den Cynomolgen bei AGATHARCHIDAS, DIODOR, STRABO, stellen sich jene Bewohner Sierra Leone's an die Seite, welche Schweinemilch geniessen [5]). Wie in Südafrika von Honig, so leben nach MAJOR [6]), monatelang bei Kap Branco, Menschen, Pferde und Hunde ausschliesslich von Milch verschiedenster Thiere.

Der Handel mit ganzen Hundefellen geht von Nordasien nach zwei Richtungen, entweder westlich nach Europa oder östlich nach Nordamerika, und je weiter sie fortgeführt werden, um so höher steigen sie im Preise, denn, während in Obdorsk ein gutes Fell 6 Rubel kostet [7]), erreicht auf dem Pelzmarkte in Charkow das Fell eines schwarzen sibirischen Hundes, ein sehr gesuchter Pelz, schon die Höhe von 50—100 Rubeln [8]). In Paris werden dann die Felle sehr schnell gegerbt und modisch zubereitet [9]). Die grösste Menge von Hundefellen wird aber in Ostasien selber verbraucht. Jetzt freilich geht dort dieser Handel seinem Ende entgegen. Wegen des Krieges mit Japan werden im dichtbevölkerten China jetzt weniger Ehen geschlossen. Vordem brachte, in der Mandschurei und Mongolei, als Mitgift die junge Frau zahlreiche Hunde mit, welche dichtbehaarte Köter der junge Ehemann nebst der Frau in sein neues Heim führte, die Hunde sofort schlachtete und aus deren Fellen Zimmerteppiche und Decken anfertigte.

Die überschüssigen wurden an Händler in den chinesischen Häfen verkauft, und so gelangten nach den Ver. Staaten jährlich für ungefähr 2 Millionen Mark Hundefelle [10]). Wie im abessinischen Kloster Zad' Amba das ganze Besitzthum eines frommen Bruders in einem halben Ziegenfell bestand — sein Alles, sein Teppich, seine Decke, sein Mantel [11]) — so besitzen auch in China Arme und Bettler weiter nichts als ein schäbiges Hundefell [12]), das sie fanden oder geschenkt erhielten; zur Vervollständigung der Wintertracht des Mittelstandes gehören als Regen- oder Wettermäntel, Ziegen- oder Hundefelle. Der hauptsächlichste Ausfuhrort für farbige Felle ist der Hafen Niutschwang oder Liao-ho in der Mandschurei. Früher glaubte man, diese Felle rührten von herrenlosen, umherirrenden Hunden her, aber das Gelbbuch des Zollkommissars jener Stadt, vom Ende der achtziger

[1]) KLUTSCHAK, Als Eskimo unter Eskimos, S. 131. NEUMAYER, Die Deutsch. Exped. und ihre Ergebnisse II, 16. [2]) OLIVIER, Voyage dans l'empire Ottoman, 1801, I. [3]) Zool. Garten 1894, 55. Natur 1892, 334. [4]) KRAUSE, Die Tlinkit Indianer, S. 183, und für Alaska, Ausland 1888, 970. [5]) BURTON and CAMERON, To the Gold Coast I, 335. [6]) The discoveries of Prince Henry, S. 100. [7]) FINSCH, Reise nach Westsibirien, S. 372. [8]) KOHL, Reise im Innern von Russland und Polen II, 206 fg. [9]) Schweiz. Zeitschr. f. Jagd- u. Hunde-Liebhaber 1892, 183. [10]) Hamb. Correspondent von 2.11. 1894. [11]) Zeitschr. f. allg. Erdk. N. F. XII, 211. [12]) EXNER, China, S. 162.

Jahre ergiebt, dass die Gewinnung der Häute eine förmlich gewerbliche Organisation aufweist. In der ganzen Mandschurei und in den östlichen Grenzen der Mongolei findet man Tausende von Herden junger Hunde. Die strenge Kälte mit mittlerem Thermometerstand von — 1,3° C. entwickelt prächtige Pelze. Ueber deren weitere Zubereitung, Färbung, über Verwendung des Fleisches vgl. man das Ausland [1]. In Grönland, wo die Renjagd wenig ergiebig, gebraucht man vorzugsweise Felle von Seehund und Hund; das Fell der jungen Hunde besonders als Unterfutter für Winterstiefel, doch ist es sehr theuer [2]. Zu GIESECKE's Zeit verwarf man solche Felle wegen ihres unangenehmen Geruchs [3]. Bei Samojeden besteht der Besatz der Mützen und der Konitza (Frauenkleidung) aus diesem Fell [4]. Ueber ihre Verwendung bei den Golden vgl. RAVENSTEIN [5], auf Kamtschatka KRASCHENINNIKOW [6]. Im letztern Lande wurde auch, was STELLER aus den Jahrbüchern der Tang entnahm, aus Hundehaaren und allerlei Gräsern eine Art Zeug verfertigt [7]. Alt ist auch die Verwendung zu Futteralen in Nordamerika [8] und zu Flaschen auf St. Kilda [9].

Weit verbreitet finden wir den Brauch, einzelne Theile des Hundekörpers als Schmuckgegenstände zu verwenden, und andererseits besonders bevorzugte Exemplare durch kostbare Halsbänder auszuzeichnen. In letzterem Betracht berichtet schon bei K. SCHUMANN [10] der berühmte Reisende, dass, wie schon Araber erzählten, die Japaner für Lieblingshunde, Affen u. a. goldene Halsbänder anschafften; sie waren also Vorbilder für die Exzentrizitäten französischer und amerikanischer Damen, der PATTI u. dergl. Vortreffliche Windhunde schmückten schon die alten Aegypter mit recht breiten Halsbändern [11]. Bei den Baschilange aber tragen schöne Exemplare nicht solche, sondern ein Band um den Hinterleib wie manche Zughunde Sibiriens [12]. Als Schmuck und auch als täuschendes Schmuckmittel dienen die Schwänze mancher Haarthiere. Auf Mallorca gehört zum Sonntagsschmuck jedes Mädchens ein ordentlicher Zopf, doch ist der nicht immer echt, manche flechten einen Kuhschwanz hinein [13]. Schon im Alterthum flochten indische Damen unter ihre natürlichen die schwarzen Haare des Yak *καὶ κοσμοῦνται μάλα ὡραίως* [14]. GUSTAV NACHTIGAL sah in Wadai eine Sklavin, welche zwei starke Schafhaarflechten unter die ihrigen versteckt hatte [15]. Nördlich von Victoria Nyanza traten BAKER zwei Kerle gegenüber mit Hörnern auf den Köpfen und statt der Bärte Kuhschwänze [16]. Manche Indianerstämme kämmen den Todten sorgfältig die Haare und flechten, um die Zöpfe länger zu machen, Büffelhaare hinein [17]. Diese Analogien genügen wohl und lassen jene Australier nicht mehr vereinzelt dastehen, welche zur Verlängerung ihres Bartes sich eines buschigen Dingoschwanzes bedienen [18]. Die Wahähä tragen an den Wurf- und Stossspeeren Hundeschwänze. Die fingerlange Klinge der erstern wird in den Schaft eingebrannt und ausserdem noch durch die noch feuchte darüberzogene Haut eines solchen Schwanzes festgehalten [19]. Der Parsi erhält bei seiner Mannbarkeit einen härenen Gürtel, welcher nach der Versicherung Jezder Juden aus Hundehaar geflochten wird [20]. Die Haidab Brit. Columbiens verflechten weisse Hundehaare mit andern Stoffen, am Puget Sund macht man aus den erstern auch Blankets (Decken) [21].

---

[1] 1889, 337. [2] NORDENSKIÖLD, Grönland, S. 429. Natur 1887, 536. v. BECKER, Arkt. Reise der Pandora, S. 16. [3] Greenland in Brewsters Encyclopaedia. [4] Zeitschr. f. allg. Erdk. N. F. X, 86. ERMAN, Reise um die Erde I, 701. [5] The Russians on the Amoor, S. 317. [6] Beschr. des L. Kamtschatka, S. 128. [7] Zeitschr. f. allg. Erdk. N. F. XVI, 315. [8] Natur 1893, 161. [9] Hamb. Echo, Beilage zu 17. 2. 1889. [10] MARCO POLO, S. 25. [11] EBERS, Cicerone durch Aegypten I, 161. [12] POGGE in Mitth. d. afrikan. Ges. in Deutschland IV, 248. [13] PAGENSTECHER, Die Insel Mallorca, S. 135. [14] ABLIAN. [15] Sahara und Sudan III, 80. [16] Zeitschr. der Ges. f. Erdk. I, 103. [17] DODGE, Die heutig. Indian. des fernen Westens, S. 114. [18] WAITZ VI, 735. 736. Zeitschr. f. Ethu. VI, 278. [19] Deutsche Kolonial Zeitung 1891, 162. [20] Zeitschr. f. allg. Erdk. N. F. V, 79. [21] BANKROFT, Native R. I, 166. 215. LELANG,

Die weissen grossen Eckzähne des Hundes entweder einzeln am Ohr getragen oder mit vielen gleichartigen, auch vermengt mit denen anderer Carnivoren, auf eine Schnur gezogen, bilden einen weitverbreiteten Schmuck nicht nur bei Männern sondern auch bei Frauen und Mädchen, z. B. auf Neu-Guinea am Friedr. Wilhelms-Hafen als Brustschmuck, als Hals- und Armschmuck im westlichen Theil der Südküste des brit. Antheils [1]. Bei Kap Concordia sind derlei Schnüre seltner, man nimmt dafür Bohnen von Abrus precatorius [2]. Auf den Salomons-Inseln sah ein Reisender ein herrliches Halsband aus 500 Hundezähnen, von denen jeder sorgfältig durchbohrt war. Da man bekanntlich von einem Thiere hier nur 2 nimmt, so bedurfte man dazu 250 Hunde, und die meisten stammten aus San Christoval, wo man sie sans gêne den lebenden Hunden auszieht [3]. Im süd-östlichen Neu-Guinea verwendet man alle 4 Eckzähne dieses Thieres, welche auch, und zwar werthvoller als Muschelgeld, hier, auf den Salomons-Inseln, Samoa u. a. unsere Münzen vertreten, zum Theil unseren Diamanten und andern Edelsteinen entsprechen [4]. Die Igorroten tragen gleichfalls Halsbänder und Ohrgehänge aus Hundezähnen [5]. Auch als Waffen werden diese Zähne verwendet auf Neu-Guinea, und in den dortigen Clubhäusern sieht man viele Hundeschädel aufgehängt als Zierrath [6]. Da es auf Java für schimpflich gilt weisse Zähne wie ein Hund zu haben, weshalb man sie bekanntlich färbt, werden zu Schmucksachen die Hundezähne nicht verwendet [7].

In Afrika sah SCHWEINFURTH Halsbänder von Zähnen, unter denen auch einige Hunden entnommen waren [8], bei den Bari sah JUNKER ähnliche, bei den Berta SCHUVER [9].

Hier mögen nur einige kurze Bemerkungen über die Bezeichnung Hund als Schimpfwort gestattet werden. Im alten Testament, bei Arabern und überhaupt den meisten Muhammedanern ist Hund Schimpfwort [10]. Wer einen Uzbegen, sagt WOOD [11], nach seiner Frau fragt, handelt unschicklich, wer aber nach dem Hunde fragt, beleidigt ihn tödlich; Dog-seller ist die tiefste Beleidigung. Im 4. Jahrh. v. Chr. meinte YÂSKA, dass der Name Hund bisweilen angewendet werde, um Verachtung auszudrücken [12]. Bei dem lateinischen Worte Canis waltet immer die Beziehung auf eine einzelne Eigenschaft des Hundes (Unverschämtheit, Feigheit, Bissigkeit u. a.) vor, doch nicht wie bei uns zum Ausdruck erbitterter Verachtung [13]. Sollte das auch schon in Halle im 15. Jahrh. stattgefunden haben, als es Mode war, Menschen zoologische Eigennamen (Tyle Hund, Heinz Affe, Fritz Schaaf, Schweinekoben u.a.) beizulegen? [14]. In einer kürzlich gehaltenen Wahlrede in Newcastle wies Mr. MORLEY das Schimpfwort „dog" damit zurück, dass er erklärte, er könne dies Wort nicht als eine Beleidigung ansehen, denn die meisten Hunde, die er kenne, verdienten höher als viele Menschen gestellt zu werden. Die folgenden Abschnitte werden verdeutlichen, dass viele Naturvölker derselben Ansicht sind.

FUSANG, S. 19 LORD, The naturalist in Vancouver and Brit. Columbia II, 212—225. Dem vorigen Praesidenten der französischen Republik schenkte in Evreux der Besitzer eines Hundestalles, M. BOULET, eine Weste aus dem langen Haare seines „Marce"; Hamb. Fremdenblatt vom 24. 11. 1888.

1) Mitth. aus deutsch. Schutzgebieten V, 12. FINSCH, Samoafahrten, S. 44. 89. 293. ROSKOSCHNY, Die Deutschen in d. Südsee, S. 55. Journal Geogr. Soc. London, 1876, 56. Peterm. Mitth. 1879, 277. Deutsche Geogr. Blätter IV nach ALBERTI. CH. LYNE, New Guinea S. 31. 2) FINSCH a. a. O. S. 338. 3) Natur 1888, 139. 4) Annalen des Wiener Hofmuseums III, 4, 302. Ausland 1884, 618. Deutsche Kolonialzeitung VII, 105. 5) Peterm. Ergänz.-Heft N°. 67, 25. 6) Zeitschr. d. Ges. f. Erdk. 1877, 151. Proc. of the Queensland Branch of the Geogr. Soc. of Australasia III, 2, 67. 7) WAITZ I, 366. Laplace, Voyage autour du monde II, 463. 8) Peterm. Mitth. 1871, 138. Zeitschr. d. Ges. f. Erdk. VI, 204. 9) Peterm. Mitth. 1881, 86. JUNKERS Reisen I, 283. 285 und Peterm. Ergänz.-Heft N°. 72, 65. 10) HOMMEL, Namen der Säugethiere bei den Südsemitischen Völkern, S. 311. 11) Journey to the source of River Oxus, S. 143 und darnach v. HELLWALD, Naturgesch. des Menschen II, 613. 12) MAX MÜLLER, Vorlesungen über die Wissenschaft der Sprache, S. 374. 13) Ausland 1871, 170. 14) G. F. HERTZBERG, Gesch. d. Stadt Halle I, 425.

Echt menschlich ist es, den Werth anderer erst nach deren Tode deutlich zu erkennen. So denken und handeln auch die Jägervölker Nordamerikas. Den Hund, das treueste aller Hausthiere, dessen Treue sogar der Koran anerkennt und ihn deshalb der Freuden des muhammedanischen Paradieses theilhaft werden lässt, behandeln sie im Leben schlecht, ist er aber in die ewigen Jagdgründe hinübergewechselt, dann verehren sie seine Gebeine; seinen Geist wollen sie nicht erzürnen, weil sie ihn im andern Leben wiederfinden [1]. Bei den alten Mexikanern und Maya's wurde er auch den Todten auf den Weg ins Jenseits mitgegeben [2]. Auch dem Kinde, das den Weg dorthin nicht findet, wird er mit ins Grab gelegt, so in den Mound-builders in Tennessee, Nashville [3]; bei den Eskimo [4]. Hunde werden dann zu Hütern auf der Schwelle am Eingang in die Unterwelt. According to the Zend Avesta certain dogs have the power of protecting the departed spirits from the demons lying in wait for it on the perilous passage of the narrow bridge over the abyss of hell; and a dog is always led in funeral processions and made to look at the corpse [5].

Nach SYNESIUS (5. Jahrh.) behielt CERBERUS sein Amt als Wächter an der Pforte der Hölle, und DANTE schildert ihn als Wache haltend am Eingang des dritten Kreises, wo er die Seelen peinigt. The Aztecs held the belief, that the Techichi acted as a guide through the dark regions after death [6]. Dass die Hunde auch in den Himmel kommen, äussert LUTHER in seinen Tischreden, er glaubte fest, sein eignes Hündlein in der andern Welt wiederzusehen, und KLOPSTOCKS Messias XVI, 260. 333 lässt ELISAMA's Hund in den Himmel eingehen. Die Herzogin ELISABETH CHARLOTTE v. ORLEANS äusserte: „Ich finde recht woll geschrieben, wasz er (LEIBNITZ) auffgesetzt hatt: dasz die thier nicht gantz absterben, tröst mich sehr vor meine liebe hündtges" [7]. In der germanischen Mythologie wird der Hund zum Todesboten [8], und wenn auf Formosa ein Hund heult, lässt man den Priester kommen, denn einer der Familie wird sterben [9]. Eine andere Anschauung gibt BASTIAN [10]: Gott schuf einen Hund und bestimmte ihn die Schlange zu bewachen, die den Menschen verführt. Wenn sie nun kam, bellte er und verjagte sie. Dies ist auch der Grund, weshalb noch heute, wenn ein Mensch im Sterben liegt, die Hunde heulen. In Borneo glaubt man, dass, wer lacht, wenn ein Hund oder eine Schlange über den Weg läuft, zu Stein wird [11].

Schwarz ist bekanntlich eine verhängnissvolle Farbe; schwarze Hunde werden zu Agenten der Zauberer und Hexen, der Böse selbst nimmt die Gestalt eines schwarzen Hundes an (in GOETHE's Faust). In der Sage des weisen ODIN ist der schwarze Hund zum Dämon ausgeartet; ein Grauen für den Reisenden auf den schwedischen Haiden, wenn er dem unheimlichen Meister mit der Koppel schwarzer, feuerspeiender Hunde begegnet. Die heidnischen Samojeden im Kreise Mesen opfern dem Teufel Ren oder einen schwarzen Hund, der nach Sonnenuntergang erdrosselt wird. Den Kopf richtet man nach Westen.

---

[1]) WAITZ III, 194. [2]) BANKROFT, Native Races II, 605. Zeitschr. f. Ethnologie 1888, 20 fg. Congrès internat. des Americanistes 1888, Berlin 1890, S. 308 fg. 321 fg. [3]) Archiv Anthrop. III, 370. BÄR, Der vorgeschichtliche Mensch, S. 474. [4]) Zeitschr. f. Ethn. 1872, (238). NORDENSKIÖLD, Grönland, S. 385. 474. 475. [5]) Verhandl. des 5. Geogr. Tages, S. 107. FORBES, A naturalist's Wanderings in Eastern Archipelago, S. 100. Anmerkung. [6]) FR. A. OBER, Travels in Mexico, S. 320. Anders dachten die alten Cordillerenbewohner. Dans les sépultures d'Arica, devant les momies, sont les yeux artificiels que les anciens Péruviens, dans un sentiment réligieux, mettaient près de leurs morts, pour se conduire dans le voyage de la vie future, sans oublier des provisions pour la route. ANDRÉ BRESSON, Bolivia, S. 128. [7]) Zeitschr. des hist. Ver. f. Niedersachsen, 1884, 3. [8]) Zeitschr. f. Ethn. 1886, (82). [9]) Geogr. Proc. London, 1889, 233. [10]) Die Welt in ihren Spiegelungen etc., S. 365. [11]) JOHN, Life in the forests of the Far East, S. 228.

Man opfert beide aber auch dem Tadepzii und Chechi, und dann gibt der Opfernde den Kopf den Verwandten: alles Fleisch an ihm wird verzehrt und der abgenagte Kopf auf eine Stange gesteckt gegenüber dem Idol [1]). Die Lappen behandeln den so nützlichen Hund mit Fusstritten, weil er „eine Abart des Wolfes" sein soll, der sich beim Menschen einschleiche, um ihm Böses zuzufügen. Daher tödten sie auch diesen nahen Verwandten nicht, wenn er alt geworden, sondern hängen ihn zum Verhungern an einen Baum. Aus gleichem Grunde darf bei einer Hochzeit auch nie ein Hund zugegen sein [2]). Im Jahre 1702 waren die französischen Soldaten, welche Landau vertheidigten, fest überzeugt, dass der schwarze Hund ihres Generals ein dienstbarer Geist des Teufels wäre, der eigentlich alle Schlachtpläne entwürfe. Bei den Esten gehören schwarze Hunde, Katzen, Maulwürfe und Hähne zu den Geschöpfen, welche beim Heben des Kalevi-Hortes geopfert werden müssen [3]). In Manchuria the evil spirit, or little black dog, is visible to the sorceres alone [4]). Schamanische Wahrsager erschlagen unter grossen Beschwörungen einen Hund [5]). Auf Kamtschatka tödtet und opfert man dem bösen Geist der Berge derartig einen Hund, dass die herausgenommenen Eingeweide überall hin zerstreut, und der Körper an den Hinterbeinen an einem langen Pfahle aufgehängt wird [6]). Für eine phoenizische Stiftung wird der Kult der Göttin auf dem Vorgebirge Kolias bei Athen zu halten sein, wo am zweiten Tage des Thesmophorienfestes nächtliche Orgien gefeiert und hierbei auch Hunde geopfert wurden, ein Brauch, welcher den orientalischen Ursprung deutlich verräth [7]). In West-Timor wirft man bei einer Kriegserklärung den Kopf eines schwarzen Hundes in das feindliche Land [8]).

Wie ein Gott verehrt und geopfert wurde der Hund bei vielen Völkern, so in Amerika bei den alten Peruanern von Xauxa und Huanca; Priester bliesen auf skelettirten Hundeköpfen. In Cuzco wurde mit dem Blut schwarzer Hunde das Gesicht der Götzenbilder bestrichen, aus dem Herzen und der Lunge geweissagt; den bei einer Bestattung verwendeten Hunden wurden die Ohren abgeschnitten [9]). Aehnliche Opfer fanden früher auch in Yukatan statt [10]). In Afrika opfern bei den Baghirmi die Bewohner von Gabberi auch Hunde [11]). In Asien war der Hund dem Mars in Byblos heilig [(vgl. oben 8)]. Am Lykosfluss in Syrien stand ein hohles Idol des Hundes, das beim Durchwehen des Windes klang, bei der Annäherung der Feinde aber, hörbar bis Cypern, bellte. Verehrung des Hundes findet sich noch bei einigen Familien der Ansayrier. Heilig ist dies Thier auch nach ZOROASTER, hoch verehrt von den Koles [12]). In Sikkim werden die Hausgötter der Metch, fratzenhafte Bilder eines Gottes, häufig als auf einem Hunde reitend abgebildet [13]). In Japan gibt es deshalb so viele Hunde, weil sie für heilig gehalten werden. Öfter begräbt man dort einen Hund derartig, dass nur der Kopf frei bleibt. Vor seiner Nase liegt reichliche Nahrung. Nach solchen Tantalusqualen wird ihm kurz vor dem Hungertode der Kopf abgeschnitten und in die mysteriöse Schachtel der Wahrsagerin gethan [14]). Dass auf Sachalin schon vor Alters Hundeopfer statt fanden, ersah POLJAKOW aus den Funden an alten Opfer-

[1]) Zeitschr. f. allg. Erdk. N. F. VII, 62. [2]) HOGGUER, Reise nach Lappland, S. 94. [3]) Archiv Anthrop. X, 89. [4]) Journal Geogr. Soc. London 1872, 173. [5]) PRSCHEWALSKY, Reisen nach Tibet, S. 150. [6]) KENNAN, Zeltleben in Sibir. S. 113. [7]) OBERHUMMER, Phoenizier in Akarnanien, S. 60. MOVERS, Die Phoeniz. I, 404 fg. Hundeopfer bei Phoeniz. HOLM I, 89. 374. [8]) Deutsche Geogr. Blätter X, 229. [9]) HUMBOLDT, Ansicht. d. Natur, 1849, I, 135. 460. WAITZ IV, 453. KOLENATI, Reiseerinnerungen, S. 86. Journ. Geogr. Soc. London II, 200. STEFFEN, Landwirthschaft bei d. altamer. Völkern, S. 29. PHILIPPI in Festschr. d. Ver. f. Naturkunde, Cassel, 1886, 3. Zeitschr. f. Bthu. 1888, 20. [10]) WAITZ IV, 309. [11]) H. BARTH's, Reise III, 571. [12]) RITTER, Erdkunde XVII, 1, 62. 510. BASTIAN, Geogr. u. Ethnolog. Bilder, S. 224. [13]) Deutsche Rundschau f. Geogr. u. Stat. X, 341. [14]) Zeitschr. f. allg. Erdk. N. F. IV, 428. Zeitschr. f. Bthu. 1877, 335.

plätzen, wo unter zahlreichen Knochen auch 10 Hundeschädel, doch ohne Zähne, gefunden wurden [1]. Die Koriaken opferten, um glücklichen Fischfang zu erzielen, gleichfalls Hunde, und zwar, weil das der Gottheit galt, die besten, die an Bäumen einfach aufgehängt wurden. Es kostete Major ABASE viele Mühe, ihnen verständlich zu machen, dass die schlechtesten denselben Zweck erfüllten [2]. In Nord-Siam zwischen Schwaigyin und Hlainghwe stimmen die Karenen die Geister dadurch günstig, dass ein Hundekadaver vom improvisirten Bambusaltar herabhängt [3]. In Kambodscha verjagen Hundezähne Gespenster, und auf Sumatra spielen in den Sagen Hunde eine bedeutende Rolle [4]. Auf Celebes tödtet man einen Hund, weil durch solches Opfer die Erde grössere Fruchtbarkeit erhält [5].

In der australischen Inselwelt werden auf Samoa Hunde und einige Vögel den grössern Gottheiten geweiht, auf den Salomon-Inseln hängen neben andern Schädeln auch solche von Hunden in Menge in jedem Dorfe [6]. Auf Neu-Guinea wurde am Kaiserin Augusta-Fluss als Freundschaftszeichen für die Europäer ein Hund todtgeschlagen, und auf Neuseeland fand FORBES in einer unberührten Höhle die geschnitzte Figur eines Maorihundes, „der dort gleichzeitig mit dem Moa lebte" [7].

Aus dem Alterthum erwähne ich nur, dass die Römer auf ihren Altären eine Menge Hundefleisch jährlich den Göttern als Opfer darbrachten, dass den Tempel des Zeus Adranos 1000 dieser Thiere bewachten [8]. Ich möchte hier noch einige Beispiele hinzufügen, aus denen erhellt, dass Hunde auch für das Christenthum Verständnis besitzen sollen, besonders auch zur Weihnachtszeit. Als BRANCHION mit Hunden einen Hirsch verfolgte, der schliesslich in die Höhle eines Einsiedlers flüchtete, da knieten Jäger und Hunde, von Ehrfurcht vor dem Kreuze ergriffen, nieder. In Frankreich glaubt man, dass während der Mitternachtsmesse zu Weihnachten in den Ställen die Thiere auf den Knien liegen, doch wäre es höchst unklug sie zu belauschen, weil man dann von allen angegriffen würde. In Polen gehen um diese Zeit die Mädchen auf den Hof und horchen auf das Hundegebell; von welcher Seite her einer anschlägt, von der kommt der zukünftige Mann. In den Christmetten Stralsunds sah es freilich nach einem Augenzeugen aus dem 16. Jahrh. ganz anders aus; das Gotteshaus war ein Tummelplatz groben Unfugs. In Frauenkleidern sassen junge Burschen in den Frauenstühlen, andere hatten sich wie Hirten verkleidet, führten Hunde, Schafe, Ziegenböcke mit sich, liefen mit diesen Bestien in der Kirche auf und ab, schrieen und wälzten sich auf der Erde [9]. Ländlich, sittlich ist auch jener Brauch in Indien wo zur Feier einer Geburt Knaben und Mädchen eine Entbindungsscene aufführen und das neugeborne Kind durch einen jungen Hund vertreten wird [10]. Hunde verstehen auch die verschiedenen Religionen zu unterscheiden. In einem chinesischen Schriftstücke, das zur Erhaltung der Reinheit chinesischer Sitten auffordert, heisst es: „Die Verderbtheit dieser fremden Teufel (d. h. der römisch-katholischen Christen) ist so gross, dass selbst Schweine und Hunde sich weigern deren Fleisch zu geniessen" [11].

Damit Jagden und Opfer nicht illusorisch gemacht werden, verhindern manche Völkerstämme die Hunde, die Knochen solcher Thiere zu benagen. Bei den Eskimo darf während

---

[1]) Reise nach Sachalin, S. 42. [2]) KNOX, Over land through Asia, S. 85. [3]) Mitth. Geogr. Ges. Jena, H. 4, 245. [4]) Ausland 1886, 113. v. BRENNER, Besuch bei d. Kannibalen S., S. 199. [5]) TEMMINCK, Coup d'oeil etc. III, 64. [6]) GEORGE TURNER, Samoa, S. 113. H. H. ROMILLY, The Western Pacific and New-Guinea, S. 74. [7]) Deutsche Geogr. Blätter IX, 349. Revue Coloniale Internat. IV, 265. Globus 1891, I, 64. [8]) Deutsche Jäger-Z. XIII, 1059. HARTWIG, Aus Sicilien I, 46. [9]) LECKY, Sittengeschichte Europas, II, 135. Deutsche Jäger-Z. XX, 383. [10]) Zeitschr. f. Ethn. V, 184. [11]) ISABELLA L. BIRD, Der Goldene Chersones, S. 69.

der Seehundsjagd der Hund nicht Phocaknochen benagen [1]. Metschscheren und Mordwinen, die ältesten Bewohner des Gouv. Tambow, werfen nach dem, zu Ehren der Feldgötter veranstalteten, Mahl die übriggebliebenen Knochen ins Wasser, damit Hunde sie nicht fressen [2]. Wenn eine der Haupteigenschaften der Hunde, die Wachsamkeit, von diesen frevelhaft vernachlässigt wird, so verdienen sie Strafe „bis ins dritte und vierte Glied". Die Römer peitschten jährlich einmal die Hunde als Verbrecher gehörig aus, weil deren Vorfahren beim Ueberfall des Kapitols durch die Gallier, der die Gänse so hoch zu Ehren brachte, geschlafen hätten. Dieser Brauch wurde in Paris zur Zeit LUDWIG's XIV noch dadurch übertroffen, dass jährlich an einem bestimmten Tage auf dem Greveplatz viele Hunde und Katzen durch die Behörden in feierlichem Aufzuge verbrannt wurden.

In Deutschland wurde vor mehreren Jahrhunderten gestattet, „dass Schinder und Abdecker Hunde tödten dürfen, aber auch Doctores et Studiosi medicinae, damit sie den menschlichen Leib desto besser kennen lernen, und dann auch die Apotheker, damit sie aus ihnen Arzeneien erhalten" [3]. Auch anderwärts fand man solche wirksamen Heilmittel. Die Tschuktschen schlachten bisweilen einen Hund, um mit dessen Fett und Blut Kranke zu salben und zu heilen [4]. Gegen Filaria medinensis trinkt man in Kordofan Hundekoth mit Merissa [5]. Der Fetisch Koro, ein Hund mit zwei Köpfen, dient in Inshono wirksam bei Krankheiten [6]. Durch Hunde können aber auch Krankheiten hervorgerufen werden, so z. B. bei den Nubiern, wo durch Einathmen seines Hanches die „schlimmsten innern Gebrechen" entstehen [7]. Bei den Chiriquanos am Pilcomayo im Gran Chaco darf eine Indianerin, wenn sie mannbar wird, die Hängematte nicht verlassen; muss sie es aber wegen eines Bedürfnisses, so ist grosse Vorsicht nöthig, nicht auf Hund- oder Hühnerkoth zu treten, weil der Geschwüre am Busen verursacht [8]. Die aus dem deutschen Alterthum und der Römerzeit bekannte Alraunwurzel findet sich mit ihren Kräften auch in den Ländern am obern Nil, wo ihr Besitz dem Menschen grösstes Glück verleiht. Wenn sie ausgerissen wird, um an den Schwanz eines Hundes gebunden zu werden, schreit sie [9]. Zu den merkwürdigsten Auswüchsen des Aberglaubens gehört das σκυλόγαμος d. h. das Abhalten der sogenannten Hundehochzeit auf Cypern, als probates Mittel gegen den Biss eines tollen Hundes. Wird jemand von einem solchen gebissen, so wird genau nach 40 Tagen eine Hundehochzeit gefeiert, bei welcher gehörig gegessen, getrunken und getanzt wird; der Kranke darf die ganze Nacht hindurch nicht schlafen, die Transpiration soll ihn vom Wuthgift befreien [10]. In der Sage vom Quecksilbermeer kann dies Metall einzig und allein durch zusammengenähte Hundebälge aufgefangen werden [11]. Ueber den Hund im persischen Mythus vgl. man GERLACH und über das heilige Feuer der Guebern in der Oase Jezd, zu welchem 72—75 Stoffe, darunter eine verbrannte Wittwe und ein verbrannter Hund, verwendet wurden, RITTER [12].

Ueber Vorzeichen von Hunden im Volksglauben verbreitet sich ausführlich das „Ausland" [13]. Ich möchte dem noch einige Bemerkungen anreihen. Den Mbocavies (Pampas) gelten einige Sterne für einen Strauss, der von himmlischen Hunden verfolgt wird. Der

---

[1] KLUTSCHAK, Als Eskimo unter E., S. 123. NEUMAYER, Die deutsch. Expedit. II, 26. [2] Ausland 1884, 29. [3] Zeitschr. f. deutsche Kulturgesch. N. F. V, 56 fg. [4] SAUER, Reise in d. nördl. Gegend von russ. Asien, S. 236. [5] MARNO, Reise in das Gebiet des blau. u. weiss. Nils, S. 405. [6] Zeitschr. f. Ethn. VI, 9. [7] SCHWEINFURTH, Im Herz. v. Afrika II, 344. [8] Deutsche Geogr. Blätter VII, 67. [9] FRIEDLÄNDER, Sittengesch. Roms I, 436. MARNO, a. a. O. S. 244. [10] OHNEFALSCH-RICHTER in „Unsere Zeit" 1884, H. 3. S. 365. [11] HAXTHAUSEN, Transkaukasien, S. 323. [12] GERLACH, Seelenthätigkeit, S. 2. RITTER, in Zeitschr. f. allg. Erdk. V, 79. [13] 1891, 874.

Mond sei ein Mann, dem, wenn er sich verfinstere, die Eingeweide von Hunden herausgerissen würden [1]). Im mongolischen Mythus heisst es, dass der Mond in Gestalt eines gelben Hundes sich nach der Conceptio sein Maul geleckt habe [2]). Auch in der Zeitrechnung mancher Völker spielt der Hund eine Rolle. Les Cambodgiens comme tous les peuples qui ont puisé en Chine les éléments de leur calendrier, se servent pour supporter le temps d'un cycle duodenaire, dont chaque année porte le nom d'un animal... chachien [3]). So auch in Siam, Annam, bei Ostkirgisen u. s. w. [4]). Bei den bekehrten Indianern von Istlávacan heisst nach dem Hunde nicht nur ein Monat, sondern auch ein Tag in jedem Monate [5]).

Jäger und Hirten bei den verschiedensten Völkerstämmen wissen, dass ihre Hunde, ihre Sprache und Gesticulationen genau verstehen; desgleichen alle, die viel mit Hunden sich beschäftigen, und umgekehrt verstehen die Herren das verschiedenartige Bellen der Hunde [6]), das in den Kulturstaaten unter der Zucht des Menschen viel modulationsartiger sich gestaltete. Daher bildeten sich früher auch die Bewohner der Goldküste ein, dass die europäischen Hunde sprächen, und in Unyoro geht die Sage, dass die Hunde einst mit Sprache begabt gewesen [7]). Dass die Vergesellschaftung von Hirte und Hund in Aegypten allein Tausende von Jahren hinaufreicht, ersehen wir aus dem Scepter der Pharaonen, einem langen Hirtenstabe, dessen Haken die Form eines Thierkopfes und zwar sehr bezeichnend eines Hundes zeigt, und ähnliche Stäbe sah Wilkinson bei den heutigen aegyptischen Bauern, ähnliche Virchow und Schliemann bei Epidaurus [8]).

In Yule's meisterhaftem Werke [9]) lesen wir: The D o g - h e a d f e a t u r e is at least as old as Ctesias. The story originated, I imagine, in the disgust with which „allophylian" types of countenance are regarded, kindred to the feeling which makes the Hindus and other eastern nations represent the aborigines whom they superseded as demons. The Cubans described the Caribs to Columbus as man-eaters with dog's muzzles; and the old Danes had tales of Cynocephali in Finland. Ibn Batuta describes an Indo-Chinese tribe on the coast of Arakan or Pegu as having dog's mouths, but says the women were beautiful. Trier Jordanus had heard the same of the dog-headed islanders. And one odd form of the story, found, strange to say, both in China and diffused over Ethiopia, represents the males as actual dogs whilst the females are women. Odly too, Père Barbe tells us, that a tradition of the Nicobar people themselves represents as of canine descent, but on the female side! The like tale in early Portuguese days was told of the Peguans, viz. that they sprang from a dog and a Chinese woman. It is mentioned by Camoens (10,122). Note however that in Col. Man's notice of the wilder part of the Nicobar people the projecting canine teeth are spoken of. Diesen Worten füge ich noch folgende Notizen hinzu. Forbes [10]) spricht von der V e r w a n d l u n g e i n e s H u n d e s i n M e n s c h e n, nach Colquhoun [11]) heirathete ein Hund „a daughter of Yao" und Rob. Hartmann [12]) besprach die Sage, dass in Dschur lo wate (Weiberdorf) nur Weiber wären, und diese sich mit Hunden begatten sollen.

---

[1]) Waitz III, 472. [2]) Zeitschr. f. Ethn. VI, (107). [3]) Lagreé et Garnier, Voyage d'Explorat. en Indochine I 93. [4]) Ed. Hildebrandt, Reise um die Erde, 1873, S. 160. Giglioli, Viaggio intorno al globo, S. 319. Ritter, Erdk. II, 1124. Prschewalsky, Reisen in der Mongolei, S. 55. [5]) Waitz, IV, 175. v. Scherzer, Aus Natur- und Volksleben im trop. Amerika, S. 175. [6]) Andr. Stengel, Die Anfänge der Sprache, S. 18. Bastian, Sprachvergl. Studien, S. 18. [7]) Histoire générale des Voyages X, 115. Côte d'ôr, nach Arthus, S. 80. Peterm. Mitth. 1879, 391. [8]) Zeitschr. f. Bthu. XX, (391). [9]) The Book of Marco Polo II, 252. [10]) Eastern Archipelago, S. 100. [11]) Amongst the Shans p. XLV. [12]) Zeitschr. f. Ethn. II, 138.

Auf der Insel Hainan sollen die Urbewohner, die Li-tse, abstammen von Hunden und deshalb noch jetzt Ansätze von Schwänzen haben [1]). Erläuterungen über die Abstammung der Kirgisen vom Hunde gibt RADLOFF [2]). Die Aino leiten sich her von einem Sprössling von Hund und Weib [3]). Auch in Amerika wollen manche Stämme von Hunden abstammen z. B. Tschugatschen, Kadjaken, Chippeways, Hundsrippen-Indianer [4]). Nach BOAS ging das bei den letzten sehr einfach zu. Ein von seinem Stamme verstossenes Weib heirathete einen Hund, gebar ihm 6 Hunde und überraschte diese einmal, als sie ihre Felle abgestreift hatten und Kinder geworden waren. Nun nahm sie klüglich ihnen die Felle fort, sie wurden also Menschen und Stammväter jener Indianer. Dass Menschen wegen Frevelthaten ihre Stimme verlieren, zur Strafe wie Hunde bellen müssen, erläutert BASTIAN [5]). Zum Schlusse will ich nur noch zwei Beispiele geben, dass Menschenseelen auch in Hundekörpern ein Heim finden, aus Tongking [6]) und aus Afrika, wo nach POGGE bei den Baschilange der Glaube herrscht, dass die menschliche Seele in einen Hund übergehen könne. Daher hiessen die, welche kein Hundefleisch ässen, Muschilambue. Ob deshalb eine Verehrung der Hunde stattfände, wisse er nicht; KALAMBO aber liess alle Hunde tödten, weil sie Zauberwesen wären [7]).

Seit einer Reihe von Jahren arbeite ich an einem Buche, das eine Sammlung der Namen der Säugethiere bei allen Völkern umfassen soll, und es ist begreiflich, dass in dieser Sammlung die Bezeichnungen für den über die ganze Erde hin verbreiteten Hund die höchsten Zahlen aufweisen. Welche Folgerungen lassen sich nun ziehen aus den Benennungen des Hundes bei den Naturvölkern der vier Erdtheile?

Unter den afrikanischen Hundenamen findet sich einer, der auch für Thier im Allgemeinen gebraucht wird, von den andern sind mehrere mit denen für Schwein ein und desselben Stammes und gestatten deshalb die Annahme, dass die frühesten dortigen Hunderassen nicht zur Jagd oder als Wächter, sondern wie das Schwein, als Nahrung gedient haben; vielleicht schon in jenen Epochen, in welchen der nördliche Theil Afrikas eine andere Gestaltung, Pflanzen- und Thierwelt aufwies.

Für Nordamerika ergiebt eine Vergleichung der Wörter für Wolf und Hund, dass, wie auch zoologisch nachgewiesen, der sich von Norden nach Süden verbreitende Hund theilweise aus dem Canis latrans hervorgegangen, bei dem verhältnismässig regen Verkehr der nordwestlichen Indianerstämme mit den nordöstlichen Völkerschaften Asiens aber auch frühzeitig der Hund der Tschuktschen und Kamtschadalen hinüberkam, denn der Kamtschadalische Name für Hund findet sich gleichfalls in Amerika. Als später das europäische Pferd dort eingeführt wurde, das bald ebenso unentbehrlich wie er wurde, gab man ihm den Namen des bisher einzigen Hausthieres, öfter auch den einer Hirschart; so bedeutet bei den Dakota das mystische Wort für Pferd „*schanka-wakan*" den heiligen oder den Geisterhund.

In Südamerika decken sich wie in Afrika öfter die Namen für Hund und Schwein, bisweilen gebraucht man für Hund und Raubthier dasselbe Wort, bisweilen auch für Hund und Thier. Das Bare-Wort *tchinu* (Hund) ist eins mit dem botokudischen *tchine* (Thier),

---

[1]) Ausland 1884, 916. [2]) Peterm. Mitth. 1864, 165. [3]) Zeitschr. f. Eth. XIV, (180); vgl. BIRD, Unbetretene Reisepfade in Japan II, 33. Ausland 1888, 842. [4]) Zeitschr. f. Bthu. VI, 272. Zeitschr. d. Ges. f. Erdk. Berlin, II, 433. WAITZ III, 191. BANCROFT, Native Races I, 118. Peterm. Mitth. 1891, Literatur, S. 102. [5]) Zur Kenntnis Hawaiis, S. 83. [6]) Zeitschr. f. allg. Erdk. I, 108. [7]) Mitth. d. afrikan. Ges. in Deutschland IV, 255. WISSMANN, Durchquerung Afr. S. 128.

desgleichen *thücke*, *utschiaghanti* bei Miranhas; ähnlich nennen die heutigen Griechen das Pferd allgemein das Thier, die Italiener das Schaf *pecora*, romagnolisch *pigura*, die Griechen auf Thera bezeichnen jedes Lastthier als *κτῆμα*, auf Syros heteroklitisch *τὸ κτηνό*. Das Alter der südamerikanischen Urbevölkerung lässt sich durch historische Ueberlieferungen nicht ermessen, aber vielleicht auf einem anderen Wege. Die Mehlindustrie ist ohne Zweifel der bedeutsamste Zug in der Sittengeschichte dieser Stämme, denen die Milchwirthschaft völlig fremd blieb. Die alte Welt brauchte nur die gefahrlosen Getreidenährpflanzen zu vervielfältigen und zu Mehl und Brot zu verarbeiten, in Südamerika dagegen musste durch einen verwickelten Process eine sehr giftige, bald absterbende Pflanze erst ihres Giftes beraubt, der schliesslich gewonnene Mehlbrei durch den zugesetzten Saft der kleinen Limonia, durch die Rinde des *Dicypellium caryophyllatum*, durch Ameisen oder Honig erst schmackhaft gemacht werden. Auf ein hohes Alter der Bevölkerung weisen auch zurück die Veränderungen der Frucht von *Guilelma speciosa*, die durch Froschblut von den Mundrucus hervorgebrachten gelben Papageienfedern u. dergl. m. Aehnlich weit reichen dort vielleicht auch manche Hunderassen zurück.

Im südöstlichen Asien begegnen wir für Hund einem Worte, das auch Thier im Allgemeinen bezeichnet, andere stimmen mit denen für Pferd, Schwein und Carnivoren überein, und ähnliches findet sich auch in den ural-altaischen, slavischen und germanischen Sprachen, wo Bezeichnungen für Hund, Wolf, Fuchs öfter desselben Stammes sind. Vor 3000 Jahren nannten die Chinesen alle Nomaden des Westens Hunde, und das Wort Hund bei Turko-Tataren war entnommen von „*et*" (gering, niedrig) oder von „*kurt*" (gefrässiges Thier). Das turanische Ideogramm für Hund ist UR—KU, welches nach Halévy auf UR (fleischfressend) und KU (häuslich) zurückführt. Auffallend ist, dass in den Wurzelwörtern die Namen für Hund und Bär nie übereinstimmen, wohl aber bisweilen die für Hund und kleinere Raubthiere.

Der Ausspruch Lelands: all ignorant and unscientific people give to animals, for which they have no name, that of some other creature with which they are familiar, gilt auch für die Naturvölker Australiens und der Inselwelt. Manche Wörter für Hund z. B. *Keru* bedeuten auch Thier im Allgemeinen, daher *keru kijerik* Rattenthier d. h. Katze (Museum Godeffroy I, 43), andere auch Schwein z. B. *buga*, *broòas* (Pott, Etymolog. Forschungen II, 1, 138). Kittlitz (II, 8) bemerkt, dass, nachdem man zuerst ein Schwein gesehen, jedes grössere Thier, auch die Katze, *cochon* genannt wurde, also wie die Jakuten zur Bezeichnung des Leoparden das mongolische *chachai* (Schwein) verwenden. Auf Queen Charlotte Sound nannten die Eingebornen alle Vierfüssler, die Cook mit sich führte, Hunde (Voyage toward the South Pole I, 125). Als Matrosen dem Hunde zuriefen: komm hier, nannten die Bewohner der Mortlock-Inseln den Hund fortan: komm jier.

Im Vendidad, dem ältesten und echtesten Theile der sogenannten Zend-Avesta, heisst es: durch den Verstand des Hundes besteht die Welt, und Brehm fügt hinzu: Der Naturmensch ist undenkbar ohne den Hund, der gebildete und gesittete Bewohner des angebautesten Theiles der Erde nicht minder. Der Hund ist ein Theil des Menschen selbst; er ist, wie Fr. Cuvier es ausspricht, die merkwürdigste, vollendetste und nützlichste Eroberung, welche der Mensch jemals gemacht hat.

TRÄUME UND IHRE BEDEUTUNG

NACH EINEM SIAMESISCHEN TRAUMBUCH MITGETHEILT

VON

Dr. ph. O. FRANKFURTER.

BANGKOK.

Der Buddhistisch Brahmanischen Lehre folgend, wie sie in der *Savasaṅgaha* niedergelegt ist, erklärt der Siamesische Volksglaube die Träume einmal als Folge eines krankhaften Körperzustandes, zweitens als eine Fortsetzung der im wachen Zustande gehabten Gedanken, ferner als von der Geisterwelt (*devatā*) gesandt, und schliesslich als eine Folge früherer Thaten (*Pubba nimittam*). Die Traumzustände in den ersten beiden Stadien können einen Einfluss auf die Gestaltung des menschlichen Lebens nicht haben; auch die von den Geistern gesandten Träume können als absolutes *Omen* nicht betrachtet werden, da die Geister dem Menschen oft Unheil zufügen wollen, wegen einer von ihm begangenen Handlung. So wird erzählt, dass, als trotz des Widerspruches der Baumgeister, ein Mahatzera einen Baum in einem Tempelhain fällte, diese ihm einen Traum sandten, demzufolge der König innerhalb sieben Tagen sterben würde. Der Priester berichtet den Traum der Umgebung des Königs, und von dieser wird er dem König berichtet; der Traum trifft nicht zu und dem Priester werden zur Strafe Hände und Füsse abgeschlagen. Nach der Buddhistischen Lehre von dem anererbten *kamma* haben also nur die Träume Bedeutung, die aus dem *Pubba nimittam* entstehen, d. h. die als Erfüllung eines früheren *Omens* betrachtet werden müssen. In diese Kategorie fällt der Traum der MAYA, dass sie den BUDDHA gebären würde; so der Traum des BUDDHA selbst unter dem *Bodhi*-Baum, indem ihm sein *Nirvāna* vorhergesagt wurde; so die Träume des Königs PASENADI von Kosala, des Zeitgenossen des BUDDHA, dem die Zukunft in sechzehn Träumen offenbart wurde.

Doch auch die Zeit in der die Träume geträumt werden ist von Einfluss. So heisst es, dass den Träumen die man bei Tage hat keine Bedeutung beizulegen sei, eben weil sie aus einem krankhaften Zustand erwachsen, oder aber nur ein Fortdenken der im wachen Zustande gehabten Gedanken sind. Dasselbe ist der Fall mit den Träumen in den ersten beiden Nachtwachen; nur die Träume in der letzten Nachtwache dürfen als *Omen* auf die Gestaltung des Lebens betrachtet werden. Die Verdauungsfunctionen haben dann aufgehört; auch der tiefe Schlaf, denn im tiefen Schlafe giebt es keine Träume. Der Schlaf in dem der Traum stattfindet wird als ein dem Affenschlaf gleicher erklärt, d. h. ein Zustand zwischen Wachen und Schlafen; denn vom Affen wird erzählt, gerade wie bei uns vom Hasen, das er mit offnen Augen schlafe. Es lässt sich kaum läugnen, dass in der Erklärung von den *Omina* der Träume ein gewisser Rationalismus, verbunden mit Köhlerglauben, herrscht, und so wird ferner berichtet dass die Träume der ersten Nachtwache in zwei Monaten erfüllt werden, die der zweiten in vier Monaten, und nur die der dritten treffen schon den nächsten Tag an. Auch der Tag, an dem wir den Traum haben, ist auf seine Deutung von Einfluss, und so beziehen sich die Träume am Sonntag auf Andere, die am Montag betreffen unsere Verwandte, am Dienstag die Eltern, am Mittwoch Frau und Kinder, am Donnerstag den Lehrer, am Freitag Verwandte und Sklaven, und nur die Träume am Sonnabend können auf unser eignes Schicksal einwirken.

Was die Träume selbst angeht, so haben wir natürlich die alte Eintheilung in Träume guter und schlechter Vorbedeutung. Wie überall wo etwas Unerklärbares erklärt werden soll, ist es oft schwer einzusehen wie der Volksmund zu der Deutung gekommen ist. Wenn man z. B. weiss, dass in Siam wie in China Weiss die Farbe der Trauer ist, und dem Traum der besagt, dass wir in Weiss gekleidet sind, die Bedeutung beigelegt wird, dass man eine herrliche Frau bekommen wird, so möchte man versucht sein an eine Erklärung vom Gegensatz her zu denken. Das scheint auch mehrfach der Fall zu sein. Wenn dann wieder einem Traume, der besagt, dass wir uns auf dem Lande in einem Boote fortbewegen, die Deutung beigelegt wird, man wird einen Process gewinnen, so möchte man versucht sein in der Deutung eine, vom Volksmunde vorausgesetzte Unwahrscheinlichkeit einen Process zu gewinnen, zu sehen, denn auch in Siam standen seit alten Zeiten die Advocaten, (die Gelehrten in Händeln) in keinem guten Ansehen.

In der Deutung der Träume kehrt natürlich immer wieder, was der Volksmund überall als Glück auffasst: zu hohen Ehren gelangen, geehrt werden, König, Königin oder Königsgemahlin werden, Beschützer finden, unsere Feinde besiegen, Minister werden, viele dienende Leuten haben, in Allem was wir unternehmen erfolgreich sein, eine schöne, reiche Frau bekommen, viele Söhne und Töchter bekommen, Reichthümer erwerben, und namentlich das Wort ‚*lābh*' kehrt immer wieder, das nur durch unerwartetes Glück erklärt werden kann. — Man sieht leicht dass diese Ideen vom Glück nicht auf Buddhistischer Grundlage erwachsen sind.

In den Träumen von guter Bedeutung erscheinen die Gestalten von Indra, Brahma und die andern aus dem Hindupantheon bekannten Götter, und die Deutung, ebenso wie die, in denen wir als König oder Königin erscheinen, ist eine rein dialektische: ‚König werden', denn der Name des Königs ist identisch mit dem des Gottes. — Das Verzehren oder Festhalten von Sonne und Mond, das aus der Hindu-Mythologie übernommen ist, wo Kāhn, einer der *Asuren*, durch das Verschlingen und Festhalten der Sonne und des Mondes, Sonnen- und Mondfinsternisse verursacht, wird gleichfalls im Sinne des Königswerdens aufgefasst, und zum Beleg dafür das Schicksal der Pancapāni, der Tochter eines armen Mannes angeführt, die nach einem solchen Traume Frau eines Königs wurde, der über zwei mächtige Reiche herrschte. Wir finden dann ferner als zu ein und derselben Categorie gehörend alle Träume, in denen wir etwas zu erklimmen scheinen, oder eine erhabene Stellung einnehmen, so in den Himmel steigen, in die Luft fliegen, auf einen Berg steigen, auf einen Palast steigen, einen hohen Sitz einnehmen, deren Deutung immer dieselbe ist: „zu hohen Ehren gelangen, in Amt und Würden steigen". Wir haben natürlich darin eine rein dialektische Deutung, wie sie auch in der Siamesischen Sitte und im Sprachgebrauch begründet ist, wo die Stellung, die der Niedere dem Hohen gegenüber einnimmt als unter seinem Fürsten stehend betrachtet wird, und hier mag daran erinnert werden dass die häufig missverstandene Anrede: „unter den Füssen", unter der Sohle der Füsse auf Buddhistisch Brahmanischer Grundlage beruhe, denn unter der Sohle der Füsse finden sich die Merkmale des grossen Mannes, wie in den Fusstapfen des Buddha. —

Auf derselben mythologischen Grundlage beruhend haben wir ferner die Deutung der Träume zu nennen, mit welcher, wenn Strahlen von unserem Körper ausgehen, wir hohe Würden erlangen. Demselben Gedankenkreis gehört das Tragen der Waffen an, namentlich des Discus '*cakra*', denn die Deutung besagt, dass wir alles was wir auszuführen gedenken, auch wirklich ausführen, denn unsere Vernunft ist die Waffe. — Der Edelstein kehrt auch häufig in Träumen wieder, und wird immer als gutes *Omen* aufgefasst; so bedeutet das Darreichen eines Edelsteins von einem Priester, dass man die Königswürde erlangen wird, wohl weil in der Krönungsceremonie die Insignien der Königswürde dem Könige vom Priester dargereicht werden. — Gleichfalls als rein dialektisch haben wir die Deutung der Träume aufzufassen, die den Menschen als unter des Königs Schirm stehend betrachten; ferner als des Königs Standarte tragend, als auf einem Elephanten, einer Kuh oder einem Löwen reitend, wo wiederum Brahmanische Vorstellungen vorwalten, denn alle diese Träume besagen, dass wir zu hohen Ehren gelangen werden. Sonderbarerweise bedeutet aber das Reiten auf einem Tiger, die Reise nach einem fernen Lande. — Den Träumen, in denen wir etwas zu verzehren scheinen, also namentlich Muttermilch, Milch, Honig, Zuckerrohr, wird die Deutung gegeben, dass wir über andere herrschen werden. Dasselbe besagt sonderbarerweise auch das Essen von Menschenfleisch, und man möchte fast versucht sein eine rein dialektische Deutung anzunehmen, wenn man sich den Ausdruck 'eine Provinz essen' für Regieren erinnert. — Anders ist es schon wenn den Träumen, die besagen, dass wir in Fesseln gehen, dass wir verbannt werden, das uns die Eingeweide aus dem Körper gezogen werden, dass jemand unser Fleisch einschneidet, dass wir eine Leiche sehen, eine gute Vorbedeutung beigelegt wird, und wollen wir deuten, so können wir nur sagen, es ist entweder eine Deutung vom Gegensatz, oder aber, dass der Betreffende zu diesen Handlungen berechtigt ist, wenn er hohe Würden erlangt. — Wenn aber auch das Lächerliche als Traum guter Vorbedeutung gilt, so wenn wir im Traum einen alten Mann mit einem Haarknoten sehen, wie ihn nur Kinder tragen, so müssen wir einfach aufhören zu tüfteln und zu deuteln.

Wir haben bis jetzt nur von Träumen guter Vorbedeutung gesprochen: denn Träume absolut schlechter Vorbedeutung giebt es nicht, d. h. das üble *Omen* mag dem Volksglauben gemäss abgewendet werden und zwar durch, was man als vicarisierende Opfer bezeichen möchte. Diese Idee beruht auf dem *Sāyasāh* [1], im Unterschied zur Buddhistischen Lehre, der diese Auffassung vollständig fremd ist. Es werden den Wesen, denen man die Träume zuschreibt, Opfer dargebracht in Gestalt von Esswaren und Blumen. Neben diesen Opfern finden wir Lustrationen, wie das Baden im laufenden Wasser, das Giessen von Wasser auf die Strasse, vor das Haus, auf den Kreuzweg. Wir finden dann ferner dass, um das böse *Omen* des Traumes abzuwenden, der Traum den vier Elementen, dem Wasser, der Erde, der Luft und dem Feuer, die als weibliche Wesen, als Mütter aufgefasst werden, erzählt wird. — Damit natürlich in Zusammenhang stehend, wird vorgeschrieben dass der Traum leblosen Wesen erzählt werden soll, die wohl als Vertreter der vier Elemente aufzufassen sind, die den Traum senden. So wird der Traum dem Ofen, dem Hauspfosten, dem Brunnen, und auf dem Kreuzweg erzählt. Nur ganz vereinzelt kommt es vor dass der Traum einem lebenden Wesen erzählt wird.

[1] '*Sayasāh*' begreift, nach Siamesischem Volksgebrauch, jeden Gebrauch und jede Lehre nicht Buddhistischen Ursprungs in sich. Ursprünglich auf den Brahmanismus beschränkt, ist es ausgedehnt auf Chinosische, Laosianische, auch wohl Mahomedanische Gebräuche.

AF. XV.

1.
2.
3.
4.
5.
6.
7.
7a.
8.
9.

Es beruht das alles auf demselben Motiv: man hat die Warnung bekommen, man wird nach dem Willen der Geister handeln, die man eben durch die vicarisierenden Opfer zu befriedigen sucht.

Die Träume schlechter Vorbedeutung finden wir häufig in der Poesie verwandt: so bedeutet im Traum roth gekleidet sein, nahenden Tod und so wird das Motiv in der poetischen Erzählung von Khun Pheng und Khun Chang verwandt, wo der Heldin Nang Anthong ihr bevorstehendes Ende durch diesen Traum vorhergesagt wird.

BEITRÄGE ZUR ETHNOGRAPHIE VON NEU GUINEA [1].

VON

J. D. E. SCHMELTZ,

Conservator am ethnogr. Reichsmuseum zu Leiden.

(Mit Tafel XV, Fig. 3–5 & 9.)

I. GEGENSTÄNDE VON DEN TUGERI, IN SÜD NEU GUINEA.

Trotzdem unsere Kenntnis der ethnographischen Verhältnisse, hauptsächlich der der Küstenstämme, von Neu Guinea in den letzten Jahrzehnten in überraschender Weise sich ausgebreitet, ist doch ein Theil desselben, nämlich der südliche, unter Niederländischer Herrschaft stehende, noch in ein gewisses Dunkel gehüllt. Seit Salomon Müller's Reise [2]) hat kein Forscher jenes Gebiet wieder betreten, seit dessen Sammlungen dorther dem ethnographischen Reichsmuseum zu Leiden einverleibt wurden, sind diese auch die einzigen verblieben und ihnen keine weitere aus jenem Gebiete gefolgt, so dass unser ethnographisches Wissen betreffs der dasselbe bewohnenden Stämme noch immer auf Müller's Berichten und jenen spärlichen Einsammlungen basirt war.

Es ist daher als eine besonders erfreuliche Thatsache zu bezeichnen dass neuerdings dem ethnographischen Reichsmuseum zwei Sammlungen, fast gleichzeitig, zugingen von Gegenständen aus diesem Theil Neu Guineas, deren Erlangung folgenden Umständen zu danken ist.

Seit 1891 berühren die Dampfschiffe der, durch die Niederländisch-Indische Regierung subventionirten Packetfahrt-Gesellschaft, sowohl die Nord- als auch die Südküste des Niederländischen Gebietes.

---

[1]) Unter diesem Titel beabsichtigen wir in dieser Zeitschrift eine Reihe fortlaufender Beiträge, jenachdem uns das Material dafür zu Händen kommt, zu veröffentlichen. Dieselben werden nicht allein die Beschreibung neuer oder interessanterer Gegenstände befassen, sondern auch Berichtigungen und Nachträge zu unserem, gemeinschaftlich mit Herrn F. S. A. de Clercq herausgegebenen, Werk: Ethnographische Beschrijving van de West- en Noord-Westkust van Nederlandsch Nieuw-Guinea, besonders zu der dort gegebenen Bibliographie bringen, soweit sich uns die Gelegenheit dafür bietet.

[2]) Verhandelingen over de natuurlijke geschiedenis der Nederlandsche overzeesche bezittingen. Land- en Volkenkunde door Sal. Müller. Leiden 1839/1849.

Raubzüge der Tugeri, Angehörige eines wahrscheinlich auf Niederländischem Gebiete wohnenden Stammes, in das Britische Gebiet und auf die benachbarten Inseln waren die Veranlassung zur Absendung zweier Kriegsschiffe dahin, behufs Feststellung, soweit möglich, des Wohnsitzes jenes Stammes und der Ergreifung von Maassregeln um ferneren Raubzügen vorzubeugen.

Während die erste der beiden Sammlungen durch Herrn J. SCHERPBIER, AZN., Führer des Dampfschiffes Camphuis der Packetfahrt-Gesellschaft zusammengebracht wurde und neben vielen interessanten Gegenständen aus dem Norden und Nordwesten nur einzelne vom Süden enthält, besteht die zweite, die Herrn R. C. A. L. JANSEN VAN AFFERDEN, Kapitain-Lieutenant zur See, Kommandant I. M. Schiff Java zu verdanken ist, ausschliesslich aus solchen von letzterer Provenienz [1]).

Die Zustimmung des Direktors des Museums versetzt uns in die angenehme Lage den Lesern des Archivs in Folgendem eine gedrängte Uebersicht des Inhalts beider Sammlungen, unter mehr ins Einzelne gehender Besprechung der interessanteren Objekte, geben zu können; eine genaue Beschreibung aller Gegenstände bleibt der, seit einigen Jahren in Form von Flugblättern erscheinenden Museumspublication vorbehalten.

Die Sammlung des Herrn SCHERPBIER ist als Serie 932, die von Herrn VAN AFFERDEN stammende als Serie 941 inventarisirt, welche Nummern der Besprechung der Gegenstände hier jeweilig beigefügt sind. Die letztere Sammlung zeichnet sich noch durch besonders genaue Angaben betreffs der Herkunft der meisten Gegenstände aus, was natürlich für die Feststellung ethnologischer Provinzen in einem, so abwechslungsvollem Gebiete als Neu Guinea von ausserordentlich hohem Werthe ist. Hauptsächlich wurde gesammelt in den Kampongs Yabirika (Y.), Kubûsa (K.), und Wombika (W.), einem nicht näher bezeichneten Kampong östlich (O.) und einem zweiten westlich (BW.) des 140° O. L. und schliesslich an einem Orte im Osten der Fledermaus-Insel (F.); die hier zwischen Klammern stehenden Buchstaben deuten im weitern Verfolg unserer Arbeit die Provenienz des besprochenen Gegenstandes an.

Fassen wir die vorliegenden Einsammlungen zuerst als Ganzes in's Auge, so weichen selbe, sowohl was die Form der einzelnen Gegenstände, als auch was das dafür verwandte Material betrifft, von Allem ab, was uns bis jetzt aus Neu Guinea im Museum vorliegt und was uns auch aus andern Museen von dort bekannt geworden [2]). Die Form der Gegenstände werden wir im Folgenden mehrfach zu berühren Gelegenheit haben, und sei hier nur vorläufig bemerkt dass wir, auf Grund von Prof. HADDON's Arbeit in diesem Archiv [3]), die Ueberzeugung erlangt haben dass die meisten derselben in der That von den Tugeri herrühren [4]).

---

[1]) Näheres betreffs des hier Gesagten und der erwähnten Fahrten findet sich im Koloniaal Verslag 1892 Hoofdstuk C pg. 24, 1893 Hoofdstuk C pg. 29 & 30 & 1894 Hoofdstuk C pg. 32. — Siehe auch Prof. C. M. KAN: Nogmaals Nieuw-Guinea (Tijdschr. Ned. Aardr. Genootsch. IIe Ser. Deel XI) pg. 1063. — Ueber die im Kol. Versl. 1894 erwähnte Reise von I. M. Schiff Borneo ist ein Bericht des Kommandanten Lt. z. S. 1e kl. H. VELTHUYZEN im Jaarboek van de Kkl. Nederl. Zeemacht 1893/94 pg. 429-450 veröffentlicht, von dem durch H. ZONDERVAN in Tijdschrift Aardr. Gen. IIe Ser. Deel XII pg. 258-261 ein Auszug gegeben ist.

[2]) Seit Obiges geschrieben sahen wir im British Museum einen, als von diesem Stamm herrührend aufgegebenen diadem-artigen Kopfschmuck aus weichen Holzstäben, an deren Enden einzelne Federn befestigt sind und welche Spuren von rother Bemalung zeigen. Abgebildet bei EDGE PARTINGTON: An Album etc. Pl. 317 Fig. 5.

[3]) The Tugeri Head-Hunters, with plate. Vol. IV pg. 177 sq.

[4]) Nachstehend geben wir eine Liste der uns bis jetzt bekannt gewordenen Literatur über den genannten Stamm:

In dem verwandten Material bieten sich bemerkenswerthe, auffallende Unterschiede von dem was uns sonst in dieser Beziehung ethnographische Gegenstände von Neu Guinea lehren und der Gesammteindruck ist ein derartiger, dass eine gewisse Armuth, gegenüber dem was wir sonst in dieser Hinsicht in Neu Guinea zu sehen gewohnt, sich ausprägt. Dies dürfte noch mehr aus folgenden, mehr ins Einzelne gehenden Betrachtungen erhellen.

Zuerst sei das aus dem Thierreich stammende Material erwähnt[1]. Von Säugethieren gelangen zuerst Theile des Schweines, nämlich Schwanzenden für Brustschmuck (941/6), Hauer und kleinere Zähne gleichfalls für Schmuckstücke (Hauer für Nase, 941/52, und Arm 941/3 und kleinere Zähne für die Brust) und das Scrotum für einen Oberarmschmuck (941/30) zur Verwendung. Auffallend ist hier das Fehlen von aus Hundezähnen verfertigten Schmuckstücken[2], dagegen treten im Brustschmuck (941/36) Delphinzähne an deren Stelle. — Casuarfedern finden sich hier, wie überall in Neu Guinea für Zwecke des Schmucks vielfach verwandt, Knochen desselben Vogels als Schmuck der Nase (941/7 & 63) und als Spatel, sowie eine Zehe als Speerspitze; Federn von *Paradisea apoda* finden sich für einen Brustschmuck (941/11) und eine ganze Haut desselben für ein Tanzattribut (941/12) verwandt.

Interessant ist das Vorkommen der Säge einer kleinen *Pristis*-Art als Brustschmuck (941/20). Von Conchylien begegnen wir folgenden Arten[3]: Kleine Stückchen von *Nautilus* als Stirn-, Hals- und Brustschmuck, *Semifusus proboscideus* LAM. dient als Schaambedeckung (941/15 & 28), eine nicht näher bestimmbare *Melongena* findet sich an einem Leibgurt (941/70*b*) befestigt. *Yetus* (*Melo*) *diadema* LAM. tritt als ganze Schale wiederum als Schaamdeckel (941/14), oder in löffelförmigen, etc. Stücken als Bestandtheil des Hals- und Brustschmucks auf. — *Meleagrina margaritifera* LAM. (Perlmutterschale) fehlt auch hier nicht, sie bildet in kleinen Stückchen den Bestandtheil eines Stirnschmucks (941/17); *Placuna* findet sich als Brustschmuck (941/77) und *Batissa* als Messer (941/56). Für die, sonst so häufig zu beobachtende Verwendung des Mundtheils von *Nassa* und von Theilen von *Conus* für Zwecke des Schmucks, giebt die Sammlung keine Belege.

Aus dem Pflanzenreich[4] liegen auch hier der Sago als Nahrung und der Tabak als Narkoticum vor. Eine kleine Kokosnuss (*Cocos nucifera L. var. machaeroides Miq.*[5]) dient als Musikinstrument (941/13 & 27), wofür ebenfalls eine andere kleinere, nicht näher bestimmte Nuss sich verwandt findet, während erstere, grösser, auch als Schaambedeckung (941/29) oder Wassergefäss und auch als Material für Löffel dient. Ringe aus Nuss als Theile des Schmucks scheinen hier zu fehlen. Rothe, gelbe und länglich ovale graue, (*Coix lacryma L.* var.?) Kerne finden als Schmuck Verwendung; Palmbaumholz für Pfeilspitzen und

---

Een bericht van den zendeling MONTAGUE. Tijdschrift Nederl. Aardrk. Genootschap. Deel IX pg. 506 sq. — (Dieser Artikel soll nach einer Mittheilung in Peterm. Mitth. 1892, pg. 223 auf Täuschung beruhen. Siehe auch T. N. A. G., Deel IX, pg. 1003). — MEYNERS d'ESTREY: Les Tugéres de la N. G. Holl. Rev. de Géogr. Paris, Juin, 1892. — SIDNEY H. RAY: The Tugere Tribe of Netherlands New Guinea. Dieses Archiv, VI pg. 55. Beide letztere Arbeiten sind ebenfalls auf MONTAGUE's Bericht basirt, ebenso wie der Aufsatz in „Maandbericht van het Nederl. Zendel. Gen., Rotterdam, 1892 Juli".

[1]) Für Untersuchung desselben sind wir den Herren Director Dr. F. A. JENTINK, Dr. R. HORST und J. BÜTTIKOFER, Conservatoren des naturhist. Reichsmuseums zu Dank verpflichtet.

[2]) HADDON spricht l. c. pg. 178 von Halsschmuck aus solchen.

[3]) Vergl. unsere Arbeit: Schnecken und Muscheln im Leben der Völker Indonesiens und Oceaniens. Leiden, E. J. Brill, 1894.

[4]) Einige genauere Bestimmungen verdanken wir Herrn Dr. J. G. BOERLAGE, Zweiter Director am Reichsherbar zu Leiden.

[5]) Siehe MIQUEL: Flora, III pg. 91 und RUMPH: Herb. Amb., I. pg. 10.

Trommeln, Kürbisfrüchte als Kalkbehälter, Rohr für Schmuck und für Pfeile und Bambus für Bogen.

Nachdem wir nun das Material, aus dem die Gegenstände unserer beiden Sammlungen hauptsächlich verfertigt besprochen, schreiten wir zur Betrachtung jener selbst, der wir dann zumal die durch Herrn VAN AFFERDEN gesammelten zu Grunde legen.

Wir folgen auch hier wieder, der leichtern Uebersicht halben, in unsern Ausführungen der im ethnographischen Reichsmuseum eingeführten Gruppeneintheilung.

I. NAHRUNG UND NARKOTICA, SOWIE ZU DEREN GENUSS ODER BEREITUNG DIENENDE GEGENSTÄNDE.

Von Nahrungsmitteln liegt uns nur eine Probe Sagokuchen (941/75) vom Kampong Wombika vor[1]; HADDON erwähnt l. c. pg. 181 des Arrowroot, vielleicht damit identisch. Von dafür benutztem Geräth finden sich Messer aus *Batissa*-Schalen, F. W., und ein Löffel, gleichzeitig als Schaber für Kokosnüsse bezeichnet, und aus einem Stück Kokosschale verfertigt (F). Als Wassergefäss findet sich eine polirte Kokosnuss mit Rohrgehänge und Rohrfaserpropfen (941/60, F.). In dem, oben pg. 154, Note 1, citirtem Bericht VELTHUYZEN's, werden als Nahrungsmittel erwähnt Sago, *Obies* (?), wilder Pisang und Kokosnüsse, sowie dass der Sago auf platten, über einem Feuer erhitzten Steinen geröstet wird. Der Gebrauch der Muscheln als Messer und der Kokosnüsse als Wasserbehälter findet sich auch hier bestätigt, ausserdem aber werden noch Bambusglieder und Kürbisfrüchte für letzteren Zweck erwähnt.

Während es bei HADDON pg. 180 heisst „They do not seem to know the use of tobacco", sagt VELTHUYZEN dass Tabak als Genussmittel dient und findet diese Angabe durch eine uns vorliegende Probe ohne genaue Herkunftangabe durch VAN AFFERDEN gesammelt ihre Bestätigung. Ausserdem ist aber durch denselben auch ein Exemplar von dem dafür benutzten Geräth erlangt, von welchem wir hier zunächst eine genauere Beschreibung geben.

Taf. XV Fig. 9. Pfeife, aus zwei zusammenhängenden Bambusgliedern und einem Theil eines dritten bestehend, nahe dem einen Ende findet sich ein Loch für den Kopf, ein Stück eines dünneren Bambus, welches den Taback in Form einer Düte (trichterförmigen Säckchens) aufnimmt. Der Boden der Glieder ist mit Ausnahme des, das eine Ende bildenden durchbohrt, das offene Ende wird vor den Mund gebracht um den Rauch, der mittelst eines innerhalb des Rohrs befindlichen Kokosfaserballens filtrirt ist, einzuathmen. Am oberen Ende des Rohres und jederseits der Knoten findet sich eine eingeritzte Verzierung aus kurzen, geknieten und zu Querbändern vereinigten Strichen und aus zwei Querbändern concentrischer Dreiecke. Durch einen Längsstreif sind an der dem Loch für den Kopf gegenüberliegenden Seite die Querbänder untereinander verbunden. Länge des Rohrs 70, Durchschnit 4,7, Länge des Kopfes 10, Durchschnitt desselben 2 cM. Inv. N°. 941/59. Östlich der Fledermausinsel erhalten.

Die Erlangung der vorstehend beschriebenen Pfeife ist von ganz besonderem Interesse, insofern dadurch die Voraussetzung Prof. JOEST's[2]), jenes Rohr das der Eingeborne Fig. 3 Taf. VI in SALOMON MÜLLER's Werk in der Hand hält und das als Waffe dort vermeldet, keine solche, sondern eine Tabakspfeife sei, in erfreulichster Weise bestätigt wird. Es war dies nach dem was uns die Erforschung des Südöstlichen Theils von Neu Guinea in den letzten Decennien betreffs des Vorkommens ähnlicher Inhalationsapparate gelehrt, auch kaum

[1]) Die Mittheilung bei RAY, l. c. pg. 56, dass die Tugori keinen Sago haben, ist also hinfällig geworden.

[2]) W. JOEST: Waffe, Signalrohr oder Tabakspfeife. Dieses Archiv Bd I pg. 176 ff. Die Abbildung SAL. MÜLLER's ist auf pg. 179 reproducirt. Siehe auch: R. PARKINSON; Ebenda, Vol. II., pg. 168.

anders zu erwarten. Nun wir den Apparat bei vielen Stämmen von Britisch Neu Guinea in Gebrauch wissen, war die weitere Verbreitung nach Westen nicht unwahrscheinlich. Ueber den Gebrauch des Apparates auf den Inseln der Torresstrasse giebt HADDON [1]) pg. 312 & 313 eine sehr gute Schilderung, die geographische Verbreitung haben wir vor einiger Zeit zu skizziren versucht [2]). Heut können wir dem hinzufügen, dass, wie wir auf Grund des Studiums des Inhalts mehrerer Museen glauben constatiren zu können, östlich vom Flyflusse ein besonderes Bambusstück, als Kopf dienend, fehlt, und dass eine, neuerdings dem ethnographischen Reichsmuseum zugegangene Schenkung des Herrn S. W. TROMP eine ähnliche, nur viel roher gearbeitete Pfeife von den Tebidah-Dajak in der Landschaft Sintang, West-Borneo (Inv. N°. 893/86), enthält, von der wir nebenstehend eine Abbildung geben. Sie besteht aus einem 13 cM. langem und 3,5 cM. dickem Bambusstück, das durch einen Knoten ungefähr in zwei gleiche Hälften vertheilt ist. Die Knotenwand ist durchbohrt, das dickere Ende dient als Kopf, das dünnere als Mundstück.

Tabakspfeife der Tebidah-Dayak, Borneo.

Dass das Betelkauen bei unsern Eingebornen, wie HADDON pg. 181 schon bemerkt, gebräuchlich, dafür zeugen ein, uns vorliegender hölzerner Betelmörser (941/73) in Form eines gestielten Napfes (W.) und drei Kalkbehälter, Kürbisfrüchte, ohne weitere Verzierung nebst Spatel von Palmholz (941/61, 61*a* & 61*b*; F.). Letztere werden auch in VELTHUYZEN's Bericht pg. 449 erwähnt, und ausserdem als Narkotica noch des Zuckerrohrs, einer Art Baumrinde welche geraucht wird und einer Wurzel welche durch die Frauen gekaut wird; der Saft wird von diesen in eine Kokosschale gespieen und durch die Männer getrunken. Die Vermuthung dass es sich hier um den Gebrauch von Kawa handelt, dürfte um so mehr gerechtfertigt sein, als wir betreffs des Vorkommens desselben, auch von anderen Punkten Neu Guinea's Nachrichten besitzen [3]).

II. KLEIDUNG UND SCHMUCK.

Von irgend einem Gegenstand der als Kleidung unserer Eingebornen aufzufassen, z. B. Bastzeug (*Tapa*), geflochtene Stoffe etc., liegen bis heut keine Belege vor. Das einzige was vielleicht als Surrogat einer Kleidung anzusehen, dürften zur Schaambedeckung dienende Gegenstände sein. In einem Falle besteht solche aus einer, an einem Rohrreifen befestigten und mit eingeritztem Linienornament verzierten Muschel, vergl. HADDON l. c. pg. 178 & 181 (*Melo diadema* LAM. 941/14, Y.); in zwei andern dient *Semifusus proboscideus* LAM. (941/15 & 28, Y & K.), an einer Faserschnur befestigt, und im dritten (941/29 K.) eine halbirte, etwas eiförmige Kokosnuss, ebenfalls an einem Schnurgehänge, demselben

---

[1]) The Ethnography of the Western Tribe of the Torres Straits (Journ. of the Anthrop. Inst., Vol. XIX (1890) pg. 297 & ff.

[2]) Ethnographische Beschrijving van de West- en Noordwestkust van Nederl. Nieuw-Guinea. Leiden 1893. pg. 73, 74 & 198. Tabelle.

[3]) Siehe: DE CLERCQ & SCHMELTZ: Ethnogr. Beschrijving etc. pg. 201 & Tabelle.

Zweck. Erstere Form liegt schon in SAL. MÜLLER's Sammlung vor, und HADDON erwähnt derselben l. c. ebenfalls und bildet selbe, in situ ab. Von der zweiten sahen wir Exemplare aus dem Osten des Papuagolfes (Flyfluss, coll. D'ALBERTIS) stammend im Museo preistorico zu Rom.

Zum Schmuck übergehend bemerken wir dass für den des Haares mit Federn, wie solchen die Abbildung HADDON's zeigt, auch uns Beispiele vorliegen. Zuerst sei eines, im Nacken getragenen Schmuckes (941/25, K.), aus grauen und braunen, an einer geflochtenen Schnur befestigten Federn, erwähnt. Ein anderer, derselben Herkunft (941/33), in Form eines, aus an Fäden befestigten Flaumfedern bestehenden Bandes, wird quer über die Frisur getragen; eine dritte Form von K. (941/34) besteht aus, mit ihren Unterenden diagonal in einander verflochtenen und ins Haar eingeflochtenen Binsen und eine vierte (941/81, W.) aus, an einer Stelle in einen Knoten geschlungenen und hernach fischgratförmig verflochtenen Binsen, die in manchen Fällen zu Paaren vereinigt und von denen nach Herrn v. A.'s Angabe Hunderte auf dem Hinterhaupt in der Frisur getragen werden. Ein ebenfalls aus Binsen bestehendes Band (941/24, K.) mit eingeflochtenem Dessin, dient schliesslich zum Zusammenhalten der Haare.

Von, vom vorigen schwer zu trennenden, Kopfschmuck bietet unsere Sammlung ein Beispiel (941/49, O.): zwei lange Federn deren Fahnen, ähnlich wie wir dies bei Federschmuck im Neu Brittannia Archipel und aus Kaiser Wilhelmsland kennen, zahnförmig ausgekerbt sind, und ein halbirtes Ende Rohr in deren Mitte, sind mit dem Unterende zu einer Schleife verbunden und bilden, aufrecht stehend, den Schmuck des Hinterhauptes der Männer. — Aus HADDON's Arbeit erhellt dass auch Paradiesvogelfedern als Kopfschmuck dienen.

Von Stirnschmuck treffen wir in unserer Sammlung Folgendes. Ein Exemplar (941/4, O.) ist bandförmig, besteht aus an Fäden gereihten cylindrischen, grauen Fruchtkernen (*Coix?*) und endigt jederseits in eine Schnur, an deren Ende eine Kwaste aus Thierhaaren und halbirten grauen Kernen derselben Art sich befindet. Ein anderer derselben Form (941/17, Y.) besteht aus, mit rothem Farbstoff eingeschmiertem Flechtwerk an dessen Aussenseite unregelmässig geformte Stückchen Perlmutterschale innerhalb eines, gegen die Enden hin durch die vorerwähnten grauen Kerne abgeschlossenen, Raums befestigt sind. Gänzlich abweichend ist derselbe Schmuck von K. (941/37), er besteht aus einem breiten Bande von vielen mit Rohrfasern an einander verbundenen Büscheln Casuarfedern, in dessen Mitte sich ein halbirter Federschaft befindet, als Stiel eines auf einem Ende stehenden, dünnen halbmondförmigen Holzplättchens dienend. — Eine vierte Form (941/51, O.) besteht aus zwei mit dem einen Rande aneinander befestigten geflochtenen Bändern; die Aussenseite ist mit Scheibchen von *Nautilus*-Schale benäht und die Enden sind in gleicher Weise als bei der ersterwähnten Form gearbeitet.

Für Ohrschmuck finden sich nur zwei Belege; in einem Falle (941/18, Y.) besteht selber aus von Vogelknochen (?) zusammengebogenen Ringen, deren acht bis neun zugleich getragen werden; im zweiten (941/39, K.) bestehen die Ringe aus Federschäften an denen Schnürchen grauer Kerne befestigt sind. Sechs derselben bildeten den Schmuck des Ohrs einer Frau.

Der Nasenschmuck besteht in einem Falle (941/7) aus Casuarknochen, in zwei anderen (941/16 Y. & 32 K.) aus kurzen, im dritten Fall sehr dicken Rohrcylindern, und in einem vierten (941/52 B. W.) aus zwei Eberhauern (HADDON, Op. cit. pl. XV), die alle zum Schmuck der Nasenflügel dienen. Ein fünfter uns vorliegender Schmuck (941/63, F.) besteht aus einem grossen Knochenstück von einem Casuarbein, wurde durch einen Mann im Septum getragen und nach Mittheilung des Herrn VAN AFFERDEN nur einmal beobachtet. HADDON erwähnt l. c. pg. 178 auch Nasenschmuck aus Muschelschale.

Halsschmuck liegt verschiedenerlei vor; in zwei Fällen sind rothe, scheibenförmige und graue, cylindrische Samen in alternirender Folge an Schnüre gereiht (941/8 & 38 K.); in einem dritten (941/23 K.) sind gelbe und in einem vierten (941/87) braune Kerne für denselben Zweck verwandt, während Muscheln das Material der übrigen uns vorliegenden Stücke bilden. So sind in einem Falle (941/9) löffelförmige Stücke der Schale von *Melo* (siehe oben) neben Schnüren grauer Samenkerne an einem Streifen Flechtwerk, in zwei andern blattförmige (941/41 B. W.) oder unregelmässig geformte (941/67 F.) Stücke der Schale von *Nautilus* und in noch einem weitern Fall (941/79, W.) Theile der Kammerscheidewände derselben Muschel an Schnüre gereiht. Der Schmuck 941/67 ward durch ein junges Mädchen getragen.

Brustschmuck, der wieder vom Halsschmuck oft sehr schwer zu trennen, ist in der Sammlung des Herrn VAN AFFERDEN in vielen Exemplaren vertreten und zum ersten Mal finden wir ein Material, die Haut von Schweinsschwänzen, verwandt, dem wir sonst bei Gegenständen aus Neu Guinea nicht begegnen. Drei Beispiele liegen uns dafür vor (941/6 & 31 K. & 932/27), bei allen sind neben den Hautstücken, Schnüre grauer Samen (*Coix*) verwandt. — Drei andere Stücke bestehen aus an Streifen Flechtwerk befestigten Zähnen, welche Herr Dr. JENTINK als die eines *Delphinus* bestimmte (941/10, 36 K & 69 F.); besonderes Interesse beansprucht ein, aus einer an einer Schnur grauer, cylindrischer Samen befestigten Sägefischsäge bestehendes Stück (941/20 K.) und ein anderes (941/11) wo gelbe Federn des Paradiesvogels an einen geflochtenen Streif verbunden sind. — Von Muscheln sind drei Arten verwandt; und zwar *Nautilus* viermal, *Melo* fünfmal und *Placuna* in einem Falle. Von ersterer Muschel sind bei einem Schmuck (941/19, Y) dreieckige Stücke an einem Streif Flechtwerk, und bei einem andern, dem eines Mannes (941/50 B. W.), zungenförmige von verschiedener Länge nebst einigen grauen Samen auf einer halbmondförmigen, von Blattstreifen geflochtenen Basis befestigt. Ein drittes Mal (941/66, F.), wo die Hälfte des letzten Umganges an einem Rohrreif befestigt, ist auch darum lehrreich, weil es zeigt wie ein Bruch mittelst Faserschnur reparirt wurde, und endlich ist im vierten Falle (941/78, W.) ein Theil des letzten Umganges auf eine Schnur gereiht; die beiden letzten bildeten den Schmuck der Frauen. — In vier Fällen sind zungenförmige Stücke von *Melo* verwendet; zweimal (941/35, K., 932/28) sind selbe zwischen zwei Rotanstreifen befestigt und am breiten Ende durchbohrt, um hieran Schnüre mit *Coix* zu verbinden; — ein anderes Mal (941/76, W., als Schmuck eines Mannes bezeichnet werden vier zungenförmige, jederseits durch ein Stück mit hakenförmigem Unterende begrenzt; die Basis bildet ein Geflecht von Rindenfasern und auf die für's Umhängen dienende Schnur sind *Coix*-Früchte gereiht, was sich auch bei dem letzten Stück (941/82), von einem Mann aus dem ersten Kampong östlich der Mariannen-Strasse findet, das übrigens betreffs der Basis dem ersten Stücke ähnelt, während sechs zungenförmige Muschelstücke jederseits durch ein fischhakenförmiges begrenzt werden. — Die eben besprochenen drei Schmuckstücke erinnern an den bei HADDON l. c. Taf. XV abgebildeten und pg. 178 & 181 besprochenen Schmuck. — Eine an Schlossende durchbohrte und an eine Schnur gereihte Schale von *Placuna* (941/77, W.) ist als Schmuck eines Mannes bezeichnet.

Bandeliere liegen uns drei vor; bei zweien (941/5 & 46 B. W.) sind Früchte von

Coix auf Geflecht von Gras oder Rindenfaser befestigt; während das dritte (941/45. B. W.) durch Einflechten schwarzer und weisser Fasern in Form eines Zickzackstreifens verziert ist. Siehe auch HADDON, l. c. pg. 178.

Von Armschmuck treffen wir zunächst den durch HADDON l. c. pg. 178 erwähnten und abgebildeten für den linken Oberarm eines Mannes (941/53 B. W.) aus sechs, je aus zwei Eberzähnen bestehenden Ringen, die mittelst Geflecht mit einander vereinigt sind. — Als Schmuck des Unterarms ist Folgendes aufgegeben: erstens ein mit Bindebändern versehener und zusammengefalteter Streifen Blattfasergeflecht mit dazwischen befestigten *Casuar*-Federn (941/21, K.), zweitens ein Ring (941/22, K.) von Rohrfasern geflochten und drittens ein langer, ebenfalls aus demselben Material verfertigter Cylinder (941/2) an dem ein Casuarfederbusch innerhalb Oesen befestigt ist. Letzterer wurde in einem Kampong auf 140°15 O. L. erlangt, dürfte als Armschutz beim Bogenschiessen dienen und ist durch HADDON l. c. abgebildet und pg. 178 erwähnt. — Als Schmuck des Oberarms (941/30 K.) dient das getrocknete Scrotum des wilden Schweins, in Form eines breiten Ringes mit daran verbundener Platte. — Schliesslich liegen uns aus der Sammlung SCHERPBIER zwei von Rohrfasern geflochtene Ringe (932/30 & 31) und eine Schnur mit angereihten rothen, scheibenförmigen Früchten (932/32), alle drei auf 141° O. L. gesammelt, als Schmuck des Unterarms vor.

Als Lendengurt der Männer sind zwei zusammengehörende (?) Objekte (941/70*a* & 70*b*, F.) bezeichnet; ein von Rohrfasern geflochtener Gurt und ein zweiter von, mittelst Rohrfaserdurchflechtung an einander befestigten Binsen, mit daran verbundener Muschel (*Melongena*). Auch HADDON erwähnt der Lendengurte pg. 178 & 181.

Als Beinschmuck dienen zwischen Faserschnurgeflecht befestigte Casuarfedern (941/26, K.); derselbe wird unterhalb des Knies, die Federn aufrechtstehend, getragen.

Tätowiren und Färben des Körpers findet auch bei diesen Eingebornen statt; erstere wird nach VELTHUYZEN, pg. 449, durch Narbenbildung, die Folge von, mittelst scharfer Muschelstücke erzeugter Einschnitte erzeugt; über letztere sagt derselbe, pg. 448, dass der Körper mit rother, schwarzer und weisser Farbe eingeschmiert wird. Spuren hiervon tragen auch beinahe alle vorn erwähnten Schmuckstücke, ausserdem liegt uns ein an einer Schnur um den Hals getragener Spatel aus Casuarknochen vor (941/42 B. W.), der für das Auftragen der Farbe auf's Gesicht gedient.

III. WOHNUNGEN UND HAUSRATH.

Von ersteren sagt VELTHUYZEN dass selbe aus Bambus construirt und schlecht sind, über den Hausrath erfahren wir bei ihm nichts.

VI. TRANSPORTGERÄTH.

Von solchem liegen uns erstens zwei geflochtene Taschen vor; die eine, aus Blattfaser, (941/44. B. W.) wurde an einer Schnur um den Hals getragen; der Zweck war nicht zu erkunden, doch scheint uns dieselbe gewisse, abergläubischen Bräuchen dienende Gegenstände zu enthalten. Die zweite (941/71 W.), aus Binsen, ähnelt mehr einem Korbe, ist längs der Oeffnung an der Innenseite von einem Rohrreif versehen, während an der Aussenseite ein trichterförmiges Döschen mit Deckel aus Kokosnuss und, nahe dem Trageband, einige Haarflocken befestigt sind. Dieselbe dient zur Verwahrung kleiner Gegenstände z. B. Muscheln; auch HADDON erwähnt pg. 181 der Körbe.

Zweitens sind, als in diese Gruppe gehörend, zwei Ruder zu erwähnen; das eine (941/54 B. W.) ist ungefähr 2,5 M. lang, unverziert, mit löffelähnlichem Blatt und dient um stehend zu rudern. In gleicher Weise wird das zweite (941/55. F.) regiert, dasselbe ist mit Schnitzwerk verziert, indem am Stiel eine stylisirte, hockende Menschenfigur mit grosser Nase und am Blatt die, ebenfalls stylisirte, Wiedergabe von Fischgestalten sich zeigt.

VIII. GEWERBSGERÄTH.

Zwei von Herrn VAN AFFERDEN mit der Bemerkung „vermuthlich Streitbeil" eingegangene Beile (941/47 B.W. & 88 W.) möchten wir lieber hier unterbringen. Der Stiel des ersteren besteht aus gelblichem Holz, das vordere Ende ist abgeplattet, das hintere zeigt eine tiefe Aushöhlung; die Angel der schmalen meisselförmigen Klinge ist innerhalb eines Loches nahe dem vorderen Ende befestigt. Beim zweiten Exemplar besteht der Stiel aus einem Bambusstück nebst Wurzelknollen der das vordere Ende bildet, wo innerhalb einer Spalte die roh geschmiedete, kurze, meisselförmige Klinge befestigt ist.

VELTHUYZEN erwähnt pg. 449 der Beile, und HADDON l. c. pg. 178, 180/181 ebenfalls, wo zugleich gesagt wird dass die Eingebornen Beile stets in erster Linie zu erhalten trachteten. Beile mit Steinklinge, deren VELTHUYZEN neben eisernen erwähnt, liegen uns nicht vor; bemerkt mag werden dass solche mit Muschelklinge (*Melo*), wie durch HADDON von der Torresstrasse beschrieben, auch in D'ALBERTIS Sammlung vom Papua-Golf, im Museo preistorico in Rom vorliegen.

IX. WAFFEN UND FRIEDENSZEICHEN.

Von Waffen liegt in erster Linie eine Lanze (941/57 F.) vor, deren, aus Palmholz verfertigte Spitze auf dem oberen Ende den Sporn eines Casuars trägt, während das untere mittelst Harz auf einem Rohrschaft befestigt ist. Der letztere ist unterhalb der Spitze am dicksten und hier, sowie oberhalb jedes Knotens und am unteren Ende mit hübschen, eingeritzten und schwarz gefärbten Verzierungen geschmückt.

Besonderes Interesse beanspruchen aber riesige, aus Bambus verfertigte Bogen von denen uns drei (932/34 & 941/1 und 58) vorliegen und deren Beschreibung wir hier vorerst folgen lassen. (Siehe die Abbildungen pg. 162).

Inv. N°. 941/1. Aussenseite convex, Innenseite concav; beide Enden einem Vogelschnabel ähnlich geschnitten, das eine jedoch fast gleichbreit, weniger spitz und länger als das andere; bei beiden aber in einiger Entfernung von der Spitze eine schwache Quergrube, für die Aufnahme der schleifenartig geknüpften Enden der, aus einem Rotanstreif bestehenden Sehne. Länge 233, Breite in der Mitte 6, Dicke ebenda 3,4 cM.

Erlangt in einem, westlich des Kampong Jacud, an der Prinzessin Marianne Strasse gelegenen Kampong.

Inv. N°. 941/58. Mit dem eben beschriebenen Exemplar übereinstimmend; das eine Ende einem Vogelschnabel ähnlich, das andere in eine stumpfe Spitze auslaufend.

Oestlich der Fledermaus-Insel erlangt [1]).

Inv. N°. 932/34. Mit dem zuerst besprochenen Exemplar völlig übereinstimmend, doch längs der Mitte

---

[1]) Durch Tausch in den Besitz des Kgl. Museum für Völkerkunde zu Berlin übergegangen.

der Aussenseite mit eingeritzter Verzierung, die theils einem Farnblatt ähnlich und im Uebrigen ein, mit einander kreuzenden Strichen gefülltes Band bildet. Länge 208, Breite in der Mitte 5,2; Dicke ebenda 2 cM. Erlangt auf 140° O. L., S. W. Neu Guinea.

Im Verband mit Prof. F. Ratzels Untersuchungen ist der Nachweis der hier beschriebenen Bogen in diesem Gebiet besonders werthvoll und werden wir in einer speciell diesem Gegenstande gewidmeten Notiz darauf zurückkommen. Hier sei nur vorläufig darauf hingewiesen, dass sowohl Haddon, l. c. pg. 177 & Taf. XV, als auch Velthuyzen (pg. 449) von diesen Bogen Meldung machen. Ersterer erwähnt in seiner werthvollen Arbeit „The Ethnography of the Western Tribes of Torres Straits" pg. 331 ebenfalls riesiger Bambusbogen von den Inseln der Torresstrasse, sagt dass solche in Dandai, im Lande längs des Papua-Golfes und bis auf einen Theil der Südöstlichen Halbinsel Neu Guineas, jedoch nicht bis auf's Festland von Australien verbreitet sind und giebt nähere Notizen betreffs der Anfertigung und des Gebrauches. Im Museo preistorico zu Rom sahen wir ebenfalls riesige Bambusbogen aus dem Gebiete des Flyflusses die sich aber betreffs der Enden von den oben beschriebenen, und den durch Haddon erwähnten, unterscheiden.

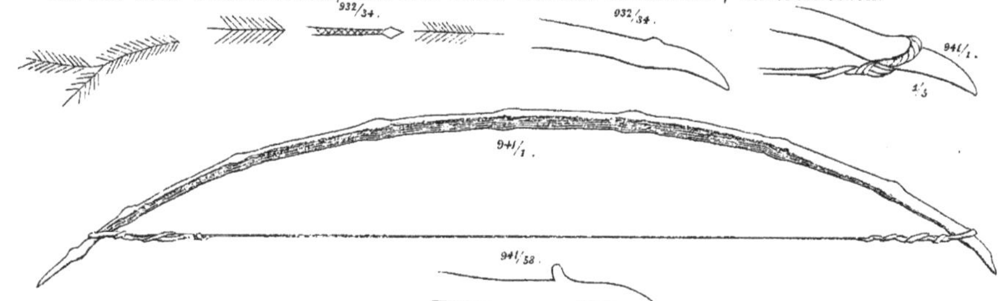

Pfeile liegen in zwei verschiedenen Formen vor; die eine, durch zahlreiche Exemplare (932/35 & 36, 141° O. L.; 941/80 W.; 84—86, bei Jacud; 89—100 F.; 101 W.) vertreten, weicht gleich der zweiten, von der nur wenige Stücke vorliegen, in ihrer äussern Erscheinung von den uns sonst aus Neu Guinea bekannt gewordenen ab. Der Typus ist ein ziemlich roher, nur bei zweien besteht die Spitze aus einem lancetförmigen Stück Bambus, das seitlich mittelst Fasern gegen ein, zur Verbindung mit dem Schaft dienendes rundes Holzstäbchen befestigt ist (941/86 & 89); bei allen übrigen aber aus Holz, und zwar ist selbe meist rund und nur einmal vierseitig (932/35); in noch einem andern Fall ist die Spitze vierzinkig (941/85). Der dünne Rohrschaft ist unterhalb der Spitze mit Fasern umwunden; in einzelnen Fällen ist darüberhin eine Schicht Harz (?) geschmiert. Ein aus eingeritzten Wellen- oder geraden Linien, Dreiecken, Ovalen oder Ellipsen bestehendes Ornament, ohne jede weitere Zuthat durch Färbung etc., findet sich meist nur am obersten Gliede, manchmal aber auch über die folgenden verbreitet; bei einigen Exemplaren (F.) zeigt nur das unterste Glied eingeritzte Ringe oder schwache Kerben. Die Gesammtlänge beträgt meist nicht mehr als 120 cM. Diese Form ist zusammen mit den oben besprochenen Bogen erlangt.

Die zweite, ohne Bogen im Kampong Wombika gefundene und durch 4 Exemplare (941/80, 102—104) repräsentirte Form zeichnet sich zunächst durch bedeutendere Länge aus; bei N°. 80 ist die Spitze rund und der Schaft nicht verziert, bei 102 ist selbe sehr lang und besteht aus einem dünnen, geschälten Stamm, während der Schaft die oben erwähnte Verzierung zeigt. Gänzlich abweichend ist die Spitze von 103 & 104 geschmückt, schwarze, rothbraune und gelbe Ringe wechseln mit einander ab, in einem der gelben findet sich ein schwarzes Linienornament; der Schaft von 104 zeigt eingeritzte Verzierung am obersten Gliede, der von 103 aber nicht. — Im Museo preistorico zu Rom sahen wir aus D'ALBERTIS Sammlung ähnliche Stücke vom Papua-Golf; der ganze Habitus derselben drängt uns zu der Vermuthung dass wir es hier mit Wurfspeeren und nicht mit Pfeilen zu thun haben.

Den erstbesprochenen Pfeiltypus erwähnt auch HADDON l. c.; RAY sagt l. c. pg. 56 dass die Pfeile nicht vergiftet seien.

Als Schutz gegen das Zurückschnellen der Bogensehne dient wohl der schon oben beim Schmuck erwähnte, geflochtene Cylinder mit Casuarfederbusch geschmückt (941/2, erlangt auf 140° 15 O. L.); in einem zweiten Fall (941/74 W.) ist derselbe aus einem Rindenstück verfertigt, dessen Ränder mit Rohrfasern gegen einander befestigt sind. Der Schmuck der erstern Form, die auch auf HADDON's Abbildung dargestellt, fehlt bei letzterer; dagegen zeigt ein sonst übereinstimmendes Exemplar der Sammlung SCHERPBIER (932/21) die, bei Besprechung der erstern Form oben erwähnten, Oesen für den Stiel des Schmucks. Die aufgegebene Provenienz „Humboldtbai" ist, wie der Vergleich mit Hrn. VAN AFFERDEN's Sammlung lehrt, irrig.

Schliesslich sei hier eines Friedenszeichens erwähnt, von dem zwei Exemplare (941/43 B. W. & 62 F.) verschiedener Grösse vorliegen. Beide bestehen aus einem, an einem Rohrstabe befestigtem Büschel Casuarfedern; betreffs des ersteren wird durch Herrn VAN AFFERDEN berichtet dass es unter dem Ruf „*kaja-kaja*", als Zeichen friedlicher Gesinnung, geschwungen wurde.

XI. MUSIK, TANZ etc.

Von Musikinstrumenten erwähnt VELTHUYZEN Trommeln und eines der Ocarina ähnlichen Blaseinstruments; für beide bieten die uns vorliegenden Sammlungen Belege.

Von Trommeln liegen uns zwei Exemplare vor, die betreffs der Form und der Verzierung mit Schnitzwerk etc. demselben Typus angehören und von denen die eine hier näher beschrieben werden mag.

Taf. XV Fig. 5. Form einer Sanduhr ähnlich, aus einem Stück eines Baumstammes verfertigt; an der Mitte, dem dünnsten Theil, befindet sich ein, aus demselben Stück geschnittener runder Griff, dessen oberes und unteres Ende sich in Form eines erhabenen Querbandes über den Körper der Trommel fortsetzt. Diese erhabenen Bänder, sowie die untere Hälfte der Trommel sind mit Schnitzwerk verziert, dessen Charakter aus der Abbildung ersichtlich und das mit rothem und weissem Farbstoff aufgefüllt ist. Das Trommelfell besteht aus einem Stück Eidechsenhaut (*Varanus*) und ist mittelst eines Rohrstreifens um den Körper befestigt; einige auf demselben befindliche, aus Harz (?) bestehende tropfenförmige Erhöhungen dienen zur Modulation des Tons. Länge 74, Durchschnitt oben 19, in der Mitte 11,3; unten 19,5; Länge des Griffes 23,5, Durchschnitt desselben 2,8 cM. Inv. N°. 941/40. Aus einem Kampong östlich des 140sten Längengrades.

Das zweite uns vorliegende, auf 141° O. L. erlangte Exemplar (932/29) unterscheidet sich von dem hier beschriebenen zunächst durch seine enorme Grösse (128,5 cM.); das Schnitzwerk ist über die obere Hälfte und die horizontalen Fortsätze des Griffes vertheilt und zeigt, nahe dem Trommelfell, u. A. vierstrahlige Sterne.

Von dem oben erwähnten Blaseinstrument liegen uns drei Exemplare (941/13 Y.,

27 K. & 68 F.) vor; die beiden ersten Nummern bestehen aus der, bei Besprechung des verwandten Materials erwähnten Kokosnuss, die eine zeigt ein seitliches, und die andere ausserdem noch ein Loch in der Mitte des eines Endes. Das dritte Exemplar ist eine kleine runde braune Nuss, und wurde, an einem Faden befestigt, durch ein Mädchen als Flöte benutzt.

Tanzattribute enthalten beide uns vorliegende Sammlungen. Zunächst finden sich in der des Herrn VAN AFFERDEN zwei solcher (941/12 Y & 48 B. W.), je aus einer Haut von *Paradisea apoda* bestehend; der Hals ist bei N°. 12 mit Faserschnur in spiraligen Gängen umwunden, so dass er einen Kegel bildet; bei N°. 48 dagegen nicht. Wird nach Herrn v. A.'s Angabe, mit dem Kopf nach unten durch Frauen beim Tanze in der Hand gehalten.

Die Sammlung des Herrn Kpt. SCHERPBIER enthält zwei als „Kopfschmuck" bezeichnete, aus weichem Holz verfertigte Gegenstände, die unsers Erachtens nach ebenfalls hieher gehören und von welchen wir, unter Verweisung nach unserer Tafel, hier vorerst die Beschreibung folgen lassen.

Inv. N°. 932/14 (Taf. XV Fig. 3). Aus einer dünnen Platte, in Form eines fliegenden Vogels (?) geschnitten; der Rand, zwischen Kopf und Schwanz, jederseits durch zwei Eidechsen begrenzt, deren Schwänze an einander verbunden und wovon die eine zum grössten Theile fehlt. Beide Seiten des Schmucks sind durch Einschnitte in, mit rother, schwarzer oder weisser Farbe aufgefüllte, winklige und dreieckige Flächen vertheilt; die Köpfe der Eidechsen sind schwarz, mit rothem Unterkiefer und Schlund; Bauch und Schwanz derselben sind in weisse, schwarze und rothbraune Schrägstreifen vertheilt, während die Beine roth gefärbt sind. Der Schwanz des Vogels ist in schmälere und breitere Querbinden in denselben Farben vertheilt; der Rand des, für den Kopf bestimmten Loches in der Mitte des Bauches ist mit, durch Rohrfaser befestigtem Bast gefüttert. Lang 72, breit 61, Durchmesser des Loches 16,5 × 19,5 cM.

Inv. N°. 932/15 (Taf. XV Fig. 4). Dem eben besprochenen Exemplar ähnlich, doch in erster Linie dadurch abweichend, dass die in der Figur sichtbaren dreieckigen Flächen etc. nicht durch Einschnitte umgrenzt, sondern nur durch Farbenauftragung erzeugt sind. Der rautenförmige Kopf des Vogels endet in einen ebenfalls rautenförmigen, knopfartigen Theil und ist an beiden Seiten mit Schnitzwerk geziert, wodurch an der abgebildeten vier Kreise und eine, dem Buchstaben X ähnliche Figur, und an der andern eine Raute innerhalb eines Kreises gebildet ist. Der sehr lange und schmale Schwanz des Vogels ist jederseits von einer Eidechse begrenzt, deren Kopf dem Vogelkörper angelehnt ist und die, gleich wie die den Rand begrenzenden, betreffs des Schnitzwerks und der Färbung, mit denen des vorstehend beschriebenen Stückes übereinstimmen. Lang 105, breit 47, Durchmesser des Loches 16 × 19,5 cM.

Beide Stücke wurden mit der Angabe „Humboldtbay" eingeliefert; wir glauben aber diese Angabe um so mehr bezweifeln und als unrichtig ansehen zu dürfen, als wohl von der Südwest Küste, aber nicht von der Nord- oder Nordwest Küste Neu Guinea's verwandte Gegenstände bekannt geworden sind. So bildet EDGE PARTINGTON (An album of the weapons etc. of the natives of the Pacific islanders) auf Taf. 292 Fig. 2 einen ähnlichen, vogelförmigen Tanzkopfschmuck von Seriba, Südost Neu Guinea ab, und ferner besitzt das British Museum in London die folgenden, ebenfalls aus dünnen Holzplatten gefertigten ähnlichen, jedoch runden oder ovalen Schmuckstücke:

1) Inv. N°. + 3830. Verzierung: Blattranken. Herkunft: Niawaru, Milne-Bay.

2) Inv. N°. + 3831. Verzierung: geknickte und gebogene, strahlenförmige Streifen, die vom Innen- zum Aussenrand laufen. Herkunft: Noviari, Milne-Bay.

3) Inv. N°. + 4519. Verzierung: gebogene Streifen wie eben erwähnt. Herkunft: Milne-Bay.

4) Inv. N°. + 4522. Verzierung: gebogene Streifen wie vorn, jedoch an zwei gegenüber einander liegenden Stellen mit gegen den Aussenrand eingerollten Enden. Herkunft: Milne-Bay. (EDGE PARTINGTON: Op. cit., Pl. 292, Fig. 1).

Wir sehen also dass wir hier einer Anzahl verwandter Formen, die unseres Erachtens nach alle Glieder einer Entwicklungsreihe desselben Gegenstandes darstellen, begegnen und dass also unser Einwurf gegen die ursprüngliche Provenienz-Angabe schon hiedurch eine nicht unwichtige Stütze erhält. Noch mehr wird aber die Richtigkeit derselben erschüttert, durch das, was wir oben pg. 163 bei der Besprechung des Armschutzes lesen. Wir können nicht umhin diese Veranlassung zu einer erneuten Mahnung an diejenigen die es angeht, zu äusserster Sorgfalt in der Herkunftangabe ethnographischer Gegenstände zu benutzen.

Würde aber jene Angabe sich dennoch durch weitere Einsammlungen als richtig erweisen, so wäre dies ein neuer Beleg für die Annahme eines Kulturweges längs des Flyflusses, wodurch der Norden mit dem Süden in Verkehr trat. Hierauf weist HADDON in seiner neuesten Arbeit wieder hin [1]) und für das Vorhandensein eines solchen Verkehrsweges, längs welchem auch mancher Kulturbegriff gewandert, spricht das Vorkommen gleichartiger Gegenstände, wie z. B. der geflochtenen Panzer, einiger Pfeilformen etc., an beiden Endpunkten dieser Linie. Vielleicht regen unsere Ausführungen den Einen oder Andern, dem sich die Gelegenheit dazu bietet, zu weiterer Verfolgung des Gegenstandes an.

XII. AHNENKULT, etc.

Von in diese Gruppe gehörenden Objekten liegen uns keine vor, doch erwähnt HADDON l. c. pg. 180, gestrickter Jacken (netted jackets) als Trauerkleidung.

II. „*ECHIDNA*" IN DER ORNAMENTIK VON NEU GUINEA. (Taf. XV Fig. 1 & 2.)

Prof. HADDON weist in seiner „Decorative Art" etc., pg. 21 auf die Thatsache hin dass man in den Berichten Reisender oft dem Ausspruch begegne „Naturvölker, besonders weniger von der Civilisation berührte, seien gute Beobachter der sie umgebenden Natur". Er bezeugt im Anschluss daran dasselbe für die Eingebornen der, durch ihn besuchten Torresstrassen Inseln, unter dem Hinzufügen, dass es solchergestalt nichts Ueberraschendes biete zu sehen, wie Thierdarstellungen im Schmuck der Gegenstände, welche sich dafür eignen, auftreten.

Ueber die in Neu Guinea in so reichem Maasse zu Tage tretende Thierornamentik, wofür wir also hier durch Prof. HADDON einen neuen Beleg erhalten, hatte sich auch schon früher Dr. MAX UHLE in geistvoller Weise geäussert [2]).

Für beides, sowohl für die Beobachtungsgabe der Eingebornen, und zwar von selbst seltener vorkommenden Formen, wie für die Kenntnis der Thierornamentik glauben wir einen neuen nicht unwichtigen Beitrag im Folgenden bieten zu können. Im Vorbeigehen haben wir den uns hier beschäftigenden Gegenstand schon einmal berührt, wo wir unsere Ueberzeugung äusserten dass für eine gewisse Maskenform, von der uns jetzt übereinstimmende Exemplare u. A. aus dem Museen zu Dresden, Berlin und Hamburg bekannt geworden [3]), der Stacheligel, *Echidna*, als Vorbild gedient [4]). Zu diesem Ausspruch wurden wir veranlasst durch zwei, uns schon lange im ethnographischen Reichsmuseum vorliegende Gegenstände, in denen u. A. die Herren Direktor Dr. F. A. JENTINK und Prof. E. B. TYLOR auf den ersten Blick, gleich uns, eine Darstellung von *Echidna*

---

[1]) Decorative Art of British New Guinea, pg. 257.
[2]) Holz- und Bambus-Geräthe aus Nord West Neu Guinea (Leipzig 1886) pg. 9 & ff.
[3]) ZÖLLER: Deutsch Neu Guinea; Tafel bei pg. 161.
[4]) Ethnogr. Beschrijving van de West- en Noordkust van Nederl. N. G. pg. 241.

erkannten. Bevor wir auf deren nähere Besprechung eingehen seien uns einige Worte über jene Thierform selbst und deren Bekanntwerden aus Neu Guinea gestattet.

Nachdem man in neuerer Zeit, in Folge der Tiefseelothungen des Challenger etc., sowie faunistischer und botanischer Forschungen, die mancherlei Uebereinstimmungen zwischen Australien und Neu Guinea ergaben, zu der Annahme gelangte dass beide in früherer Zeit einen Complex gebildet, bot die Entdeckung einer Art der Gattung *Echidna*, bis dahin nur von Australien und Tasmanien bekannt, eine nicht unwichtige Stütze jener Annahme. Dieselbe wurde unter dem Namen *Tachyglossus Bruynii* durch PETERS und DORIA 1876 zuerst bekannt gemacht in „Annali del Museo civico di Storia naturale di Genova Vol. IX (1876/77) pg. 183, auf Grund eines, vom Arfak-Gebirge stammenden Schädels, der sich l. c. abgebildet findet (Siehe auch Nature [London] 16 Nov. 1876 pg. 66).

Schon lange vorher besass aber, nach freundlicher Mittheilung des Herrn Dr. F. A. JENTINK, das zoologische Reichsmuseum zu Leiden einen durch v. ROSENBERG 1870 eingesandten Schädel und einen Büschel der Stacheln dieses Thieres; das betreffende Exemplar soll seiner Zeit durch den Radja von Manovolka lebend nach Banda gebracht, später dort gestorben und dann in Besitz des derzeitigen Residenten von Amboina, NIEUWENHUIS, gelangt sein.

Nach diesem zoologischen Excurs schreiten wir zur näheren Betrachtung jener beiden oben erwähnten Gegenstände.

Taf. XV Fig. 1. Inv. N°. 360/10360. Aus graubraunem Holze geschnitzt. Der Kopf des Thieres zeigt an beiden Seiten vor dem Auge eine Grube in Form eines Dreiecks mit nach vorn gekehrter Spitze und eingebogener Basis. Andeutung des Schulterblattes und des Beckenknochens beiderseits en relief. Der Vorderfuss an der abgebildeten Seite mit drei, an der andern mit vier Zehen, der Hinterfuss an beiden Seiten mit vier Zehen. Die Basis welche die Schnabelspitze und Füsse unter einander verbindet beiderseits mit winkligen Gruben.

Das Stück zeigt Spuren von schwarzer und weisser Bemalung. Lang 33,5; hoch 13,5; dick 7,8 cM.

Erhalten aus dem früheren „Kabinet van Zeldzaamheden" und demselben, wie die hohe Inventarnummer beweist, in den letzten Jahren des Bestehens, also ungefähr zwischen 1875—1880 zugegangen.

Nähere Angaben betreffs dieses Stückes liegen nicht vor.

Taf. XV Fig. 2. Inv. N°. 53/120. Aus gleichem Holz als das eben besprochene Stück geschnitzt; die dreieckige Grube am Kopf bis an das hintere Ende der Kiefer vorgerückt und undeutlich umgrenzt. Hinter dem Auge beiderseits eine einigermaassen halbmondförmige Grube, Andeutung der Ohren? en relief; auf der Bauchmitte beiderseits zwei, einer Pfeilspiize ähnliche Gruben, und eine kreisrunde in der Mitte des, dadurch begrenzten, Raums. Längs der Rückenmitte eine doppelte Reihe vierseitiger Erhabenheiten (Andeutung der Wirbelsäule?). Vorderfüsse an beiden Seiten mit drei, der Hinterfuss der abgebildeten mit Andeutung von zwei, der der andern mit vier Zehen.

Spuren von rothbrauner, schwarzer und weisser Bemalung. Lang 30,5; hoch 12; dick 6,5 cM.

Dies Stück ging dem Museum mit einem grössern Geschenk von Gegenständen aus Neu Guinea von Herrn F. G. BECKMANN, Hauptmann der Niederl. Ind. Armee, im Jahr 1865 zu.

Als Provenienz ist „Humboldtbai" angegeben und sagt der Schenker mit Bezug auf das vorliegende Stück noch das Folgende: „Op de nokken en hoekkepers van sommige huizen vindt men dergelijke houten dieren, wier vorm over 't algemeen veel overeenkomst heeft met die der bekende antediluviaansche dierenwereld" [1]).

[1]) Auf den Firsten und Ecksparren mancher Häuser findet man ähnliche hölzerne Thiere deren Form im Allgemeinen viel Uebereinstimmung mit der antediluvianischen Thierwelt zeigt.

Der letzte Theil dieser Bemerkung erscheint uns von besonderem Interesse, indem daraus hervorgeht, dass auch der Schenker den Eindruck empfing, dass es sich um die Wiedergabe einer aussergewöhnlichen Thierform handle.

Weitere, den unseren verwandte Stücke sahen wir nur in einem der von uns in letzter Zeit besuchten Museen, nämlich zu Florenz, wo sich deren drei, ebenfalls aus der Humboldtbai stammende befinden. Das eine derselben (Inv. N°. 1526) stimmt ziemlich gut mit unserer Figur 2 überein, während die beiden andern (Inv. N°. 1538 & 1539) mehrfache Unterschiede darbieten.

Fassen wir nun, um wieder zum eigentlichen Zweck unserer Notiz zurückzukehren, den Zeitpunkt wo das Geschenk des Herrn BECKMANN dem Museum zuging in's Auge, sowie dass der Zustand der in Rede stehenden Gegenstände die Voraussetzung der Existenz schon seit längerer Zeit gerechtfertigt erscheinen lässt, so gelangen wir zu der Ueberzeugung dass die Eingebornen mit der Existenz der *Echidna* in Neu Guinea lange vorher vertraut gewesen, ehe dieselbe uns bekannt geworden. Dies bildet also einen erneuten Beweis für die oben erwähnte Beobachtungsgabe der Eingebornen von selbst selteneren Thier- und Pflanzenformen in der sie umgebenden Natur, wie sie hier in den besprochenen Schnitzwerken sich wiederspiegelt.

Fragen wir uns welchem Zweck dienten jene Schnitzwerke, resp. welche Idee verbanden die Verfertiger mit denselben, so bemerken wir in erster Linie dass wir geneigt sind, gleich dem einen Stück aus der Sammlung BECKMANN, auch alle übrigen vorn erwähnten als Giebelschmuck aufzufassen. Sicher aber wird dies kein Schmuck gewöhnlicher Gebäude, sondern wohl nur solcher besondern Zwecken geweihter, wie der Junggesellenhäuser (*Rum seram*) etc. [1]) gewesen sein, da der Eingeborne sicher der Wiedergabe einer so auffallenden Thierform auch eine besondere Bedeutung beilegte. Auf die Frage, welcher Art diese sei, oder worin sie wurzle giebt uns WILKEN in seiner ausgezeichneten Ankündigung [1]) von UHLE's Arbeit die beste Antwort. Er weist darauf hin wie die Verehrung von Thieren im Totemismus wurzle, der sich auch im Indischen Archipel findet und führt dann in ueberzeugender Weise aus, dass die Thierdarstellungen als „Totem" aufzufassen sind. Dieser Anschauung ist auch Prof. HADDON in seiner oben erwähnten Arbeit zugethan, der überdem die Existenz des Totemismus auf den Inseln der Torresstrasse feststellen konnte.

Dr. UHLE ist, in seiner oben erwähnten Arbeit, geneigt eine Beeinflussung der Papuas vom Ostindischen Archipel her anzunehmen, die auch in den Kunstäusserungen zum Ausdruck komme. Ihm hat sich Prof. AL. R. HEIN [2]) angeschlossen; wie aber Prof. WILKEN sich in seinem eben erwähnten Aufsatz dieser Annahme gegenüber grösstentheils ablehnend verhält, so müssen auch wir dies thun. Die im Schnitzwerk etc. zum Ausdruck kommenden Aeusserungen des Kunstsinns der Eingebornen Neu Guinea's gehören zum melanesischen und nicht zum malayischen Kulturkreis. Im Osten und nicht im Westen sind die Verwandtschaften zu suchen die in manchen Fällen auch factisch zwischen der Kultur Neu Guinea's und des Neu Britannia Archipels z. B. bestehen. Worin die Verwandtschaften, welche sich in der Ethnographie des Westens von Neu Guinea mit dem Malayischen Archipel darbieten ihre Ursache haben, und worin andererseits jene Uebereinstimmungen die wir hie und da im Gebiet des Malayischen Archipels in ethnographischer Hinsicht mit

---

[1]) Iets over de Papoewas van de Geelvinkbaai. Bijdr. Kkl. Inst. voor de Taal-, Land- en Volkenk. Ve. Volgr. IIe Deel (1887) pg. 605 ff.

[2]) Die bildenden Künste bei den Dayaks auf Borneo (Wien 1890) pg. 106.

Neu Guinea treffen, ihre Erklärung finden, darüber haben wir uns anderenorts eingehend geäussert[1]). Kurz summirend wiederholen wir hier: Wo malayischer Einfluss in Neu Guinea sich zeigt hat derselbe degenerirend auf die ursprüngliche Kultur und also auch auf die Kunstäusserungen gewirkt; wo Uebereinstimmungen mit Neu Guinea im Malayischen Archipel sich finden, sind selbe als Spuren der einstigen Wanderung der melanesischen Rasse aus Süd Asien nach Neu Guinea und den melanesischen Inseln aufzufassen.

III. CEREMONIALGERÄTHE AUS BRITISCH NEU GUINEA. (Taf. XV Fig. 6–8.)

Gelegentlich einer eingehenderen Durchsicht der sehr reichen ethnographischen Abtheilung des Römer-Museum in Hildesheim (Hannover), erregten drei schildförmige, uns bis dahin unbekannte Geräthe, die wir mit Erlaubnis des Herrn Direktor Prof. A. Andreae hier zur Abbildung bringen, unsere Aufmerksamkeit.

Dieselben, als „Fetische bei Tänzen und ?Processionen benutzt" bezeichnet, sind aus sehr weichem ?*Dicotyledonen*-Holz geschnitten und endigen wie aus der Abbildung ersichtlich nach unten in einen Handgriff. Die Rückseite ist flach und zeigt die weisslich graue Naturfarbe des Holzes; die Grundfarbe der Vorderseite spielt ins Bräunliche, vielleicht eine Folge der Einwirkung von Feuer. Der Nasaltheil aller drei Stücke ist en relief gearbeitet, am stärksten bei Fig. 7 (siehe Fig. 7*a*); das Septum durchbohrt und mit einem, aus *Trochus niloticus* geschnittenem Nasenring geschmückt; die Mitte der Vorderseite ist bei allen schwach kielartig erhaben. Die Zeichnungen bewegen sich der Hauptsache nach in den Farben schwarz (durch Brennen erzeugt?) und Rothbraun (irdener Farbstoff); nur in der Eidechse bei Fig. 6 tritt etwas Gelb und Weiss hinzu. Der Charakter der Darstellungen ist aus unsern Abbildungen zur Genüge ersichtlich; während bei Fig. 7 sich die ziemlich correct ausgeführte Gestalt eines Mannes mit deutlich angegebenem Geschlechtstheil, Hals-, Arm- und Beinringen zeigt, ist in Fig. 8 nur der stylisirte Kopf mit geöffnetem Mund, Armen und dem sternformigen Nabel zur Ausführung gelangt. Fig. 6 zeigt wiederum die, in diesem Gebiet sich so häufig findende Darstellung einer Eidechse, deren ausserordentlich stylistisch ausgeführter Kopf mit dem, ebenfalls stylistisch gezeichneten eines Mannes vereinigt ist. Die Ohrquasten bei Fig. 6 & 7 bestehen aus grasartiger Faser, bei Fig. 6 sind einige Federn daran befestigt.

Die Maasse der einzelnen Stücke sind folgende: Fig. 6, Länge 170 cM., wovon 27 auf den Griff kommen, Breite 24 cM.; Fig. 7, Länge! 145 cM. (Griff 18 cM.), Breite 36 cM.; Fig. 8, Länge 143 cM. (Griff 26 cM.), Breite 26 cM.

Die hier besprochenen Stücke wurden mit einer grösseren Anzahl Gegenstände aus Britisch Neu Guinea durch den verstorbenen Herrn Senator H. Römer, dem ausser der Gründung des Museums, Hildesheim so viel verdankt, von der Neu Guinea Compagnie in Berlin vor einigen Jahre erworben. Weitere Angaben als die oben angeführten sind nicht vorhanden.

Aus den uns bekannten deutschen Museen, sowie aus Wien, sind uns Objekte ähnlicher Art nicht bekannt geworden; dagegen erwähnt Prof. Haddon[2]) mehrere derselben aus den Museen zu Dublin, aus Cambridge, sowie aus dem Britisch Museum; (+ 5796 — + 5800) in letzterem figuriren selbe unter dem Namen „*Mariposhields*". Die Zeichnungen der von H. abgebildeten Stücke zeigen sich den der unsern nahe verwandt und dürften selbe weitere Stadien der Entwickeluugsreihe eines und desselben Ornamentes darstellen. Zumal steht

[1]) Ethnogr. Beschrijving etc., pg. 249 & 250.
[2]) Decorative Art of Britisch Neu Guinea pg. 102 & ff., & Pl. VI. pg. 100–103.

seine Fig. 100 unserer Fig. 7 sehr nahe und die Fig. 102 ist eine vollkommenere Form unserer Fig. 8. Ohrquasten zeigen die Fig. 100, 101 & 103, einen Nasenring keine derselben, doch erwähnt H. pg. 103 dass das Septum durchbohrt sei.

Ueber die Bedeutung dieser Objekte, betreffs welcher H. geneigt ist anzunehmen (pg. 103) dass sie aus dem, in den Reifeceremonien der Jünglinge eine Rolle spielenden Schwirrholz [1]) hervorgegangen, ist noch nichts Genaueres bekannt. Vielleicht stehen auch sie mit jenen Ceremonien in Verband und dienen als Attribut während gewisser, dann aufgeführter Tänze; dafür dürfte sprechen dass ein, eine Uebergangsform zwischen Schwirrholz und diesen, von HADDON „Ceremonialtablets" genannten Gegenständen darstellendes, von H. besprochenes und abgebildetes Objekt (Pl. VI Fig. 98 & 99) in einem *Eramo*, einem jener Bauten, wo sich die Jünglinge während der Zeit der Reifeceremonien aufhalten, gefunden wurde.

Noch grössere Wahrscheinlichkeit erlangt diese Annahme dadurch, dass die einzigen, uns bis jetzt ausserhalb Neu Guinea's, nämlich von Neu Britannien, bekannt gewordenen verwandten Objekte, durchbrochen geschnitzte und bemalte, häufig mit Federn und Farnkrautbüscheln geschmükte, dünne Holzplatten, bei ceremoniellen Tänzen [1]) und, wie FINSCH [2]) mittheilt, nur durch Männer benutzt werden, dagegen für die Frauen *tabu* sind. Auch die Darstellung der Eidechse (Fig. 6) dürfte als Stütze dieser Annahme dienen. [3])

I. NOUVELLES ET CORRESPONDANCE. — KLEINE NOTIZEN UND CORRESPONDENZ.

XXVI. Eine Trauerfeierlichkeit am Hofe in Bangkok. — Am 4 Januar d. J. starb nach einer, kaum acht Tage währenden Krankheit der Kronprinz von Siam CHOW FA MAHA VAJIRUNHIS und wurde nach Siamesisch-Buddhistischem Ritus der 30, 50 und 100ste Tag nach dem Tode mit besonderen Feierlichkeiten begangen. Der letztere Tag fiel in die Zeit des *Songhkraut* und wurde die Feierlichkeit von diesem daher auf den folgenden Freitag, den Tag an welchem der Kronprinz gestorben war, verlegt. Sie wurde im Thronsaal des *Tusita Maha Prasad*, dem für alle religiösen Hoffeste bestimmten Raum abgehalten und zwar vor der goldnen Urne, die, einem alten Herkommen am Hofe gemäss, die Ueberreste des Kronprinzen enthielt und von den nächsten Angehörigen mit Blumen reich geschmückt war. Mit dem 100 Tage nahm dann die officielle Trauerzeit ein Ende. Von der an jenem Tage durch den Hohenpriester von Siam, dem *Somdet Phra Vanarat* gehaltenen Rede liegt uns ein Exemplar vor, das wir, gleich den vorstehenden Mittheilungen Herrn Dr. O. FRANKFURTER, der auch die Uebertragung ins Englische besorgte, verdanken.

In derselben kommen neben den Lobpreisungen des Todten die neuern Buddhistischen Anschauungen zum Ausdruck, und dürfte der bei weitem grössere Theil der darin enthaltenen Ermahnungen an das Ende unseres Daseins, das einer zerbrechlichen Töpferarbeit gleich, der Ausspruch dass unsere hier verrichteten guten Werke in der Folge bleibende Früchte tragen werden, etc. etc. auch die Beachtung, oder besser Beherzigung vieler christlicher Leser verdienen.

XXVII. Fingerprints in Eastern Asia. — Sir W. J. HERRSCHEL has published in Nature (N°. 1308, 22 Nov. 1894 pg. 77) a notice on this subject in which he arrives at the curious statement that he has been the means by which the method of fingerprints has been introduced into China.

Answering to this notice, Mr. KUMAGUSU MINAKATA (Ibid. N°. 1313, 27 Dec. 1894 pg. 199/200 & pg. 274, 11 Jan. 1895) states that the use of fingerprints is a very ancient custom with the Chinese and the neighbouring people (Japanese and Indians) and gives references to a great number of works published in China and abroad. The author shows that the difference of the fingerfurrows are not only regarded as being valuable for identifying documents, by stamping them with the fingers, but also for the art of chiromancy.

Mr. MINAKATA is quite right in saying that the fingerprint is a very ancient custom with eastern people,

---

[1]) J. D. E. SCHMELTZ & Dr. med. R. KRAUSE: Die ethn. anthropol. Abtheilung des Museum Godeffroy, pg. 26 & Pl. VII Fig. 1—6. — Vergl. dieses Archiv Bd. I pg. 61. — [2]) Ethnol. Erfahrungen und Belegstücke, pg. 113 [31], pl. VII [5]. — [3]) Vergl. G. A. WILKEN: De Hagedis: Bijdr. T. L. & Vlk. 1891 pg. 463 ff.

but he is wrong in mixing up two different things; viz. the marks used in chiromancy, which occur in the same form by different persons, and those marks which serve for the identification of persons, as a fingerprint on documents, which are individual. Mr. GALTON has been the first who has written an interesting paper about these marks and on the importance of their study. Sir WM. FLOWER has anew called attention to it in his „Opening-address" to the Anthropological Section of the British Association at Oxford in August 1894.

A specimen of a Chinese letter of divorce, mentioned by Mr. MINAKATA in his notice, has been described and fully reproduced by Prof. G. SCHLEGEL in his „Nederl. Chin. Woordenboek (Dutch-Chinese Dictionary) I pg. 1053 i. v. Echtscheidingsbrief. Mr. SCHLEGEL tells us also that even now-a-days in China the fingerprint is stamped on passports and, in doubtful cases, has to be repeated by the bearer on other places on his voyage. — On pg. 525 we find i.v. „bezegelen" 打手印 = met een zwart gemaakte palmslag bezegelen. — In DOUGLAS: Dictionary of the Amoy dialect, we find pg. 172 B the following quotations concerning this matter: 打手印 *p'ah chhiú ìn* = "to stamp irrevocably with the impression of one's hand, wet with ink" and 打脚印手印 *p'ah k'a-ìn chhiu-ìn* = "to stamp irrevocably with the impression of hand and foot as in selling a wife". In WELLS WILLIAMS: Dictionary etc. pg. 754 we find the characters 手模、手印 translated as: "the impression of the thumb or hand for a signature".

XXVIII. On the importance of good manners is the title of an address delivered by Prof. EDWARD S. MORSE at Vassar College, Boston, wherein the behaviour of the Japanese is compared with that of the Americans and also of European people. The author has treated the subject in an excellent manner, he shows how the good manners, the extreme politeness and simple courtesies of the Japanese are not only restricted to the more favoured classes, but that in every grade of life, even to the poorest, common courtesy is the rule. Hence the fact that in Japanese towns are no regions where the more favored classes live and other quarters inhabited only by the poorest. A gentleman can build his house in any part of a city with absolute certainty that the manners of his children will not be corrupted by the wretched poor children of the neighbourhood; that his fruit and flowers would not be stolen, his dogs would not be stoned, or his fences be defaced. This is one of the numerous instances, given by Prof. MORSE, which is in favor of the Japanese and which forms a shrill contrast with what we see in Europe and America. The same is the case with tolerance, the sense of personal cleanliness, the absence of vandalism in Japan, the good manners of the children and the behavior of students.

It may be of some interest to mention in connection with Mr. MORSE'S address, a very well illustrated paper on Japanese etiquette, compiled by a Japanese and published by Dr. L. SERRURIER in the „Aardrijkskundig Weekblad 1880/81" in which the author describes a number of different forms of Japanese courtesy.

XXIX. Overlaying with copper by the American Aborigines. — Prof. OTIS T. MASON has published in the Proc. of the U. St. National Museum Vol. XVII, pg. 475 sq. a paper on this subject by which we learn that the American aborigines in the Missisippi-valley and in South America possessed the art of cold hammering copper, of beating it to overlie and fit upon a warped or curved surface, and of turning the edges under. This process must not be confounded with the mere hammering out of implements, nor with that other process of making a sheet of copper as thin and uniform as a ship's sheathing and then producing figures on it by rubbing or pressure. The authors statement is based upon objects found in the mounds of the Missisippi-valley, and a figure of a wooden humming bird, made by the Haida's, the wings and tail of which are overlaid with copper, is given. To destroy some doubt, concerning the genuineness of such work, experiments which have been made at the U. St. National Museum, to execute the process with the primitive tools, have fully confirmed the supposition.

The note based on Mr. MASON'S paper we met with in Globus LXVII (April 1895) pg. 258, is a wrong one, because the author did not understand what Mr. M. means. — Mr. MASON expressly declares: "The author does not remember whether any "engraving appears on the Ohio mound specimens. "Such as the Haidas and Tlingets now make with "jewelers' tools, would have been above and beyond "the ability of the aboriginal metallurgists of the "Missisippi-valley". Nothwithstanding this clear statement, the author of the said note has confounded the objects made by the Haida's, which are figured by Mr. M. for a sake of comparison and which are adorned with engravings, with those found in the mounds on which Mr. MASON'S paper is based.

XXX. Survivals of ancient agricultural

rites in England. — Mr. E. SIDNEY HARTLAND has published in the Transactions of the Bristol and Gloucestershire Archaeological Society, an interesting paper on the Whitsunday-rite at St. Briavels, where the parishioners had, till about some thirty years ago, the custom of distributing yearly upon Whitsunday after divine service pieces of bread and cheese to the congregation, in earlier times in the church, later on in the churchyard and still later on the road, outside the church gates. This custom, which has been dying out, is connected with the tradition that the privilege of the householders in the parish of cutting and taking wood in Huddnolls, was obtained from some Earl of Hereford at the instance of his lady, upon the same hard term that Lady GODIVA obtained the privileges for the citizens of Coventry, to be free from tolls and other burdens, which achievement of the latter lady is periodically commemorated by a procession on Corpus Christi-day.

In both tales accounting for the rites, we meet with a lady performing in the state of nature a ceremony, and comparing the tales together, the author has arrived at the conclusion, that both stories are a fiction. The ceremony existed first, the tale grew up afterwards as an attempt to explain the ceremony. This ceremony must have been, as shown by Mr. H., a heathen performance, the scene of which has been transferred to the Church.

With both cases we see a lady performing the ceremony and this points back to a ceremony wherin the sole actors were women and wherefrom men were sedulously kept aloof. Such rites were known among the classic Greeks and Romans, but we are not told what was the costume of the women on these occasions. PLINY, however, tells us that in various parts of the Roman Empire it was the custom for women to perform secret agricultural rites in the garb of the unfallen EVE, consisting in walking through the fields or round them. Similar rites are mentioned by Mr. H. from India, the Bulgarians, Southern Hungary, Russia and the Zulus, and among the tribes of the Gold Coast of Africa the wives of the men, who have gone to war, make a daily procession through the town, wearing no clothing, but being painted all over with white, and decorated with beads and charms. PLINY likewise records that both matrons and unmarried girls among the Britons in the first century of the Christian era were in the habit of staining themselves all over for their ceremonies with the juice of the wood; unhappily he tells us nothing about the rite itself, but it would not involve a great stretch of fancy to suppose that in the black lady of another procession celebrated at Southam in former days, we have a survival of the performance.

Asking what was the intention of the rite Mr. H. shows that the secret rites performed by women in other parts of the world, are frequently connected with agriculture, and these indications, says the author, confirms the suspicion that the rites at Coventry and St. Briavel were agricultural or pastoral.

XXXI. Neuere Beiträge zur Ethno-Botanik. — Herr Dr. J. G. F. RIEDEL theilt uns mit Bezug auf unseren, diesbezüglichen Aufsatz (Siehe oben pg. 66 ff.) das Folgende mit: Der Fruchtkern der *Aleurites Moluccana* wird gleichfalls verspeist. Ich esse diese sogar hier im Haag, beinahe täglich, bei der Reistafel, mit zerstampftem *Capsicum annuum* vermischt.

Die frischen Blätter von *Pangium edulis* werden, fein gestampft, mit Salz, Spanischem Pfeffer und würfelförmigen Stücken Speck vermischt, in nasse Glieder eines Bambus gefüllt und darauf an ein grosses Feuer gestellt. Sobald der Bambus zum Theil verkohlt ist und die frischen Blätter eine schwarze Farbe angenommen haben, wird die Mischung durch die Bevölkerung der Minahassa, Nord-Selebes, als Nachtisch genossen. Ich selbst habe sie manches Mal gegessen. Indem man die *pangih*, wie der Eingeborne sie nennt, jeden Tag während einiger Augenblicke an das Feuer stellt, kann man sie monatelang bewahren. In einzelnen Gegenden wird die *pangih* mit Schweineblut vermischt, ehemals zuweilen auch mit dem Blut erschlagener Feinde. Dieses ist die *pangih* der *Empungs*.

XXXII. Ueber Verwendung von Muscheln in Siam schreibt uns Herr Dr. OSCAR FRANKFURTER in Bangkok, veranlasst durch unsere Arbeit „Muscheln und Schnecken im Leben der Völker Indonesiens und Oceaniens", das Folgende:

„Muscheln werden als Schmuckgegenstände in „Siam nicht verwandt; als Haushaltungsgegenstand „findet man eine grosse Muschel (Tigermuschel, „[Cypraea tigris?]) zum Glätten des von den Frauen „getragenen bunten Zeuges (*langouti*); doch kommt „auch dies mehr und mehr ausser Gebrauch und „wird durch eine Agathkugel ersetzt. Ausserdem „spielt die Muschel in den brahmanischen Ceremonien „eine grosse Rolle. Früher wurden auch hier „„*cowries*" als Geld benutzt, deren Werth schwankte „von 200 bis 1000 auf ein *fuang* (Siehe auch G. SCHLEGEL: Siam. Porcellanmünzen; Bd. II dieses Archives pg. 241. *Red.*).

XXXIII. Die Pflege der Ruinen von Tiahuanaco hat Dr. MAX UHLE in einem Artikel in: „El Commercio, La Paz 7 Mai 1894" der Bolivianischen Regierung als eine Pflicht der Wissenschaft gegenüber anempfohlen. Der Verfasser fand selbe bei seinem Besuche, kurz vorher, von dort garnisonirendem Militär als Zielscheibe bei Schiessübungen benutzt und findet seine Mahnung hoffentlich Beachtung. Das Beste wäre freilich dass es unserem gelehrten Freunde gelänge einen Theil jener, durch ihn und Dr. STÜBEL so mustergültig beschriebenen, Denkmale einer untergegangenen Cultur für das Berliner Museum für Völkerkunde zu retten.

XXXIV. Corpus inscriptionum Arabicarum. — Die Herausgabe dieses Werkes, welches zu der Reihe jener gehört, die unter der Aegide der „Mission archéologique francaise au Caire" erscheinen, hat Herr Dr. VAN BERCHEM in Genf unternommen. In der ersten, vor einiger Zeit erschienenen Lieferung weist Verf. auf den grossen Nutzen des Sammelns arabischer Inschriften hin und richtet an Reisende das Ersuchen ihm solche von Gebäuden etc. mitzutheilen, sowie an die Sammler und die Vorstände der Museen ihm Aufschriften die sich auf arabischen Gegenständen in deren Bereich befinden, für seine Arbeit zugängig zu machen. Dieser Wunsch wird durch Prof. M. J. DE GOEJE in Leiden warm unterstützt.

XXXV. Neues Organ für die Kunde afrikanischer und oceanischer Sprachen. — Mit Unterstützung der Kolonial-Abtheilung des Auswärtigen Amtes, der Deutschen Kolonial-Gesellschaft, der Deutsch-Ostafrikanischen Gesellschaft, der Basler und Norddeutschen Missionsgesellschaft, der Brüdergemeinde und des Afrika-Vereins deutscher Katholiken ist in Berlin die „Zeitschrift für afrikanische und ozeanische Sprachen" begründet, als deren Redacteur der Secretär der deutschen Kolonial-Gesellschaft Herr A. SEIDEL auftritt, während eine Reihe namhafter Gelehrten der hier in Rede stehenden Fächer ihre Mitarbeit zur Verfügung gestellt haben.

Wir begrüssen das neue Organ, dessen Preis jährlich M. 12.— für 4 Hefte lex 8⁰. beträgt, mit um so grösserem Interesse, als wir überzeugt sind, dasselbe werde sich auch für die ethnologischen Studien förlernd erweisen. Abgesehen von den specifisch linguisten Arbeiten finden wir im zweiten Hefte schon folgende Beiträge zur Kenntnis der Volksseele: „Sprichwörter und Redensarten der Nyassa-Lente von A. SEIDEL, „Suppositionen über die etymologisch-mythologische Bedeutung der Nominum für Leben, Seele, Geist und Tod in der Lingua Bantu von P. H. BRINKER und Sprichwörter der Tshwi-Neger von J. G. CHRISTALLER. Aber auch die rein linguistischen Aufsätze enthalten manches von ethnologischem Interesse; besonders interessirte uns der, auf Grund von durch den Missionar FLIERL gesammelten, Materialien durch Prof. W. GRUBE bearbeitete Beitrag zur Kenntnis der Kai-Dialecte, die in der Gegend von Finschhafen, Deutsch Neu-Guinea, gesprochen werden. Mehrfach finden wir darin Dinge berührt, die mit dem zuerst durch Dr. O. SCHELLONG in Bd. II dieses Archivs pg. 145 genau beschriebenem Beschneidungsfest im Verband stehen. So lernen wir z. B. hier dass die, bei jenem Fest verehrten Gespenster und abgeschiedenen Seelen *gbawe*, aber auch *ngosa* heissen. Mit letzterem Wort wird auch das Schwirrholz belegt das bei den genannten Festen eine Rolle spielt und welches nach SCHELLONG *barlum* heisst (Op. cit. pg. 146 & 154). Das Wort *ome* finden wir für Eisen verzeichnet; da dieses Metall bis vor kurzer Zeit den, die hier behandelte Sprache redenden, Eingebornen unbekannt gewesen, so wird dies Wort wohl kaum ursprünglich für dasselbe gegolten haben und irgend ein anderer Begriff damit wohl früher verbunden worden sein; interessant wäre es dem einmal nachzuspüren.

Soviel für heut über den Inhalt des neuen Organs, auf welches wir noch oft zurückzukommen hoffen; inzwischen wünschen wir ihm ein frisches, fröhliches Gedeihen, damit es uns das Geistesleben der Naturvölker in den deutschen Kolonien im Lauf der Zeit mehr und mehr näher bringe.

XXXVI. Eine Neubearbeitung des Werkes P. J. VETH: Java, ist wie wir zu unserer Freude vernehmen durch die Herren JOH. F. SNELLEMAN und H. NIERMEYER unternommen und dürfte noch im Lauf dieses Jahres das Erscheinen, mindestens eines Theils desselben, zu erwarten sein.

J. D. E. SCHMELTZ.

XXXVII. Archaeologische und ethnographische Forschungen in Dalmatien. — In Knin in Dalmatien hat sich vor zwei Jahren ein archaeologischer Verein gebildet, der von gelehrten Mitgliedern des Franziskanerordens geleitet wird. Seit Anfang 1895 giebt der Verein auch eine Vierteljahrsschrift unter Redaktion des Curzolaer Lehrers FRANZ RADIĆ heraus, von der bis nun ein Heft in Lex. Form, mit 67 S. und mit vielen Abbildungen erschienen ist: *Starohrvatska Prosvjeta. Glasilo hrvatskoga starinarskoga družtva u Kninu* (Altkroatische Aufklärung. Organ des Kroatischen archaeologischen Vereines in Knin). Fast alles, was im dreieinigen Königreiche erscheint, tritt unter politischer Flagge auf und wie nirgends vielleicht mehr, ist gerade unter den Kroaten und Sorben auch jede wissenschaftliche Bestrebung mit leidiger nationaler Politikmacherei verquickt. Sehr zum Nachteil ernster Forschung und des Ansehens der Forscher und Arbeiter; denn echte Wissenschaft ist keine national-politische, sondern eine kosmopolitische Angelegenheit. Es wäre zu wünschen, dass die besonnenen Herausgeber der archaeologischen Aufklärung dies beherzigen, da ja ihre Leistungen sonst Beachtung verdienen. Das Heft enthält einen Bericht von RADIĆ über einen Grabdeckel mit einem Hautrelief der Mutter Gottes aus dem IX. Jahrh. (in einer Domkirche bei Knin), von *Klatović:* Topographische Notizen über altkroatische Župen in Dalmatien, und alte Städte auf dem Festlande vom Velebit bis zur Narenta; von BARBIĆ: Beschreibung eines alten griechisch und lateinisch geschriebenen, mit Notenschriften versehenen Codex, der wahrscheinlich im XI. oder XII. Jahrh. im Kloster von St. Gallen hergestellt worden ist; KAER schreibt über altbosnische Grabdenkmäler (zwei Tafeln Grabkreuze); VID VULETIĆ VUKASOVIĆ, der gründlichste Erforscher altsüdslavischer Epigraphik erläutert eine Grabschrift aus dem Herzogthum, VULĆIĆEVIĆ bespricht den Einfluss des Albanesischen auf die slavische Sprache der Dalmatier, URLIĆ die Nečven-Burg im Kniner-Gebiet (eine abendländische Ritterburg), zum Schluss folgen Referate.

Wien. F. S. KRAUSS.

III. MUSÉES ET COLLECTIONS. — MUSEEN UND SAMMLUNGEN.

XIV. Nederlandsch Museum voor Geschiedenis en Kunst, Amsterdam. — Ausser vielen, im Lauf des Jahres 1893 erworbenen Gegenständen, die speciell für die Förderung und Kenntnis der Volkskunde der Niederlande von Werth, glauben wir hier der Erwerbung eines Exemplars jener hörnernen Blaseinstrumente, „*Schofar*", beim mosaïschen Gottesdienst, zumal in früherer Zeit, in Gebrauch, besonders erwähnen zu sollen. Näheres über dieses Instrument findet sich in „Zeitschrift für Ethnologie" (Verhandlungen der berl. anthrop. Gesellschaft 1880 pg. 63 ff.) und bei „CYRUS ADLER: The Shofar, its use and origin." (Proc. U. St. Nat. Mus. XVI pg. 287—301; 4 Pl.).

XV. Königliches Kunstgewerbe Museum. Berlin. Der neueste, uns vorliegende Führer dieser Anstalt giebt eine zwar kurze, aber prägnante Erklärung des bei der Anfertigung Japanischer Lackarbeiten angewandten Verfahrens. An Gegenständen aus China und Japan, freilich meist mehr kunstgewerblichen Interesses, findet sich hier vieles Schöne; ethnologisch wichtig ist u. A. ein Japanisches Puppenhaus, als Model einer Japanischen Hauseinrichtung. Ausser der ebenerwähnten Lackindustrie sind Porcellan, Schnitzarbeiten, Korbflechtereien, Bronzen und Emaillen, sowie Leibesschmuck reich vertreten.

XVI. Königliche Sammlung alter Musikinstrumente, Berlin. — Diese, der Verwaltung der Hochschule für Musik unterstellte, Sammlung zählte in Februar 1893 1600 Nummern und darunter auch manches Stück von ethnologischem Interesse.

XVII. Reichs Post-Museum, Berlin. — Im Jahre 1874 gegründet, führt heut dieses Museum dem Beschauer in grossartigster und instructivster Weise die Entwicklung etc. des Verkehrwesens der Völker vor Augen. Mit dem Alterthum beginnend gelangen Aegypter und Assyrer, Griechen und Römer, und die nordgermanischen Völker zur Darstellung. Hieran schliessen sich die Geschichte des Verkehrswesens vom Mittelalter bis zur Jetztzeit illustrirende Gegenstände, und endlich grosse Sammlungen von einschlägigem Material aus Indien, Siam, China, Japan, Afrika, Amerika und Australien, zum bei weitem grössten Theil für den Ethnographen von Interesse. Der kurze Führer giebt ein klares Bild der Sammlungen, der von Herrn Rechungsrath THEINERT bearbeitete, reich illustrirte Catalog ist als ein Muster zu bezeichnen. Gegenwärtig beginnt sich an der Leipziger Strasse ein prächtiger Bau, zur Aufnahme des Museums, dem die bisherigen Räume zu enge, bestimmt, zu erheben.

XVIII. Städtisches Museum für Naturgeschichte und Völkerkunde. Bremen. — Wie wir den Deutschen geographischen Blättern, Bd. XVIII [1895] pg. 14 & ff., entnehmen ist das neue Gebäude für diese Anstalt, dessen Errichtung wir in Bd. IV pg. 289 dieses Archivs als bevorstehend anzeigten, nunmehr vollendet. Dasselbe besteht aus einem Erd- und zwei Obergeschossen, zeigt im Aeussern eine Verbindung von Sandsteinarchitectur mit Backsteinflächen und besitzt in der Mitte der Ausstellungsräume einen $16^5 \times 26^5$ M. grossen, durch das ganze Gebäude reichenden Lichthof, wo neben dem Handelsmuseum, auch die ethnographischen Sammlungen ihre Aufstellung finden werden. Der Grundplan zeigt einen rechteckigen Kern von 59 × 43 M. Grösse, das eigentliche Ausstellungsgebäude, und ein mehrfach gegliedertes Vordergebäude, das einen Raum von 15 × 30 M. einnimmt und die Eingänge, Treppen, den Hörsaal, etc. enthält. Auf eine Vergrösserung ist an der Hinterseite des ersteren Theiles Bedacht genommen und dürfte selbe ungefähr ³/₄ der heutigen Ausdehnung betragen; die Eröffnung der Sammlungen wird wahrscheinlich im

Herbst dieses Jahres stattfinden, eine Abbildung des Gebäudes, sowie Grundrisse sind dem oben erwähnten Aufsatz beigegeben.

XIX. Field Columbian Museum, Chicago. We have received the second edition of the guide of this grand institution of which Mr. F. J. V. SKIFF is the Director and of which already has been made mention in this columns by our collaborator Prof. FR. STARR (Vide Vol. VII pg. 208). The guide gives proper information on all the different departments of the Museum, viz. Geology, Botany, Zoology, Anthropology, Industrial Arts, etc. With regard to Anthropology we observe that there has been founded in the Museum an anthropometric laboratory which is fitted out with a very complete set of apparatus. Amongst the collections of implements or reproductions of such from the most different parts of the globe, those regarding American ethnology and archaeology are especially rich; from the other parts Oceania is very well represented, amongst others by a number of objects collected by Dr. FINSCH, whilst from China we mention the religious furniture of a Buddhistic temple on which explanatory notes are given by the owner of the collection, Mr. H. SLING.

XX. World's Columbian Exhibition, Chicago. – Some time ago reached us the official catalogue of the exhibits in the Anthropological building published in 1893. Besides an enumeration of the different exhibits we find notes on Anthropology by Dr. FRANZ BOAS, on Neurology by Prof. HENRY H. DONALDSON, on Psychology by Prof. JOSEPH JASTROW, on the growth and development of children and on the Anthropology of the North American Indians. On the section of Ancient Religion, Games and Folklore Mr. STEWART CULIN has given an extensive note, in which the author treats in a very learned manner on games from the most different peoples. We receive interesting communications on the following exhibits: Puzzles, Children's Games, Mancala, Balls, Quoits, Marbles, Bowling, Billiards, Curling and Shuffle Board, Merrello, Fox and Geese, Chess and Draughts, American board games, games of Lots, Lotto, Chinese lotteries, Knuckle-bones and Dice, Dominos, Evolution of Playing Cards, Chinese playing cards, Pachisi, Patoli and Tab, Backgammon, Sugroku and the Game of Goose, – East Indian, Japanese and Siamese cards, American board games played with dice, Tarots, Tarochino and Minchiate; Manufacturing of playing cards; German, Swiss, Swedish, Russian, Spanish, Mexican and Apache cards; French, English and American playing cards; Fortune telling cards; and miscellaneous card games.

The Chinese playing cards have been arranged according to the symbols, which may be devided into four classes; the author gives a detailed description of the different sets of these cards exhibited.

XXI. Bernice Pauahi Bishop Museum of Polynesian Ethnology and Natural History, Honolulu. It is with the greatest pleasure that we have received the catalogue of this Museum, which has been founded in 1889 by CHARLES R. BISHOP in memory of his wife, whose honoured name it bears and of which Mr. WM. J. BRIGHAM is the Curator. The nucleus of the collection was the store of *Kapas*, mats, calabashes, *Kahilis* and other ornaments and relics belonging to Mrs. BISHOP and bequeathed to her as the last of the KAMEHAMEHAS. To this were added by bequest the treasures of Queen EMMA, and, by purchase, the extensive collections of Mr. JOSEPH S. EMERSON of the Government Survey; the stone implements of Mr. GEORGE H. DOLE, late of Kauai, a very valuable collection made in New-Guinea, and last, although perhaps most important in variety and value, a collection made by Mr. ERIC CRAIG of Auckland, New Zealand.

The Hawaian Government has deposited in this Museum the collection formerly known as the Government Museum, and many other articles have been given to the Museum by friends.

Although quite recently established, this Museum may already claim the first rank in certain departments, as *Kahilis*, calabashes, *kapas*, mats and Polynesian stone implements.

The catalogue contains, besides an enumeration of the speciments of the different collections, most valuable and extensive notes on Hawaian ethnological implements, some of which we hope to be able to reproduce in this Archiv.

XXII. Museum van Oudheden, Leiden. – Während des Jahres 1893–1894 erfuhren die Sammlungen dieser Anstalt, wie wir dem Bericht des Direktors Dr. W. PLEYTE entnehmen, wiederum eine sehr beträchtliche Vormehrung. Abgesehen von vielen Erwerbungen aus Aegypten, Klein Asien (Griechische Objekte), Italien, Deutschland und Niederland, alle weniger ins Gebiet dieser Zeitschrift gehörend, dürften an dieser Stelle einige Finger- und Ohrringe, der Griff eines Fächers und eine Schüssel in der Form einer geöffneten Lotusblume, alles aus Gold verfertigt, aus Java, sowie aus Mexico die thönerne Statue einer sitzenden Frau mit einem Kinde auf dem Schooss, einige Muschelschmuckstücke und zwei irdene Deckel Erwähnung verdienen.

XXIII. Le musée du Louvre à Paris a reçu, comme don, la collection précieuse des porcelaines chinoises que M. GRANDIDIER a formée. On dit que la valeur de cette collection surpasse un million de francs.

J. D. E. SCHMELTZ.

IV. REVUE BIBLIOGRAPHIQUE. — BIBLIOGRAPHISCHE UEBERSICHT.

Pour les abréviations voir pagg. 29, 125. Ajouter: Z. O. V. = Zeitschrift für österreichische Volkskunde.

GÉNÉRALITÉS.

IV. M. S. R. STEINMETZ, ayant reçu la faculté de donner des leçons d'ethnographie à l'université d'Utrecht, a prononcé un discours d'ouverture (Het goed recht van sociologie en ethnologie als universiteitsvakken. 's Gravenhage), pour exposer les droits de l'ethnologie à une place dans l'enseignement universitaire. M. le Dr. J. R. MUCKE (Horde und Familie zu ihrer urgeschichtlichen Entwicklung. Stuttgart. propose une nouvelle théorie sur une base statistique). M. OTIS TUFTON MASON (Am. Anthr. VIII p. 101: Similarities in Culture) publie une étude d'etnologie comparée. M. GUSTAVE LAGNEAU (Influence du milieu sur la race. Paris. Comp. le C. R. dans Rev. mens. p. 130) expose les modifications mésologiques des caractères ethniques de notre population. M. le Dr. A. H. POST (Gl. p. 174: Ueber die Sitte nach welcher Verlobte und Ehegatten ihre gegenseitigen Verwandten meiden) explique la coutume très répandue parmi les peuples sauvages d'éviter les parents par alliance. M. le Dr. R. MARTIN, dans le même journal, (p. 213: Kritische Bedenken gegen den Pithecanthropus erectus Dubois) émet des doutes sur le prétendu ancêtre de l'homme. M. W. JOEST (Weltfahrten. Berlin. Av. pl.) vient de publier son journal de voyage, dont le premier tome décrit ses excursions en Guiane, en Afrique méridionale et en Maroc, le deuxième l'Inde avec la Minahasse et Formose, et le troisième le Japon et la Sibérie.

Les trésors archéologiques des musées de Berlin sont reproduits dans une oeuvre magnifique (Aegyptische und Vorderasiatische Alterthümer aus den Kön. Museen zu Berlin), contenant 82 photos avec texte explicatif. Une nouvelle revue, publiée par le Verein für österreichische Volkskunde sous la direction du Dr. MICHAEL HABERLANDT, contient un essai du prof. ALOIS RIEGL (p. 4: Das Volksmässige und die Gegenwart). A. U. (Hft 2, 3) publie des communications de M. O. KNOOP (Wodelbier und Weddelbier); M. S. R. STEINMETZ (Moralische Folklore); M. PAUL SARTORI (Zählen, Messen, Wägen II, III); M. H. VON WLISLOCKI (Quälgeister im Volkglauben der Rumänen II, III); Dr. A. HAAS (Das Kind im Glaube und Brauch der Pommern V, VI); M. K. ED. HAASE (Die Wetterpropheten der Grafschaft Ruppin und Umgegend II, III); M. H. THEEN-SÖBY (Bienenzauber und Bienenzucht); M. H. F. FEILBERG (Baumsagen und Baumkultus III).

EUROPE.

La Rev. mens. V publie des études de M. P. DU CHÂTELLIER (p. 88: Allée mégalithique en pierres arcboutées de Lesconil); MM. AB. HOVELACQUE et G. HERVÉ (p. 117: Notes sur l'ethnologie du Morvan); M. G. HERVÉ (p. 137: Les populations lacustres); M. PHIL. SALMON (p. 155: Dénombrement des crânes néolithiques de la Gaule. Av. carte). Anthr. contient des contributions de M. Ed. PIETTE (p. 129: La station de Brassempouy et les statuettes humaines de la période glyptique); et du Dr. R. VERNEAU (p. 152: L'âge des sépultures de la Barma Grande prés de Menton). M. EMIL HUSMANN (D. G. B. XVIII p. 76: Die Reiskultur in Italien) publie des observations sur la culture du riz en Italie; M. le Dr. W. KOBELT (Gl. p. 170: Ein Blick auf Sicilien und seine Hauptstadt. Av. fig.) nous transporte à Palerme. Le même journal contient des observations sur l'architecture germanique, de M. G. BANCALARI (p. 201: Das Süddeutsche Wohnhaus „fränkischer" Form. Av. fig.); et de Mlle. J. MESTORF (p. 232: Beitrag zur Hausforschung. Av. fig.).

M. le doct. R. VON KRALIK (Z. O. V. p. 7: Zur österreichischen Sagengeschichte) fait des communications sur les traditions autrichiennes; la même revue (p. 10) contient un article de M. E. EISLE (Der Samson-Umzug in Krakaudorf bei Murau. Av. 2 ill.) sur une procession en usage de temps immémorial. Ungarn IV contient des contributions de M. J. HAMPEL (p. 1: Skythische Denkmäler aus Ungarn. Av. fig.); du Dr. B. MUNKACSI (p. 41: Prähistorisches in den magyarischen Metallnamen); de l'archiduc JOSEPH (pg. 50: Tiere im Glauben der Zigeuner), de M. H. VON WLISLOCKI (p. 52: Die Haarschur bei den mohammedanischen Zigeunern der Balkanländern); du doct. FR. S. KRAUSS (p. 27: Das Fräulein von Kanizsa. Etude sur les chants de guslars serbes. Av. fig.); de M. TH. VON LEHOCZKY (p. 71: Alte ruthenische Pulverhörner. Av. fig.) Le Bosnisch-Herzegovinisches Landesmuseum a publié sous la direction de M. W. RADIMSKY (Die neolithische Station von Butmir bei Serajewo in Bosnien. Wien. Comp. A. G. Wien Sitzber. p. 206) une belle série de planches coloriées avec la description des fouilles très intéressantes, exécutées en

1893. La Bosnie est encore le sujet d'une communication du prof. VON WIESER (Corrbl. A. G. XXVI: Ueber nationale Volksspiele in Bosnien und der Herzegowina). M. H. ALMKVIST (Türkisches Dragoman-Diplom aus dem vorigen Jahrhundert. Upsala) publie le facsimile avec la traduction d'un document turc. T. du M. (livr. 13 suiv.: Voyage aux villes mortes de Crimée) publie les notes de voyage de M. LOUIS DE SOUDAK. Mentionnons encore l'étude écrite en langue russe de M. D. N. ANOUTCHINE (L'amulette crânienne et la trépanation des crânes, dans les temps anciens, en Russie. Moscou. Av. pl.).

ASIE.

Gl. publie le journal de voyage du baron EDUARD NOLDE (p. 165, 188, 207, 222, 234: Reise nach Innerarabien). M. PH. S. VAN RONKEL (De roman van Amir Hamza. Leiden) a trouvé le sujet de sa dissertation académique dans un manuscrit persan. Mme C. J. WILLS (Behind an Eastern Veil. London) décrit la vie domestique des dames persanes, qu'elle a eu l'occasion d'observer en personne. M. F. DUMONT (Textes et Monuments figurés relatifs aux mystères de Mithra. Bruxelles. Av. pl.) a commencé une publication intéressante; le premier fascicule contient une introduction critique. M. R. STÜBE (Jüdisch-Babylonische Zaubertexte. Halle a. S.) publie et explique des incantations anciennes juives. Un sujet analogue est traité par M. K. L. TALLQUIST. (Die Assyrische Beschwörungsserie Maglu. Leipzig).

Anthr. (p. 176) publie une étude de M. CH. JOHNSTON sur les rapports de race et de caste dans l'Inde. M. F. HIRTH (T. P. VI p. 149: Das Reich Malabar nach Chao Jukna) publie les observations d'un écrivain chinois du XIIIme siècle. M. H. LEDER (Mitth. G. G. Wien XXXVIII p. 26, 85: Eine Sommerreise in der nördlichen Mongolei im Jahre 1892) raconte son excursion en Mongolie. M. D. CHRISTIE (Ten Years in Manchuria. London) fait le récit de ses expériences médicales à Moukden. M. R. K. DOUGLAS (Society in China. London) donne une édition populaire de son livre sur la société chinoise; ajoutons y le livre illustré de M. J. A. TURNER (Kwang Tung or Five Years in South China); et la communication d'un officier de la marine allemande, publiée dans Gl. (p. 306: Ein chinesisches Soldatenexercitium in Amoy).

La Corée est représentée par un livre de M. A. H. SAVAGE—LANDOR (Corea, or Cho-Sen, the Land of the Morning Calm. London); et des articles de M. W. ELLIOT GRIFFIS (Am. G. S. XXVII p. 1: Korea and the Koreans in the Mirror of their Language and History); et du capitaine KOHLHAUER (Gl. p. 261: Ein Besuch in Port Hamilton und Chemulpo. Av. pl.). M. M. COURANT a encore publié le premier volume d'une bibliographie Coréenne (Paris); et une Note historique sur les divers espèces de monnaie, qui sont usitées en Corée (Peking. Av. pl.). Le journal de la Japan Society, London, contient des contributions de M. MARCUS B. HUISH (p. 77: The Influence of Europe on the Art of Old Japan. Av. pl. et fig.); et de M. DAIGORO GOH (p. 117: The Family Relations in Japan). Un des membres de cette société, M. H. S. M. VAN WICKEVOORT CROMMELIN (Een herlevend Volk. Haarlem) décrit dans un livre instructif ce qu'il appelle la régénération du Japon; le même auteur (Gids, mai 1895: Bijgeloof in Japan) consacre une étude à la superstition au Japon. Les religions du Japon font encore le sujet d'un livre de M. W. E. GRIFFIS (The Religions of Japan, from the Dawn of History to the Era of Méiji. New-York); et d'un livre illustré de M. P. LOWELL (Occult Japan, the Way of the Gods. Boston). Le sport au Japon est représenté par un livre de M. W. K. BURTON (Wrestlers and Wrestling in Japan. Tokyo. Avec une introduction historique et descriptive de M. J. INOUYE); et l'armée par une série de 13 planches coloriées; avec texte (Die Japanische Armee in ihrer gegenwärtigen Uniformirung. Leipzig). M. le prof. G. SCHLEGEL (T. P. VI p. 165: Problèmes géographiques. Lieou-Kieou-Kouo) observe que les Chinois ont toujours désigné Formose par Lieou-Kieou. Mentionnons encore les notes de M. GRUPE (Mitth. Lübeck II Hft. 7, 8: Ueber chinesische und malaiische Medizin und japanische Nutzhölzer im Handelsmuseum zu Lübeck).

M. L. W. C. VAN DEN BERG (Rechtsbronnen van Zuid-Sumatra. 's Gravenhage) a publié, traduit et commentarié le droit indigène de Sumatra méridional. M. E. DUARD OTTO (Gl. p. 217: Malaiische Fallenstellen in Nordost-Sumatra) décrit des piéges, en usage dans la même île. M. J. H. HARTMANN (Geneesk. Tijds. N. I. 1894 afl. 5: Scaevola Koenigii, Bapatjeda) décrit une médicine contre la beri-beri, connue déjà du temps de RUMPHIUS. Un séjour parmi les Madourais fait le sujet d'un livre de M. J. P. ESSER (Onder de Madoereezen. Amsterdam).

AUSTRALIE ET OCÉANIE.

Le livre de M. ELIE RECLUS (Le primitif d'Australie ou les Non-non et les Oui-oui. Paris) est une étude d'ethnologie comparée. M. A. F. CALVERT (The Aborigines of Western-Australia. London) se borne à l'Australie occidentale. La Nouvelle-Guinée fournit des sujets à Sir W. MAC GREGOR (Scott. XI p. 163: British New-Guinea); et à M. SIDNEY H. RAY (A comparative Vocabulary of the Dialects of British New-Guinea. London). L'ouvrage de M. J. S. KUBARY (Ethnographische Beiträge zur Kenntnis des Karolinen Archipels. Leiden), publié par les soins de M. J. D. E. SCHMELTZ, est enfin complété par une troisième partie. M. A. BAESSLER (Südsee-Bilder. Berlin. Av. ill.) publie ses impressions de voyage en Polynésie. Gl. contient une étude du Dr. TH. ACHELIS (p. 229, 249, 270: Die Stellung Tangaloas in der polynesischen Mythologie); et G. G. Wien (XXXVIII p. 1) des observations sur l'esclavage aux iles Fidchi.

AFRIQUE.

M. F. FOUREAU (T. du M. livr. 18 suiv.) décrit sa mission chez les Touareg Azdjer. Biblia VII n°. 10 publie une étude de M. J. HUNT COOKE. (The Religion of an Egyptian Nobleman). M. G. ZENKER (Mitth. D. S. VIII p. 36. Av. pl.) fait une description de la région de Yaounde. D. K. Z. VIII publie des communications de M. L. CONRADT (p. 51, 59: Land und Leute des Adelistammes im Hinterlande der Togokolonie); M. HEROLD (p. 153: Kratschi und Bismarckburg) sur le fétichisme à Kété; M. G. MEINECKE (p. 154: Pangani) sur les Souahélis et les Arabes; un extrait du journal du Dr. LENZ (p. 168) donnant des détails sur le territoire Kahé prés du Kilimandjaro, dont il loue fort les habitants; et des observations sur les Hottentots, par M. M. F. STAPFE (p. 122: Gannah). M. H. CHATELAIN (Folk-Tales of Angola. Boston) publie une cinquantaine de contes en langue Kimboundou, avec la traduction littérale en Anglais et des notes explicatives. La nouvelle édition de l'ouvrage de M. J. T. BENT (The Ruined Cities of Mashonaland. London) est augmenté d'un chapitre sur l'orientation et la mesuration des temples, par M. R. M. W. SWAN. M. E. F. GAUTIER (S. G. C.-R. p. 106) fait des communications sur l'ile de Madagascar, où l'auteur a séjourné et voyagé pendant trente mois.

AMÉRIQUE.

M. le Dr. A. F. CHAMBERLAIN (A. U. p. 82: Die Natur und die Naturerscheinungen in der Mythologie und Volkkunde der Indianer Amerikas) continue ses observations sur les rapports entre la nature et les idées religieuses des Indiens. Les races naines sont à la mode, M. R. G HALIBURTON (Proc. Am. A. XLIII: Survivals of Dwarf Races in the New World) en retrouve jusque dans l'Amérique. Sm. Rep. 1893 (p. 131: North American Bows, Arrows and Quivers) contient une étude élaborée de M. OTIS TUFTON MASON sur les arcs et les flèches américaines, illustrée de 57 planches. M. LÉON DIGUET (Anthr. p. 160. Av. fig.) publie une note sur la pictographie de la Basse-Californie. M. F. BOAS (Am. P. S. p. 31: Salishan Texts) publie de nouveaux documents linguistiques. M. J. WALTER FEWKES (Proc. Boston XXVI p. 422: The Tusayan New Fire Ceremony) poursuit sa publication des résultats de l'expédition Hemenway. En collaboration avec M. A. M. STEPHENS le même indéfatigable écrivain (Am. Folkl. p. 189: The Na-ac-nai-ya. A Tusayan Initiation Ceremony) y ajoute la description d'une autre cérémonie tusayenne. Am. A. VIII contient encore une étude de sa main (A Comparison of Sia and Tusayan Snake Ceremonials). Le même journal publie des communications de M. F. W. HODGE (p. 142: The first discovered city of Cibola); de M. COSMOS MINDELEFF (p. 153: Cliff ruins of Canyon de Chelley, Arizona); et de M. J. G. BOURKE (p. 192: The Snake Ceremonials at Walpi). M. le Dr. K. SAPPER (Gl. p. 197: Die unabhängigen Indianerstaten in Yucatan) décrit les tribus indépendantes du Yucatan.

L'Amérique du Sud fournit des sujets à un livre du Dr. HERMANN MEYER (Bogen und Pfeil in Central-Brasilien. Leipzig. Av. 4 pl.); et à des articles du Dr. R. COPELAND (D. G. B. XVIII p. 100: Ein Besuch auf der Insel Titicaca); et de M. KARL VON DEN STEINEN (Gl. p. 248: Steinzeit-Indianer in Paraguay).

LA HAYE, juillet 1895. Dr. G. J. DOZY.

V. LIVRES ET BROCHURES. — BÜCHERTISCH.

XXV. A Bibliography of the Japanese Empire, being a Classified List of all Books, Essays and Maps in European languages relating to Dai Nihon, published in Europe, America and in the East, from 1859—93, compiled by FR. VON WENCKSTERN. To which is added a facsimile reprint of LÉON PAGÈS, Bibliographie Japonaise depuis le XVe siècle jusqu'à 1859. Published in London by Kegan Paul, Trench, Trübner & Co. and in Leiden by E. J. Brill. Price £ 1. 5.— = flor. 15.—

The Japanese bibliography published in 1859 by LÉON PAGÈS brought only up the catalogue of books published on Japan to the year 1859, and Mr. VON WENCKSTERN has taken upon himself the arduous task of bringing it up to date. His list of books, published since 1859 to 1893, comprises about 10,000 numbers, a proof that students of Japanese lore have not been idle in the last thirty years.

We have hailed the appearance of this work with great expectation and longing, but regret to say that it has not come up to the mark. There is a sad want of method and sequence in this work, and we are sorry that the author did not take as his model the Bibliotheca Sinica of Professor H. CORDIER which is arranged much more methodically.

In its present form it has more the air of an antiquarian's catalogue, instead of that of a scientific bibliography. For a book of reference it is not handy enough, and costs too much trouble to be quickly consulted. And for its want of method, one might often suppose that a work is omitted, because it is inserted in the wrong place where one would not look up for it.

In his preface the author complains of the trouble he had to detect the titles of books from the erroneons quotations of them, and cites as an example (p. VI) „KATTENDYKE, Journal de son séjour au Japon", or „VAN KATTENDIJKE, Dairy (Sic! for Diary) of his stay in Japan" whilst, as Mr. VON WENCKSTERN says, the real title is: „HUYSSEN VAN KATTENDIJKE, Dagboek van gedurende zijn verblijf in Japan" (in English: HUYSSEN VAN KATTENDYKE, Journal of during his stay in Japan) which is a nonsensical title. This proves that Mr. von W. has not seen the book, whose real title is: Uittreksel uit het Dagboek van W. J. C. RIDDER HUIJSSEN VAN KATTENDIJKE[1]) Kapitein-Luit. ter Zee, gedurende zijn verblijf in Japan in 1857, 1858 en 1859, 's Gravenhage W. P. van Stockum 1860. In English: Extract from the Journal of W. J. C. HUIJSSEN VAN KATTENDIJKE, held during his stay in Japan in 1857, 1858 & 1859.

The same fault is repeated on page 46 of the Bibliography itself. Must we teach Mr. von W. that in such cases a sign of separation ought to be made between the words. in this way: „HUIJSSEN VAN KATTENDIJKE, Uittreksel uit het Dagboek van ——— gedurende zijn verblijf in Japan.'

The same fault is repeated over and over again, as e. g. on page 9, where we read „Oostelijk Azië", „een vast punt in de Arabische berichten omtrent gevonden", instead of „in de Arabische berichten omtrent ——— gevonden."

We cannot see why the author excludes „ Articles in Newspapers", and especially do not approve of the slur cast upon the German-Jewish pressmen who are said to write such articles for mercenary purposes.

Germans nowadays revel in what they call antisemitismus, and which is nought else but the whoop of laziness and spendthriftness against Semitic industry and parsimony. We consider, in the Netherlands, the Jews as a very important item in the economy of the land and would not like to miss them. At all events we think the antisemitic sally of Mr. von W. quite out of place here; for we have met with excellent articles on Things Japanese in German newspapers quite "untinted with political or religions bias or written for mercenary purposes by Jewish pressmen".

The reasons alleged by the author for not introducing Reviews of Books are just as weak, and we must demur decidedly against the sweeping statement that "reviews are more or less often value-"less panagyrics or occasionally base attacks dictated "by professional jealousy". Even if this statement were true, it is not for the author of a Bibliography to establish himself as a judge in the question. He has only to furnish the reader with the whole material, without exception, and to leave to the latter the judgment upon its worth.

Besides Mr. v. W. is not consequent, for sometimes he mentions where a book is reviewed, and anon not.

Why the novels of P. LOTI have been inserted among the General and Miscellaneous works on Japan we are at a loss to understand. They have not the least scientific value, and have only a very faint and loose connection with Japan, because the author took a few subjects from Japanese life. As well include the farce MIKADO in this bibliography. Such books belong at home in a "Circulating library's Catalogue", and not in a scientific bibliography.

We have complained of the want of method of this book, and we are obliged to prove it. Now we find under the III Section a long list of Periodicals with their contents.

This section comprises no less than 21 pages, and these weary long pages the readers will have to wade through every time they want to look up for some special article. It would have been more methodical to give in this list only the titles of these Periodicals, but to have given their contents under separate headings in the Bibliography itself, and their authors in the Index at the end. This would spare the reader an immense deal of time, and would have spared to the author some serious omissions. So in the enumeration of contents of the T'OUNG-PAO (p. 29), only the leading-articles are specified, whilst the Mélanges, Variétés, Bibliographie etc. are not specified. Now there are just as interesting topics treated of in these categories, as in the leading articles, only they are shorter; and in this way the author has a. o. overlooked our article "Illustrations and Descriptions of the Northern Ainos" in the Mélanges of Vol. II, p. 403—410, containing an analysis of the work of Ma-miya Rinchû on Yezo and Sacchalien; and the articles „Momification des morts à Darnley-Island et à Krafto" and „Anneaux nasaux dans les Kouriles" (in the Notes and Queries of Vol. III pp. 208 and 319), which are now only quoted in their German form (published in the Internationales Archiv für Ethnographie) on pp. 306 and 310 of the Bibliography. In the case of the T'OUNG-PAO this would have been easy work

[1]) And not KATTENDYKE.

enough, because we have always given an alphabetical Index at the end of each Volume. The different periodicals have been very slovenly excerpted and many omissions made, which could have been avoided by a little more care.

We give here a list of omissions, solely from the „Verhandlungen der Berliner anthropologischen Gesellschaft" in order to prove our assertion.

HEINE: Culturfortschritte der Japaner. IV (1872) pg. 275. — F. VON RICHTHOFEN: Ueber die Ursachen der Gleichförmigkeit des chinesischen Racentypus und seine örtlichen Schwankungen. V (1873) pg. 37 ff. [Mention of Japan on pg. 37 & 40.] — CRAMER: Reise der Kaiserl. Corvette Hertha. V (1873) p. 49 ff. [Japan mentioned in connection with Korea]. — R. VIRCHOW: Ueber Golden-Schädel. V (1873) pg. 135. [Mention of the Ainu]. — HILGENDORF: Theilung des Jochbeines am Japaner Schädel [Os japonicum]. VI (1874) pg. 27. — R. VIRCHOW: Ein Aino-Skelet. VII p. 27: The communication is based upon a letter from Dr. V. SIEBERT. — E. FRIEDEL: Mention of a pair of japanese scissors and comparison of them with an ancient pair of scissors excavated at Berlin. VII (1875) pg. 45. — W. DÖNITZ: Ueber die Abstammung der Japaner. VIII (1876) pg. 10. — JUNG: Schamanismus der Australier. IX (1877) pg. 16. [Mention of Shampooing in Japan on pg. 21. — The title of another paper of the same author „Japanischer Aberglaube" is incorrectly given by Mr. v. W.; this paper was not published in the „Verhandlungen", but as a leading paper in the „Zeitschrift"]. — E. VON MARTENS: Thierfiguren. IX (1877) pg. 492 [Japanese figures of animals described on pg. 493.] — H. VON SIEBOLD: Etwas über die Steinzeit in Japan. X (1878) pg. 428 ff. [The title of this paper is incompletely given and the paper is attributed by Mr. v. W. to Mr. JAGOR, who only read it in the meeting; the same mistake is made with „Pfeilgifte der Aino, X pg. 431 ff.; of which Mr. MAC RITCHIE, in his bibliography, quoted by Mr. v. W., has given the correct title]. — H. VON SIEBOLD: Japanische Kjökkenmöddinger. XI (1879) pg. 231 ff. — SCHLESINGER: Aino Schädel aus Yezo XII (1880) pg. 207 & 208. Mit Bemerkungen von GRAWITZ. [Title inexact in Mr. v. W.s list.] — KUHN: Palaeograph. Charakter der auf Japanischen Schwertern befindl. Schriftzeichen. XIII (1881) pg. 296. — F. G. MÜLLER BEECK: Japan, das Wokwok der Araber. XV (1883) pg. 502. — R. VIRCHOW: Polirtes Steinbeil von Japan. XVIII (1886) pg. 217. — OLSHAUSEN: Das Triquetrum. XVIII (1886) pg. 277 ff. [Japanese bronze-vessels mentioned pg. 278—280]. — W. DÖNITZ: Japanische Katzen mit verkrüppelten Schwänzen. XIX (1887) pg. 725. — Dr. RINTARO MORI: Bthu. hygien. Studie über Wohnhäuser in Japan. XX (1888) pg. 232—246 [Excellent paper on Japanese dwellings.] — J. SCHEDEL: Altsachen aus Japan. Mit Bemerkungen von R. VIRCHOW. XXIV. (1892) pg. 430 ff. — F. W. K. MÜLLER: Ueber angebliche Ainu Ornamonte. XXV (1893) pg. 532 [Title given by Mr. v. W. inexact and wrong] — F. W. K. MÜLLER: Eine Mythe der Kei-Insulaner und Verwandtes. XXV (1893) pg. 533 ff. [A Japanese tale from the Kojiki and Nihon shoki compared with that from the Kei-islands and from the Minahasa, Celebes].

By excluding newspaper articles, M. VON W. has overlooked in his Article Magic mirror (p. 162) the interesting experiments made in Wiesbaden with such a mirror described in the Nassauische Volkszeitung of. 10, 14, 24 & 25 January 1885 and the Rheinischer Kurier of 10 February 1885 and my own explanation of them in the Nassauische Volkszeitung of Jan. 24, 1885.

In the article on Tobacco (p. 178) are omitted the notes upon its introduction into Japan published by W. MAYERS, myself and A. F. in "Notes and Queries on China & Japan", Vol. I. pp. 61 & 93.

On p. 25 Mr. v. W. states that of the Notes and Queries on China and Japan only three volumes appeared (Jan. 1867 to December 1869). This statement is wrong, for in 1870 still appeared half a year of this periodical (Jan.—Oct. 1870).

We note two important omissions from this periodical: one on Japanese papermoney by R., with engraving and description of a *Kinsats* in Vol. III, p. 138, and one on the Early History of Japan by C. W. GOODWIN, in Vol. IV, p. 20—21.

With all due allowance for the shortcomings of a bibliographer, we think that the work could have been much more complete, if its author had been less hasty and superficial.

We can e. g. only account for the grammatical horror on page V: "Cettes Eves avant le péché" by sloveliness; for we do not think Mr. VON WENCKSTERN knows so badly French as to write himself such a blunder.

Admiral ROZE said (Congrès intern. des Orientalistes tenu à Paris en 1873, Vol. I, p. 161) of the Japanese woman: "Elle n'est point immorale: c'est une Ève avant le péché." If Mr. v. W. wants to put it in the plural, he ought to have written *ces Èves* or, if in the singular, *cette Ève.*

We only adduce this example to show that Mr. v. W. quotes "from memory" not having allowed himself the leasure to verify his quotations.

In the list of papers written by Japanese in foreign languages is omitted the paper of Dr. MASANAO KOIKE: Zwei Jahre in Korea (Int. Arch. für Ethnographie, Vol. IV (1891) pg. 1 ff. translated by Dr. RINTARO MORI into German.

But, with all its shortcomings, the book may prove of some use to students, although in our eyes, an incomplete bibliography is worse than none at all. They will, however, do well to control the author's statements and look into other bibliographies for missing articles. If Mr. VON WENCKSTERN had called it an "Essay of a bibliography" we could have glossed over its faults; but now the title states that this bibliography contains a classified list of all Books, Essays and Maps relating to Japan. We have shown in a superficial way how many books etc. are omitted in the work and that therefore the qualification all is highly presumptuous.

However, a beginning has been made, and if Mr. v. W. will carefully revise his work with due care and assiduousness, he may, after a few years, publish a better and enlarged edition of it for which all students of Japanese will be thankful to him.

LEIDEN 20 March 1895. G. SCHLEGEL.

XXVI. Dr. C. SNOUCK HURGRONJE: De Atjèhers. Batavia, Landsdrukkerij; Leiden, E. J. Brill. 1893/94. 2 Deelen, gr. 8°.

Der Herr Verfasser war mit einer Untersuchung des religiös-politischen Zustandes in Atjeh beauftragt und das vorliegende Werk enthält eine Neubearbeitung eines Theils seines, der Regierung von Niederländisch-Indien eingereichten Berichtes.

Bekanntlich gehört SNOUCK zu den besten Kennern mohammedanischer religiöser Verhältnisse und wie sein vor mehreren Jahren erschienenes Mekka, enthält anch dieses Werk eine Menge werthvollster Aufklärungen betreffs derselben. In der Vorrede giebt der Verfasser selbst, als den nächsten Zweck seiner Forschungen, die Erkenntnis des durch den Islam geübten Einflusses auf das politische, gesellschaftliche und religiöse Leben des Atjehers auf und diese Forschungen erstreckten sich, gleich wie die des Verfassers des wenige Zeit hernach erschienenen Werkes: „Het Familie- en Kampongleven op Groot-Atjeh", nur auf den durch Niederland besetzten Theil jenes Staates, die sogenannten „Benedenlanden". Ein, einige Zeit andauernder ruhiger Aufenthalt in den „Bovenlanden (Toenong) würde nach S. für einen richtigen Begriff Atjehscher Sitten und Satzungen von äusserstem Nutzen sein.

Im ersten Theil finden wir die Eintheilung des Volkes, Regierung des Staates, Gerichtspflege, Kalender, Feste, die Jahreszeiten, den Landbau, die Seefahrt, Fischerei, das Eigenthumsrecht auf Grund und Wasserflächen, sowie das Familienleben und das Familienrecht behandelt.

Nach einer Umschreibung der Grenzen von Atjeh, sagt Verf. dass die Geschichte dieses Reiches erst noch geschrieben werden muss, giebt eine kurze Characteristik gewisser schriftlicher Urkunden (*tharakata's*) die durch einige Sultane ausgefertigt, allein Vorschriften betreffs des Hofceremoniells, der Erbfolge etc. befassen und Althergebrachtes unberührt fortbestehen lassen. Für die Kenntnis des Rechtslebens des Volkes sind jene Edicte von keinem besonderen Werth und ist es dafür nothwendig das Gewohnheitsrecht selbst zu studiren, so wie es sich uns heut noch zeigt und das, nach S., sicher schon Jahrhundertelang bestanden hat.

Was den Ursprung des Volkes angeht so spricht Vieles dafür dass dasselbe aus einer Mischung verschiedener Elemente hervorgegangen. Dass hieran auch Hinduistische betheiligt gewesen ist eine blosse Vermuthung, obwohl der Hinduismus auf Atjehs Kultur und Sprache zeitweilig von Einfluss gewesen ist. Die Kenntnis der *Manti*, welche in den Bergen der XXII Mukim leben sollen, ist bis jetzt nur auf allerlei Erzählungen basirt; sie gelten einigen Berichterstattern als die ursprünglichen Bewohner des Landes. Malaien, Klings, und als Sklaven gehaltene Niasser, einzelne Bataks und Chinesinnen, sowie aus Mekka mitgebrachte Sklaven und Sklavinnen bilden das Material, dem die heutige Bevölkerung entsprossen ist.

Die sehr gedrängte Besprechung der Kleidung, Nahrung, Wohnung etc. bietet manches Interessante; besonders lesenswerth erscheint uns das betreffs der Einrichtung der Wohnungen mitgetheilte. — Der heutigen territorialen Eintheilung des Volkes ging eine solche nach Geschlechtern, *Kawōns*, voran, die alle Sprossen eines Mannes in der männlichen Linie umfassten und heut noch ihre Kraft dort bewahrt haben, wo die politische Eintheilung am wenigsten entwickelt ist. In der Besprechung des „*gampōng*" (Mal. *Kampong*), des Dorfes, seiner Einrichtung, Regierung und den hier herrschenden *adat* oder Gewohnheitsrechten begegnen wir der Erwähnung gewisser, *mennat'ah* genannter, Gebäude, die als Junggesellenhäuser und als zeitweiser Aufenthalt aller nicht im *gampōng* selbst angesessenen Männer dienen. Mit der Ausbreitung des Islam in Atjeh erhielten diese Gebäude zugleich den Charakter von *gampōng*-Bethäusern, wo, jedoch allein im Monat der Fasten, regelmässig religiöse Uebungen stattfinden, die jedoch manchen Ortes einen derartigen

Charakter tragen, dass wahrhaft Fromme denselben lieber fernbleiben.

Die Häuptlinge der *Mukim* oder Districte, *imeum* genannt, bilden eine Zwischenstufe zwischen der Dorfsregierung und dem Landesherrn, *Ulèëbalang;* die Entstehung der *Mukim* ist eine Folge der Moslimischen Vorschrift dass eine Religionsübung am Freitag nur dann als gültig anzusehen, falls ihr mindestens vierzig Männer beiwohnen. Um dies zu erreichen wurden eine Anzahl *gampōng's* zur *Mukim* verbunden, mit der *Moskee* als Mittelpunkt. Auf dasjenige was S. im weiteren Verfolg über die Territorial-Häuptlinge, *Ulèëbalang's*, deren Wirksamkeit, die Radja's (Sultane) von Atjeh, politische Abenteurer etc. sagt, einzugehen, ist hier nicht der Platz; dagegen möchten wir desto mehr die Aufmerksamkeit, wegen der vielen darin enthaltenen ethnographischen Details auf dasjenige lenken, was er über Zeitrechnung, Feste und Kalender mittheilt und wo wir u. A. in einer Note pg. 213 auch eine Aufgabe der gebräuchlichen Inhaltsmaasse finden. Im Anschluss hieran erhalten wir eine gute Schilderung des Landbaues und der Fischerei; der Reisbau ist mit abergläubischen Gebräuchen verbunden. — In dem, dem Familienleben und Familienrecht gewidmeten Kapitel behandelt der Verf. in ausserordentlich eingehender Weise die Brautwerbung, Verlobung, Heirath und was damit im Verband steht; darin treffen wir auch eine nähere Beschreibung der Toilette von Braut und Bräutigam. Dem schliessen sich eine genaue Auseinandersetzung des Heirathscontractes, Mittheilungen betreffs Polygamie, des Verhältnisses der Eheleute zu einander, Ehescheidung, Schwangerschaft und Geburt, über die Eltern als Erzieher, Krankheiten und deren Heilung, den Tod und die Behandlung der Leichen, sowie über die Vertheilung der Hinterlassenschaft an. Es mag hier bemerkt werden dass Dr. Snouck der Hypothese zugethan, dass dem heut in Atjeh herrschenden Patriarchat ursprünglich ein Matriarchat vorausgegangen, welche Meinung in dem *Adat* (pg. 357) nach welchem „die Frau niemals gezwungen werden kann ihrem Mann ausserhalb ihres Wohnsitzes zu folgen, ja ihm nicht einmal aus freiem Willen folgen mag", eine Stütze findet. Ferner lenken wir die Aufmerksamkeit unserer Leser auf dasjenige was der Verfasser sagt, betreffs der eigenthümlichen Behandlung welcher die Wöchnerin nach der Entbindung unterliegt, indem diese u. A. 44 Tage in nächster Nähe eines Ofens liegend, eine furchtbare Hitze und Rauch erdulden muss, um der Anhäufung von Feuchtigkeit in ihrem Körper vorzubeugen und selbem schnell die frühere Gestalt wiederzugeben (412). — Der Nabelstrang wird auch hier mit einem scharfen Stück Bambus abgeschnitten; mit einem Helm (Stück der Eihaut) geborene Kinder, sollen unverwundbar sein; gegen, den jungen Erdenbürger bedrohende, böse Geister sind allerlei Mittel und Beschwörungsformeln in Gebrauch. Dem Menschen feindliche Mächte verursachen auch hier die Krankheiten; die Mittel zu deren Entfernung finden wir auf pg. 454 angegeben. Särge kommen sonst bei Muhammedanern nur ausnahmsweise zur Verwendung, weil man wünscht dass die Erde im wahren Sinne des Wortes die letzte Ruhestätte der Todten sei; dagegen fehlen solche in Atjeh nur bei Sklaven und äusserst armen Leuten und besteht, um dem eben erwähnten Wunsch dennoch zu genügen, der Boden aus Rotangeflecht oder er ist aus mit Rotan aneinander verbundenen Kokosblattstielen verfertigt.

Der zweite Theil enthält des Verf. Ausführungen über die Atjehsche Wissenschaft, Litteratur, Spiele, Belustigungen und Gottesdienst; ein näheres Eingehen auf dieselben ist in dieser Zeitschrift nicht am Platz. Dagegen sei darauf aufmerksam gemacht dass dem ersten der genannten Kapitel einige kurze Mittheilungen über „Kunst" folgen, woraus wir ersehen dass die, früher nicht unverdienstliche Steinbildhauerei so gut als verschwunden ist, während die Weberei noch stets blüht; die Muster der verfertigten Stoffe werden durch S. erklärt, weben kann jede Frau, das Aufspannen der Fäden auf den Webstuhl kennen aber nur wenige, in jedem *gampōng* nur eine Frau. Auffallend ist dass S. behauptet die Goldschmiedekunst stehe nicht hoch, während uns doch sehr beachtenswerthe Erzeugnisse derselben aus dem ethnographischen Reichsmuseen und auch aus anderen Museen bekannt sind und auch Dr. Jacobs sich in seinem hier unten zu besprechendem Werke in gegentheiliger Weise äussert.

Viel werthvolles Material in ethnographischer Beziehung enthält auch das Kapitel über Spiele und Belustigungen, unter den Brettspielen begegnen wir auch hier jenem u. A. auf Java *„dakon"* genanntem, wobei das Brett zwei Reihen, jede von sechs gleich grossen und überdem an jedem Ende eine grössere Grube enthält. Dasselbe Spiel ist uns von den verschiedensten Provenienzen in Indonesien und ausserdem von Afrika und Amerika bekannt geworden. Meistens bedient man sich in Atjeh keines Brettes sondern formt die erwähnten Gruben im Erdboden. Bei einigen Spielen zeigt sich die Rolle suggestiver Erscheinungen.

Leider finden sich im Text manche Wiederholungen, wie dies auch schon von anderer Seite erwähnt ist (Ind. Gids 1894, Maart, pg. 448); andererseits aber auch werthvolle Angaben ethnologischen und ethnographischen Characters, deren im Inhaltsverzeichnis nicht erwähnt.

Nach unserer Ueberzeugung bildet S.'s Arbeit ein höchst werthvolles Glied in der Reihe jener neueren Publicationen die eine bessere Kenntnis von Land und Volk Indonesiens anbahnen. Desto mehr hätten wir gewünscht der Verfasser hätte sich der, ihm eigenen, scharfen Weise in der er, wo es der Wahrheit gilt, Irrthümer Anderer bestreitet und die auch hier wieder zu Tage tritt, enthalten. Derart Ausfälle sind in einer wissenschaftlichen Arbeit minder angebracht und erhöhen in keiner Weise den Werth einer solchen.

XXVII. Dr. JULIUS JACOBS: Het Familie- en Kampongleven op Groot-Atjeh. — Eene bijdrage tot de Ethnographie van Noord-Sumatra (Uitgegeven van wege het Kon. Nederl. Aardrijksk. Genootschap). Vol. 1 & 2. Leiden E. J. Brill. 1894. 8⁰. Dies Werk, kurze Zeit nach dem vorstehend besprochenen erschienen, zeigt einen davon durchaus abweichenden Charakter und ergänzt jenes selbst in einiger Hinsicht. Während in jenem Werke das Atjehsche Volk, wie oben gesagt, von der religiös-politischen Seite betrachtet wird und alles Uebrige nur Nebensache ist, beschäftigt sich dieses mehr mit dem eigentlichen Volksleben und ist z. B. beinahe die Hälfte des ersten Theiles ausschliesslich der Schilderung der Familien- und Verwandtschaftsverhältnisse und damit in Verband stehenden Dingen gewidmet.

Der Verfasser, schon durch seine Werke über die Balinesen und die Badujs als guter ethnographischer Beobachter bekannt, erfreute sich, wie er uns mittheilte, für die gegenwärtige Arbeit der Unterstützung hochgestellter Beamter der Niederl. Indischen Regierung, während sie durch ein empfehlendes Wort des durch seine linguistischen etc. Arbeiten über Atjeh wohlbekannten Herrn K. F. H. VAN LANGEN, beim Publikum eingeführt wird.

In Folge der in Atjeh obwaltenden Umstände und der angestrengten Thätigkeit des Verfassers als Chef des Hospitals in Kota Radja, konnte derselbe sich nicht in so ausgedehnter Weise mit den nöthigen Untersuchungen befassen wie er es selbst gewünscht, und ist der ganze erste Theil auf Mittheilungen von speziell für diesen Zweck geschulten Berichterstattern basirt, die, wie Verf. mittheilt, stets durch ihn controllirt wurden. Wie das vorige Werk, bezieht sich auch dieses nur auf die Bewohner des durch die Niederländisch Indische Regierung jetzt besetzten Theiles von Atjeh; betreffs des Ursprungs dieser Bevölkerung ist Dr. J. derselben Meinung wie Dr. SNOUCK HURGRONJE.

Nach einer kurzen Einleitung, geht Verf. zum eigentlichen Zweck seiner Arbeit über und schildert uns die Form der Ehe, die nach ihm eine rein agnatische ist, zeigt uns unter welchen Personen das Eingehen der Ehe in Atjeh nicht erlaubt ist, und schildert Brautwerbung, Ehe, und was damit in Verband steht. Ein lediger Mann ist eine seltene Erscheinung und unter keinem Volk in Niederl. Indien werden Ehen in so jugendlichem Alter geschlossen wie in Atjeh. Ehen bei denen der Mann 15 und eine Frau 10 oder 11 Jahre alt ist, gehören gar nicht zu den Seltenheiten. — Das lang ausgesponnene Ceremoniell der Heirath erinnert in mancher Hinsicht an Völker bei denen dieselbe auf dem Wege des Brautraubes sich vollzieht. Ueber Kinderehen fasst Dr. J. sich kurz, ebenso über Polygamie und ihre Folgen; letztere oder besser Polygynie kommt natürlich in Atjeh vor, doch meist nur bei Wohlhabenderen und Personen von höherem Range, während der gewöhnliche Dorfbewohner meist nur eine Frau ehelicht. In der nun folgenden Schilderung des Lebens eines jungen Paares streift Verf. mit Recht in sarkastischer Weise gewisse „Stubenethnologen", die selbst den allerdelicatesten Punkt des Ehelebens in breitgetretener Weise, als einen wichtigen Punkt der Forschung, zum Gegenstand der Besprechung machen. Mittel um den Genuss des Coitus zu erhöhen, wie solche von den Dayak bekannt, kommen in Atjeh nicht vor, höchstens wendet man Amulette an, von denen eines näher beschrieben wird. Nachdem der Coitus zum ersten Mal stattgefunden, empfängt die junge Gattin von ihrem Mann einen mehr oder minder kostbaren, metallenen Gürtel nebst einer Summe Geldes zum Geschenk. Der erstere offenbart der ganzen Welt wie weit das junge Paar im Eheleben gefördert ist und soll ein Sinnbild sein um anzudeuten dass die Frucht gepflückt ist. — So complicirt die Heirathsgebräuche, so einfach sind die für die Ehescheidung gültigen dreierlei Formen, die der Verf. beschreibt; der Mann kann seine Frau jederzeit verlassen, und es giebt Eingeborne die schon zum 10ten oder 15ten Mal getraut sind. Die Frau kann nur in Folge von Misshandlungen, oder Vernachlässigung der Pflichten ihres Mannes ihr gegenüber, Ehescheidung durch den Richter verlangen. In den der Stellung der Wittwe in der Atjehschen Gesellschaft gewidmeten Seiten weist J. auf den grossen Einfluss den einzelne Frauen auf die Regierung des Landes ausgeübt haben. — Eine unfruchtbare Frau steht auch in Atjeh in keiner hohen Achtung, und bleibt eine Ehe kinderlos so wird die Schuld stets der Frau gegeben, die dann vom Manne verstossen wird und in Folge der, solchergestalt ihr anhaftenden Schmach wenig Aussicht auf eine andere Heirath hat. Sie trachtet dem denn auch auf verschiedenerlei Weise vorzubeugen, wie uns J. dies des Weiteren erzählt und wobei wir

u. A. auch einer Spur von Phallusdienst begegnen. Aeussert sich aber die Schwangerschaft so folgt ein kleines Fest, die Frau muss sich schwerer Arbeit enthalten und sich hüten vor gewissen Thieren zu erschrecken, damit die Frucht nicht deren Gestalt oder Eigenschaften annehme; als Schutzmittel gegen dies sogenannte „Versehen" dienen Amulette. Von Speisen muss die Schwangere solche die einen Abortus hervorrufen können, meiden; Verlangen nach aussergewöhnlichen Speisen, wie unter kultivirten Völkern oft vorkommend, scheint in Atjeh eine sehr seltene Erscheinung zu sein. Die Schwangere wird seitens ihres Mannes mit Aufmerksamkeit behandelt, allein J. glaubt dass dies mehr der Frucht, als ihrer selbst halben geschehe; die Kleidung unterscheidet sich nicht von der unter gewöhnlichen Umständen getragenen, nur dass nichts um den Hals getragen wird, weil sonst das Kind mit um den Hals geschlungenem Nabelstrang zur Welt kommt. Von dem, sich an die Schwangerschaft knüpfenden Aberglauben giebt Verf. uns eine kurze Schilderung; eine Folge desselben ist dass der Mann während derselben an sein Haus gebunden ist. Die Schwangere gilt nicht als unrein. — Als Hebamme fungirt meist eine alte Frau, die selbst einige Kinder gehabt und ihr Wissen von einer Collegin erlangt hat; ihre Wirksamkeit ist aber eine viel umfassendere als die einer gewöhnlichen Hebamme, sie ist nach J. als die *„sage femme"* des Dorfes anzusehen. Ihre Verrichtungen vor, während und nach der Entbindung, hauptsächlich in der Verrichtung einer Menge abergläubischer Ceremonien zur Bekämpfung von bösen Geistern und Spuk bestehend, werden durch den Verf. eingehend geschildert, Spuren von Suggestion zeigen sich uns auch hier. Nachdem J. uns mit der Behandlung des jungen Erdenbürgers in dem allerersten Lebensstadium bekannt gemacht, geht derselbe zu einer Besprechung der Lebensabschnitte über, in welchen das Kind zur Jungfrau oder zum Jüngling erwächst. Kleidung und Schmuck, das Schneiden der Nägel und der Haare, etc. etc. finden hier eingehende Betrachtung; an letztgenannte Verrichtungen knüpfen wieder mancherlei abergläubige Anschauungen an. Die in Indonesien weitverbreitete Schaambedeckung für Mädchen, in einer herzförmigen Platte aus Metall bestehend, treffen wir auch hier, jedoch auch aus Kokosnusschale verfertigt (pg. 166, Pl. I Fig. 3); sie wird dem Kinde mittelst einer um die Hüften laufenden Schnur angelegt, wenn dasselbe am 44sten Tage zum ersten Male mit der Mutter ins Freie gebracht wird. J. ist geneigt hierin Spuren von Phallusdienst zu sehen; eine weitere Stütze seiner Meinung könnte man in der Form des gleichen Apparates für Knaben erblicken, von dem J. (pg. 183) erzählt dass er aus zwei Testikeln ähnlichen Schellen, die an einer Hüftschnur befestigt sind bestehe, von dem jedoch das ethnographische Reichsmuseum ein Beispiel von Java besitzt, wo eine den Penis nachahmende Röhre in der Mitte zweier Schellen, alles von Silber verfertigt, an einer Schnur befestigt ist. Beschneidung findet bei beiden Geschlechtern statt; Spiele für Mädchen und Knaben finden sich eine grosse Zahl geschildert; der Unterricht erstreckt sich nur auf die Erlernung des Koranlesens, von dem des Schreibens oder Rechnens ist keine Sprache. J. wendet sich dann zur Besprechung der Kleidung und des Schmuckes Erwachsener, sagt uns dass Zahnfeilung nur selten geübt wird und lehrt uns in welcher Weise sich erwachsene Mädchen oder Jünglinge Beschäftigungen zuzuwenden haben. Prostitution und Kupplerinnen sind auch hier bekannte Dinge, doch müssen letztere ihr Geschäft äusserst geheim betreiben, um nicht auf den geringsten Verdacht hin aus dem Kampong entfernt zu werden. Die Frauen bewahren ihren Gatten durchgängig grosse Treue, auf Ehebruch stehen strenge Strafen. Dem was manche Berichterstatter betreffs der groben Unsittlichkeit der Atjeher erzählen, widerspricht J. und erhärtet seine Ansicht durch Beispiele sehr züchtigen Betragens.

Die Besprechung der täglichen und häuslichen Beschäftigungen beginnt J. mit einer Schilderung der Tageseintheilung, der Aufzählung der täglichen Gebete und zeigt uns wie und was der Eingeborne isst, wobei wir Listen der Gemüse und Früchte etc. erhalten. Der Genuss berauschender Getränke wird fast gänzlich vermieden, Tabak leidenschaftlich und Opium gleichfalls viel geraucht; letzterer aber fast nie durch Frauen. Im Uebrigen kommt unser Autor in diesem Kapitel auf alles nur erdenkliche zu sprechen was einem Atjeher im Laufe eines Tages begegnen kann, was er thut und treibt, wie er sich kleidet, wie und welche Gewerbe er betreibt, welchen Spielen er fröhnt, etc. etc. um sich dann über die Krankheiten, die Hygiene und die Heilkunde zu verbreiten. Die Schluss-Kapitel des ersten Bandes sind dann der Schilderung des Sterbebettes und Begräbnisses, des Erbrechtes, der der psychischen Eigenschaften, wobei auf pg. 387 ff. ein rührendes Beispiel der Kindesliebe gegeben wird, und einer Besprechung der Anschauungen des Volkes über aussergewöhnliche Naturereignisse gewidmet.

Der zweite Band enthält auf den ersten 176 Seiten vom Verfasser selbst Beobachtetes, während der übrige Theil durch eine Wiedergabe schon früher gedruckter älterer, auf Atjeh bezüglicher Reiseberichte eingenommen wird. Ueber den Werth dieser letzteren lässt sich streiten und wir wollen uns eines Urtheils betreffs der Erwünschtheit dieses Neudrucks enthalten. Was dagegen die eigenen Beobachtungen des Verfassers angeht, begrüssen wir selbe mit Freuden, obgleich sich hier Wiederholungen von Dingen eingeschlichen haben die schon mehr oder minder ausführlich im ersten Band behandelt sind. Abgesehen davon aber, bieten die Schilderungen des Innern eines Atjehschen Hauses, des Lebens und Treibens auf dem Pasar, der Fischerei, des Landbaus, der Töpferei und Weberei etc., eine solche Menge ethnographisch wichtigen Materials, dass sie allein schon uns der Studie des Werkes werth scheinen. Der Verkauf von allerlei Gegenständen ausländischen, zumal Chinesischen Ursprungs auf dem Pasar, hat nach J. auch hier eine Veränderung der Kleidung etc., der Sitten und Gebräuche zur Folge. — Wie wir dem bei andern Völkern, z. B. den Eingebornen Pelau's begegnen, wird auch hier der Fischfang erst begonnen, nachdem durch die Theilnehmer ein Opfermahl zur Ehre eines Heiligen abgehalten, worin der Verfasser, wohl mit Recht, Reste eines früheren heidnischen Brauches sieht. Hauptsächlich fischt man mit Schlepp- und Treibnetzen, vor dem Auswerfen desselben wird ein *Kĕtika*, eine Art horoskopischer Schrift befragt ob der gewählte Zeitpunkt günstig; während des Fischens wird so viel möglich Schweigen beobachtet; wird das Netz eingezogen und der Fang ans Land gebracht, so erhält jeder der zufällig dabei gegenwärtig, einige Fische zum Geschenk auf Grund einer dem Eigner der Netze obliegenden ceremoniellen Pflicht. Ueber das Fischen mittelst Reusen etc., die Arten der zum Verkauf gebrachten Fische etc. macht Verf. eingehende Mittheilungen und geht dann zur Schilderung des Landbaues über, dem eine Besprechung des Grundbesitzes vorangeht. Reis ist fast das einzige Produkt des Landbaues, die Pfefferkultur welche früher ausserordentlich verbreitet war, ist, seitdem die Häfen von Gross Atjeh für die Ausfuhr geschlossen, fast gänzlich verschwunden. Der früher sehr gute, einheimische Viehstand ist in Folge des Krieges und Epizootie vernichtet, und man benutzt eingeführtes Zug- und Pflugvieh das oft erneuert werden muss; unter den Transportmitteln finden wir auch des Flosses erwähnt. — Der Kampong *Atĕĕk Munjing* ist der Centralpunkt der Töpferei für Gross Atjeh, auch hier wie bei so vielen anderen Naturvölkern sehen wir dieselbe ausschliesslich durch Frauen betrieben; das Verfahren wird durch J. sehr anschaulich beschrieben; glasirte Produkte erzeugt man nicht. Der Kampong *Lohong* ist seit Jahrhunderten der Sitz der besten Goldschmiede, die äusserst geschmackvolle Schmucksachen von Gold und Edelsteinen etc. verfertigen und in hohem Ansehen stehen. Wie uns eine Serie derartigen Schmucks im ethnographischen Reichsmuseum lehrt, versteht der einheimische Arbeiter seinen Erzeugnissen mit den, durch J. erwähnten allerprimitivsten Werkzeugen eine sehr geschmackvolle Form und ausserdem dem Metall selbst ein wunderbares Feuer zu geben; beides kommt leider auf den Tafeln 1 & 9, die nicht eben gut gerathen, nicht in genügender Weise zum Ausdruck. Auch goldene Gebisse mit Zähnen desselben Metalls werden sehr kunstvoll verfertigt. — Die Produkte der Weberei zeigen meist düstere Farben; das Gefühl ernster Würde kommt in ihnen zum Ausdruck; Anilin verdrängt auch hier schon die einheimischen Färbemittel. — Die Waffenschmiede waren bis vor kurzer Zeit in Atjeh zahlreich vertreten, das Poliren, Damasciren oder Ciseliren des Stahls war unbekannt, der hohe Werth gewisser Prunkwaffen daher auch nur durch den Schmuck der Scheiden und der Griffe mit Edelsteinen etc. erzeugt. In der hierauf folgenden Beschreibung der Atjehschen Waffen begegnen wir auch der runden Schilde von Rotangeflecht oder Messing; letztere dürfen nur durch die *Ulúbalang*, erstere durch die Feldobersten (*panglima prang*) gebraucht werden. Zaubermittel um sich unverwundbar zu machen sind ebenfalls in Gebrauch. — In dem, die Volksspiele behandelnden Schlusskapitel begegnen wir der Beschreibung eines Umzuges mit zwei riesigen Figuren, wie wir dem auch anderwo und selbst in Europa (Oesterreich) begegnen. Thierkämpfe (Stiere, Hähne, Turteltauben) finden leidenschaftliche Bewunderer, für gewisse mimische Aufführungen bedient man sich eigens dafür ausgebildeter, reich geschmückter Knaben, unter den Musikinstrumenten spielen zumal Trommeln ein Rolle, neben ihnen sind Gongs, dreierlei Blase-, und zwei Streichinstrumente in Gebrauch. Von den dem Werke beigegebenen Tafeln verdienen einzelne der photolithographischen, wo sie Rassentypen, Häuser, und Begräbnisstätten darstellen rühmende Erwähnung.

Sollen wir nunmehr unsere Ueberzeugung betreffs des Werthes der Arbeit J.'s für die Kenntnis von Land und Volk von Atjeh in wenige Worte zusammenfassen, so möchten wir uns dahin äussern dass wir selbe schon darum als eine gewichtige und beachtenswerthe bezeichnen, weil sie, wie Eingangs bemerkt, Snouck's Arbeit in mancher Beziehung ergänzt und weil sie zumal im zweiten Theil eine Menge Einzelnheiten betreffs ethnographischer Fragen enthält, die uns von grossem Nutzen für die Forschung erscheinen. Von manchen Seiten hat dies Werk eine theils abfällige Beurtheilung erfahren, zumal wegen auf linguistischem Gebiete sich findender Fehler; uns gegenüber rümpfte ein Gelehrter die Nase „weil J. in ausgebreiteter Weise über gewisse Vorgänge im Geschlechtsleben und über gewisse Körpereigenschaften spräche"; während wir in Wahrheit derart Mittheilungen nur an zwei Stellen in kurzer, sachgemässer und decenter Weise erwähnt finden, wobei J. wie oben bemerkt selbst noch die Liebhaberei gewisser Stubenethnologen für derart Dinge geisselt. Jenem Gelehrten erwiderten wir, dass in wissenschaftlichen Dingen Prüderie keine Rolle spielen dürfe; ersteren rufen wir zu „Tadeln ist leichter wie besser machen"!

Sehr sicher hat JACOBS' Arbeit ihre Schwächen, so würden wir u. A. auch gewünscht haben dass er sich, fern jeder Bibliothek, der Vergleiche Atjehscher, Sitten etc. bei andern Völkern enthalten hätte; allein trotzdem sind wir überzeugt dass der Verfasser, der uns persönlich bekannt, mit vollem Ernst an seine Aufgabe herangetreten, und uns unter dem offenen Geständnis dass er der Atjehschen Sprache nicht kundig gewesen, nach Maassgabe seiner Kräfte bot, so viel er nur vermochte. Dass die Niederländische Geographische Gesellschaft dieser, unter vielen Mühen und Beschwerden entstandenen Arbeit zur Veröffentlichung verholfen, gereicht ihr zur Ehre; sie hat sich damit ein Recht auf den Dank der Ethnologen gesichert!

Während das Vorstehende des Druckes wartet, erreicht uns die Trauerkunde vom Heimgang des Verfassers! Nachdem er, seitdem er Atjeh verliess zweimal dem Tode entronnen, hat ihn derselbe, nun wir J. endlich wieder genesen wähnten, zu Makassar doch ereilt. Damit ist wieder einer der, so spärlich vertretenen, Arbeiter im Interesse der Ethnologie auf Indonesiens Gebiet heimgegangen, und zwar einer der der Wissenschaft als einer hehren Göttin diente, und dem sie nicht als milchgebende Kuh galt! So ist seine letzte Arbeit sein Schwanengesang geworden, den er uns hinterlassen als ein Beispiel ernster Arbeit, die er nur mit Aufbietung äusserster Energie vollenden konnte, wie dies aus einem Briefe vom Mai 1894 an uns hervorgeht. Er schreibt uns dort u. A.: „Ich bin jetzt, es ist wahr, von meiner Krankheit „völlig geheilt; indessen habe ich dabei viel, sowohl „leiblich, als psychisch eingebüsst. Die Arbeit über „Atjeh, welche ich unternahm und ausführte, während „ich mit Dienstpflichten schon überbürdet war, und „unter Umständen wie man sie allein in einem feind„lichen, noch nicht gänzlich unterworfenen Lande „antrifft, gab mir den Todesstoss. Die eine Hälfte „war bereits nach Europa gesandt und die andere „noch nicht vollendet als ich erkrankte und das „Aufsuchen eines gesünderen Klimas unter andern „Umständen für mich „imperativ" gewesen wäre; „jetzt hatte ich mich aber festgearbeitet und konnte „nicht fort, erst musste das Werk beendet sein und „damit ging noch ein volles Jahr verloren. Und als „ich dann endlich Atjeh verliess, sah ich einer Leiche „ähnlich und hatte alle Energie und Lebenslust ver„loren". — — Die Meinung einer völligen Heilung, von der J. hier spricht, hat sich als eine trügerische erwiesen; sein Leben endete vorzeitig, als ein der Wissenschaft gebrachtes Opfer. Sei ihm die Erde leicht, ihm dem treuen, tapferen Streiter für Wahrheit, Licht und Recht, so wie wir ihn gekannt! — —

XXVIII. ADOLF BASTIAN: Die Verbleibs-Orte der abgeschiedenen Seele. Mit 3 Tafeln. Berlin, Weidmannsche Buchhandlung. 1893. 8°.

Die vorliegende Schrift enthält einen im „Verein für Volkskunde" zu Berlin vom Verfasser gehaltenen Vortrag in erweiterter Gestalt, und berührt Fragen und Anschauungen betreffs des grossen Räthsels der Endbestimmung des Menschen bei den verschiedensten Völkern. Eine derartige Umschau lehrt uns dass wir allenthalben dem Sehnen nach, resp. dem Glauben an eine Fortdauer unseres geistigen „Ich" begegnen. Das muss zum Nachdenken und zur Einkehr in uns selbst veranlassen und zu der Frage ob ein Theil unserer Mitwelt der in eitler Ueberhebung, spöttisch lächelnd derart Fragen gegenüber steht, resp. sich von ihnen abwendet, sich wohl auf dem rechten Wege befindet und ob nicht auch hier das Dichterwort „Und was die innere Stimme spricht, lüget nicht", am rechten Orte. — Möge in solcher Beziehung auch diese Arbeit nützlich wirken und dazu anregen dass wir arbeiten so lange es Tag, damit wir der hohen Endbestimmung, die unser Inneres uns verspricht, mehr und mehr würdig werden.

Geschieht das, so wird auch hier die Ethnologie, durch Schaffung einer einheitlichen Weltanschauung auf naturwissenschaftlicher Basis, ihren Zweck erfüllen und dazu beitragen ein zufriedeneres Geschlecht, das fern bleibt dem Jagen nach Glanz, Tand und Schimmer, zu zeitigen.

XXIX. ADOLF BASTIAN: Zur Mythologie und Psychologie der Nigritier in Guinea, mit Bezugnahme auf socialistische Elementargedanken. Berlin, Dietrich Reimer 1894. 8°. Mit einer Karte.

Bekanntlich ist Fetischglaube und Zugehöriges nirgend zu solch hoher Entwicklung resp. Ausbreitung gelangt wie in Guinea; dazu kommt dass wir über die einschlägigen Verhältnisse hier, weil schon früher als andere Forschungsfelder zugängig gewesen, besser unterrichtet sind und reichlicheres Vergleichsmaterial besitzen.

Von dieser Basis ausgehend giebt B. in dem vorliegenden Werke mancherlei Anregungen zum Denken über die Endbestimmung unseres Geschlechtes, und interessante Vergleiche mit dem was sich betreffs der Idee eines Gottesbegriffes etc. bei anderen Völkern findet. Auch hier mahnt Verf. wieder zur Vorsicht, und vor Uebereilung und Ueberhebung gegenüber den Resultaten der vergleichenden Religionswissenschaft. Dabei kommt B. dann auch auf die gesellschaftlichen Missstände heutiger Tage, das Wesen, die Ziele und die Thätigkeit der Socialdemokratie zu sprechen und ergeben sich mancherlei interessante Streiflichter.

Dass die gegenwärtigen Gesellschaftszustände einer Reform an allen Ecken und Enden bedürfen, giebt auch B. zu und sehr richtig sagt er (pg. 116): „In „erster Linie gilt es eine durchgreifend systematische „Linderung der materiellen Noth. Welch' ein Bild „wenn grosse Massen am Hungertuche nagen, „während numerisch verschwindendste Minoritäten „in ungezähltem Ueberflusse schwelgen mögen." Was uns betrifft, so sind wir es mit unserem Verf. vollkommen eins, auch was die Vorsicht in der Anwendung der Mittel zur Heilung der hier in Betracht kommenden Schäden betrifft, als deren Ursprung wir das Ueberhandnehmen krassesten Materialismus und die stetig zunehmende Vernachlässigung idealer Interessen ansehen. Man blicke nur um sich! Das „Buch der Bücher", die Basis aller gesellschaftlichen Zustände und idealen Regungen, ist in vielen Staaten Europa's durch die Gesetze von den Schulen gebannt; das frühere Interesse für das Studium der umgebenden Natur, das beste Mittel um zu idealerer Lebensanschauung zu führen, ist, weil durch die Schule nicht genügend gefördert, bei unserer heutigen Jugend verdrängt durch allerlei Sport (Velocipede, Lawntennis, Rudern etc.) der, weil eben nur als Sport betrieben, alle idealen Regungen unterdrückt und nebenher oft schädigend auf die Gesundheit wirkt. Wohin soll das führen? Wie anders in früheren Zeiten! Wie mit Glorienschein umgossen lebt in unserer eigenen Erinnerung jene Zeit, wo wir Sonntags in Gesellschaft eines mehr oder minder grossen Kreises von Altersgenossen hinauszogen in die freie Natur, um durch das Studium ihrer Kinder mehr und mehr kennen und lieben zu lernen die grosse Macht die das All regiert! Wie anders sind die Zeiten worden! Und wenn wir den Materialismus schon im aufkeimenden Geschlechte sehen, wenn das geschieht am grünen Holz, wie solls am dürren werden? Betrübt wird sich jeder Menschenfreund von solchem, vor seinem geistigen Auge heraufdämmernden Bilde abwenden und nur die Hoffnung bleibt ihm, dass der Mensch, nach all solchen Verirrungen, endlich doch sich selbst wieder finden, dass das Göttliche, das Ewige was in ihm liegt endlich doch wieder zum Durchbruch kommt, kraft des unabänderlichen Gesetzes der Evolution. Um dafür den Boden zu bereiten haben wir der Prediger in der Wüste, wie B., einer ist, nöthig; dass sie uns aufschütteln, uns stählen zum Kampf und uns vorbereiten durch ihre Mahnrufe auf die kommende Zeit. Solch Mahnruf ist auch das uns hier beschäftigende Werk, das wir weitesten Kreisen zum Studium empfehlen möchten. Wie herrlich, wie anmuthigend klingen die Worte B.'s die wir zum Schluss hiehersetzen:

„Kriegsmuthig und siegesgewiss hat sie ihr Banner „aufgesteckt, die vom „naturwissenschaftlichen Zeit„alter" in den Dienst der Psychologie berufene Schaar; „hellscheinend glitzern neu geschmiedete Waffen, „frisch wehen, mit den Emblemen treffender Schlag„wörter bunt prangende Fahnen den nihilistisch „eisigen Hagelstürmen (eines Jan Hagel) entgegen, „um für der Menschheit ideale Güter zu kämpfen, „um das Erbtheil unserer Väter über die momentan „bedrohende Katastrophe hinüberzuretten, den Epi„gonen zum Heil. So gebe der Himmel seinen Segen".

Auch auf uns ruht die Pflicht unsere Kräfte zu weihen diesem Kampfe für die höchsten Güter der Menschheit, und das Interesse dafür in immer weitere Kreise zu tragen. Gelingt uns das, so werden die heut offen darliegenden Wunden wieder vernarben und ein zufriedeneres Geschlecht wieder erstehen. Möge für solches Streben auch die Lektüre des hier besprochenen Werkes zahlreiche Freunde erwerben.

XXX. A. Bastian: Controversen in der Ethnologie. IV Fragestellungen der Finalursachen. Berlin, Weidmannsche Buchhandlung 1894. 8°.

In diesem Schlusstheil der Controversen behandelt der Verfasser Fragen und Probleme, die das Heiligste und Erhabenste streifen, das ein grosser Theil der Menschheit sich bewahrt und deren Besprechung, resp. Untersuchung eines der heikelsten Kapitel ethnologischer Forschung bildet. Freilich liebt die grosse, dem krassesten Materialismus huldigende Menge der Jetztwelt die Beschäftigung mit diesen Fragen nicht, und achselzuckend wendet sie sich ab. Allein das von allen Seiten herbeiströmende psychologische Material regt von selbst zum Denken und zur Untersuchung an, um, soweit es nur möglich, uns selbst auch in psychologischer Beziehung zu erkennen, um einen Standpunkt einzunehmen gegenüber der, mit Glanz und Pracht naturwissenschaftlich proklamirten Weltanschauung, die es gilt, wie B. sagt, über einen gefährlichen Wendepunkt, wo ihrem Evolutionsstadium materialistische Versumpfung droht, hinwegzuhelfen, und heil und unversehrt hinüber zu führen, in den von Geistesheroen der Vorzeit angepflanzten Garten (pg. 217).

Möge denn der Standpunkt zu dem uns eine reifliche Untersuchung der in Rede stehenden Fragen leitet frei sein und bleiben von jeder Ueberhebung; möge die Untersuchung uns dahin leiten dass wir diejenige Lösung finden, die in der Bestimmung des Menschengeschlechts zur Aufgabe gestellt war, dass der Mensch sich selbst erkenne in der Menschheit und Menschlichkeit. — Denen die sich für diese Lösung interessiren, empfehlen wir das obengenannte Werk angelegentlichst zum Studium.

XXXI. ADOLF BASTIAN: Die Samoanische Schöpfungssage und anschliessendes aus der Südsee. Berlin, Emil Felber, 1894.

Nach einer Inselgruppe, auf die durch die Eifersucht der Kolonialmächte in den letzten Jahren genügend die allgemeine Aufmerksamkeit gelenkt wurde, führt diese Schrift uns im Geiste und bietet uns, durch eine, von lichtvollen Vergleichen strotzende, Einleitung vorangegangen, die Samoanische Kosmogenie, den Berichten des verdienstvollen Missionars PRATT entnommen. Ihr schliessen sich eine Reproduction der, schon früher in der heiligen Sage der Polynesier, publicirten Hawaiischen Kosmogenie, sowie zum Vergleich Analogien aus Mangaia, Neu Seeland und Nukahiva an.

Die Schrift ist ein höchst werthvoller Beitrag zur Kenntnis der Vorstellung die jene Naturkinder sich über die Erschaffung der Erde geformt.

XXXII. OTIS TUFTON MASON: North American Bows, Arrows and Quivers (From the Smithsonian Report for 1893). With 58 plates. Washington, Governement Printing Office, 1894. 8°.

In this richly illustrated paper, the well known author gives a monograph of the bows of the North American aborigines and the implements connected with them. Beginning with a short sketch of the offensive weapons of these aborigines, Mr. MASON presents us with a vocabulary of archery, treats in an excellent way with all the different forms of bows, arrows and quivers, used by the Indians of North America, and gives a multitude of notes on making them, the material used for them, the arrow release and other matters, connected with the subject. The interesting experiments taken by Mr. HOLMES in making stone arrowheads are clearly described. — So we are convinced, that the paper will form the base for all further research, not only regarding North American bows and arrows, but also those of native peoples in other parts of the world.

XXXIII. OTIS TUFTON MASON: Woman's share in Primitive Culture. New-York, Appleton & Co., 1894. 8°. (With numerous illustrations).

This is the first volume in the Anthropological Series, edited by Prof. FREDERICK STARR, of the University of Chicago. The series is undertaken in the hope that anthropology — the science of man — may become better known to intelligent readers. While the books are intended to be of general interest, they will in every case be written by authorities who will not sacrifice scientific accuracy to popularity. In the present volume, written by one of our best ethnologists, is traced the interesting period when with fire-making began the first division of labour — a division of labour based upon sex — the man going to the field or forest for game, while the woman at the fireside became the burden-bearer, basket-maker, weaver, potter, agriculturist, and domesticator of animals.

The book is exellently illustrated and very well printed; we recommend this work warmly to our fellow ethnographers. J. D. E. SCHMELTZ.

XXXIV. G. E. GERINI: *Chūḷākantamaṅgala* or the Tonsure Ceremony as performed in Siam. Bangkok 1895. IX and 187 pp. Gr. 8vo.

The Siamese have along with Buddhism, the now prevailing religion of the country, adopted many Indian customs and ceremonies which from the dogmatical point of view of their creed must be looked upon as pagan excrescences. To those customs belong the shaving of the first hair of the new-born (*Sikhāṭhapana-maṅgala*) and the second or puberal tonsure (*Cūḷākanta-maṅgala*), two ceremonies which in India have been customary from times immemorial as *Saṃskāras* or sacraments of the Dvijas or Twiceborn, the three higher castes of Indians, otherwise called Aryas. It is a matter of course that ceremonies so intimately connected with the religions system of Brahmanism must lose their sacred character in such a creed as Buddhism which denies the authority of the Veda and pretends to have set up a new ideal of life. When we see nevertheless that Buddhists, even those who pride themselves most of their faith, have retained or reintroduced Brahmanic ceremonies, more or less modified, the fact should not surprise us. For it must be borne in mird that those solemn customs had not only a religions, but a social bearing, and socially India has always been Brahmanistic. There never was in India a Buddhist society, nor a Buddhist civil and criminal law, nor science, no more than e. g. in China.

The monograph by Capt. GERINI on the Tonsure ceremony in Siam, dedicated to His Royal Highness SOMDETCH CHAU FA MAHA VAJIRAVUDH, Crown Prince of Siam, treats the subject matter, the second or puberal tonsure, in a most exhaustive and yet lucid way. According to the rank of the person upon whom the rite is performed, the denominations vary. The ceremony for the vulgar and the nobility is called, in Siamese, *kan kôn chuk*, „forelock shaving", or *kan tat chuk*, „topknot cutting"; for princes' children it is named *kesakanta*, „hair cutting". In the case of princes it is styled *sokan*. The generic name of the tonsure ceremony is, in Pali, *cūḷākantamaṅgala*.

The introductory part of the book deals with the place of tonsure in domestic rites, its origin and meaning, the topknot and its origin, the legends both Brahmanic and Buddhist relating to the tonsure of mythological beings. The author tries to prove — and in our opinion successfully — that the tonsure practice all over the world is intimately connected with sun-worship. As to the meaning of the puberal tonsure, traces of which are met also in ancient Greece and with the Romans, his conclusion is "that under whatever aspect tonsure be considered, whether from a domestic or a civil standpoint, in the individual or in the national life, it can always be traced back to the same original source, proved to be the outcome and manifestation of the same dominant idea and to imply one and the same meaning, that of symbolizing the entrance of the individual, or the nation, into a new phase, mode, or form of existence, in the present or in a future world; and the abandonnent of a previous state, effected either by voluntary renunciation, in pursuance of a custom or a vow; by coercion of the conquering power; or, finally, by the irresistible process of Death which brings forth the dissolution of the individual itself."

The second part of the monography contains an elaborate description of the tonsure ceremony (Kôn chuk), as performed by the nobility and the people. The whole is in all essentials a Brahmanic ceremony, interspersed with not very appropriate Buddhist formulas and verses.

The Sokan or tonsure as performed on members of the royal family, is described in the third part. The rites connected with the Sokan are substantially the same as those of the Kôn Chuk, but distinguished by far greater magnificence. They vary, however, in grandeur according to the candidate belonging to a higher or lower order of princes. The tonsure of a prince of the highest order, a Chau Fa, is an imposing state ceremony ranking as second only to the coronation of a King. Such a ceremony was the Sokan of His Royal Highness Chau Fa Maha Vajiravudh, which book place from 25 Dec. 1892 until 1 Jan. 1893. The vivid account of that solemnity, whereof the author was an eyewitness, is full of the most interesting details about Buddhist cosmology which in extravagance and childishness surpasses even the vagarios of the Puranas.

After adding that the value of the book is greatly enhanced by the numerous illustrations, we recommend the excellent monography by Capt. GERINI to all readers of this periodical. H. KERN.

XXXV. Dr. J. WALTER FEWKES: The snake ceremonials at Walpi. (A journal of American Ethnology and Archaeology. Boston and New York; Houghton, Mifflin & Co. 1894. 4°.).

In this paper which is richly adorned with coloured and black illustrations, the author treats his subject in a very extensive manner. He attended the ceremony twice, in 1891 & 93, and has been assisted in his investigation by Mrs. A. M. STEPHEN and J. G. OWENS. While the present article is in the main, says the author, a description of the Snake Dance of 1891, several references to the presentation in 1893 are likewise introduced. The two observances were marvelously alike, even in details, but the studies in 1893 were necessary to substantiate that fact. The certainty of the Hopi ritual, as ceremonially carried out in two successive performances, gives a good idea of its conservatism and points to a belief that innovations have made slow progress in their introduction. The time, however when the ceremonial system of the Hopi will suffer disintegration and ultimate destruction is not far away. The death of the old Antelope priests will have a most important influence in this modification, although several of the younger men are still as conservative as their „elder brothers". The present records were made none to soon for a scientific knowledge of this most primitive aboriginal observance.

XXXVI. Dr. THS. ACHELIS: Ueber Mythologie und Cultus von Hawaii. Braunschweig, Fr. Vieweg und Sohn 1895, br. 8°.

Die vorliegende Untersuchung, ursprünglich in der, seitdem eingegangenen, Zeitschrift „Ausland" publicirt, erscheint hier als selbstständige Schrift und will dem Zwecke dienen die Aufmerksamkeit, nicht allein der Fachleute, sondern auch weiterer Kreise auf das höchst interessante Gebiet religionswissenschaftlicher Forschung zu lenken, welches im Titel angegeben. Durch BASTIAN's Arbeiten uns zuerst eingehender bekannt geworden, ist unser Wissen betreffs dieses Themas seitdem durch weitere Forschungen bedeutend bereichert und unsere Kenntnis der polynesischen Mythologie überhaupt durch Forscher wie GILL, GREY, CURR etc. in einem Maasse vervollständigt worden, wie kaum in einer andern ethnologischen Provinz. So rechtfertigt denn eine annähernde Vollständigkeit des Vergleichsmaterials des genannten Gebietes eine Arbeit wie die des Verfassers, der auch hier in löblicher Weise bestrebt ist einen, wohl etwas unverdaulichen Stoff uns durch seine Bearbeitung mundgerechter zu machen und näher zu bringen. Die Mythologie Hawaii's, ist eine der ergiebigsten Fundgruben für die religionswissenschaftliche Forschung; sie wird nun durch den Verf. des Weiteren erläutert und von ihr ausgehend, sagt A., lässt sich dann der anderweitige Bestand an Mythologien der Südseevölker einer vergleichenden Betrachtung unterziehen, um solchergestalt die Entfaltung des religiösen Bewustseins auf streng inductiver Grundlage verfolgen zu können.

Die Arbeit gliedert sich in die Kapitel 1) Kosmogonie, 2) Theogonie und 3) Seelenlehre; in einem Anhang werden die religiösen und socialen Verhältnisse behandelt und zahlreiche Anmerkungen dienen als Belege oder zur Erklärung des Gesagten. Uns zogen besonders des Verfassers Ausführungen über die Bedeutung des Tabu, der Geheimbünde und über das Priesterkönigthum, die derselbe im Anhange giebt, und die Gelegenheit zu lehrreichen Vergleichen mit Aehnlichem auf anderen oceanischen Gruppen bieten, an. Auch hier erweist sich A. als ein Berufener in der Behandlung seines Materials.

XXXVII. Zeitschrift für Oesterreichische Volkskunde. 1ste Jahrgang. Wien & Prag, F. Tempsky, 1895. lex. 8⁰. Das erste Heft dieser, vom Verein für Oesterreichische Volkskunde, von dessen Gründung wir pg. 88 Meldung gemacht, herausgegebenen Zeitschrift liegt nunmehr vor und enthält ausser einer, durch den Redacteur Dr. M. Haberlandt verfassten Einleitung, in der Zwecke und Ziele des Vereins und der Zeitschrift eine nähere Beleuchtung finden, einen Aufsatz von Prof. Al. Riegl: „Das Volksmässige und die Gegenwart" worin der Verfasser das Verhältnis beider auseinandersetzt und seine Anschauungen am Schlusse in folgendem Satz zusammenfasst: „Keine künstliche Stauung „dort, wo sich dieselbe naturnothwendig nur rächen „müsste, zum Schaden des Landvolks, dem wir mit „unserem, doch so wohl gemeinten Schutze zu nützen „glaubten! Aber auch keine Beschleunigung der Zer-„setzung, kein Vorschubleisten dem Processe, bei „dem uns obenhin mehr das Verfallende als das „Künftige, das Werdende am Herzen liegt; ja selbst „besonnenes Aufhalten auf solchen Gebieten, auf „denen es ohne Wagnis geschehen kann."

Hierauf folgt Dr. Rich. von Kralik mit dem ersten Theil einer Arbeit „Zur oesterreichischen Sagengeschichte" worin er sich über deren Gewicht für die Volkskunde verbreitet und schliesslich Mittheilungen über Ursagen macht. Unter den nun folgenden kleineren Aufsätzen verdient der von E. Eisle: Der Samsonaufzug in Krakaudorf bei Murau, mit zwei sehr gut gerathenen Illustrationen geschmückt, besondere Beachtung. Derselbe beschreibt ein am ersten Sontag im August stattfindendes Fest, bei dem eine bis 5 M. grosse Holzfigur in Begleitung des Schützencorps umhergeführt wird. Die Redaction weist im Anschluss daran auf einige Parallelen zu diesem Aufzug. Den Schluss des Heftes bilden eine ethnographische Chronik aus Oesterreich, Besprechungen von Werken zur oesterreichischen Volkskunde, Vereinsnachrichten und eine Rubriek „Verkehr" die auch den Sprechsaal umfasst.

Die Zeitschrift macht in ihrer würdigen Ausstattung einen sehr wohlthuenden Eindruck; mögen die Bemühungen der Redaction dadurch belohnt werden, dass sich die Theilnahme der Freunde der Volksforschung durch zahlreiches Abonnement äussere. Der Preis (fl. 3 für den Jahrgang von 12 Heften à 2 Bogen) ist mit Rücksicht auf das Gebotene ein spottbilliger.

XXXVIII. Zeitschrift für Afrikanische und Oceanische Sprachen. — Seit dem Januar dieses Jahres erscheint, von dem Secretär der Deutschen Kolonial-Gesellschaft, A. Seidel, herausgegeben, eine Zeitschrift für Afrikanische und Oceanische Sprachen mit besonderer Berücksichtigung der deutschen Kolonieen. Ermöglicht wurde das Zustandekommen dieses wichtigen Unternehmens durch die Unterstützung der Kolonial-Abteilung des Auswärtigen Amtes und der Deutschen Kolonial-Gesellschaft, an die sich, nach Angabe des Vorwortes die Deutsch-Ostafrikanische Gesellschaft, die Baseler Missionsgesellschaft, die Norddeutsche Missionsgesellschaft und die Brüdergemeinde angeschlossen haben. Als Mitarbeiter verzeichnet das Titelblatt die hervorragendsten Forscher auf dem Gebiet Afrikanischer Sprachenkunde, deren Namen allein schon den wissenschaftlichen Werth des neuen Werkes verbürgen würden, von dem wohl zu erwarten steht, dass ihm nicht nur die engern Fachkreise, sondern auch eine grössere Zahl von Laien Interesse entgegenbringen werden. Seitdem im Jahre 1890 die von dem verstorbenen Dr. Büttner, Lehrer des Suaheli am orientalischen Seminar, herausgegebene Zeitschrift für afrikanische Sprachen nach dreijährigem Bestehen eingegangen war, machte sich das Bedürfnis, einen neuen Sammelpunkt für die mehr und mehr anwachsenden Forschungen auf diesem Gebiet zu gewinnen, in den betheiligten Kreisen immer fühlbarer: diese setzen sich nicht nur aus Vertretern der Wissenschaft, sondern auch aus solchen zusammen, die infolge ihres Berufes als Beamte oder Missionare, als Kaufleute oder Kolonisten durch ihre Beziehungen zur einheimischen Bevölkerung die Sprachen derselben erlernen müssen. Diesen beiden gleichberechtigten Forderungen, der wissenschaftlichen Erkenntnis und dem praktischen Bedürfnis, will die neue Zeitschrift Rechnung tragen. Die Natur der Sache bringt es mit sich, dass bei ihren Bestrebungen die Sprachen der deutschen Kolonieen, deren Zahl Hundert übersteigt, ein Vorzugsrecht geniessen. Aus praktischen Erwägungen hat man ebenso den Sprachen der deutschen Südsee-Kolonieen Aufnahme gewährt, sodass wir im Laufe der Zeit ein vollständiges Bild von der Rede deutscher Unterthanen auf der andern Halbkugel der Erde erhalten dürften. Die vollste Anerkennung verdient ferner der Gedanke, neben rein sprachlichen Arbeiten auch solche Forschungen zu berücksichtigen, die in das Gebiet der Volkskunde einschlagen. Grade mit Rücksicht auf die Kolonial-Verwaltung ist dieser Punkt von nicht zu unterschätzender Bedeutung. Die Kenntnis der Sprache allein erschliesst uns noch lange nicht das Verständnis eines Naturvolkes. Die einzige Möglichkeit, diesen Zweck zu erreichen, liegt in der eingehendsten Durchdringung der gesammten Denkweise des Volkes, wie sie sich in seinen äussern Einrichtungen, seinem häuslichen und öffentlichen Leben, seinen Sitten und Bräuchen, seinen Sagen, Märchen und Liedern, endlich in seinen Vorstellungen von Recht und Religion kundgiebt. Keine noch so mühevolle Arbeit darf hier gescheut werden, um dem hohen Ziele näher zu kommen, das sich Deutschland im Wettbewerb mit den übrigen Nationen Europas darin gesetzt hat, unbebaute Länderstrecken der Kultur, kulturlose Völker der Civilisation und sich selbst neue Quellen des Wohlstandes zu erschliessen. Jeder, der Deutschlands hohe Aufgaben in Afrika und auf den Südsee-Inseln unbefangen zu würdigen weiss, wird darum der Opferwilligkeit des Reiches und der genannten Gesellschaften zum Zweck jenes wissenschaftlichen Unternehmens, aufrichtigsten Dank wissen. Die Reihe vortrefflicher Arbeiten im ersten Heft, an denen der Missionar CHRISTALLER, einer der tüchtigsten Kenner Afrikanischer Sprachen, der Herausgeber A. SEIDEL und Professor Dr. W. GRUBE in Berlin betheiligt sind, lassen das Beste für die Zukunft erwarten. Möchte denn das in so dankenswerther Weise begonnene Unternehmen alle die Hoffnungen reichlich erfüllen, welche die Freunde Deutscher Kolonien wie die Pfleger der Sprachwissenschaft und Völkerkunde auf es setzen! Möge es vor allem an Deutschlands grossem Kulturwerk in Afrika mitarbeiten, an dem Gedeihen seiner Kolonien, an der Wohlfahrt der Völker, die in ihnen leben!

XXXIX. THEODOR PREUSS: Die Begräbnissarten der Amerikaner und Nordostasiaten (Inaugural Dissertation). Königsberg i/P., Braun & Weber. 1894. 8°.

Eine fleissige, ungemein systematisch angelegte Arbeit, die das in der Literatur vorhandene Material ueber die mannigfachen Arten der Bestattung bei den vielen, hier in Betracht kommenden Völkerschaften in dankenswerther Weise zusammen trägt und erschliesst. Bei der Spärlichkeit dessen, was uns bis jetzt über die betreffenden Bräuche bei den Nordostasiaten bekannt geworden, weil eine Menge bezüglichen Materials in Chinesischen Werken steckt, die aber der europäischen Wissenschaft noch nicht erschlossen, hätte die Betrachtung derselben hier, ohne Schaden für die Arbeit, vielleicht besser fortbleiben können.

Die verschiedenen Arten der Beerdigung, Särge, Grabkammern, Aufbewahrung oder Verbrennung der Leichen, Aussetzen oder Verzehren des Todten etc. finden eingehende Besprechung. Die Art der Bestattung lässt, nach dem Verfasser, nicht auf die Vorstellungen betreffs des Todtenlandes schliessen; die verschiedenen Methoden werden beeinflusst durch die umgebende Natur etc. und die Idee dass auch nach dem Tode ein Zusammenhang zwischen Leib und Seele fortbesteht. Wo der Verfasser diese, dem Bestattungswesen zu Grunde liegenden Ideen und Ursachen behandelt zeigt er lobenswerthe Vorsicht im Gebrauch des Stoffes und betreffs seiner Schlüsse.

Die Arbeit ist unserer Ansicht nach ein Gewinn für die ethnographische Forschung.

J. D. E. SCHMELTZ.

VI. EXPLORATIONS ET EXPLORATEURS, NOMINATIONS, NECROLOGIE. — REISEN UND REISENDE, ERNENNUNGEN, NECROLOGE.

XL. Congrès international des Americanistes. — La onzième session sera tenue a Mexique du 15 au 20 octobre 1895. Les Américanistes qui désirent souscrire au Congrès, sont priés de faire parvenir le montant de leur cotisation, qui est fixée à 12 francs 50 centimes, au Consul du Mexique de leur résidence ou à celui qui se trouvera le plus près. Le bureau du Congrès est installé dans la Bibliothèque Nationale.

XLI. Die 67te Versammlung Deutscher Naturforscher und Aerzte wird vom 16–21 September 1895 in Lübeck abgehalten. In der Abtheilung Ethnologie und Anthropologie wird Herr Oberlehrer P. SARTORI, Dortmund, über die

Sitte des Bauopfers und Herr LEO V. FROBENIUS über Maskenkunde im Allgemeinen und über die Masken Afrikas und Oceaniens sprechen.

XLII. Eine Excursion nach Bosnien und der Herzegowina veranstaltet die Anthropologische Gesellschaft zu Wien vom 1—15 September d. J. und ladet zur Betheiligung ein. Die Kosten dürften sich auf fl. 200 pr. Person belaufen.

XLIII. 5e Nederlandsch Natuur- en Geneeskundig Congres. — In der Section für physische Geographie und Ethnologie dieser Gesellschaft, die am 19 & 20 April in Amsterdam tagte, hielten die Herren Prof. G. A. F. MOLENGRAAFF und J. BÜTTIKOFER, durch Karten und Photographieen erläuterte, Vorträge über ihre Reisen in Central-Borneo. Herr A. D. HAGEDOORN gab eine Uebersicht über die durch Prof. K. VON DEN STEINEN auf der zweiten Xingu-Expedition erreichten Resultate.

XLIV. Die Deutsche anthropologische Gesellschaft hielt ihre diesjährige Versammlung in Kassel vom 8—10 August ab. Von den bei dieser Gelegenheit gehaltenen Vorträgen seien folgende erwähnt. Prof. WALDEYER: Die anthropologische Stellung der Geschlechter zu einander, in Zusammenhang mit der Frauenfrage; Frhr. VON BRAKEL: Prähistorische Funde und alte Kunststrassen in Mexiko; F. GRABOWSKY: Bericht über seine Ausgrabungen im Norden Braunschweigs; Prof. J. RANKE: Zur Anthropologie des Rückenmarks; Dr. ALSBERG: Vorstellung eines 25 Jahre alten Microcephalen, Prof. WALDEYER: Welche Art der Anthropoiden steht in ihrem Bau dem Menschen am nächsten? (Redner gelangte zu dem Schluss dass der Schimpanse dem Menschen am nächsten kommt; die Kluft zum Menschen ist aber noch ungeheuer gross und auch durch DUBOIS' Theorie [*Anthropithecus erectus*] nicht überbrückt). Dr. MIES: Ueber die Form des Gesichts. Forstmeister BORGMANN: Ueber die Schwälmer, einen hessischen Volksstamm, dessen Tracht, Sitten u. s. w., und Geheimrath VIRCHOW: Ueber die ethnologische Frage mit Bezug auf Hessen — Die Stadt Kassel widmete den Mitgliedern der Versammlung eine hochinteressante Festschrift.

Im nächsten Jahr tagt die Gesellschaft in Speyer, zum ersten Vorsitzenden wurde Prof. VIRCHOW, zum zweiten Baron ANDRIAN (Wien), und zum Stellvertreter Prof. WALDEYER gewählt.

XLV. Graf. EUGEN ZICHY rüstete eine grössere Expedition nach Asien aus, um die Urheimath der Ungarn zu erforschen. Dieselbe ist im Frühjahr über Konstantinopel nach dem Innern Asiens aufgebrochen.

XLVI. M. OTTO EHLERS (voir Vol. VII pg. 160 & 220) est, selon les dernières nouvelles, arrivé aux Indes anglaises. Le voyage au Brahmaputra présente à lui des obstacles inattendus, mais il a prié le Roi de Nepal de mettre à sa disposition un nombre de Gourkhas comme compagnie de sûreté.

XLVII. Herr PAUL MÖWIS, ein schon seit langer Zeit in Darjeeling, Brit. Indien, ansässiger Forscher, wird in diesem Jahr eine Reise nach Thibet, behufs ethnographischer Forschungen antreten, wozu ihn seine eingehende Kenntnis der Sprache und Sitten jenes Landes sicher befähigen.

XLVIII. Prof. FLINDERS PETRIE has found during his last excavations near Thebe the remains of an old town with several burial-places of a race of which the existence till now has been unknown. Not a single implement of the egyptian type has been found in a number of 2000 graves, which have been opened by Prof. P. and his companions. The corpses were not embalmed, but burried with the knees bent towards the arms. Prof. P. thinks this race to have inhabited a great part of Egypt in the time between the VII and IX Dynasties, about 3000 years B. J. C. About the origin of this people Prof. P. is not yet sure, but he thinks they might have been Lybians. We had the opportunity to see a few of the stone implements found by Prof. P. on the said place, and they are surpassing, by their beauty and form, all we had seen before of Egyptian stone implements.

XLIX. Dr. CARL SAPPER schreibt uns unterm 12 März 1895 aus San Salvador:

„Ich studire gegenwärtig die Alterthümer des hie-„sigen Museums welche zum Theil recht interessant „sind; leider ist aber der genaue Fundort der ein-„zelnen Stücke gewöhnlich nicht bekannt. Von einer „interessanten altindianischen Ansiedelung (die übri-„gens schon SQUIER besuchte) habe ich einen Theil „aufgenommen, im Uebrigen sind bauliche Ueberreste „hier viel seltener und unbedeutender als in Guate-„mala oder Chiapas".

L. Major VON WISSMANN ist neuerdings zum Gouverneur von Deutsch Ost-Afrika ernannt worden. Er verabschiedete sich vor Kurzem von der Gesellschaft für Erdkunde zu Berlin mit einer warm empfundenen Rede, in welcher derselbe auch an Verleger und Forscher das Ersuchen um kostenfreie Zuwendung wissenschaftlicher Werke für die Bibliothek in Dar es Salam richtete.

LI. Dr. BUMILLER begab sich Ende Juli ebenfalls wieder nach Deutsch Ost-Afrika.

LII. Erzherzog FRANZ FERDINAND von Oesterreich Este wird ein Tagebuch seiner Reise um die Erde erscheinen lassen.

LIII. Wie wir den ethnolog. Mittheilungen aus

Ungarn entnehmen, steht die Ernennung OTTO HERMAN'S, der sich um die heimische Ethnographie grosse Verdienste erworben, zum Direktor der ethnographischen Abtheilung des ungarischen National-Museums in Budapest zu erwarten. Als Custos ist Dr. JOHANN JANKÓ und als Custos-Adjunkt Dr. WILLIBALD SEEMAYER ernannt.

LIV. In der Generalversammlung des Vereins des „Museums für Deutsche Volkstrachten" wurde Geheimrath VIRCHOW zum ersten Director, Dr. VOSS und Prof. JOEST als stellvertretende Vorsitzende gewählt.

LV. M. le docteur GUSTAF OPPERT, bien connu pour ses études sur l'histoire, la langue et les peuples de l'Inde s'est habilité comme Privatdocent à l'Université de Berlin avec un discours d'ouverture sur les peuples primitifs de l'Inde.

LVI. Dr. GUSTAV VON BEZOLD aus München ist zum ersten Direktor des Germanischen Museums in Nürnberg ernannt.

LVII. M. le docteur D. W. HORST, bien connu pour ses recherches ethnographiques sur la Nouvelle Guinée a été nommé „Résident de Ternate".

LVIII. Dem vortragenden Rath im Kgl. Cultusministerium zu Berlin, Geheimen Ober-Regierungsrath Dr. ALTHOFF zu Berlin ist die grosse goldene Medaille für Wissenschaft verliehen worden.

LIX. Sa Majesté l'empereur d'Allemagne, roi de Prusse, a décerné l'ordre civil Pour le Mérite a M. HERBERT SPENCER, l'auteur des „Principles of Sociology".

LX. Sa Majesté le roi des Belges a décerné la décoration des officiers de l'ordre de Léopold à M. le prof. TIELE à Leide.

LXI. MM. les professeurs G. SCHLEGEL et A. BASTIAN ont été nommés Membres correspondants de la Société de Géographie de Paris.

LXII. M. le professeur TIELE à Leide à été nommé Membre honoraire de la „Royal Asiatic Society" à Londres.

LXIII. † Dr. med. RUDOLPH KRAUSE ist am 24 Juli 1895 zu Schwerin in Mecklenburg von seinen langen Leiden durch einen sanften Tod erlöst. — So lautete eine, von der schwer betroffenen Familie des Heimgegangenen erlassene Anzeige, die in unserer Abwesenheit an unserm Wohnsitz eingegangen, von der wir aber, Dank einem wunderbaren Zufall, Kenntnis erhielten während weniger Tage, die wir nach einer unvergleichlich schönen Zeit, voll von Eindrücken, die die Zeugen klassischen Alterthums in Italien und eine erhabene Natur in der Schweiz, Oesterreich und Süddeutschland in uns hinterlassen, in Hamburg verbrachten, wo unser armer Freund am 28 Juli auf dem St. Nicolaifriedhof zur letzten Ruhe gebettet wurde.

Was der Verstorbene für seine Familie gewesen, wie er gestrebt und was er gelitten, das hat sein Bruder, Hauptpastor Dr. A. KRAUSE, in unvergleichlich schönen Worten an seinem Sarge in der Friedhofskapelle an jenem Tage ausgesprochen. Am offenen Grabe versuchten wir zu zeigen was KRAUSE für das geistige Leben Hamburgs bedeutete, wie er die Liebe die ihn für den engeren Kreis seiner Familie beseelte, auch in weitere Kreise hinaustrug, wie er mit seinem ausserordentlich reichem Wissen helfend und fördernd auf jüngere Kräfte einwirkte, und zumal was er uns gewesen, wie viel wir seiner Leitung unserer ersten Versuche auf ethnographischem Gebiete verdanken und wie er unseren Arbeiten seinen Stempel aufgedrückt. So fügte es der Zufall dass, obgleich auch hier wieder dem Becher der Freude, den wir hatten kosten dürfen, der Wermuthtropfen nicht fehlte, wir ihm dort für seine Lehren letzte Dankesworte, in der Hoffnung auf ein Wiedersehen, zurufen konnten; hier aber sei es uns gestattet den Lesern des Archivs eine kurze, wenn auch sicher ungenügende Skizze von K.'s Leben und wissenschaftlichem Wirken zu geben.

K. wurde am 30 Sept. 1834 in Grätz, Provinz Posen, geboren, als Sohn eines geistig äusserst reich veranlagten Mannes, der mit einem derartigen Rednertalent ausgerüstet war, dass, während seines späteren Wirkens als Hauptpastor an St. Nicolai zu Hamburg, die Kirche meist die Zuhörer nicht fassen konnte. Er widmete sich in Breslau dem Studium der Medicin, promovirte 1858 magna cum laude und liess sich 1859, nachdem er vorher bei GRÄFE in Berlin noch Augenheilkunde gehört, in Hamburg als praktischer Arzt nieder, wo er Dank seinem tiefen Wissen, nicht minder aber seines, ihm angebornen gewinnenden und fröhlichen Wesens halber, bald zu den beschäftigtsten Aerzten gehörte. Wie gross K.'s Einfluss auf seine Patienten gewesen, beweist der Ausspruch eines derselben uns gegenüber, dass man schon seines immer fröhlichen Blickes beim Betreten des Krankenzimmers halben, einen Theil der Schmerzen vergesse!

Diese angestrengte Berufsthätigkeit verhinderte K. indes nicht am geistigen Leben Hamburgs innigen und thatkräftigen Antheil zu nehmen und sich über alle wissenschaftlichen Tagesfragen zu orientiren und soweit möglich auf deren Tiefe zu dringen. So konnte es nicht fehlen dass ihm ein grosser Freundeskreis erwuchs unter den Mitgliedern der verschiedensten Gesellschaften Hamburgs, wovon die Kränze des Vereins für Kunst und Wissenschaft, des Architekten und Ingenieur Vereins und der Gruppe Hamburg

Altona der deutschen anthropologischen Gesellschaft auf seinem Sarge beredte Zeugen waren. Zumal die Zwecke und Ziele der letzteren Gesellschaft, die Förderung der Wissenschaft vom Menschen, nahmen KRAUSE's hervorragendstes Interesse in Anspruch; auf den Jahresversammlungen der Gesellschaft, wo er zuletzt in Wien 1889 erschien, war er, seines Humors wegen, mit dem er oft die Rechnungsrevisionen erledigte,[1]) und zumal wegen seiner geistreichen Betheiligung an den Verhandlungen,[2]) ein gern gesehenes Mitglied. Uns trat KRAUSE zuerst näher im Verein für naturwissenschaftliche Unterhaltung zu Hamburg, dem er 1877 beigetreten, als dessen Präsident er 1881 erwählt wurde und, äusserst fruchtbringend, bis gegen Ende 1887 fungirte. Waren wir K. auch schon früher begegnet, hatten wir ihn schon schätzen gelernt, und hatte er uns Beweise seines Interesses an unserm Streben, so z. B. gelegentlich der Versammlung der deutschen anthropologischen Gesellschaft in Kiel 1878, auch schon früher gegeben, so gestalteten die öfteren Begegnungen unser gegenseitiges Verhältnis jetzt zu einem innigeren und zählen die Jahre 1877–1882, wo wir in ständigem wissenschaftlichem Gedankenaustausch mit ihm verkehrten, und wo wir durch ihn das Gewicht craniometrischer Studien für die Ethnographie kennen lernten, zu den genussreichsten Perioden unseres Lebens. Immerdar unvergesslich werden uns die Monate der Jahre 1879–1880 bleiben, in denen unter gemeinsamer ernster, aber durch K.'s Humor oft gewürzter Arbeit die „anthropologisch-ethnographische Abtheilung des Museum Godeffroy" entstand; er hatte dafür die Bearbeitung der Schädel und Skelete, speciell jener der Südseeinsulaner, übernommen; von der der Australier musste er absehen weil selbe schon derzeit, seit Jahren, seitens eines bekannten Anthropologen, dem K. innige, tiefe Verehrung entgegen trug, zugesagt war. Sie ist auch heut noch nicht erschienen und nun nach K.'s Tod wohl „ad calendas graecas" vertagt.

Dr. med. RUD. KRAUSE,
nach einer 1883 aufgenommenen Photographie.

Ohne seine Mitarbeit, ohne seine Belehrung würde obiges Buch nicht die Bedeutung erlangt haben, die demselben heut in ethnologischen Kreisen zuerkannt wird. Einen Beweis für den Scharfsinn und die Gründlichkeit von K.'s Arbeiten, bildet es, dass er hier, bei der Untersuchung der Vitianer Schädel des Museum Godeffroy, auf craniometrischem Wege zu ganz denselben Schlüssen betreffs der Migration etc. der Vitier kam, die gleichzeitig, unabhängig von K., als Ergebnis der Untersuchung anderen Materials Prof. W. FLOWER (Journ. Anthr. Inst. X, pg. 153–174) erreichte. – Dies war für uns seiner Zeit der erste Beweis dass die Craniometrie, auf welche manche Ethnologen geringschätzend hernieder sehen, mehr sei als eitel Spielerei und beherzigenswerthe Resultate zeitigen könne. – Schon vorher hatte K. eine Arbeit „Ueber macrocephale Schädel von den Neu Hebriden" veröffentlicht (Verb. Verein für naturw. Unterh., Hamburg, Vol. IV [1879] pg. 100 ff.).

Bald nach Vollendung der ersterwähnten Arbeit veranlassten uns die unsicheren Verhältnisse des Museum Godeffroy einem Ruf als Conservator an das ethnographische Reichsmuseum zu Leiden, auch auf K.'s Rath, Folge zu leisten und schlug für uns

[1]) 1875, 76, 78, 79–80, 82–84, 86, 89.
[2]) U. a. ueber einen Microcephalen (1877); Chamaecephale Schädel (1878); Macrocephale Schädel von den Neu Hebriden & Schädelmessapparat (1879); Vitianer Schädel (1884).

Beide die Trennungsstunde. Auch hier sind wir ihm zu Dank verpflichtet, nicht allein dass er uns mit Rath und That in jener schweren Periode zur Seite stand, sondern auch für das erhebende, durch ihn organisirte Abschiedsfest, wodurch er uns jene Stunde erleichtern wollte. Ewig unauslöschlich eingeprägt ist uns jener Abend, wo seine Zuneigung zu uns sich in so schöner Weise offenbarte, wo wir aus seinem Munde ein so beredtes Zeugnis der Ehrung unsres Strebens, in Gegenwart der Vertreter der verschiedensten wissenschaftlichen Gesellschaften Hamburgs, empfangen mochten! —

Nach dem Fortgange von Hamburg erreichte uns nur selten ein Brief von K.; im Jahre 1885 erhielten wir die Kunde dass ihm seine einzige Tochter, in der Blüthe der Jahre, an einem unheilbaren, schleichendem Leiden gestorben sei. Was K. in jener Zeit gelitten konnten wir verstehen, und als wir ihn 1886 zum ersten Mal wiedersahen, war er nicht mehr der alte; Humor und Lebensfreudigkeit schienen von ihm gewichen zu sein. Zwar sind von ihm in den Verhandlungen des vorgenannten Vereins noch eine lichtvolle Festrede, 1884 gehalten, (Ueber das normale Verhältniss von Naturwissenschaft und Philosophie, Vol. V, pg. 18 ff.) und einige anthropologische Studien (Besprechung von Virchow's Arbeit über micrones. Schädel. Vol. V, pg. 36; Die Insel Rotumah und ihre Bewohner Vol. V, pg. 149 ff.; Craniometrische Studien: I. Die Bewohner des Viti-Archipels: II. Neu Britannien. Vol. VI, pg. 132 ff.) erschienen, allein der Sitzungsbericht vom 4 Nov. 1887 enthält die Mittheilung dass er wegen seines Gesundheitszustandes ferneren Sitzungen nicht mehr beiwohnen könne. — Das war der Anfang vom Ende; K. konnte den Verlust seines geliebten Kindes nicht verwinden, er verfiel immer mehr dem Trübsinn, sein Geist begann sich zu umnachten und er war zuletzt genöthigt seine Praxis niederzulegen. Im Jahre 1891 nach Schwerin übergesiedelt, hat ihm seine Lebensgefährtin während der langen Leidenszeit treu zur Seite gestanden und ihm die reiche Liebe, die er ihr früher bot, in gleichem Maasse gelohnt, bis ihn nun endlich der Tod erlöste. Nur selten hatte K. noch lichte Augenblicke, meist traten solche ein wenn ein alter Bekannter oder ein Verwandter ihm plötzlich nahe trat; dann war 's als ob der grimme Feind jenes reichen Geistes nicht Meister werden könne oder, wie der Redner an seinem Sarge sagte, man wurde an das Wort erinnert:

„Und ob die Wolke sie verhüllt,
Die Sonne bleibt am Himmel"!

So ist ein Mann, der für das geistige Leben Hamburgs noch lange von ausschlaggebender Bedeutung hätte sein können, dessen Feder unsere Wissenschaft sicher noch mit vielen lichtvollen Beiträgen bereichert haben würde, einem tückischen Feinde erlegen und in der Vollkraft der Jahre von uns gerufen, ehe wir's erwartet. Er wird indes fortleben im Gedächtnis der Vielen bei denen er Liebe und Freundschaft säete und in seinen Arbeiten, die für die Kunde der Südseevölker von bleibendem Werthe sind.

Auch er war ein Streiter für das Endziel aller Wissenschaft, für die Wahrheit; die Waffe ist seiner müden Hand entfallen, in treuem ehrlichem Kampf. Er ruhe in Frieden!

LXIV. † Fräulein Ida von Boxberg, die sich in Folge ihrer prähistorischen Studien eines bedeutenden Rufes erfreute, starb gegen Ende 1893 auf ihrem in der Nähe von Dresden gelegenem Rittersitz. Ihr verdanken die Dresdener Sammlungen bedeutende Zuwendungen, besonders von Gegenständen welche das Resultat von auf den Gütern der Verstorbenen vorgenommenen, Ausgrabungen bilden.

LXV. † M. A. von Cohausen, Conservateur du Musée de Wiesbade, l'archéologue bien connu est décédé le 2 décembre 1894 dans sa 83 année.

LXVI. † M. Joseph Derenbourg, ancien professeur à l'Ecole pratique des hautes études à Paris et membre de l'Institut, un orientaliste bien connu, est décédé le 29 août dernier à Ems. Il naquit à Mayence le 21 août 1811.

LXVII. † M. le docteur Elisseieff, qui a dirigé la mission russe en Abyssninie est mort au retour de son voyage. (Tour du Monde).

LXVIII. † Prof. Thomas Henry Huxley, the author of „Evidence to mans place in nature" and of many other anthropological papers, died on the 22 June 1895.

LXIX. † M. Joseph Thomson, bien connu pour son exploration du Kilimandscharo est décédé à Londres le 2 août dernier, agé de 37 ans.

LXX. † M. le prof. Carl Vogt, l'anthropologue bien connu est décédé le 6 mai dernier, à Genève. Il y a un très bon portrait dans l'Illustrirte Zeitung (Leipsic) de 18 mai dernier (N°. 2707).

LXXI. † M. Wade, professeur de Chinois à l'université de Cambridge, Angleterre, est décédé dans le cours du mois de juillet dernier.

LXXII. † Johann Xantus, langjähriger Custos der ethnographischen Abtheilung des ungarischen National Museums, ist am 13 December 1894 in Budapesth verstorben. Er hatte sich durch weite Reisen einen Namen erworben. Näheres betreffs seiner findet sich in den ethnolog. Mittheilungen aus Ungarn, IV Bd. (1895), pg. 79.

J. D. E. Schmeltz.

DIE GEBRÄUCHE UND RELIGIÖSEN ANSCHAUUNGEN DER KEKCHÍ-INDIANER

VON

Dr. CARL SAPPER,

GUATEMALA.

Es ist ungemein schwer, einen einigermassen richtigen Einblick in das Denken und Fühlen eines fremden Volksstamms zu bekommen und es bedarf jahrelangen, innigen Verkehrs und fortgesetzter, ernster Beobachtung, um die Charaktereigenthümlichkeiten zu erkennen und die Handlungsweise richtig zu verstehen. Am schwierigsten aber ist es vielleicht, die religiösen Anschauungen zu ergründen, denn es lässt sich Niemand gern auf den Grund der Seele schauen und wenn Misstrauen und Voreingenommenheit besteht, gewiss erst recht nicht.

So habe ich denn auch jahrelang unter den Kekchí-Indianern gelebt, habe ihre Sitten und Gebräuche beobachtet und das Vertrauen dieser etwas verschlossenen Leutchen zu gewinnen gesucht — und trotz alledem ist es mir bis vor Kurzem niemals gelungen, etwas Näheres über ihre religiösen Anschauungen zu erfahren. Dem Namen, wie ihrer eigenen Ansicht nach, sind die Kekchí-Indianer katholische Christen, wie fast alle mittelamerikanischen Indianer, aber wenn man ihr Thun und Treiben sieht, so fällt einem bald auf, dass ein gut Stück alten Heidenthums noch in ihren Gebräuchen und Anschauungeu steckt und es liegt auf der Hand, dass es von grossem Interesse sein müsste, die Mischung der christlichen und heidnischen Elemente in ihrem Glaubensbekenntniss kennen zu lernen, und von letzterem aus zugleich auf den früheren Glauben dieses Volks zu schliessen.

Anfänglich hörte ich nur von gewissen abergläubischen Anschauungen, so vom *K'ek* [1]), einem bösen, nächtlich umgehenden, bei Tag in Gestalt einer Kuh lebendem Geiste, oder von Verhexungen der Maisfelder oder Menschen, ausgeübt von indianischen Zauberern — meist Betrügern — welche in der einträglichen Entzauberung ihr Geschäftchen machen. Der hiebei zu Tage tretende Aberglaube ist zwar manchmal recht eigenartig, aber er dürfte doch kaum vollständig wurzelecht sein.

In den Gebräuchen, welche die Kekchi-Indianer auf Reisen und bei der Jagd, beim Säen und Ernten ihrer Maisfelder, bei Beerdigungen und etlichen Festen beobachten, fiel mir zwar manches Eigenartige auf, stets aber fehlte mir die Erklärung: ich konnte den Sinn, den Zweck dieser Gebräuche nicht erfassen, da ich Nichts von ihren religiösen Anschauungen in Erfahrung bringen konnte.

Endlich brachte mich ein Zufall meinem Ziele näher, als ich mich einmal (1893) in der Nähe von Zapaluta (Chiapas) aufhielt. Die dortigen Indianer (*Tzentales*) hatten ein Reh

---

[1]) Ich folge in der Schreibweise indianischer Wörter genau der STOLL'schen Orthographie (vgl. O. STOLL, Zur Ethnographie der Republik Guatemala. Zürich 1884).

geschossen und nach ihrem Hause gebracht; ehe sie dasselbe aber abhäuteten, hoben sie ihm den Kopf in die Höhe und verbrannten vor demselben ein Rauchopfer von Copal [1]). Ich gab meiner Verwunderung über die seltsame Sitte Ausdruck, und SEBASTIAN BOTZOC, ein Kekchi-Indianer von Campur, welcher mich auf dieser, wie vielen früheren Reisen begleitet hatte, erklärte mir, dass die Kekchi-Indianer eine ganz ähnliche Sitte befolgten, da sonst der *Tzultaccá* [2]) böse werden könnte und ihnen in der Zukunft kein Wild mehr in den Weg schicken würde. Die Zunge war ihm gelöst und er erzählte mir in der Folge mancherlei von ihren Sitten und Gebräuchen und vom *Tzultaccá.*

Als ich darauf im Jahre 1894 eine halbjährige Reise nach dem Peten, nach Belize, Yucatan, Tabasco und Chiapas unternahm, begleitete mich, ausser zwei jungen Kekchi-Indianern, derselbe SEBASTIAN BOTZOC und ich hatte nun hinreichende Gelegenheit, sein Glaubensbekenntnis und seine Gebete zu belauschen. Ich sage ausdrücklich, sein Glaubensbekenntnis, denn wenn schon im Allgemeinen Jedermann seine individuelle Auffassung in Glaubenssachen hat, so sind bei einem so ungleichförmig von europäischem Einfluss berührten Völkchen, wie dem der Kekchi-Indianer, die Unterschiede noch viel grösser: Die in Coban und Umgebung wohnenden Indianer haben sich in ihren Gebräuchen und Anschauungen schon ziemlich stark den Mischlingen genähert, während die fernab, in entlegenen Gegenden wohnenden Indianer in vielen Fällen den alten Sitten treu geblieben sind und ein gut Theil Heidenthum in ihrer Seele bewahrt haben. Es scheint aber, als ob schon in alter Zeit — vor der Einführung des Christenthums — zwischen den Bewohnern verschiedener Landstriche, wenn auch Angehörigen eines und desselben Stammes, mannigfache Unterschiede in Sitten und Gebräuchen, in Kultus und Glaubensansichten bestanden hätten, denn es hatte schon damals in der Verapaz, wie in manchen andern Gebieten von Mittelamerika weitgehende politische Decentralisation geherrscht, was der Entwickelung von Sondergebräuchen und Sonderkulten in verschiedenen Landschaften ohne Zweifel Vorschub geleistet hat. Ich mache deshalb auch keinen Versuch, die hauptsächlichste Göttergestalt der Kekchi-Indianer, *Tzultaccá*, mit irgend welcher Gottheit der Mayamythologie zu identificieren, sondern will kurz und bündig berichten, was mir mein Gewährsmann, in nebensächlicheren Dingen auch andere Personen, erzählt haben.

Es ist vielleicht am besten, wenn ich den verehrten Leser einlade, mich in Gedanken auf meiner Reise zu begleiten und meinen Beobachtungen der Reihe nach zu folgen, denn ich verspreche mir von dieser Art der Darstellung den Nutzen, dass meine Angaben weniger subjektiv gefärbt erscheinen dürften, als wenn ich ein trockenes System der Kekchi-Dogmatik vorlegen wollte.

Obgleich ich in einer Reihe von Jahren eine gewisse Uebung im Gebrauch der hier gesprochenen Indianersprache erlangt habe, so war mir doch der Umstand hinderlich, dass meine indianischen Begleiter, die allerdings nur sehr wenig Spanisch sprachen, mit mir ausschliesslich Kekchi sprachen, wodurch mir das Verständnis ihrer Erzählung oft erschwert wurde. Ich glaube aber nicht, dass sich aus diesem Grunde irgendwo ein Missverständnis eingeschlichen habe, bin aber andererseits überzeugt, dass mir mein Gewährs-

---

[1]) Copal ist das Harz eines Baumes von niedrigem Wuchs, der in ziemlich trockenen Gebieten Mittelamericas bis zu einer Meereshöhe von etwa 1550 M. herauf gefunden wird. In der Trockenzeit gewinnt man das Harz des Copalbaums rein (weisses Copal), in der Regenzeit vermischt man es mit anderen Harzen (schwarzes Copal).

[2]) „*Tzultaccá*" heisst wörtlich „Berg (und) Thal" oder auch „Fuss des Berges".

mann überhaupt seine Anschauungen und Gebete nicht mitgetheilt hätte, wenn ich nicht Kekchi sprechen und verstehen würde; denn wer zu einem solchen Indianer nicht in seiner Sprache spricht, der erringt auch nicht sein Vertrauen. Meine drei Indianer, mit denen ich innerhalb 6 Jahren alljährlich lange Reisen zusammen gemacht hatte, und die bisher stets Schweigen bewahrt hatten, vertrauten mir ihre Mittheilungen fast wie ein Geheimnis an, und als ich die unterwegs mehrfach gehörten Gebete aufzeichnen wollte, diktierte mir sie SEBASTIAN BOTZOC nur dann, wenn wir beide ganz allein waren; nicht einmal seine beiden Gefährten durften dabei sein!

Die Gebete, welche SEBASTIAN BOTZOC zu beten pflegte, zeigen eine alterthümliche Form; auch wenn ihr Inhalt nicht heidnischer Art ist, sondern der christliche Gott angesprochen wird, werden demselben solche Attribute beigelegt, dass man sofort erkennt, dass diese Gebete von indianischen Autoren, nicht von christlichen Geistlichen herstammen. Wenn der Indianer z. B. den Christengott also anspricht: *„at in ná, at in yukvuá"*. („Du bist meine Mutter, Du bist mein Vater"), so ist das eine echt indianische Anschauungsweise, die ähnlich auch mehrfach im Popol Vuh, dem bekannten alten Quiché-Manuskript, zum Ausdruck kommt. Auch durch ihre poëtische Form zeigen diese christlichen Gebete ihren rein indianischen Ursprung, denn in allen bemerkt man die eigenthümliche Erscheinung von Parallelismus oder Antithesen einzelner Worte, womit häufig noch ein gewisser Gleichklang verbunden ist; ungemein häufig ist auch ein bestimmter Begriff in einem zweiten erklärenden Sätzchen mit andern Worten wiederholt, eine Eigenthümlichkeit, die man noch jetzt in der Umgangssprache der Kekchi-Indianer öfter bemerkt. Als Beispiele von Parallelismus oder Antithesen einzelner Worte mögen folgende angeführt sein: *rubel a cvuok*, *a cvuuk* („unter Deine Füsse, Deine Hände"), *se li chinal*, *se li nebaïl* („in der Kleinheit, in der Armuth"), *sa oxib kè*, *sa oxib ćutan* („in drei Sonnen, in drei Tagen"), *chirá chisa* („in Leid und Freud").

Es war im Januar 1894, als ich mit drei Kekchí-Indianern als Trägern zu Fuss durch die dichten Wälder der nördlichen Alta Verapaz und des südlichen Peten nordwärts wanderte. Ich hatte dabei zunächst keinerlei Gelegenheit, irgend welche neue Beobachtung zu machen; in bestimmten Zwischenräumen, gewöhnlich nach je etwa 2 Km., bei steilen Bergen oft schon nach 1 Km., pflegten meine Träger auszuruhen und nach der Zahl solcher Rasten wird von den Kekchi-Indianern die Entfernung angegeben. Die Entfernung von einem Rastplatz zum andern heisst im Kekchi *hil.*

An den Passübergängen pflegen sämmtliche, zur Mayavölker-Familie gehörigen Indianer von Guatemala und Chiapas [1]) Kreuze aufzustellen, welchen die Vorübergehenden ihre Verehrung in besonderer Weise zollen. Gewöhnlich trägt der Indianer, der zum ersten Mal einen solchen Pass überschreitet, einen Stein herbei, so dass bei diesen Kreuzen oft ansehnliche Steinhaufen gesehen werden. Häufig werden auch Opfer in Gestalt von Blumen oder grünen Zweigen vor dem Kreuz niedergelegt oder an dasselbe gebunden, und es ist bemerkenswerth, dass oft bei weitentfernten Stämmen (z. B. Choles in Chiapas und Kekchi-Indianer in Guatemala) dieselben Blumenarten dafür verwendet werden. Ueberall

[1]) In Yucatan habe ich diesen Gebrauch nicht mehr bemerkt, während die Mayas des Peten ihm noch huldigen. In Yucatan sieht man aber auf viel begangenen Wegen oft kleine Kreuze in der Entfernung von je einer Legua.

wo Kiefern vorkommen, sind Kiefernzweige als Opfer gebräuchlich, wie denn überhaupt die Kiefern bei indianischen Festen eine gewisse Rolle spielen, weshalb sie auch von den Kekchi-Indianern in den feuchten Urwaldgebieten der nördlichen Alta Verapaz, wo keine Kiefern mehr wild vorkommen, neben ihren Ermiten gepflanzt werden. Bei bedeutsamen Bergpässen bringt der Kekchi-Indianer auch Rauchopfer dar, indem er eine gewisse Menge Copal vor dem Kreuz verbrennt und sein Gebet dazu spricht. Bei manchen Passübergängen wird zudem getanzt. Kommt der Kekchi-Indianer auf seiner Reise über einen Pass, wo kein Kreuz ist, so bringt er trotzdem die gewohnten Opfer dar, richtet aber sein Gebet nicht an den christlichen Gott, sondern an seine heidnische Hauptgottheit, den *Tzultaccá*.

Der *Tzultaccá* spielt überhaupt für den reisenden Indianer eine viel wichtigere Rolle, als der christliche Gott, denn er ist gewissermassen der Gott des Waldes und des Wassers, der Thiere, kurz der gesammten Natur überhaupt, und so wendet sich dann der Kekchi-Indianer bei allen möglichen Gelegenheiten an ihn mit seinen Gebeten und richtet sich in seinen Gebräuchen allenthalben nach dem Willen dieses Gottes. Während unserer Reise im Peten legte SEBASTIAN BOTZOC alle Morgen und Abende glühende Kohlen auf ein grosses Blatt, nahm es vor das Lager und zwar in der Richtung des einzuschlagenden Weges, verbrannte sein Rauchopfer von Copal und betete zum *Tzultaccá* und zwar hauptsächlich um Jagdbeute. Später, als wir durch wohl bevölkerte Gegenden kamen, wo keine Jagdbeute mehr zu erhoffen war, unterliessen meine Indianer diese Gebete.

Das häufigste Jagdwild in den feuchten Urwaldgebieten des nördlichen Mittelamerika sind Pavos (*pu*), Hoccohühner (*chakmut* [1]) und Wildschweine (*chacó* = *jabalí;* die zweite Wildschweinart *ak* ist seltener). Im Gebiet der Sabanen und trockenen Wälder sind die beiden Rebsorten des Landes (*quej* und *tyuc*) die häufigste Beute. Ausserdem werden häufig Tepescuintles (*halau*), Taltusas (*ba*), Cotusas (*acam*) und die beiden Affenarten (*patz* und *max*) [2]) ihres Fleisches wegen von den Indianern gejagt, ausserdem fast alle Vögel des Waldes, darunter auch die rothen und grünen Papagaien (*mo* und *chochó*). Letztere sind ausserordentlich zähe und die Kekchi-Indianer legen sie daher vor dem Kochen, gewissermassen um sie recht jung und zart zu machen, in die aufgehängte Hängematte, wiegen sie darin hin und her und pfeifen dazu, als ob sie ein kleines Kind in den Schlaf wiegen wollten.

Kleine Vögel werden gerupft, aber unausgenommen am Spiess gebraten und sammt den Eingeweiden verzehrt. Grössere Thiere werden ausgenommen, aber die Gedärme nur entleert, ausgewaschen und zum Essen verwendet, denn die Indianer glauben, dass der *Tzultaccá* böse würde und in Zukunft kein Wild mehr hergäbe, wenn irgend etwas Essbares fortgeworfen würde. Es darf daher auch nie ein Stück von einem Thiere zurückgelassen werden. Um das Fleisch für längere Zeit aufzubewahren und es zugleich leichter für den Transport zu machen, wenden die Indianer ein eigenthümliches Dörrverfahren an (*chinanc* in Kekchi): es wird ein Feuer angezündet, darüber aus leichten Holzstäben eine Art Rost gemacht und das zerlegte Wild darauf gelegt und von Zeit zu Zeit umgewendet. Grössere Stücke müssen die ganze Nacht über dem Feuer liegen, um haltbar zu werden. Es geht bei

---

[1]) *Chakmut* oder *chajmut* ist eigentlich kein Kekchí-, sondern ein Chol-Wort und bedeutet „rother Vogel". Die Mayas des Peten nennen das schwarze Männchen *bok c'hich*, das braunrote Weibchen „*chaj ch'ich*".

[2]) Die wissenschaftlichen Namen der genannten Thiere sind mir nicht bekannt, soweit sie nicht von O. STOLL („Guatemala", Leipzig 1886, pg. 197 oder „Ethnologie der Indianerstämme Guatemalas", Leiden 1889, pg. 25) genannt sind.

diesem Dörrverfahren allerdings ziemlich viel Fett verloren, aber das Fleisch bleibt — auch im heissen Lande — während etwa 8 Tagen haltbar; das gedörrte Fleisch wird für den Genuss gekocht und giebt noch eine annehmbare Fleischbrühe. Die Gedärme grösserer Thiere (z. B. des Wildschweins) werden sauber ausgewaschen, in Blätter gewickelt und beim Dörren des Fleisches mit auf den Rost gelegt und so gewissermassen gedämpft (*lanchá* in Kekchi). Das Fleisch der Rehe wird häufig — wie Ochsenfleisch — in dünne Striemen geschnitten, eingesalzen und an der Luft getrocknet und heisst in solcher Zubereitung *taxax* in Kekchi.

Als Merkwürdigkeit sei hier noch erwähnt, dass die Kekchi redenden, im Uebrigen von den Kekchí-Indianern stark abweichenden Tribus der Cajaboneros und Lanquineros, die Sitte haben das Fleisch gewisser Schlangen, wie *Icvolai*, *Otooi*, *K'anajij*, *Ahauchan* u. a. zu geniessen, was die übrigen Kekchi-Indianer mit Abscheu erfüllt. Auch Schildkröteneier, welche von Mayas und Lacandonen gesammelt und gegessen werden, weisen die Kekchi-Indianer zurück. Dagegen sind sie grosse Liebhaber von Wasserschnecken (*pur*)[1], welche gekocht werden; man schlägt ihnen dann den Wirbel oben ab (wofür die Indianer das besondere Zeitwort *puric* anwenden) und schlürft sie aus. Muscheln essen die Kekchí-Indianer nicht, sammeln aber davon Schalen, ebenso wie die Gehäuse der Wasserschnecken, um Kalk daraus zu brennen, den sie dann für das Kochen des Maises verwenden. Fische werden von den Kekchi-Indianern gerne gegessen; sie fangen sie (in Chamá) mit Netzen, an welchen thönerne Ringe als Beschwerer angebracht sind, statt Blei.

Ohne besondere Vorkommnisse hatte ich mit meinen Kekchi-Trägern das Peten durchwandert und fuhr in einem Ruderboot auf dem Rio Viejo nach Belize hinunter. Da gab es nun zu sehen und zu staunen für meine guten Indianer; andere Menschen, eine andere Sprache, andere Sitten, anders gebaute Häuser, andere Kulte! Meine Indianer gaben ihre täglichen Gebete und Opfer auf und wurden mit einem Schlage religionslos. Die Macht des *Tzultaccá* reiche nicht bis hieher, meinten sie, denn in Belize werde eine fremde, für ihn unverständliche Sprache gesprochen, und als ich sie versicherte, dass der christliche Gott, *li kacvuá Cruz*, auch hier verehrt werde, und ihre Kekchi-Gebete ebenso gut verstehe, als in Coban oder S. Pedro, glaubten sie mir nicht. Sie erklärten mir, dass bei den Kirchen von Belize keine Kreuze angebracht wären, wie in Guatemala, und dass es also auch ein anderer Gott sein müsse. Ich zeigte ihnen nun die katholische Kirche mit dem Kreuz auf jedem Thurme und nahm Sebastian Botzoc in den Convent von S. Joseph mit (wo die Jesuitenpatres eine metereologische Station errichtet haben); aber trotzdem schüttelten sie den Kopf und blieben dabei, dass Gott hier eine andere Sprache spreche und sie nicht verstehen würde. Sie stellten nun zwei volle Monate alle Religionsübungen ein (abgesehen von einem einzigen Kirchenbesuch in Mérida am Charfreitag), bis sie im Verbreitungsgebiet der Choles in Chiapas auf einer Passhöhe (zwischen Sabanilla und Tila) einige grosse hölzerne Kreuze mit daran gebundenen Blumen fanden; da begann Sebastian Botzoc für sich und die anderen wieder in gewohnter Weise die Andachten zu verrichten.

In den kleinen Dörfern im Innern Yucatans wurde uns gewöhnlich zum Uebernachten eine Hütte angewiesen, welche für die Anwohner zugleich als Kirche diente. Mit Erstaunen

[1]) Verschiedene Arten von *Melania* (*Pachychilus*).

beobachtete ich, dass innerhalb derselben sich Spuren von Gräbern zeigten und erfuhr, dass die Angehörigen derjenigen Familien, welche die Kirche erbaut hatten, darin begraben wurden, während die übrigen Dorfbewohner auf dem offenen Friedhof beerdigt würden. Im Norden und Westen der Halbinsel besteht dieser Gebrauch nicht mehr und unter den Indianerstämmen von Tabasco, Chiapas und Guatemala ebensowenig [1]), mit alleiniger Ausnahme der echten Kekchi-Indianer, welche — wenigstens auf dem Lande — mit grosser Pietät diesen Gebrauch innehalten: eine Anzahl von Familien, gewissermassen eine Genossenschaft bildend, thut sich zur Errichtung eines solchen Begräbnishauses (*Ermita* oder *Hermita*) zusammen, das zugleich als Versammlungsort bei Festlichkeiten und als Kirche (Aufbewahrungsort des Heiligenbildes) benutzt wird; die Leitung der Geschäfte besorgen eine Anzahl hervorragender Männer, deren Oberhaupt (*Xbenil*) die Oberaufsicht führt und bestimmt, an welchem Platz eventuell ein Gestorbener zu begraben ist u. dgl.; ein anderer macht den Kassier und so weiter. Stirbt der *Xbenil*, so rücken die unteren Chargen je um eine Stufe höher hinauf; das Amt des Obmannes ist daher nicht etwa erblich, sondern kann nur durch vorherige Bekleidung der niedrigeren Aemter erreicht werden. Geldabgaben, oder persönliche Arbeitsleistungen (z. B. Neudeckung des Dachs oder Wiederaufbau des schadhaft gewordenen Hauses), müssen gleichmässig von allen Genossenschaftsmitgliedern geleistet werden; wer seinen Beitrag nicht leistet, verliert das Recht auf das Begräbnis innerhalb der *Ermita*.

Wie oft hatte ich schon in solchen *Ermita's* der Alta Verapaz gewohnt, wie oft auch indianische Beerdigungen mit angesehen, ohne jemals die Ursache und den Zweck der eigenthümlichen Gebräuche zu verstehen oder befriedigende Antwort auf meine Fragen zu erhalten. Nun ich aber im fernen Yucatan etwas Aehnliches beobachtete, versuchte ich abermals mein Glück und es schien, als ob die Ferne der Heimath meinen Begleitern die Zunge gelöst hätte. Ich erfuhr nun, dass die Kekchi-Indianer den Glauben haben, die Seele (*ánum*) [2]) des Verstorbenen müsse unmittelbar nach dem Tode beginnen, die nämlichen Reisen abermals zu machen, welche der Lebende ausgeführt hatte, allerdings mit der Einschränkung, dass nur diejenigen Wege zurückgelegt werden müssen, wo der Lebende sich selbst direkt mit den Bewohnern verständlich machen konnte und wo er keine Fluss- oder Meerfahrt zu machen brauchte. So z. B. meinten meine Indianer, sie müssten nach ihrem Tode nur bis El Cayo (Belize) gehen; da daselbst im Leben die Flussfahrt begonnen habe, müssten sie auch nicht zu Lande nach Yucatan gehen, da Gott daselbst eine andere Sprache spricht — nämlich Maya — und sie nicht verstände.

Nach Ausführung jeder einzelnen Reise kehrt die Seele nach der heimatlichen *Ermita* zurück und ruht dort aus, sich mit den Seelen der Nachbarn unterhaltend, bevor sie eine neue Reise antritt. Damit die Seele für diese Reisen gut vorgesehen sei, wird der Leichnam vor der Beerdigung (womöglich) mit einer neuen Kleidung bekleidet und in eine Binsenmatte (*pop*) gewickelt, auf welcher die Seele dann auf ihren Reisen schlafen kann. Ausserdem bekommt der Todte folgende Gegenstände mit ins Grab: seinen Hut (*punit*), einen thönernen Kochtopf (*xar*), einen *Guacal*, d. h. die gebräuchliche hölzerne Trinkschale

---

[1]) Bei den *Mames* sah ich wohl, dass auf dem Friedhof über einzelnen Gräbern Hütten errichtet waren; dagegen fehlen dort Häuser, in denen eine grössere Zahl von Todten beerdigt werden.

[2]) Das Wort „*ánum*", ist möglicherweise eine Verstümmelung des spanischen „*anima*"; doch ist es auch möglich, dass es ein echtes Kekchí-Wort ist, da das Herz der Thiere auch so von den Kekchí-Indianern genannt wird.

(*jom*), eine Tasse (*sec*), eine Serviette, d. h. eben ein Tuch zum Einwickeln der Nahrungsmittel (*masbaël*), Sandalen (*xap*), ein Tragband (*tap*), ein Tragnetz (*champá*), Feuerzeug, d. i. Zunder, Feuerstein und Stahl (*jutp*), ein Regendach aus Blättern der Corozopalme (*mococh*) und den dazugehörigen Bindfaden (*lix k'am li mococh*); kurz alles, was der Indianer zur Reise nöthig hat, mit Ausnahme der jetzt allgemein gebräuchlichen wollenen Decke (*is*), da man glaubt dass die Wolle — als thierisches Erzeugnis? - im Grabe Zähne habe und die Seele beissen würde. Dem Todten wird beim Begräbnis auch ein Rosenkranz zwischen die Finger der rechten Hand gelegt und zwar so, dass das Kreuz am Daumen ruht.

Sollte irgend etwas an der Reiseausrüstung des Todten vergessen worden sein, so kommt die Seele zu ihrem nächststehenden, lebendem Verwandten, d. h. sie erscheint ihm im Traum (*nabuchic*) und verlangt das Vergessene Da es nun nicht angeht, das Grab des Todten wieder zu öffnen oder dies überhaupt unmöglich ist, wenn nämlich der Betreffende fernab von seiner Heimath verstorben, so giebt man die vergessenen Gegenstände einfach einem anderen Leichnam mit ins Grab und trägt seiner Seele auf, die Sachen im Jenseits an ihren Besitzer abzuliefern, wenn sie ihn trifft.

Speisen werden den Todten nicht ins Grab mitgegeben, da die Indianer glauben dass die Seelen nunmehr ohne den irdischen Leib wären und daher auch keine irdische Nahrung mehr zu sich nehmen. Sie glauben, dass der *Tzultaccá* sie im Jenseits mit Nahrung versehe, wissen aber nicht anzugeben, aus was dieselbe bestehe.

Am Allerseelentag sind alle Seelen in der *Ermita* versammelt, weshalb an diesem Tag Niemand in der *Ermita* schläft, die sonst als das allgemeine Nachtquartier für alle Durchreisenden gilt. Am gleichen Tag kommen die Seelen auch in die Hütten ihrer Angehörigen auf Besuch, weshalb man ihnen daselbst vor dem Hausaltar Fleisch, Bohnen, Tortillas (Maiskuchen), Bananen, Cigarren und dergleichen vorsetzt; die Seelen, welche in ihrer unkörperlichen Wesenheit diese Dinge nicht materiell geniessen können, riechen daran und gehen wieder fort. Die Speisen selbst werden am folgenden Tag im San Pedranischen von den Angehörigen verzehrt, in Coban und Umgebung aber weggeworfen.

Haben die Seelen sämmtliche Reisen wieder zurückgelegt, die die betreffenden Leute vorher im Leben gemacht hatten, — man muss verstehen, dass sie so lange unter der direkten Herrschaft des *Kacvuá Tzultaccá* standen —, so gehen sie zum *Kacvuá Cruz* (dem christlichen Gott), um dort ihre Sünden abzubüssen. Meine Indianer stellten sich das, echt anthropomorphistisch, gerade so vor, wie wenn sie auf Erden auf einer Kaffeepflanzung Vorschüsse bekommen hätten und dieselben nun durch persönliche Arbeit heimzahlen müssten; sie meinten nämlich, die Seelen, die sie sich doch immer wieder körperlich denken, müssten nun Bäume fällen, Erde graben, u. dgl., bis sie ihre Sünden abverdient hätten; sie dürften hernach unter dem Vordach (*se li mu li capl*) zuhören, wie die Engel im Innern des Hauses dem lieben Gott auf Harfen, Geigen und Guitarren vorspielen. Die Kekchi-Indianer sind nämlich ausserordentlich eingenommen für Musik, weshalb sie sich kein Glück, keine rechte Freude ohne dieselbe denken können; ihr gewöhnliches Orchester besteht aus Harfe, Geige und Guitarre, wozu ein vierter Theilnehmer an Stelle einer Trommel den breiten Resonanzboden der Harfe mit den Fäusten bearbeitet und so den Takt hervorhebt. Bei den meisten andern Indianerstämmen von Guatemala und Chiapas sind Trommel und Pfeife — Schalmei — die Hauptinstrumente; in Yucatan habe ich überhaupt keine Volksmusik unter den Mayas gehört, die auch im Allgemeinen ernster sind, als die Indianer Guatemalas.

Die Ceremonien bei einer Beerdigung sind bei den Kekchi-Indianern, abgesehen von den Todtenbeigaben, sehr einfach. Der Leichnam wird — im San Pedranischen — innerhalb der *Ermita* in eine 4 bis 6 Fuss tiefe Grube gelegt, die Erde daraufgefüllt und mit Holzkeulen festgestampft, so dass das Grab keinen Hügel erhält, sondern ebenerdig wird, was schon deshalb nothwendig ist, weil in der *Ermita* bei allen Festlichkeiten auf eben diesem Boden getanzt wird. Bei Cubilguitz soll der Todte in hockender Stellung in die Grube gesenkt werden. In Coban und Umgebung richten sich die Indianer bei Beerdigungen schon fast ganz nach den Gebräuchen der Mischlinge. Die Lanquineros und Cajaboneros, die auch sonst vielfach von den übrigen Kekchi-Indianern abweichen, haben keine *Ermitas* und begraben ihre Todten auch nicht in den *Ermitas* der San Pedraner, die in ihrem Gebiet zerstreut sich befinden, sondern vor denselben.

Stirbt bei den Kekchi-Indianern Vater oder Mutter eines Verheiratheten, oder stirbt ein Kind, so werden keine besondere Gebete gesprochen; stirbt aber der Mann oder die Frau, so spricht das andere Ehegespons ein bestimmtes Gebet; auch ruft der Ledige seinem verstorbenen Vater oder Mutter ein besonderes Gebet nach.

Bei den Beerdigungen heulen nur die Frauen, und zwar in einer eigenthümlichen Weise, indem sie mit einem langgezogenem, hohen Ton beginnen und allmählig schwächer werden und in tiefere Lagen herabsinken. (Ganz ähnlich bewegt sich die Todtenklage bei den Choles, welche ich aus der Ferne in S. Pedro Sabana hörte, hauptsächlich auf folgenden Intervallen  c a g, während bei den Mames die Todtenklage in vielen, mannigfacheren Weisen und Rhytmen gesungen wird (Vgl. Neue Musikzeitung, 1892, N°. 22 und 23).

Da meine Indianer in der weltentlegenen Kirche von Chunjabin (im Innern Yucatans) gerade am Erzählen waren, so suchte ich noch weitere Mittheilungen über ihre Gebräuche bei Geburten und Heirathen von ihnen zu erfahren, aber ich konnte fast nichts herausbekommen, das ich nicht schon früher gewusst hätte.

Bei Geburten werden keine nennenswerthen Gebräuche beobachtet.

Bei der Heirath tritt die Idee des Kaufes deutlich hervor. In der Gegend von Campur will es der Brauch (nach Mittheilungen von Domingo Caal), dass der Vater des zukünftigen Bräutigams am Sonntag zum Vater des gewünschten Mädchens gehe und mit Zurücklassung von ½ Silberpeso über die eventuelle Heirath spreche; ebenso an zwei folgenden Sonntagen, wobei dann jedesmal $ 1.— zurückgelassen werden muss. Ist auch das dritte Mal der Vater des Mädchens einverstanden, so ist die Verlobung fertig und die Heirath geht am vorher festgesetzten Tag in der staatlich und kirchlich vorgeschriebenen Weise vor sich. Gegenwärtig scheinen übrigens die Preise für die Frauen höher zu sein: meine beiden jüngeren Träger, Antonio Pop und Sebastian Ical hatten je fast das dreifache der oben erwähnten Summe für ihre Frau bezahlt (nämlich je im ganzen $ 7.—, während nach dem alten Brauch der Preis nur $ 2.50 gewesen wäre). Sebastian Botzoc dagegen ist ein „gekaufter Mann" (*lok vil*), denn im Kekchi-Gebiet kann auch das Mädchen um einen Mann werben lassen, muss aber einen höheren Preis bezahlen: der Vater von Sebastian Botzoc z. B. bekam für seinen Sohn $ 10.— ; zudem kann in solchem Fall die Frau von ihrem Mann unter Umständen nach der Brautnacht zu ihren Eltern zurückgeschickt werden und die Ehe ist dann in den Augen der Indianer nichtig.

In eigenartiger Weise werden (nach den Mittheilungen von Mr. E. Cary) in Chamá die Heirathen der Indianer unter sich eigenmächtig — d. i. ohne Zuthun von Kirche und Staat — geschlossen, wie denn auch ebendort häufig die Kinder nicht getauft werden: die Braut kommt ins Haus des Bräutigams, muss daselbst Mais mahlen und Tortillas (Maiskuchen) backen, Bohnen kochen u. s. w., kurzum eine Art hauswirthschaftlichen Examens bestehen, und wenn nach der Brautnacht der Mann nicht in Allem mit seiner Frau zufrieden ist, hat er das Recht, sie zu ihren Eltern zurückzuschicken. Was dem Mann nach der Brautnacht am meisten auffällig ist, ein Thier, ein Gegenstand, ein Ereignis, danach bekommt er einen Uebernamen, der im Bekanntenkreis in Zukunft ausschliesslich statt seines Taufnamens Anwendung findet.

Nach der Heirath zieht das junge Paar — im San Pedranischen — für einige Jahre ins Haus der Schwiegereltern; ich habe es gesehen, dass sie ins Haus der Eltern des Mannes, in andern Fällen in das der Eltern der Frau zogen, es scheint also in dieser Hinsicht keine bestimmte Regel zu herrschen. Das junge Paar muss nun in diesem Haus für den Haushalt der alten Leute mitarbeiten, und da es dabei häufig Streit gibt, so zieht das junge Paar gewöhnlich nach längerer oder kürzerer Zeit weg und gründet sich einen unabhängigen Haushalt und ein eigenes Haus. Immerhin kenne ich Häuser, wo neben dem alten Ehepaar noch zwei oder drei Schwiegersöhne oder Söhne mit ihren Frauen und Kindern hausen. Sterben nun die Alten, so erben die jungen Familien, welche im Haus der Alten gelebt haben und dieselben also verpflegt haben, den Nachlass; die weggezogenen, selbständig gewordenen Kinder bekommen Nichts, oder nur eine Kleinigkeit.

Verhältnismässig wenig Interesse erregten bei meinen Indianern Eisenbahn und Dampfschiffe, welche wir auf unserer Weiterreise im nördlichen Yucatan und auf dem Wege nach Tabasco benutzten; sie dachten an ihre ferne Heirath und je näher die Zeit der Maissaat heranrückte, desto häufiger sprachen sie davon. Der Mais bildet die Hauptbasis für den Lebensunterhalt der mittelamerikanischen Indianer, er bildet daher auch einen Hauptangelpunkt im Denken und Fühlen derselben.

Wir befanden uns gerade im Gebiet der Choles, als der erste Tag für die Maissaat der Kekchi-Indianer war, und ich konnte bei dieser Gelegenheit feststellen, dass die weit entfernt wohnenden Choles denselben Tag für den Beginn der Maissaat festgestellt haben (25. April). Die Leute von Campur (Kekchi-Indianer) enthalten sich fünf Tage vor der Aussaat des Fleischgenusses und des geschlechtlichen Umgangs mit ihren Frauen, und da das alte indianische Jahr nach Ablauf der achtzehn zwanzigtägigen Monate (360 Tage) gleichfalls fünf Tage bis zum Beginn des neuen Jahrs kennt, da ferner der Mais als wichtigstes Lebenselement eine so bedeutsame Rolle im Leben der Indianer spielt, so erscheint es mir gar nicht unmöglich, dass der 25. April der Jahresanfang der Kekchi-Indianer und Choles gewesen ist. Freilich ist die Vermuthung zu unbestimmt als dass ich besonderes Gewicht darauf legen möchte und es spricht nicht sehr zu ihren Gunsten, dass die Lanquineros und Cajaboneros eine längere Frist hindurch (13 Tage) vor der Maissaat sich des geschlechtlichen Umgangs und des Fleischgenusses enthalten. Bei den Mayas von Yucatan fällt der Jahresanfang nicht mit der Maissaat zusammen, da sie Mais im Juni (manchmal schon Ende Mai, eben mit dem ersten Regen) aussäen, während ihr Jahr nach Landa's Zeugniss am 16. Juli begann.

Drei Tage vor der Aussaat des Maises verbrennen die Kekchi-Indianer Abends Copal vor dem Kreuz ihres Hausaltars — jedes Haus hat seinen Altar, meist gegenüber dem Eingang; derselbe wird gewöhnlich mit Blumen, Flaschenkürbissen und Palmblättern geschmückt, oft auch mit Maiskolben, Vogelschnäbeln u. den Federn des Guacamaya (*mo*) u. dgl. — Sie richten dabei ein besonderes Gebet an den *Tzultaccá*, aus dessen Inhalt ich als besondere Merkwürdigkeit hervorhebe, dass darin verschiedene Lokalitäten der Alta Verapaz, oder vielmehr verschiedene *Tzultaccá's*, die an eben jenen Orten ihren Sitz haben, namhaft gemacht werden. Meine indianischen Begleiter beten z. B. zum *Tzultaccá* von „Pecmó" (wörtlich „Felsen des Guacamaya", ein Ort im Gebiet der Kaffeeplantage Campur) und behaupten, derselbe sei ein sehr starker *Tzultaccá* und behüte seine Schützlinge auf Reisen und zu Haus kräftig vor Fieber, Schlangenbiss und anderen Gefahren. Dagegen sagen sie, der *Tzultaccá* von Chiitzam, der Gott der Lanquineros, sei ein schwacher *Tzultaccá*, weshalb die Lanquineros auf Reisen leicht vom Fieber befallen werden und die Strapatzen nicht lange aushalten.

Ich erfuhr ferner, dass der *Tzultaccá* an all den, im Gebet namhaft gemachten, Orten in tiefen Höhlen wohne, in welchen mächtige *Icvolai*-Schlangen (*Crotalus horridus* Cuv.) als Stricke für seine Hängematte dienen. Schlangen sind auch die Diener des *Tzultaccá*, mit denen er die Sünden der Menschen bestraft; leichte Vergehen werden durch den Biss ungiftiger Schlangen (*k'im* und ähnliche) gesühnt, während schwere Sünden durch die Bisse der giftigen Schlangen geahndet werden, von welch letzteren eben die *Icvolai* wegen ihrer Körperkraft und blitzschnellen Bewegungen, wie wegen der furchtbaren Wirkungen ihres Giftes am meisten gefürchtet ist. Der *Tzultaccá* ist auch der Herr des Wassers; und Fieber (*raxquihob*) oder Dysenterie (*mochquej*), welche in Durchnässung oder Erkältung ihre Ursache haben, sind vom *Tzultaccá* den Menschen geschickt. Es ist verboten, irgend einen heissen Gegenstand zur Abkühlung ins Wasser zu stellen, da der betreffende Bach dadurch verbrannt würde, was der *Tzultaccá* durch Senden von Fieber ahnden könnte. Auch Schlangen oder Skorpione [1]) dürfen nicht ins Feuer geworfen werden, da sonst die Thiere derselben Art sich an dem Thäter rächen würden; man darf sie aber erschlagen mit einem hölzernen Stab, oder mit einem Stein etc. Vor dem Jagen oder Fischen muss die Erlaubnis des *Tzultaccá* durch Gebet und Brandopfer (Verbrennen von Copal) eingeholt werden. Ueberschwemmungen oder Hochwasser sind das äussere Zeichen von Festen, welche der *Tzultaccá* im Schooss der Erde feiert. Auch die Blitze sind ihm eigen; der Blitzschlag entsteht, wenn der *Tzultaccá* mit seinem Steinbeil (*mal*) in einen Baum schlägt; zur Strafe für bestimmte Frevel tödtet er damit auch wohl Menschen. So erklären es sich die heutigen Indianer, warum da und dort die altindianischen Steinbeile in der Erde gefunden werden!

Sebastian Botzoc erzählte mir, dass in der Höhle von Pecmó der *Tzultaccá* durch Gebete und Abbrennen von Kerzen gefeiert werde; er selbst sei aber noch nie darin gewesen. Ich höre aber von anderer Seite, dass der Mann, welcher in die Höhle des *Tzultaccá* gehen will, sich 40 Tage vorher jeglichen geschlechtlichen Umgangs enthalten muss und drei Tage lang mit seiner ganzen Familie betet, ehe er den bedeutungsvollen Gang unternimmt.

In der Alta Verapaz dürfte übrigens der Gottesdienst der Indianer in vorchristlicher

---

[1]) Die Kekchi-Indianer schneiden häufig den Scorpionen die Stacheln weg und tragen diese Stacheln bei sich, da sie glauben, sich dadurch die Liebe ihrer Angebeteten sichern zu können.

Zeit vielfach in Höhlen abgehalten worden sein, da in solchen häufig thönerne, alterthümliche Götzenbilder gefunden werden, und da in Zeiten religiös-politischer Umtriebe, z. B. im Jahr 1885, die Indianer immer noch in solchen Höhlen ihre Andachten verrichten, Blumen u. dgl. als Opfer darbringen u. s. w. Die Höhle von *Xucaneb* erfreute sich damals besonders eifrigen Besuchs von Seiten der Indianer, da der geistige Urheber der damaligen Bewegung, JUAN DE LA CRUZ, dort eine Verwandte von ihm als weissagende Jungfrau MARIA auftreten liess. Auch die Höhle von Seamay, in welche man über eine künstliche Steintreppe hinuntergelangt, erhielt damals starken Zulauf.

Auch im Hochland von Chiapas, bei den Tzotziles und Tzentales, scheinen die Höhlen häufig als Ort der Gottesverehrung gedient zu haben, wenigstens findet man in solchen Höhlen noch jetzt oft thönerne Götzenbilder, welche bei den dortigen Indianern noch immer Gegenstand der Verehrung sind. Ich hörte aber auch von glaubwürdiger Seite, dass die Tzotziles sich manchmal mitten im Felde niederwerfen und Sonne und Mond anbeten; sie nennen die Sonne „*tot-tic*", „unser Herr", den Mond „*metic*", „unsere Herrin".

Im Gebiet der Mame- und Quiché-Stämme scheinen dagegen vorzugsweise die Berggipfel als Orte der Verehrung gedient zu haben, z. T. auch noch zu dienen. So wohnte Herr ED. ROCKSTROH auf dem Gipfel des Vulkans Tacaná einer Andachtsübung von Mame-Indianern bei, bei welcher ein Truthahn geschlachtet und aus seinen Bewegungen beim Todeskampf geweissagt wurde, während ich auf den Gipfeln der Vulkane Tajumulco und S. Maria indianische Opferstätten fand, kenntlich an den zahlreichen umherliegenden Kohlen und an den Scherben von Räuchergefässen. Auch bei S. Miguel Uspantan sah ich auf dem Gipfel eines Hügels einen Opferplatz, bestehend aus zwei etwa halbkreisförmigen Feuerstellen, vor welchen einige Reihen ganz parallel gelegter Kiefernnadeln geformt waren und zwar sind beide Feuerstellen so situirt, dass der Opfernde genau nach Osten gewendet ist; um die grössere Opferstelle herum sind junge Kiefern gepflanzt.

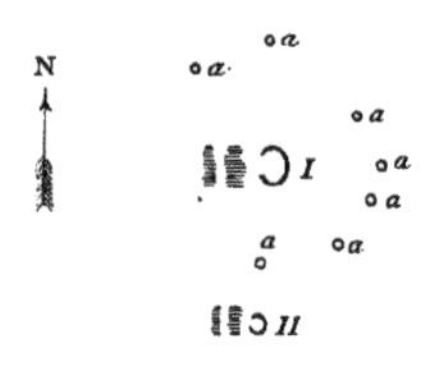

I, II = Feuerstellen.
a = Kiefern.

Kehren wir nach dieser Abschweifung zum eigentlichen Thema zurück!

Drei Tage vor der Maisernte wird Abends vor dem Hausaltar Copal verbrannt und ein Gebet gesprochen. Auch nach der Ernte wird dem *Tzultaccá* wieder Copal verbrannt, aber keine Gebete dabei gebetet.

Bei Aussaat von Bohnen und Chile (*Capsicum annuum*) wird nur Copal verbrannt und nur diejenigen, welche den Anbau dieser Pflanzen in grösserem Massstab betreiben und ein Geschäft aus dem Verkauf machen, enthalten sich einige Tage vor der Aussaat des Umgangs mit ihren Weibern. Wer Vieh hat, verbrennt auch am Zaun der Weideplätze Copal für den *Tzultaccá*, damit das Vieh wachse und sich vermehre.

Was es auch immer sei, in den meisten Angelegenheiten des täglichen Lebens wendet sich der conservative Kekchi-Indianer an seinen *Tzultaccá*, während der christliche Gott seinem Denken und Fühlen ferner steht und vielleicht nur als ein unnahbarer, oberster Richter und Herr betrachtet wird. Ich zweifle übrigens nicht daran, dass der Indianer selbst sich über das Verhältnis zwischen Gott und dem *Tzultaccá* nicht klar ist, obgleich er dem letzteren in seinen Gebeten den Titel eines Engels gibt (Spanisch: Angel). Jedenfalls gibt es für ihn Gebiete, welche dem Einfluss des Christengottes, nach Kekchi-Glauben, vollständig entzogen sind: Als wir auf der Heimreise durch die, nur von ganz vereinzelten

Niederlassungen heidnischer Lacandonen bevölkerten Urwälder des östlichen Chiapas wanderten, fing eines Abends, während wir in der Hängematte ausruhten, ANTONIO POP, einer meiner Begleiter, in Kekchi das Ave Maria zu beten an, er wurde aber alsbald von SEBASTIAN BOTZOC in zornigem Tone zurechtgewiesen und belehrt, dass die hier wohnenden Leute den *Kacvuá Cruz* nicht kennen und dass deren Gott über diese Gebete böse werden würde; ANTONIO POP meinte nun schüchtern, dass man doch überall zum *Kacvuá Cruz* beten dürfe, wurde aber sofort darauf hingewiesen, dass an unserem Wege nirgends Kreuze ständen, dass also diese Gegend nicht zum Gebiet des christlichen Gottes gehöre.

Anknüpfend an dies Gespräch erfuhr ich dann, dass auch in der Alta Verapaz die unwegsamen, unbewohnten Urwaldgebiete nicht zum Bereich des Christengottes gehören und dass der Indianer, welcher dort sich niederlasse, ausschliesslich zum *Tzultaccá*, aber nie zum *Kacvuá Cruz* bete. Der Indianer geht, gewissermassen zur Besitzergreifung, in den Urwald, umwandert so viel Land, als er in einem Tag umwandern kann und schlägt an den vier Cardinalpunkten je ein Bäumchen um; nach einem Jahr kommt er an den Platz zurück, verbrennt dem *Tzultaccá* Copal und macht sein Maisfeld in der Richtung, nach welcher hin der Rauch des Copal gegangen ist. So lange nur eine oder wenige Indianerfamilien so im Urwald wohnen, beten sie nur zum *Tzultaccá*; zum Christengott aber beten sie nur in einem Dorf, in einer *Ermita* oder bei einem Kreuz am Wege, ausserhalb ihrer Ansiedlung; erst wenn sich die Familien einer solchen Ansiedlung zur Errichtung einer *Ermita* zusammengethan und darin ein Heiligenbild aufgestellt haben, beginnen sie mit ihren Gebeten an den christlichen Gott, der damit gewissermassen Besitz von der Gegend nimmt. Aus dem ganzen Bericht klang etwas wie Feindschaft zwischen dem *Tzultaccá* und dem mächtigeren Christengott heraus.

Der Kekchi-Indianer verehrt aber noch einen Gott, dem er gleich dem *Tzultaccá* und dem Christengott ebenfalls das Attribut *Kacvuá* („unser Herr") giebt und zwar ist das die Sonne (*li kacvuá sak-kè*, wörtlich „unser Herr, die leuchtende Sonne"). Mit beredten Worten, die wirklich von einem Gefühl der Wärme und Liebe durchtränkt waren, schilderte mir SEBASTIAN BOTZOC all das Gute, welches der Indianer der Sonne verdankt: sie erleuchtet die Erde, dörrt die umgeschlagenen Bäume und Sträucher, welche vor der Saat auf der gerodeten Fläche verbrannt werden müssen, lässt den Mais wachsen und reifen u. s. w.. „Und warum betet Ihr denn nicht zur Sonne?" frug ich ihn. „„Weil *li kacvuá sak-kè* zu weit weg ist, um unser Gebet zu hören"", lautete die Antwort. Nur ein kurzes Gebetchen pflegen die Kekchi-Indianer an die Sonne zu richten, wenn sie auf der Reise ganz und gar vom Regen durchnässt und durchkältet sind und die Sonne nun aus den Wolken brechen sehen.

Der Mond wird von den Kekchi-Indianern nicht verehrt, denn sie sagen, dass er für sie von wenig Bedeutung sei im praktischen Leben. Sie beobachten aber die Mondwechsel (*lix xi li bo*), wie er zunimmt (*nimanc*) und abnimmt; und wenn Neumond eintritt, sagen sie der Mond sei gestorben (*quicam li bo*). Auch von Verehrung der Sterne ist keine Spur mehr zu bemerken, kennen sie doch nicht einmal mehr die Namen derselben.

Wenn auch christliche Ideen und neuer Aberglaube vielfach verändernd auf die religiösen Anschauungen und die Gebräuche der Kekchi-Indianer eingewirkt haben und sie vollständig durchsetzen, so ist doch noch ein so starker K̓ern alten Heidenthums darin enthalten, dass er geradezu überwiegt über den christlichen Gemengtheil der Gesinnung. Freilich wird bei anderen Individuen vermuthlich Christenthum und Heidenthum in anderer Weise neben einander hergehen, als gerade bei SEBASTIAN BOTZOC, der schon als kleiner Knabe sein Reiseleben begann und von den älteren Mitreisenden seine jetzigen Anschauungen eingepflanzt bekam. Bei den in Städten wohnenden Indianern ist der heidnische Gemengtheil ihres Glaubens wohl nur noch als unklarer Aberglauben vorhanden. Immerhin aber dürfte es von allgemeinem Interesse sein, an einem Beispiel das Fortwuchern altheidnischer Ueberlieferungen gezeigt zu haben, im Schoss eines Völkchens das seit vierthalb Jahrhunderten sich zum Christenthum bekennt und das Wort „Cristiano" geradezu als gleichbedeutend mit dem Begriff „Mensch" ansieht.

KĖKCHÍ-GEBETE

(Mitgetheilt von SEBASTIAN BOTZOC, 1894).

Bemerkung. — Beim Niederschreiben dieser Gebete habe ich mich möglichst eng an STOLL's Orthographie angeschlossen; dieselbe beruht auf der spanischen Orthographie mit zweckentsprechenden Modifikationen, als deren wichtigste folgende hervorgehoben sein mögen: *x* ist wie „sch" auszusprechen; von *c* (vor *e* und *i*: *qu*) wird das gutturale *k*, das vielfach dem Klang unseres „*g*" nahe steht, unterschieden.

Der Ton ist oft durch einen Accent hervorgehoben. Wenn *e* wie unser *ä* ausgesprochen wird, ist es mit Accent grave *è* geschrieben.

Die Uebersetzung ist wegen der oft seltenen, veralteten Wortformen (im San Pedraner Dialekt) und des eigentümlichen Gedankengangs, der selbst dem Indianer nicht mehr recht geläufig zu sein scheint, schwierig, so dass ich selbst nicht damit zu Stande kommen konnte, sondern den Beistand sprachkundiger Bekannter, namentlich der Herren ERNST FETZER und DAVID SAPPER, in Anspruch nehmen musste; die Uebersetzung, welche mein Vetter DAVID SAPPER mir geliefert hat, ist die Grundlage der hier gegebenen Uebertragung. Manches ist aber auch jetzt noch ganz unklar und dunkel geblieben, weshalb die ganze Uebertragung als verbesserungsbedürftig zu betrachten ist und der Nachsicht der Sprachforscher empfohlen sein möge.

COBAN, den 28 Dez. 1894. Dr. CARL SAPPER.

N°. 1. Gebet an die Sonne. (Selten gebetet und nur, wenn die Indianer auf der Reise sehr nass geworden sind und nach langem Regen wieder die Sonne erblicken).

At i dios, at i kacvuá sakkè, kaxal sā naca cvuil, u li tziej hap ma ani tacvuil lix nebá, ut laat at i kacvuá sakkè, anchal la nebá.

Du mein Gott, Du Herr Sonne, gar lieblich blickst Du, und der hündische Regen, er sieht nicht auf seine Armen, aber Du, o Herr Sonne, auch Du hast Deine Armen!

N°. 2. Gebet an den *Tzultaccá* beim Erreichen eines Berges oder Passes, auf dem sich kein Kreuz befindet.

At i dios, at loklaj tzultaccá, xinlub naj xulink'abliec chacvué, chacvuú, at in na, at in yucvuá! Cajat ajcvui in na lin tyucvuá, at loklaj tzul, at loklaj taccá.

Du o Gott, Du Herr der Berge und Thäler, ich bin müde, denn ich bin (hier) angekommen vor Deinem Mund, vor Deinem Angesicht, Du meine Mutter, Du mein Vater! Nur Du bist meine Mutter, mein Vater, Du Herr der Berge, Du Herr der Thäler!

Xinlub chacvué chacvuú; matará tacvui chik'ut naj xincuvèc chacvué loklaj angel tzultaccá.

Müde bin ich (hier) vor Deinem Munde, vor Deinem Angesicht; mögest Du mir zeigen, wie dann hinabsteigen vor dir, o Engel, Herr der Berge und Thäler.

Ahí li chinal li nebail xintyè, at in kaxil at yucvuá. Ahí taná li chinal li nebail chacvué chacvuú, at in kaxil.

Hier ist die Kleinheit, die Armuth, [1] ich habe es gesagt, Du mein Herr, Du o Vater! Hier wohl ist die Kleinheit, die Armuth vor Deinem Mund, vor Deinem Angesicht, Du mein Herr!

N°. 3. Gebet an den christlichen Gott beim Erreichen eines Passes, wo ein Kreuz ist.

At i dios, xulink'ablic chacvué chacvuú, at ajual santisima cruz. Laat ajcvui chik'ut tatyocré xcauil li cvuok, xcauil li cvuúk, at in kaxil.

Du o Gott, ich bin angelangt vor Deinem Mund, vor Deinen Augen, Du allmächtiges, heiligstes Kreuz! Du auch zeigst und verleihst die Kraft meiner Füsse, die Kraft meiner Hände, Du mein Herr!

Laat xcanleval [2] *li Jesu Cristo, laat nacat iloc re li nim, li chin, at in kaxil kacvuá; cutk'ucat xatxocat arcvuin.*

Du, o Todespfahl Jesu Christi, Du siehst auf die Grossen, auf die Kleinen, Du mein Herr, mein Vater; Du zeigst Dich, Du stehst bei mir!

N°. 4. Gebet an den christlichen Gott beim Vorbeigehen an einem gewöhnlichen Weg-Kreuz.

At i dios, at in kaxil, cvuancat arcvuin, at ajual santisima cruz. Xincvuan, at inkaxil, kacvuá.

Du o Gott, Du mein Herr, Du bist bei mir, Du allmächtiges, heiligstes Kreuz.
Lebe wohl, Du mein Herr, mein Vater!

N°. 5. Gebet an den *Tzultaccá*, auf der Reise beim Copalverbrennen.

At i dios, at loklaj tzultaccá, cachin xmar la cvuá, la k'ukhá xinkè acvué.

Du o Gott, Du Herr der Berge und Thäler, ein klein Wenig Deines Essens, Deines Trinkens habe ich Dir gegeben.

[1] Es wäre vielleicht klarer zu sagen, „die kleine, die arme Gabe", da sich *li chinal, li nebail* hier wahrscheinlich auf das dargebrachte Opfer bezieht.

[2] *Xcanleval*, richtiger *Xcamleval*, heisst wörtlich „Ort des Sterbens".

Anakvuan tyal numè cvué rubel a cvuok a cvuúk, lin laj viaje.

Jetzt gehe ich vorüber unter Deinen Füssen, Deinen Händen,[1] ich ein Reisender.

Matarà matachaj nac chakè cvué li k'a rèru li nimi xul li chin i xul, at in yucvuá;
cvuanc la vualk li xul, li pu, chakmut, chacóu, xak'ut acvui ut chik'u xajac xacvuisi ta xatkè ta se lin vuè.

Es schmerzt Dich nicht, es macht Dir keine Mühe, mir zu geben allerlei grosse Thiere, kleine Thiere, Du mein Vater;
Du hast eine Menge Thiere, den wilden Pfau, den wilden Fasan, das Wildschwein; zeige sie also vor mir, öffne (mir die Augen?), nimm sie und setze sie auf meinen Weg.

Xcvuil xincayá tacvui; cvuanquin rubel a cvuok rubel a cvuúk, cvuanquin se li sa, at loklaj tzul, at loklaj taccá.

Ich sehe, ich schaue sie dann, ich bin unter Deinen Füssen, unter Deinen Händen, ich bin im Glücke, Du Herr der Berge, Du Herr der Thäler.

Sa la cvuilval, sa la k'avá, la cvuanquil, cvuan li k'arèru la vualk; chijunil xintyal tacvui.

In Deiner Macht, in Deinem Namen, Deinem Sein ist alles Mögliche im Ueberfluss; von allem möchte ich haben.

Moon tana cux incvuá i hoon cvuanquin se li sil ch'och, t'ril tacvui li dios naj mak'a c'a na tyolá; jun tana li chin a pu xinkamchac, xinchilu chak.

Heute müsste ich vielleicht meine Tortillas (Maiskuchen) essen und ich bin (doch) in einem reichen (Jagd-)gelände; es möge Gott sehen, dass es nichts Lebendes giebt; vielleicht nur einen kleinen wilden Pfau bringe ich, schleppe ich her.

Anajcvuanc tcvuil tincayá ajcvui, at i dios, at in ná, at in yucvuá. Cajvui nantyè najulchicá: moco cvuan texchamal xsasal la cvuá la k'ukhá xinchilu chak, uix moco haan, uix moco maji barcvuan nantyè, barcvuan najulclúcá, at i dios, at in na, at in yucvuá.

Jetzt sehe, schaue ich auch, Du mein Gott, Du meine Mutter, Du mein Vater. Nur das ist es, was ich sage, was ich denke: es ist ja nicht vieles und Gutes an Deinem Essen, wie Deinem Trinken, was ich hergeschleppt habe. Und möge es (gut) sein oder nicht (?), was ich sage, was ich denke, o Gott, ist: Du bist meine Mutter, Du bist mein Vater.

Anajcvuan ut xincvuark rubel a cvuok rubel a cvuúk, at loklaj tzultaccá, at loklaj chè, at loklaj k'am.

Jetzt werde ich also schlafen unter Deinen Füssen, unter Deinen Händen, Du Herr der Berge und Thäler, Du Herr der Bäume, Du Herr der Schlinggewächse.

Hulaj chic li cutan, hulaj chic li sak-ke-inc.

Morgen ist wieder der Tag, morgen ist wieder das Sonnenlicht.

Inka chic retal bar chi li cvuanquin.

Ich weiss nicht mehr, wo ich dann sein werde.

Ani lin na, ani lin tyucvuá? Cajat ajcvui, at i dios.

Wer ist meine Mutter, wer ist mein Vater? Nur Du, o Gott!

Laat ajcvui at iloc cvué, tatcayanc cvué se li jun chi bè, matacvui jun chi kek, jun tixk'ok, chamuc chabalap tacvui, at i dios, at in kaxil at loklaj tzultaccá.

Du sieht mich, Du beschützest mich auf jedem Weg, in jeder Finsterniss, vor jedem Hinderniss, das Du verstecken, das Du beseitigen mögest, Du o Gott, Du mein Herr, Du Herr der Berge und Thäler.

[1] Der Ausdruck „*rubel a cvuok, a cvuúk*" bedeutet „unter Deiner Macht", wörtlich „unter Deinen Füssen, Deinen Händen".

Cajcvui nantyè, najulchicá, uix cvuan chic, uix maji chic, xintyè, laat ajcvui tatcuyuc tatsachoc lin māc.

Nur das ist es, was ich sage, was ich denke, sei es nun, dass es mehr, sei es, dass es nicht mehr sein sollte, als ich gesagt habe: Du erträgst, Du vergiebst meine Sünden.

N⁰. 6. Gebet an den christlichen Gott vor einem Kreuz auf der Reise nach dem Verbrennen von Copal.

At i dios, at ajual santisima cruz. *Xulinelk rubel a cvuok, a cvuuk.*

Du o Gott, Du allmächtiges, heiligstes Kreuz. Ich bin angelangt unter Deinen Füssen, Deinen Händen.

Anakvūan cachin xmar la cvuá, la k'ukha xink'amchac.

Jetzt habe ich ein klein wenig Deines Essens, Deines Trinkens gebracht.

Moco cvuan ta xchamal xsasal tinkè acvué.

Es ist ja nicht Vieles oder Gutes, was ich dir gebe.

Jun taná li mèr, jun taná li cuartillo, xinjal, xincas chac se li chinal, se li nebail.

Vielleicht einen halben, vielleicht einen viertel Real [1]) habe ich gewechselt, habe ich geliehen in meiner Kleinheit, in meiner Armuth.

C'ape nacacvuaj, naco vec, naco iloc, at i dios.

Nach Deinem Willen wandern wir, sehen (d. h. reisen) wir, o mein Gott.

Hocain ajcvui ut xsailal lin chol, xsailal li cvuanum.

Deshalb ist auch mein Herz froh, meine Seele froh.

Xulinelk ahi, nacvuil at ajcvual santisima cruz.

Ich bin hieher gekommen, Du siehst es, Du allmächtiges, heiligstes Kreuz.

Maka li jun chikek, maka li jun tanek.

Ich bin nicht krank geworden, ich bin nicht gefallen.

Hocain rajcvui xsailal lin chol, naj xinkvuaclic chak chiré chirú lin tzulul lin taccaal.

Darum will auch mein Herz fröhlich sein, da ich mich aufgemacht habe aus meinen Bergen, meinen Thālern (d. h. meiner Heimath).

At i dios, at ajual santisima cruz, *cvuancat arcvuin, at ajual santisima* cruz,

Du o Gott, Du allmächtiges, heiligstes Kreuz, Du bist bei mir, Du allmächtiges, heiligstes Kreuz.

Xcanleval li Jesu Cristo, naj cvuancat ahi chiré chirú li loklaj angel tzultaccá.

Todespfahl Jesu Christi, du bist hier an der Seite und vor dem Engel *Tzultaccá*.

Nacacvuil li nim chin.

Du beschützest die Grossen, die Kleinen.

Laat ajcvui nacatiloc ré, nacat cayá ré laj chinal, laj nebail.

Nur du beschützest, du siehst die Kleinen, die Armen.

Tyalat i dios, moco in chinal, in nebail li bar cvuan nabaní.

Du bist der wahrhaftige Gott, es ist nicht wegen meiner Kleinheit, meiner Armuth, was du auch thust.

Jó vui taná chik'ut in chinal in nebail, li tyoquin cvui.

So zeigt es aber vielleicht meine Kleinheit, meine Armuth, was ich schaffe.

---

[1]) Ein Real ist der 8te Theil eines Peso, als $12^1/_2$ Centavos.

K'ape li tinrá a li jun chi mer li jun chi real tyoquin sa chinal sa nebail.

Was verlange ich denn, als nur einen halben, einen ganzen Real; ich bin in der Kleinheit, in der Armuth.

Matacvui li niquincvuaclic toj ajcvui li naco cvuaclic li jun chi cvuink.

So wie ich mich erhebe, so erhebt sich Jedermann.

Matacvui li nacocvuaclic inka nakil li jun chi mer, ut an a dios tyoquin chi rá chi sá se li chinal, sa li nebail, chirix li cvuas, li cvuitz'in.

So wie wir uns erheben, sehen wir nicht auf einen halben Real, und dies, o Gott, thue ich in Leid und Freud, in der Kleinheit, in der Armuth, wie meine Nebenmenschen (wörtlich: „wie meine älteren und jüngeren Brüder").

K'ape naj tyoquin, ma chaquinta a li jun chi mer, jun chi real tcvuaj xintau.

Weshalb ich es thue, das sage ich nicht; ich will einen halben, einen ganzen Real verdienen.

Laat at cvui ut xatk'utuc xatjakok chi ru li cvuanum, chiru lin tzejcvual.

Du selbst hast es gezeigt (gelehrt), hast es eröffnet meiner Seele, meinem Leib.

Kajcvui un nantyè, najulchicá chacvué chacvuú, at ajual santisima cruz. Cuancat arcuin, jutkukat chiré chirú li loklaj angel tzultacca.

Nur das eine sage ich, denke ich vor Deinem Mund, vor Deinem Angesicht, Du allmächtiges heiligstes Kreuz. Du bist bei mir! Du stehst an der Seite und vor dem Engel *Tzultaccá*.

Kajcvui nantyè kajcvui najulchicá chacvué chacvuú, at ajual santisima cruz.

Nur das sage ich, nur das denke ich, vor Deinem Mund, vor Deinem Angesicht, Du allmächtiges heiligstes Kreuz.

Anajuan ut xic cvué, tyanumèlin. Tinchalk cvui chic ut moco chaac in tá — jun k'amoc li cvuanquin — uix cvuanum ui in tzejcvual chicut lin-ak'ul ilōk.

Und jetzt gehe ich weiter, ich bin im Vorbeigehen. Ich komme wieder, aber ich sage wohl nicht — da ich weit weg wohne — ob meine Seele, ob mein Leib kommt, um Dich zu sehen.

Anakvuan tinchalk vui chic moco chaaquinta, ui a chi li cvuanum nak'ul chac ravlec li bar tyoquin chivec, chiiloc.

Jetzt komme ich wieder; ich frage nicht, ob es meine Seele sein wird, welche kommt, um sich zu verabschieden, da, wo ich reise und schaue.

Inka nacvuaj tachap li cvuanum; takaxtaj ajcvui.

Ich will nicht, dass du meine Seele aufhältst; lass sie vorübergehen.

Xincvuan ut, at i dios; chan chi quirèrú li tuxinumèc, inka chic in nanau, li loklaj tzultaccá; ma li us, ma li chavil, ma li jun chi xiec.

Lebe also wohl (= ich gehe also fort), Du o Gott; wie es sein wird, wie ich vorbeikomme, das weiss ich nicht mehr, o Herr der Berge und Thäler; ob es gut, ob es schön, ob es schlecht sein wird.

Cajat ajcvui nacat iloc nacatcayá re; ch'a cvuisi li k'esal pec, k'esal chè, k'esal k'am; xatcvuisi xamuc se lin vué, ma tacvui li tanèc chire chiru li loklaj tzultaccá, li bar tuxinelk, tuxinumèc.

Nur du siehst, du schauest es. Beseitige die verletzenden Steine, die verletzenden Baumstämme, die verletzenden Schlingpflanzen; beseitige sie, entferne sie von meinem Weg, damit ich nicht stürze neben und vor dem Herrn der Berge und Thäler, da wo ich hingehe und vorbeikomme.

Ulaj li ćutan, li sakkèinc, inka chic nanau utan. At i dios, at ajual santisima cruz.

Morgen ist der Tag, morgen das Sonnenlicht; ich weiss davon noch Nichts. Du o Gott, o allmächtiges heiligstes Kreuz!

(Zum Schluss wird das Zeichen des Kreuzes gemacht).

N°. 7. Gebet an den *Tzultaccá*, drei Tage vor dem Besäen des Maisfelds.

At i dios, at in kaxil, at in na, at in yucvuá, at loklaj tzultaccá.

Du o Gott, Du mein Herr, Du meine Mutter, Du mein Vater, Du Herr der Berge und Thäler.

Anakvuan li c'utan, anakvuan li sakkèinc; cachin xmar la cvuá la k'ukhá tinkè.

Jetzt ist der Tag, jetzt ist das Sonnenlicht, ein klein Wenig deines Essens, deines Trinkens gebe ich hier.

Umoco cvuan texchamal xsasal tinkè acvué.

Und es ist nicht Vieles und Gutes, was ich Dir gebe.

Anajuan xink'at li cvuutzuj se li ora c'utanc, li ora sakkeinc, hocain sa oxib kè, sa oxib c'utan.

Jetzt habe ich das Opfer verbrannt in der Stunde des Tages, der Stunde des Lichts, ebenso (werde ich es thun) in drei Sonnen, in drei Tagen.

Matará matachaj ma chak'ut cvui chiru li cvuanum, lin tzejcvual. Matará matachaj ma chak'ut cvui lin cvuá li k'ukha, at in na, at in yucvuá, at loklaj angel tzultacca.

Es schmerzt Dich nicht, es macht Dir keine Mühe, (Dich) vor meiner Seele, meinem Leib zu zeigen; es schmerzt Dich nicht, es macht Dir keine Mühe, mein Essen, mein Trinken (mir) zu zeigen, Du meine Mutter, Du mein Vater, Du Engel, Herr der Berge und Thäler.

Ani lin na, ani lin tyucvuá? Laat utan ruqu'in li calec, li ac' irc, li cvuac, li uk' ac.

Wer ist meine Mutter, wer ist mein Vater? Du gewiss wegen der Rodung, der Reinigung (des Maisfelds), wegen des Essens, des Trinkens.

Anakvuan at i dios chacvuok, chacvuuk, chielk tacvui lin jal, at in na, at in yucvuá, at loklaj tzultaccá tatcvuakliec chak.

Jetzt, o mein Gott, bin ich vor Deinen Füssen, vor Deinen Händen, damit mein Mais emporsprosse, Du meine Mutter, Du mein Vater, Du Herr der Berge und Thäler, lasse ihn aufkeimen.

Anajcvuan li c'utan, anajuan li sakkeinc, hocain se oxib kè, se oxib k'utan; nacatcvuakliec chac, at loklaj Pecmó, at loklaj Cojaj, at loklaj Chiitzam, at loklaj Xekabyuc, at loklaj Cancuën, at loklaj Chakmayic.

Jetzt ist der Tag, jetzt ist das Sonnenlicht; ebenso wird es sein in drei Sonnen, in drei Tagen; lasse ihn aufkeimen, Du Herr von Pecmó, Du Herr von Cojaj, du Herr von Chiitzam, du Herr von Xekabyuc, du Herr von Cancuën, du Herr von Chakmayic.

Se oxib kè, se oxib c'utan najtau xnaj chacvuè chacvuu.

In drei Sonnen, in drei Tagen wird so (der Samen) seinen Platz finden vor Deinem Mund, vor Deinem Angesicht.

Matará matachaj matacui c'a chi cheoc chantacvui naj xinchic naj xinmu chacvuè chacvuu.

Es schmerzt Dich nicht, es macht Dir keine Mühe, ihn zu beschirmen vor allem, was ihm wiederfahren kann, denn ich stecke ihn, denn ich decke ihn zu vor Deinem Mund, vor Deinem Angesicht.

Matavi c'a chi chèoc xamuc xabalap tacvui la cvualk.

Mögest du alle Deine, ihm schädlichen Thiere verstecken und befestigen.

Xattzec tacvui chi oxlaju tzul chi oxlaju tacca; moco camk, moco sachk tacvuaj chirix tyuam ticam, cvuaj chirix li cvuixim aj tzitzb aj tuxb.

Wirf sie hinweg über dreizehn Berge, über dreizehn Thäler! Ich will nicht, dass er absterbe und vergehe.... vielmehr will ich, dass mein Mais keime und sprosse.

Sa cvukub kè, sa cvukub c'utan t'cvuil xsi li re, xsi li ru a cvuilom a cayom chi c'utan naj nacakè chire chiru.	In sieben Sonnen, in sieben Tagen werde ich nachsehen nach der Gesundheit dessen, was ans Tageslicht kommt, um dazwischen zu thun (nachzupflanzen).
Se ix caba i dios hauabej, dios kajolbej, Espiritu santo.	Im Namen Gottes des Vaters, Gottes des Sohnes und des Heiligen Geistes!

N°. 8. Gebet an den *Tzultaccá* beim Ernten des Maises, drei Tage vor der Ernte; dabei wird Copal vor dem Kreuz im Hause verbrannt (Abends).

At i dios, at in kaxil, at in na, at in yucvuá, at loklaj tzultaccá.	Du o Gott, Du mein Herr, Du meine Mutter, Du mein Vater, Du Herr von Berg und Thal.
Anajkvuan ut hocain sa oxib kè, sa oxib c'utanc, nantyó xxcocval lin hal chacvué chacvuú, at loklaj tzultaccá. Xak'ut cvui ut chik'u chirú li cvuanum lin tzejcvual.	Jetzt und ebenso in drei Sonnen, in drei Tagen werde ich beginnen mit dem Zusammenlesen (Ernten) meines Maises vor Deinem Mund, vor Deinem Angesicht, Du Herr der Berge und Thäler. Zeige ihn mir also vor meiner Seele, meinem Leib.
Cachin ut xmar la cvuá, la k'ukha tinkè acvué; moco cvuan ta tinkè acvué u lain cvuan xchamal xsasal lin cvua, li k'ukhá; xak'ut cvui chiru li cvuanum lin tzejcvual, at in na, at in yucvuá.	Ein klein wenig Deines Essens, Deines Trinkens gebe ich Dir; es ist (fast) nichts, was ich Dir gebe; aber ich, ich habe Vieles und Gutes von meinem Essen, meinem Trinken; du hast es gezeigt (geschenkt) meiner Seele, meinem Leib, Du meine Mutter, Du mein Vater.
Tinchikib ut xxocval moco hoon nanchoi ihoon lix xacval chacvué chacvuú;	Ich fange also mit der Ernte an, ich werde aber heute nicht mit dem Ernten fertig vor Deinem Mund, vor Deinem Angesicht;
toj hatyal taná, harup kè, harup k'utan naxocvui; moco jompat ta xsicval se li jun chi pim elajic tyoquin tana chi enquelè.	wer weiss wie viel Sonnen, wie viel Tage ich ernte; es geht nicht schnell im Unkraut zusammenzusuchen, ich vollbringe es wohl nur langsam.
Toj achityal tintyè acvué, at in ná, at in yucvuá, at loklaj angel tzultaccá.	Wer weiss, bis wann ich zu Dir sprechen kann, Du meine Mutter, Du mein Vater, Du Engel, Herr der Berge und Thäler.
Tat cvuatilá vi chic c'a na maji, at i dios.	Ich werde wieder zu Dir beten, warum denn nicht, Du mein Gott.

N°. 9. Gebet an den christlichen Gott in der Kirche, gebetet vom Vater des Bräutigams bei der Hochzeit unter Verbrennen von Kerzen, in Gegenwart der Mutter des Bräutigams.

At i dios, at in kaxil, at in na, at in yucvuá. Ani pe li kaná li kacvuá? Cajat ajcvui utan ruqu'in li c'a irèrú nanumè se li kachol, se li kanum, at in kaxil (k)acvuá ruqu'in li vèc, li iloc; tyal moco chan ta xtyè li ranum, lix tzejcvual li cvualal lin kajol.	Du o Gott, Du mein Herr, Du meine Mutter, Du mein Vater! Wer ist unsere Mutter, wer ist unser Vater? Nur du gewiss wegen alles dessen, was vorgeht in unserem Herzen, in unserer Seele, Du mein Herr, unser Vater, wegen dem Reisen, dem Sehen; es ist wahr, wie sollte es nicht die Seele, der Leib meines Sohnes, meines Sprösslings sagen.
Ocan, cvuaxin, ma chantara cvué tyalá ajbá xcvuachec inka uxl lain xna, xtyucvua.	Trete ein, mein Vater, sagte er mir nicht einmal, nur weil ich that, was ich überlegt hatte, denn ich bin seine Mutter, sein Vater.

Tyal ma xjepval li tumin chiru li cvuanum, lin tzéjcvual; chirix vuan li jun atal, maka li moz.

Es ist wahr, nicht um das Geld zu verschwenden für meine Seele, meinen Leib, weil ich ein Einzelner bin und keinen Nachkommen habe.

Laat acvui ut xatochōc ranum xmusic li cvuas, li cvuitz'in.

Du nur sicherlich hast die Seele, den Athem meiner Nebenmenschen erweicht.

Bar vi tinvec, tiniloc; ma tará matachaj vi ut naj xintau jun ac ralal xkajol li cvuitz'in at in yucvuá.

Wo ich gehe und sehe, es schmerzte Dich nicht, es machte Dir keine Mühe und ich fand dann eine Tochter, den Nachkommen eines Nebenmenschen, Du mein Vater!

Cajcvui nantyè, najulchicá rubel a cvuok, rubel á cvuuk, at in yucvuá cutkuquex arcvuin sa sant Iglesia cabl, at in kaxil, at yucvuá.

Nur das sage ich, das denke ich, unter Deinen Füssen, unter Deinen Händen, Du mein Vater! Ihr seid bei mir im Haus der heiligen Kirche, Du mein Herr, Du o Vater.

N°. 10. Gebet beim Begräbnis der Frau, gesprochen vom Manne.

Xinacanab, at cvuixiquil, xatlaj, xatosó; chanta naj xincvuanc ma chic li chin cvuac; jun torol la vual xatcanab chicvuu. Cvua uk tèraj.

Du hast mich verlassen, Du mein Weib, Du bist entschwunden, Du bist todt; wie werde ich denn sein ohne ein Bischen zu essen! Einzig und allein Deine Kinder hast du mir gelassen; essen, trinken wollen sie.

Moon ta naquinok li jun chi ixk chi quèèc; ani ta tequiok lix cvuá la vual chicvuú.

Ich kann doch nicht wie ein Weib (Mais) mahlen; wer soll mir das Essen Deiner Kinder bereiten?

Tyal cvuinkin naj xincaná. Xinacanab se li jun atal cayanc.

Wahrlich als ein einzelner Mann bin ich geblieben. Du hast mich zurückgelassen um dies alles mit anzusehen, mitanzuschauen.

N°. 11. Gebet beim Begräbnis des Mannes, gesprochen von der Frau.

Xatcamc, at in belom, xinacanab. Xatlaj, xatosó; inka chic ut naquin nanau ma chic xintyal li ic, li atz'am, ma chi rajoc, ma chi kioc, ma xintau, ma maji; tyal jun chi ix kin naj xincaná.

Du bist gestorben, Du mein Gatte, Du hast mich verlassen. Du bist entschwunden, Du bist todt; ich weiss nicht mehr, ob ich wieder Chile oder Salz versuchen werde zum Würzen, zum Angenehmmachen, ob ich es finde oder nicht; ich bin nur ein einzelnes Weib, denn ich bin zurückgeblieben.

Ca ta chic tintau cvui li mer, ohin sa chinal, sa nebail; ma chaquinta, at i dios xacvuaj tana ranum lin na, lin sumel.

Wie werde ich wieder halbe Reales bekommen, ich will gehen in der Kleinheit, in der Armuth; ich frage nicht darnach, o mein Gott, Du hast vielleicht die Seele meiner Mutter (Ernährer), meines Gatten gewollt.

N°. 12. Gebet eines ledigen jungen Mannes, beim Tod seines Vaters oder seiner Mutter.

Xatcamc, $\frac{\text{cvuá,}}{\text{ná}}$ *xinacanab. Chanta chinaj in cvuanc lac ta ut chi cvuanc li cvuixaquil ut an tyal junin chi chajom.*

Du bist gestorben $\frac{\text{Vater}}{\text{Mutter}}$, Du hast mich verlassen. Wie wird es mir ergehen, hätte ich doch wenigstens eine Frau, aber ich bin allein als ein Lediger.

Chan ta tinbanú naj tintyè, ohin chivec, ma chaquinta; laextoj laex li jun chi uabej.

Was soll ich thun, sage ich; ich sage nicht dass ich fortgehe; Ihr, nur Ihr seid mein Vater.

Toj laex ajcvui texvec, texiloc. Xinvec, xiniloc, ma chaquinta, tyal junin chichajom, at i dios, at in na, at in yucvuá. Cvuancat ahi.

Ihr auch seid gereist, habt gesehen (d. h. seid erfahren). Ich bin gereist, ich habe (viel) gesehen, davon spreche ich nicht, aber ich bin allein als Lediger, Du mein Gott, Du meine Mutter, Du mein Vater. Du bist bei mir.

PROVISIONAL LIST OF ANNUAL CEREMONIES AT WALPI.

BY

J. WALTER FEWKES, Ph. D

BOSTON, MASS.

The constant recurrence of certain ceremonials annually at the same times, among the Tusayan Indians, indicates the existence of a ceremonial calendar, in which there is a definite and prescribed sequence, year after year, in the components of the ritual. It may add to our knowledge of primitive American Ceremoniology to examine and indicate the nature of this calendar as a whole.

The reader may find descriptions of different ceremonies practised by this tribe in my previous publications (See bibliography, at the close of this article), but no attempt has yet been made by me to arrange these rites in such a manner as to show how they are related, or to bring together in proper sequence prescribed yearly observances. The accompanying tables with dates of the successive exhibitions, arranged from imperfect material, contain a list of those ceremonials which are thought to make up an average ritualistic year at Walpi [1]).

First let us see how nearly the dates of the same ceremony coincide in consecutive years, reviewing the data which are available. To do so conveniently a table has been made of the times of yearly celebrations which have been described.

This list is regarded as preliminary, possibly incomplete, the details of which future researches will undoubtedly modify; the gaps in it which we especially need to have filled are the texts of songs, prayers and incantations. A large and difficult field of research spreads itself before one who attempts to fill these blanks, but I believe a few years research in the field would practically yield most important results in that direction. In a short time it will be too late to complete these investigations; and studies ought to be

[1]) Walpi is one of the best known pueblos of the Tusayan Indians who live in the north-eastern part of Arizona, U. S. of America. The pueblo is situated on what is called the East Mesa from its relative position to the others, and had a population of 290 souls in 1891.

Calendar of Ceremonials.

1891.

No.	Ceremony.	Month.	Assembly.	Feast.	Duration [1]).
1.	*Pa.*	—	—	—	—
2.	*Powamû.*	—	—	—	—
3.	*Palülükonti.*	March.	—	23?	?
4.	Abbreviated.	—	—	—	—
	Katcina.	—	—	—	—
	(a) *Humis.*	May.	—	17.	5?
	(b) *Aña.*	July.	—	23.	5?
	(x)	—	—	—	—
5.	*Tawapaholauni.*	June.	—	18.	2?
6.	*Niman Katcina.*	July.	18.	27.	16.
7.	*Sumykoli.*	Aug.	—	11.	1?
8.	Flute.	—	—	—	—
	Snake.	Aug.	13.	21.	16.
9.	*Lalakonti.*	Sept.	2.	10.	16.
10.	*Mamzrauti.*	Sept. Oct.	23. —	— 1.	— 16.
11.	*(Howina).*	—	—	—	—
12.	*Naacnaiya.* *Wüwütcimti.*	Nov.	10.	18.	16.
13.	*Soyaluña.*	Dec.	22.	—	?

1892.

No. [2])	Month.	Assembly.	Feast.	Duration.
6.	Aug.	5.	13.	16.
12.	November.	13.	17.	9.

[1]) By duration I mean the time in days from the announcement, when it occurs, to final public exhibition, not counting four purificatory days in the case of the sixteen day's ceremony.
[2]) The numbers correspond with those in the table for 1891.

1893.

Nº.	Month.	Assembly.	Feast.	Duration.
1.	Jan.	29.	—	—
2.	Feb.	—	5.	16.
3.	Feb.	23.	28.	16.
6.	July.	14.	23.	16.
8.	Aug.	6.	15.	16.
9.	Sept.	2.	10.	16.
10.	Sept. Oct.	23. —	— 1.	— 16.
12.	Nov.	13.	17.	9.
13.	Dec.	--	21.	?

1894.

Nº.	Month.	Assembly.	Feast.	Duration.
1.	Jan.	21.	–	–
2.	Feb.	21.	25.	16.
3.	March.	12.	17.	16.

vigorously prosecuted at once among the Tusayan Indians, before their ritual becomes so modified by modern influences as to lose its aboriginal value, or is totally destroyed by the forces which are now threatening its extinction.

When the dates on which annual ceremonies take place are tabulated, it is noticed that there is a close uniformity in times when certain annual observances occur year after year. After discovering this precision in the recurrence of ceremonials, I naturally instituted inquiries to discover how it was obtained. In the first stages of my studies of the problem, I became convinced that the Sun-priests, the special organization who have this work in charge, were unfamiliar with our division of the year into months, and that they did not fix the dates by counting the number of days. That this precision could be the result of an examination of the progress of the seasons or the crops, seemed improbable, except in the case of certain harvest festivals. A deeper study revealed the probability that a purely astronomical method of observations of the sun at sunrise or sunset was practised, and that desirable dates were determined by the yearly course of the sun as it appears to move back and forth between the solstices or its extreme northern and southern points on the horizon. With these horizon points, which mark the summer and winter solstices, were discovered to be localized supernatural personages or world-quarter deities, constituting a complicated world-quarter worship. This relationship of animal and other gods to solsticial points is believed to be a direct outcome of sun worship. [1]

The extent of horizon between the summer and winter solstitial points of risings and settings is mapped out by priests who are familiar with sun-lore, and appropriate names given to certain hillocks, notches, trees or other salient points. It is not necessary for me to repeat here the nomenclature of these intermediate points, as I have given them elsewhere, but there is evidence that when the sun appears to rise or to set behind certain definite points on the horizon, certain religions ceremonies are announced, and secular occupations, as that of planting, initiated.

SUN'S POSITION ON THE HORIZON AND ACCOMPANYING CEREMONIALS.

HORIZON POINTS. (Sunrise).	TIME. Summer solstice.	CEREMONIAL. Sun moving from summer to winter solstice.	EVENTS. Sun moving from winter to summer solstice.
Tüyüka.	June 21.	*Tawapaholauni.*	–
Pavaukyali.	–	–	–
Umkacva.	–	–	–
Unnacakabi.	–	–	–
Owatcoki.	–	–	–
Tiovi.	–	–	–
Kwitcala.	July 18–27. Aug. 5–21.	*Niman Katcina.*	General planting.
Pulhomotaka.	July 28–Aug. 5. July 26–Aug. 13.	Snake. Flute.	*Patki* [2], plant corn.
Nüvektcomo.	Sept. 2–10.	*Lalakonti.*	*Honani*, plant.
Hoñwitcomo.	Sept. 23–Oct. 1.	*Mamzrauti.*	–
Pavuntcomo.	–	–	–
Masnamunzru.	Nov. 13–17.	*Naacnaiya.* *Wüuütcimti.*	–
Tawaki.	Dec. 21. Winter solstice.	*Soyaluña.*	–

Before going further into the subject allow me to mention a few facts in relation to the sources of material discussed.

[1]) It would be natural for a people who worship the sun and who regard lesser divinities as his offspring to connect them with solstitial sunrise and sunset.

[2]) A group of gentes called *Patki* or Water House is the first to plant corn, but the *Honani*, Badger people, also plant at about the same time.

In May 1891, the late Mr. J. G. OWENS and myself, under the auspices of the Hemenway Expedition, began our studies of the Tusayan ritual at the so-called East Mesa of Tusayan. We studied the Snakedance and continued our work until the close of a women's festival called the *Lalakonti*, in September. On our departure from Tusayan the late Mr. A. M. STEPHEN, who had already studied the Tusayan Indians for many years, was employed to record the celebrations of October and November, or the *Mamzrauti* and *Naacnaiya* (*Wüwütcimti*).

In the summer of 1892, I again visited Tusayan and made extensive observations of the Fluteceremony, but was obliged soon after its close to leave the mesa and take charge of an Exhibit of the Hemenway Expedition in Madrid. Mr. A. M. STEPHEN, still in the employ of Mrs. HEMENWAY, the patroness of the Expedition, remained among the Indians during the winter and the following summer, and I was present at the Snakedance of 1893, but was again suddenly recalled at its close. Mr. STEPHEN died at Keam's Canyon in 1894, having remained at the East Mesa up to within a few days of his death.

It will thus be seen that the members of the Hemenway Expedition have studied fragmentary parts of the whole ritual during three years. The material is not as exhaustive for any one year as I wish, but is full enough to justify the preliminary sketch of the probable calendar of one complete year which appears in the accompanying tabular views.

It may be seen from a study of the contents of various pamphlets [1]) on Tusayan ceremonials, that our knowledge of the late summer and autumn ritual is more complete than that of the months from December to May. This latter epoch moreover contains most elaborate ceremonies, including some which are doubtless the most complicated of all. Among these may be mentioned that of the winter solstice (*Soyaluña*), the purification ceremony, (*Powamû*), and the Sun-snake drama, (*Pulülükonti*). We are not, however, wholly ignorant of the main points of these winter-ceremonies, as fragments of each have been more or less completely described, so that a fairly good idea of the sequence of rites, their names, and the events which transpire in them is possible. An examination of the list of monthly ceremonials shows that between those of March and May there is an interval of over a month, during which unfortunately our studies have not been consecutive, and I have in lieu of knowledge indicated any possible ceremony of April by the letter x; but although confirmatory data are not at hand, there is nothing to show that an elaborate ceremonial takes place yearly in that month. The ceremonials during the interval from May to December have been closely watched by us and, with the exception of an introduction in some years of a "Harvest" dance, which I have never witnessed, but know of by hearsay, we can conclude that no regular annual celebration has escaped our notice in this interval. Roughly speaking then, it appears that there are as many ceremonies between July and March as there are new moons, and possibly as many in the whole year as lunar revolutions. The masked, or socalled *Katcina*-dances extend from January to July inclusive, and of these the observances from April to July are abbreviated in character. The ceremonial year is thus found to be divided into two halves containing celebrations roughly corresponding to those, often called the Nine Days ceremonies, and the *Katcinas*, occurring in what we called the "Named" and the "Nameless" months.

---

[1]) See Bibliography at the close of the article.

NAME.	CHARACTER.
1. *Pa.*	Winter Assembly of Flute & Snake Chiefs.
2. *Powamû.*	Various *Katcina* ceremonials; purification of societies, pueblo &c.
3. *Palülükonti.*	Snake- and sun-worship.
4. (a) *Katcinas* (abbreviated).	
(b)	*Humis Katcina* (corn)
(c)	*Aña Katcina* (rain?)
(x)	x.
5. *Tawapaholauni.*	Solstitial sun-worship.
6. *Niman Katcina.*	Departure of the *Katcinas.*
7. *Sumykoli.*	
8. Flute. Snake.	Sun-rain worship.
9. *Lalakonti.*	Earth goddess worship (germination).
10. *Mamzrauti.*	" " " "
11. *Howina.*	Harvest (Zuni, occasional).
12. *Naacnaiya.* *Wüwütcimti.*	New Fire (fire, phallic, germ worship).
13. *Soyaluña.*	Sun- and snake-worship.

It will be noticed that thirteen ceremonials are enumerated in this yearly calendar, and while I would gladly accept this as the prescribed number or „kernai of the year" I am not prepared to assert that this is more than a provisional enumeration [1]). While many of the elaborate ceremonials number sixteen days, each with four additional purification days, making twenty which can, without violence to facts, be regarded as the length of each ceremony, this duration is not likewise true of several others constituting almost a half of the whole number. It may, of course, be said that these short ceremonies are abbreviated, and that originally each was twenty days long, thereby giving a ceremonial year of thirteen observances or an epoch of two hundred and sixty days, thus turning our attention to cultured aboriginal stocks of Mexico and Yucatan.

While I do not doubt that traces of the Central American calendar may exist in Arizona I am not yet prepared to state that such is true, nor can I endorse the sweeping statement, that traces of the Central American calendar are not found in our South West.

There is no great ceremony in this ritual in which the element of rain making is wanting. Fire worship forms an essential part of the New Fire rites, and Earth worship is readily seen in both the women's celebration called *Lalakonti* and *Mamzrauti.* Sun worship can be detected in the characteristic celebrations at each solstice, and in that of the vernal equinox (*Palülükonti*) where it is combined with Ophiolatry. It will thus be seen that four socalled elements, Sun (Light), Earth, Fire and Water have prominent places in the ceremonials which compose the Tusayan ritual. In addition to the great

[1]) The testimony of Tusayan priests is not uniform in regard to the prescribed number of ceremonies in one year. Some say there are twelve, others thirteen and one declares that there are as many as eighteen.

ANALYSIS OF THE COMPONENTS OF FIVE GREAT CEREMONIALS.

	SNAKEDANCE.	FLUTE.	*Lalakonti.*	*Mamzrauti.*	*Naacnaiya.*
Smoke Talk.	9 days before assembly [1].	Idem.	Idem.	Idem.	Idem.
Announcement.	8 days before assembly.	„	„	„	„
Prayer-sticks made. „ consecrated. „ deposited by couriers.	Every day.	„	„	„	„
Charm-liquid made.	1st day [1].	„	4th day.	2nd day.	Ist day.
Invocation to six world-quarters.	Every day.	„	Every day.	idem.	—
Sand pictures and altar made.	1st & 6th days.	4th day.	idem.	idem.	absent.
Large standard put up.	5th day.	idem.	idem.	idem.	absent.
Public dance.	8th & 9th days.	9th day.	8th, 9th days.	6—9th days.	2d—9th days.
Purifications.	10—14th days.	idem.	idem.	idem.	—
Ceremonial Races.	8, 9th A. M.	8, 9th days A.M.	idem.	not observed.	absent.
Number of *kivas* used.	2.	One sacred room.	1.	1.	4.
„ „ societies.	2.	2 (originally).	1.	1.	4.
„ „ *tiponis.*	2.	—	3.	4.	4.

elemental divinities of these several cults, which I have classified as Sky-gods, Earth-gods, Fire-gods and Rain-gods, there are many others of subordinate rank: animistic, world-quarter, and the like [2]; which play important parts in the Tusayan ritual, but as this article deals with ceremonies rather than mythologies I have passed by the latter subject with simply a brief mention.

In order to analyze the characters of the most important ceremonials which occur annually, I have chosen for comparison five which contain components common to all. The material is arranged for convenience of study in a tabular form, from which it appears that in all a smoke talk and formal annoucement preceeds the culmination of the ceremony, or the public exhibition, by an interval of sixteen days. It will likewise be noticed that prayer-tokens (*paho*) [3] are prepared, consecrated and deposited in shrines each

[1]) *Yuñya*, or assembly day. In all instances as this, the opening day of active ceremonials is called the first day and the others are counted from it, but strictly speaking it is not a ceremonial day.

[2]) Many of the socalled deities or gods of the pueblos are but spirits higher than man, represented as able to control the elements in a greater degree than man, who may, however, acquire this supernatural power. This power or "*Wakan*", as it is defined by SCHOOLCRAFT, is the instrinsic secret or keynote of Tusayan rites and ceremonials.

[3]) A *paho* or prayerstick is made of one or two sticks of prescribed length ornamented with certain feathers and adorned with symbolic markings. These prayersticks vary with the different ceremonials and are the prayer-bearers of a society whose chief makes them. Every *paho* has a spiritual double or "breath body" which carries the prayer. A prayer-bearer of an individual is a short string with attached feathers and is called a *nakwakwoci*. Simple prayers are conveyed by meal which is first brought to the mouth breathed upon and then sprinkled on the object addressed. The society prayer-bearer or *paho* has a packet of meal attached to it.

day. The preparation (possibly exorcism) of the charm-liquid generally occurs on the first day, but sometimes on the second and fourth. Whenever a large standard (*natci*) is placed at the *kiva*[1]) — entrance, to indicate the performance of the secret rites, it is attached to the ladder on the hatchway the morning of the fifth day. The sand pictures and altars are ordinarily made on the fourth day, but in the Snakedance they are prepared on the first and sixth. Various other common features are tabulated for comparison, but it is quite difficult to make out any uniformity and to easily discover what they teach, for while a vein of similarity can be detected in many of the episodes of these five ceremonials, the available data are not of such a nature as to enable one to go far into details.

SYNOPSIS OF THE TUSAYAN CALENDAR.

In the remaining pages of this article an attempt is made to give a brief synopsis of the ceremonies which make up the ritual year, beginning with January and ending with December. I am in doubt what month "heads" the Tusayan year, for the testimony given by different informants is conflicting on that point, and while some state that it begins in November at the "New Fire Ceremony", others are equally confident that it opens at *Powamû* in February. For the purposes of the present discussion happily it is not necessary to decide between these or other conflicting statements, and there is a decided advantage on the side of our own calendar in beginning it with the ceremony of January. This month is the first of the year in which the masked personations, called *Katcinas*, appear, and from it until July all the ceremonials belong to this group. After the last *Katcina*, or the *Niman*, ordinarily celebrated in July, there begins a series of ceremonials in which the personators are unmasked, called the "Nine days ceremonies", which close in December. The yearly ceremonials thus falls into two very natural divisions, masked and unmasked dances, which are convenient for study, and clearly enough differentiated to be readily separated from each other.

It will be noticed by consulting the table on the following page, that the names of the months in these two divisions are duplicated, and that there are six or seven months in each, which is suggestive as six is a mystic number of great import in the Tusayan ritual. The Summer and Winter divisions are sometimes called the "Nameless" and the "Named" months, which does not deny, perhaps adds weight to, the probability that the following nomenclature given by some of the best informed priests is reliable.

If we interpret the series of annual ceremonials primarily on the basis of sun-worship as the one connecting thread running through all, which is theoretically allowable, the following speculative explanation of the ritual as a whole is permissible. At the December solstice an elaborate ceremony occurs in which there is a conciliatory offering to the Plumed Snake (effigy) followed by a dramaticed combat of hostile demons, and the Sun is forced to halt in his southern course and retrace his risings (and settings). He returns as the war god (a sun god) did in the Nahuatl *Teotleco*.

The *Katcina* celebrations follow when these personages enter the pueblo in January.

---

[1]) The *kiva* is the subterranean room in which secret ceremonials are held. For names and descriptions of the five *kivas* in Walpi see my article in Vol. II, Journ. Amer. Bthu. and Arch.

MASKED OR *Katcina* CEREMONIES.

January.	February.	March.	April–May.	June.	July.
Pa müiyaüh [1].	*Powa* (wizard or sorcerer).	*Ucü* (whistling).	*Kwiya*, and *Ha-kiton.*	*Kele* (novice) summer solstice.	*Kya.*
Pa. Advent of *Katcinas.*	*Powamû.*	*Palülükonti.*	Abbreviated.	*Katcinas.*	*Niman Katcina.* Departure of *Katcinas.*

UNMASKED OR NINE ACTIVE DAY'S CEREMONIES.

August.	September.	October.	November.	December.
Pa-Powa.	*Hüük.*	*Ucü* (*Tohoee*).	*Kele.*	*Kya.*
Snake. Flute.	*Lalakonti.*	*Mamzrauti.* Harvest.	New Fire.	*Soyaluña.* Recall of sun.

Purificational rites of February occur soon after, and in March both Sun and Serpent, now propitious, receive petitions to fertilize the farms, the Hopi version of Easter. April to June necessitates repeated rain-making or *Katcina*-dances, and on the last of the month *pahos* are offered at the shrine of the sun. The luminary begins to turn back at the summer solstice, and his followers, the *Katcinas*, take their departure from the pueblo in July at the *Niman.* Then follows the Snake-dance or the Flute-ceremony, partly for rain, yet with marked traces of sun-worship. The rains now fall in abundance for a few months and propitiatory sacrifices to the Serpent (as the wind god), who malevolently blows away the rain clouds are no longer necessary. The months, September and October, are those of the maturition of crops, and the Earth-goddess is addressed to grant abundance. With the approaching cold weather fire is needed for comfort, so that the New Fire is kindled in November. Once more the retreating sun, as he approaches the winter solstice, is drawn back by the warrior celebration and the ritualistic cycle goes on as before [2].

Pa [3] CEREMONY.

The prescribed rites of this month, which corresponds to January of our calendar, have never been fully described although they are partially known. The whole ceremony seems to fall into two components, in one of which the Flute, Snake-Antelope or other

[1] It is quite impossible to limit the names of Hopi months and their corresponding ceremonials to the Gregorian months although the word *müiywüh* (moon) is a suffix of each name for month. In October for instance we may have both the *Mamzrauti* and the Harvest; and the *Ucü* (whistling moon) and the *Tohoee* occur at times between the September and November ceremonials.

[2] I have used the words "forces the sun" advisedly, from the belief that the idea of magic underlies all the songs, prayers and incantations of the Tusayan ritual. The deities addressed are compelled to grant obedience provided the proper formulae, which they have no power to resist, are used.

[3] The name of this ceremony is similar to that of the month *Pa* in which it takes place.

chiefs perform an abbreviated ceremony accordingly as one or the other organization observes its festival in summer of the same year. Of the January Snake-Antelope ceremony I know next to nothing, but have given a sketch of the winter assemblage of the Flute-chiefs in a previous publication.

The full import of these abbreviated meetings of the organizations mentioned above seems to be a simple gathering of the chiefs, and setting up of their society badges (*tiponis*) [1]. It is known that in the alternate year, when the Snakedance is celebrated, the Snake-Antelope chiefs assemble in this month, but my knowledge of the rites which they perform is very limited. There are at this time likewise gatherings of other chiefs of which little is known.

Powamû.

Portions of this elaborate exhibition of the *Katcinas* have been elsewhere described. This ceremony is an occasion of many secret rites in the Moñkiva, during which groups of men, differently masked, visit the kiva's which are replastered or renovated at this time. The advent of the monsters called *Natackas*, and the child-floggers by whom the boys and girls are ceremonially introduced to the *Katcinas*, as elsewhere described, is a prominent feature. That this observance is a true *Katcina*-ceremony is clearly indicated by the many masked personages who participate; also the *Katcina*-chief, Intiwa, is director of the secret rites, while the *Katcina*-society-badge (*tiponi*) is the sole one visible during the secret parts of the observances. There is little doubt that *Powamû*, as the elements of its name would indicate, is a purificative or renovative ceremony but having relationship to many other Tusayan rites.

Synopsis of the different Days.

January 20. Prayer-sticks were made by the *Katcina*-chief, Intiwa, indicating from his prominence in this organization, that the whole ceremony which follows, is one of the *Katcinas*.

Men, personifying different masked or unmasked persons, visited the Moñkiva where the secret ceremonials took place. These groups were: 1. A band of masked *Katcinas* which were not identified. 2. Men representing nomadic tribe (Pah Utes). 3. *Powamû Katcinas*. 4. Group of clowns called Mudheads (*Tatcükti*), who accompany *Katcinas*; these brought a number of conical piles of wood, which they invited spectators to carry, and performed amusing antics.

January 21. Unknown ceremony in the Moñkiva. Bean plants, which had previously been sprouted in the houses, pulled up, tied in bundles and distributed to the women assembled in the kiva. A personification, called *Ahülkatcina*, led by Intiwa, visited certain houses in the pueblos where they made parallel marks with prayer-meal on

[1] A *tiponi* is the badger of every religious society and is one of the most sacred possessions of the chief. This palladium is placed on the altar where it is the one essential object, and is highly venerated as the mother of the Society. It consists of an ear of corn around which are tied feathers, prayer-sticks and other objects, the whole bound in a buckskin wrapping, looking not unlike a pineapple fruit. "When it is placed in position (on the altar) it is prescriptively placed on the junction of six radiating lines of sacred meal. When it is carried in processionals it lies over the left arm". It is held before the faces of novices in initiations, and is frequently sprinkled with meal during ceremonials. No great secret rites are performed without it.

the walls and performed other ceremonies. Groups of *Katcinas* and Mud-head-priests visited the Moñkiva.

January 22. Beans planted in boxes in the kiva, which during the next six days was kept hot with fires. The wood for these fires was brought to the pueblo during these days by men, disguised as Mudheads or clowns, who performed many amusing antics.

January 29. (First day, assembly). Men disguised as monsters (*Natackas*) visited houses in the pueblo demanding food. A personage called *Tümac Katcina* went through the streets on an unknown mission.

January 30. (Second day) *Natackas* strolled through the town on the same mission as yesterday. Parades of different *Katcinas* and Mudheads.

January 31. (Third day) A group of *Tcakwaina Katcinas* visited the Moñkiva.

February 1. (Fourth day) Those who are to take part in the public ceremonials made dolls in the kiva, receiving frequent visits of unmasked men.

February 2. (Fifth day) Girls replastered the kiva. A masked man, representing *Tuñwup*, publicly chastized the little boys and girls. Six Mudheads perform curious antics. A procession consisting of men personating *Eototo*, *Hahaiwügti*, and four *Wüwüzomo Katcinas*, visited the Moñkiva where they sang songs, their leaders making cloud emblems in meal on the kiva-floor. An uncostumed group of men paid visits to all the kivas.

February 3rd. (Sixth day) This and the following day were passed by participants in the kiva making dolls. Girls replastered all the kivas of the town.

February 4th. (Seventh day) Groups of persons recalling participants in the *Mamzrauti* and *Lalakonti* visited the Moñkiva[1]).

February 5th. (Eighth day) All the bean plant sprouts pulled up, tied in bunches and distributed. The *Katcina*-chief (Intiwa) made several prayer-sticks after which he set his badge (*Katcina-tiponi*) in position. He made likewise a six direction altar, by placing the six ears of corn at the end of as many meal-lines (as in *Niman Katcina*[2]) and prepared charm-liquid. The prayer-sticks (*paho*) deposited by couriers. *Natackas* visited the kiva.

February 6th. (Ninth day) Feast.

Personifications in Powamû.

Hahaiwüqti,	Ancient Earth-goddess.	*Wüwiyomo*,	—
Natacka,	Monsters.	*Pawik*,	Duck.
Soyokmana,	Attendant of *Natacka*.	*Nüvak*,	Snow.
Eototo,	—	*Hehea*,	—
Tuñwup,	Flogger.	*Tcatumaka*,	*Mamzrauti*, goddess.
Ahül,	—	*Tcavaiyo*,	Monster.
Tumac,	Mother of *Ahül*.	*Wupamow*,	Great cloud.
Wuyakwati,	—	*Owawanazrozro*,	Stone Demons.
Tcakwaina,	Black mud.		

[1]) It would seem from the great amount of visiting and the fact that almost all the participants in the year's ceremonials took part in it, that *Powamû* is a purificatory rite of all these organizations.
[2]) See Journal American Eth. and Arch. Vol. II N°. 1.

The large majority of the personages above mentioned belong to the supernaturals, called *Katcinas* and include most of those represented in the abbreviated ceremonials of the same name, celebrated in the summer months. The ancient Earth-goddess, *Hahaiwüqti*, appears with her offering the *Natackas* or monsters, and the strange being, *Eototo*, who takes a prominent part on the morning following the *Niman*, plays a not inconspicuous role.

PALÜLÜKONTI.

A characteristic element of this ceremony has been described in a former publication under the name "screen-drama". In the presentation of this drama there is some variation year by year, but the name of the ceremony as well as the character of the screenact, however modified, show that it is an example of sun and serpent-worship, which are so intimately associated in the religions of the North American Indians, as indicated by the symbolism of religions objects.

The startling component of the ceremony is the episode repeated four times, when six effigies of the great Plumed Serpent are thrust through openings in a screen over which hang circular flaps bearing emblems of *Tawa* (sun) and *Müiyawûh* (moon). This portion of the rite shows in an instructive manner the intimate association of sun- and serpent-worship, as it is at present practised by the Tusayan Indians.

There is reason to suspect that a screen is not always used in the performance of this drama, but that, in some presentations, effigies of the Plumed Serpent are simply thrust through openings in symbolic sun-disks made of wood. Figurines of girls are likewise sometimes introduced, and made to automatically grind corn; all these and other modifications depend on the society which celebrates the observance, who vary it in accordance with the fetishes which they have.

Synopsis of Rites in different Days.

February 12th. The priests planted corn seeds in boxes in the kiva, where a constant fire was kept burning, in order to make it germinate.

February 16th. Foot race of persons, in the plain, kicking before them small nodules of stone.

February 17th. Wooden images (dolls)[1]) carved in the kivas, in imitation of different *Katcinas*. Foot races in the plain during which the participants kicked stone nodules along well known drainage- or water-courses.

February 18th. Idem.

February 24th. (First day) Patrols of masked men through the pueblo and performance of *Katcina*-dances in the kiva. First exhibition of a screen-drama in which realistic serpent-effigies and an altar-cloth with sun emblems were employed.

February 25th. (Second day) Painting of masks in the kiva. Second exhibition of the screen drama in which serpent-effigies and sun-disks were used.

February 26th. (Third day) The screen repainted, after which the screen-drama was exhibited for the third time.

[1]) Dolls are likewise made in the kiva at the time of the celebration of the *Niman Katcina* as elsewhere recorded.

February 27th. (Fourth day) Mud-headed priests made offerings to moisture and snow gods. The corn which had sprouted was pulled and distributed.

A man rushed through the pueblo, personating *Masauwûh* [1]). Many *pahos* and prayer-strings made. The priests carried the effigies of the plumed serpents to *Tawapa* (sun-spring) and performed certain rites there with them. Personification of various *Katcinas*.

Fourth reproduction of the screen-drama. Exhibitions of the *Katcinas* and various other personifications in the kivas. The day closed with disjointing the effigies and packing up of the screen and other paraphernalia.

February 28th. (Fifth day) Elaborate *Katcina* dances, with attendant clown priests, continuing at intervals all day in the plaza. Planting the *Katcina* spruce tree in the public plaza.

Supernatural Personifications represented in Palülükonti [2]).

Six effigies of *Palülükonti* (Plumed snake), mother and young.
Tawa- (sun-) disks; *Müiyawûh-* (moon-) disks.
Cotokinuñwa (Heart of all the sky) painted figures on the screen.
Bird painted on screen.
Hahaiwüqti, Ancient Woman, "Mother", Earth-goddess.
Tacab (Navajo) *Katcina*.
Masauwûh, Fire-god.
Coyohim Katcina (all kinds of *Katcinas*).
Calakomana, Corn-goddess.
Hokyaañak-tcina, Longhaired *Katcina*.
Huhiyan, Barter *Katcina*.
Tatcükti, Mudheads.
Paiakyamû, Tewa clowns.

Mid-Summer Sun-Paho Making.

The celebration which took place at the summer solstice was a very short one confined to a single day and the following morning. The details of this simple rite have been elsewhere described and consisted of the assemblage of the sun-priests unmasked and the manufacture of *pahos* which were deposited on the following morning by their chief. In this ceremony no element of serpent-rites, which formed such a large component of the mid-winter ceremony, were observed. It has been suggested that the Tusayan Snake-dance is in reality a portion of the summer solstitial ceremony, but I have nothing new to support this theory.

Abbreviated Katcinas.

The abbreviated *Katcinas* of which there are many, although a limited number are performed in each year, are distinguished chiefly by symbolism of the mask, called by the

[1]) This supernatural person is the Fire-god, Death-god, War-god and deity of the Surface of the Earth intimately connected with germination and growth.

[2]) In a Tusayan ceremony a deity may be personified by a human being but an effigy or symbolic representation serve the same purpose in some instances.

name of the *Katcina* personated. The main event in their presentation is a public dance at stated intervals during a single day, the four previous days having been occupied in the kivas in the decoration of the masks and preparation of dance paraphernalia.

The dances are accompanied by clowns (*Tcukuwympkia*) and one or two other masked persons, and are led by a priest (unmasked), who directs the ceremony. The *Katcina*-chief, Intiwa, sometimes takes part as a director, standing at the head of the line of dancers, but his palladium (*tiponi*, "Mother" of the *Katcinas*) is, as a rule, only brought out in elaborate presentations, as that (*Niman*) which closes the series. A proper knowledge of all abbreviated *Katcinas* would necessitate descriptions of each, but the general plan is the same.

Niman Katcina.

The last *Katcina*-dance, or the celebration of the departure of these personages, is a nine day's celebration, unlike the abbreviated, in having secret or kiva-rites as well as the public exhibition. The last three days of this festival have been described by me, and the final events on the morning of the tenth day have been also spoken of elsewhere. As this ceremony is one of the most important and complex in the Tusayan-ritual I have reserved a detailed description with new studies for an extended article.

The chief of the *Niman* is Intiwa (*Katcina moñwi*) whose *tiponi* is erected in the Moñkiva where he likewise makes the cloud-charm liquid and sets up his altar, which has been elsewhere described. The number of prayer sticks made at *Niman* is very large. The prominent personages depicted on the altar cloth were *Tuñwup* and *Eototo*, accompanied by rain-cloud- and corn-symbols.

The Flute Ceremony.

The biennial observance of the Flute-priests takes place on alternate years with that of the Snake-fraternities, at about the same date, and several of the personifications are common to both.

One of the most characteristic episodes in this ceremony was the dramatization of a historic event, which took place on the evening of the seventh and the morning of the eighth day. Certain chiefs, as representatives of the Flute-organization, were formally received by those of the Bear- and Snake-fraternities at the east entrance to Walpi with appropriate ceremonials.

Two figurines, called Cultus-heroes, representing the Flute-youth and the Flute-maid were placed on the altar. I have regarded them as representing ancestral personages, recognizing that later research may reveal them to be prominent persons in Tusayan Mythology.

Synopsis of Rites on different Days.

August 5th. (First day) Preparation of the charm-liquid. Invocation to the six cardinal points. Manufacture and consecration of *pahos* and their distribution to shrines by couriers. Making of the flute-altar. Night-songs.

August 6th. (Second day) Manufacture and consecration of *pahos* and their distribution to shrines by couriers. Night-songs.

August 7th. (Third day) Manufacture and consecration of *pahos* and their deposit by couriers. Night-songs.

August 8th. (Fourth day) Placing of the figurines, *tiponi* and altar-slabs. The construction of a pollen trail in front of the figurines. Manufacture and consecration of *pahos* and their deposit by couriers.

August 9th. (Fifth day) Placing of a large standard on the roof of the room where the flute-mysteries were performed, and accompanying ceremonials. Manufacture, consecration and deposit of *pahos*.

August 10th. (Sixth day) Unwrapping the *tiponi* and accompanying ceremonials. Manufacture, consecration and deposit of *pahos*.

August 11th. | August 12th. | Visit of the Flute-priests to the springs, called *Kanelba*, *Wipo* and *Kwactapahü*. Ceremonials at these places and on the way back to Walpi. Dramatic reception of the returning Flute-priests by representatives of the Bear-family and Snake-Antelope fraternities. Manufacture, consecration and deposit of *pahos*.

August 13th. Foot race up the mesa. Morning ceremonials in the plaza. Distribution of mudballs to cardinal point and other shrines. Songs at the Flute-altar. Observances at the spring, *Tawapa*, and on the trail up the mesa. Rites at the kiva in the plaza.

SNAKE-DANCE.

The memoir on the Snake-ceremonials at Walpi, elsewhere published, gives an idea of the complexity of the ceremonial which opens the series of great nine day's observances, following the *Nîman* or departure of the *Katcinas*. The Snake-dance is performed by two fraternities of priests, in two kivas, consisting of a succession of rites, at the culmination of which the Snake-priests carry venomous reptiles in their mouths.

Synopsis of Rites on different Days.

August 13th. (First day) Preparation of the charm-liquid. Making of the sand-picture and altar of the rain-clouds in the Moñkiva.

August 14th. (Second day) Manufacture of *pahos*. Sixteen songs sung by the Antelope-priests about their altar. Deposit of *pahos* by the couriers.

August 15th. (Third day) Delivery of the snake-*pahos* to the Snake-chief. Snake hunt in the plain to the north of the pueblo. Manufacture of *pahos*, singing sixteen songs and deposit of the prayer-sticks by a courier.

August 16 th. (Fourth day) Delivery of the snake-*pahos* to the Snake-chief. Snake hunt to the west of the pueblo. Manufacture of *pahos*, singing sixteen songs, and deposit of the prayer-sticks by a courier. Butterfly-virgin slab and *patne* placed on the altar.

August 17th. (Fifth day) Delivery of the snake-*pahos* to the Snake-chief. Snake hunt to the south of the pueblo. Manufacture of *pahos*, singing sixteen songs, and deposit of the prayer-sticks by a courier. Large standard, composed of a bow and arrows, affixed to the ladders of the kivas.

August 18th. (Sixth day) Delivery of the snake-*pahos* to the Snake-chief. Snake hunt to the east of the pueblo. Manufacture of *pahos*, singing sixteen songs and deposit of the prayer-sticks by a courier.

August 19th. (Seventh day) Making the sand-picture and altar in the snake-kiva. Preparation of the charm-liquid and charm pellets of mud by the Snake-priests. Manufacture of *pahos*, singing sixteen songs, and deposit of the prayer-sticks by a courier. Initiation in the snake-kiva. Singing and ceremonials at sun spring (*Tawapa*).

August 20. (Eighth day) Foot race. Dramatization and sixteen songs ceremony. Renewal of charm-liquid in the medicine bowl. Public ceremony of Snake- and Antelope-priests before a cotton wood bower (*kisé*) in the plaza.

August 21. (Ninth day) Dramatization and sixteen-songs ceremony. Initiation rites in the Moñkiva. Foot race in the plain. Washing the reptiles in the snake-kiva. Public snake-dance when snakes were carried in the mouths of participants. Drinking emetic. Feast of the snake-priests.

August 22. Purification in the snake-kiva.

August 22—25. Games in which the girls and young men of the three pueblos struggle for bowls and other objects.

No effigies of anthropomorphoid gods were placed on the altars of either the fraternities, which celebrated the snake-dance, and the only fetishes employed were stone images of the mountain-lion and other animals. Of all the ceremonials in which a sand picture is employed, this was the only one in which an effigy of some anthropomorphic god did not occur on the altar, a fact which seems to me to be significant. The figures of the rain-clouds of the four cardinal points [1]), so prominent in the sand picture of the leading fraternity, furnish the key to the explanation of the snake-ceremony, to which I have elsewhere called attention, that it is a rain ceremonial. If the snake-dance is primarily an example of Ophiolatry, it is strange that serpent-symbolism is given such a subordinate place.

LAKAKONTI [2]).

The primary object of this ceremony is maturition or germination, and *Muyiñwûh*, the Earth- or Germ-god, is a most important fetish on the altar. The secret portions of the ceremony were performed in the Tcivato-kiva by the women, four of whom are chiefs. It is probable also that a main object of this, as well as the following women's ceremony, was abundant crops, and a bountiful yield in the products of the Hopi farms, their flocks, game and even their own race. It is a worship of the Earth-goddess, as the "mother" or

[1]) A remarkable fact it is that Wiki, the chief of the ceremony, is a representative of *Hecanavaiya*, the Ancient of the Six (cardinal points). Who is this deity of strange name? Theoretically I consider the name an attributal one of *Tawa*, the sun, whose risings and settings at summer and winter solstices determine the four cardinal points of the Tusayan Indians. If this theory is well grounded, we cannot be far astray if we regard the chief of the snake-drama the personator of the sun, and the ceremony an example of sunworship in modified form.

[2]) There are certain resemblances to the *Lalakonti* in the ceremony described by Maj. J. W. Powell, in Scribner's Magazine (Dec., 1875), but I am not able to say definitely whether the rites, he saw, belong to this or to the related *Mamzrauti*.

the creative principle of nature. Rain-cloud-worship occupies subordinate part in both and the following observance occurs in fact in the rainy season, when the desires of the people are more for an abundant increase of the crops than for fertilizing showers.

Synopsis of Rites on different Days.

September 2d. (First day) Three *tiponis* laid horizontally on the floor over a rectangular figure made in meal. *Pahos* manufactured.

September 3rd. (Second day) Novices at early dawn visit the shrine east of Walpi and make offerings. *Pahos* made and deposited by couriers in distant shrines.

September 4th. (Third day) *Pahos* made and deposited by couriers in distant shrines. Singing in the evening.

September 5th. (Fourth day) Large *natci* hung on the ladder of the kiva at sunrise. *Pahos* made at noon and deposited in shrines by couriers. Sand pictures and altar made on the floor of the kiva. Girl messengers procured corn stalks and melon vines for decoration of the altar. Making the charmliquid at night. Destruction of the sand picture.

September 6th.—8. *Pahos* made and deposited in shrines by girls.

September 9th. (Eighth day) *Pahos* made and deposited in shrines by girls. Ceremonial unwrapping of the *tiponis*. Departure of two men, Pitci and Ametola, with unknown offerings. Procession of women to the sun-spring (*Tawapa*) and ceremony at a shrine near by. Race up the mesa by girls. Preparation of charmliquid at night in the kiva.

September 10th. (Ninth day) Ceremony in the plaza before daybreak. Race at sunrise up the mesa and ceremonial in the kiva at the return of the racers. Throwing baskets to spectators and attendant rites, when two women, accompanied by Pitci, cast amulets, made of corn husks, on the ground. Public dance of women with basket trays.

The following personifications were introduced in the form of figurines, pictures or symbols:

Muyiñuwûh (Mana) Germ-God (Goddess).
Lakonemana, Lakone Virgin.
Calakomana, Corn-maid.
Püükoñkoya, Little War-god.
Women with coronets on their heads.

It will be seen that of the above supernatural personages, whose figurines were placed on the altar or depicted in the sand painting, three were earth goddesses who are symbolic of fertility or reproduction. There can be little doubt of the signification of a ceremony in which these deities were so important, nor was the presence of the picture of the war-god out of harmony with the interpretation that *Lalakonti* is primarily a ceremony for the abundant fertility of the earth. With this cultus-hero is associated much folk lore relating to the staple food, the maize, upon which the Hopi rely more than all others for sustenance. He naturally occurs on the altar, possibly as the symbolic defender of the fields from enemies of all kinds, or connected with some legend of the origin of corn.

Mamzrauti.

This ceremony, like the *Lalakonti*, is one in which an earth-goddess was addressed and is likewise believed to be connected with the cult of the germinative principle of nature, symbolized by her. It was celebrated by women, four of whom were chiefs, and men took a subordinate part. As a ceremonial of an earth-god or- goddess it deals with the productive element in fructification, and is intimately connected with the "New Fire Ceremony" in which the active or phallic principle is more prominent[1]).

Synopsis of Rites on different Days.

September 23. (First day) A sand-altar begun in the kiva. Fetishes set in a ridge of sand. Prayer-meal sprinkled on the *tiponis*. Line of meal and ring of the same made on the floor. Girls (novices) jumped within this ring of meal and ceremonies to aid them in becoming fertile.

September 24th. (Second day) Woman-chief prepared charm-liquid. Invocation to the six cardinal points. Marks made on the walls, roof and floor of the kiva. Cheeks of the novices marked with black lines. *Pahos* made and deposited in shrines.

September 25th. (Third day) *Pahos* made and deposited in shrines. Limbs, faces and bodies of the novices painted. Marks on the kiva walls renewed.

September 26th. (Fourth day). *Pahos* made and deposited in shrines by four maids. Sand-picture and altar made; slabs of altar and *Mamzrau*-effigies set in place. Two girls brought green corn stalks and melon vines to decorate the uprights of the altar.
Midnight ceremonial and head washing of the novices.

September 27th. (Fifth day) Large standard (*natci*) placed on the kiva hatch. Singing and posturing in the kiva. Two *pahos* made. Dance about a pile of peaches on the floor.

September 28th. (Sixth day) Dance about a pile of peaches on the kiva floor. Public dance of the women in imitation of a *Katcina*.

September 29th. (Seventh day). Women in men's disguises danced in the court. Nocturnal songs in the kiva.

September 30th. (Eighth day) Women made a circuit of the pueblo, imitating the men's society, called the *Tataukyamû*. Men pour water on the women, smearing them with mud and filth. Altar partially dismantled. Midnight ceremonials and processions.

October 1st. (Ninth day) Sunrise ceremony of throwing corn. Women cast corn husks on the ground and food to the spectators. Public dance of the women, each bearing a pair of decorated flat slabs. Altar wholly demolished in the kiva. Songs of different rival choruses in the public court and plaza.

---

[1]) In an almost universal primitive conception, fire is regarded as a living being, and naturally the making of new fire is associated with fructification and the birth of life. In fact it represents to the primitive mind, the creation of life, and naturally is related to, or symbolic of fructification. As the fire-makers kindle fire by the insertion of the firedrill into the hollow of the fire board, so by coition, animal organic life begins, and by this parallelism the mind naturally associates new fire and germinative ceremonials.

Figurines, pictorai representations or personifications.

Mamzrau tiyo, *Mamzrau* youth.
Mamzrau mana „ maid.
Tcatuyumatu, Mother of tätû.
Tozrizrita wüqti, Women?
Tcatü, Insects sp.?
Muyiñwûh, God of germs.
Palahikomana, Unknown personifications.

An examination of the characteristics of the above mentioned deities or supernatural personifications shows that earth-goddesses, or those which regulate the increase in the products of the earth, are prominent in *Mamzrauti*. To be sure, the sun picture on the altar represents the rain-cloud and lightning, but certainly the details of the different component rites point both to earthworship and to rain-ceremonials and the great need of the people at the time of its celebration is not so much rain as a successful harvest.

That there are so many points of resemblance between *Lalakonti;* and *Mamzrauti* indicates that they are of similar import; and their duplication of the same or similar rites can be explained on the ground that both are parts of an incorporated cult.

Harvest Dance.

A socalled „*Howina*" or Harvest-dance, said to have been .derived from the Zunis, is sometimes celebrated, but does not seem to be a part of the prescribed Tusayan ritual. As I have never seen this dance and have no notes upon it, I am obliged to pass it by with this short and unsatisfactory mention. From one point of view the two preceding ceremonials may be called harvest-festivals or, at least, to contain elements which indicate thanksgiving for successful crops and the year's increase.

New Fire Ceremonies.

The kindling of New Fire, a most important component of the Tusayan ritual, is celebrated by four societies[1]), at Walpi in the month of November in an abbreviated or an elaborate ceremony. The details have been outlined in my article on the *Naacnaiya* and *Wüwütcimtü*, where attempts were made to record the salient rites of the elaborate and abbreviated observances. Both these New Fire ceremonies are accompanied with phallic survivals, germinative and kindred rites, and traces of both, sun- and fire-worship, also appear in this ceremony.

a) Elaborate New Fire Ceremony.
(*Naacnaiya.*)

November 10th. (First day). *Kwakwantû* chief made the *nakuyi ponya* (charm-altar). He and the asperser enact the *nananivo tuñwainita* (the invocation to the six directions).

---

[1]) The chief of the *Tataukyamû*-society controls this rite. We easily trace the root, *ta*, from *Tawa*, sun, in the name. In the winter solstitial dramatization the chief of this society carried the "sun-shield" as recorded in the brief mention of this observance.

Similar ceremonies performed in the *Alkiva* and *Moñkiva*. The *Kwakwantû*, *Aaltû*, and *Wüwütcimtû* visited the *Moñkiva* and performed the ceremony of making the new fire and sacrifice to *Masauwûh*. *Kakapti* brought into the village the Dawn-woman figurine. *Keles* or young lads brought to the *Moñkiva*. The *Kwakwantu keles* began a separate ordeal in Tcivato kiva.

November 11th. (Second day) Patrols in the village by the Horn-society and *Kwakwantû*. Smoking the great snow-pipe. *Keles* visit the *pahokis*.

November 12th. (Third day) Patrols in the village by the Horn-society and the *Kwakwantû*. *Tataukyamû* and Horn-escort performed an eccentric dance. *Pahos* made, and boys dressed as women. Singing at night in the *kiva*.

November 13th. (Fourth day) All strangers excluded from approaching the mesa. *Keles* carried down the mesa trail, under guard of the priesthoods, to a distant mountain. Sand-altar made in the *Alkiva*. Patrols in the village throughout the day. Sprinkling the Dawn-woman, *Talatumsi*. Visit of the societies to the *pahoki*. Return of the societies with the *Keles*. Greeting of the societies in their patrols about their village. Smoking of the great pipe.

November 14th. (Fifth day) Visit of the societies to the first terrace of the mesa. Feast in the four *kivas* in which the *keles* participate. Drenching of the priests by the women. Singing of the priests in phallic costume.

November 15th. (Sixth day) Fuel gathering and hunting expeditions. Drenching of the priests by the women. Patrols through the village.

November 16th. (Seventh day). The sidelong dance (new movement). *Wüwütcimtû* proceeded to neighbouring village and were drenched by the women.

November 17th. (Eighth day) Public exercices of the societies in full costume. Two priests personated the storm-cloud deities; realistic imitation of lightning and the movements of storm-clouds.

November 18th. (Ninth day) Three large bonfires made. Leaping of the priests over the fire; imitation of mountain sheep. Making of the line of meal and dance in the plaza. Processions and dances by the *Wüwütcimtû* and *Tataukyamû*.

b) Abbreviated New Fire Ceremony.
(*Wüwütçimtû*).

November 8th. Smoke assembly, after which the "Speaker-chief" was formally notified to announce the coming ceremony.

November 9th. Public announcement.

November 13th. (First day) Preparation of the charm-liquid in the four kivas where the four societies assemble. Invocation to the six worldquarter-deities. Manufacture of stringed pineneedle offerings and various prayer-sticks (*pahos*). Ceremonial making of new fire. Sacrifices of stringed pineneedles to the Fire-God. Processional visit to the shrines of *Tüwapontumsi* and attendant shouting under the cliffs.

November 14th. (Second day) Processions through the pueblos and patrols of priests during the day.

November 15th. (Third day) Processionals, and eccentric dances in the pueblo accompanied by phallic observances. Women drenched the participants with water.

November 16th. (Fourth day) Invocation to the worldquarter-deities. A sand-altar made in the Alkiva. Midnight songs. Processionals and phallic dances in the pueblo. Women poured water and impure liquids on the dancers.
November 17th. (Fifth day) Processions, dances and phallic rites. Prayer sticks placed at Tawapa (sun-spring), in the crypt of *Talatumsi* (Dawn-woman) and at a sunshrine to the east of the mesa. Casting the embers of the "New Fire" over the cliffs with accompanying invocation.
The most important supernatural persons introduced or represented are:

Masauwûh,	Fire-God.	*Cotokinuñwa*,	Heart of all the sky.
Tuwapontumsi,	Earth-altar-woman.	*Tawa*,	Sun.
Talatumsi,	Dawn-woman.	*Palahikomana*,	Unknown personation.
Alosaka,	Guide or watcher.		

From the attributes of the most prominent of these deities, addressed in the New Fire-ceremony, it is clear that we have in this rite fire- and sun-worship, as well as that of growth and germination. Fire is looked upon as life and the association of the Fire-ceremony with earth-worship is natural, as elsewhere pointed out. *Masauwûh* is therefore rightly addressed in two of his incarnations, the growth- or metamorphosis-god, and the Fire-deity. The Earth-altar-woman, his female complement, is probably another name for the earth or an Earth-goddess, and *Alosaka*, the guide or patrol, is a semi-mythical personage whose appearance in this ceremony is unimportant; but the "Heart of all the Sky", and sun-worship are significant. Both of these, as well as the maiden *Palahikomana*, appear or are represented in the *Palülükonti*.

Winter Solstitial Ceremony.

The *Soyaluña*, a December-ceremony, which occurs at or about the winter solstice, is comparable to a sun-dance. During its performance a screen-drama is presented in which offerings are made to the great plumed-serpent, represented by an effigy, and a dance is performed in which the warrior participants carry shields, ornamented with symbolic decorations. The character of the two components indicates that this midwinter-ceremony is a part of the Sun-serpent cult, a realistic dramatization, having for its object the recall of the sun in its departure southward, accompanied by propitiatory exercises to the Great Snake.

This drama is primarily a warrior-celebration and commemorates the return of the Sun-god as a leader of the *Katcinas*. Prayers, with sacred meal-offerings, are made to the effigy of the Great Snake, while the realistic dance, in which the leader of the *Tataukyamû* carries the shield on which the Sun is depicted, shows the prominence given in the celebration to sun-worship. The exhibitions were secret and occurred in the *Moñkiva*, the assembly place of the *Tataukyamû*, whose chief, wearing a head-dress with rain cloud emblems, officiated as the bearer of the shield with the symbol of the sun. All the other kivas were places of meeting of the different societies, who sallied forth from them to attend the ceremonies, during which the officiating chief of each carried a shield upon which was depicted an appropriate symbol.

Two rites of those, performed in the *Moñkiva*, were of especial interest, viz: the serpent-drama and the sun-dance. In the former the effigy of the great plumed serpent was introduced in a way somewhat comparable with that in *Palülükonti.*

Artificial flowers, made of corn husks, arranged in a bower or screen at the west end of the kiva, hide the performers. In the middle of this screen there was an opening through which an effigy of the head of the plumed serpent was thrust and manipulated by a person behind the screen. An assistent, also behind the screen, imitated the roar of the serpent by blowing through a conch-shell, accompanied by the scraping of a scapula across a notched stick. All the Chiefs headed by Supela, husband of the oldest of the snake-clan in Walpi and father of the snake-chief, one after another cast sacred meal on the head of the snake-effigy, and prayed to it as it was projected through the opening. No sun-emblem was used in this part of the ceremony, but in the second act it appears in an interesting sun-drama of suggestive character. This component is in reality a sun-dance, an important feature of which is the severe task of endurance, undertaken by the participants. In the course of this dance the sun-shield-bearer, who is the *Tataukyamû* chief, personates a warrior contending with enemies, and dashes his shield in the faces of groups of men personating warriors, who surge against him again and again as if in attack. Many fall down exhausted before the termination of this trying ordeal. The feigned attacks and repulses of these men upon the sun-shield bearer, typify the assaults of hostile gods upon the sun, who at the end is victorious over them all and returns to bless the people.

BIBLIOGRAPHY.

Powamû. FEWKES, J. WALTER: On certain personages who appear in a Tusayan ceremony. Amer. Anth. Vol. VII, N°. 1. (Figures of the masks of *Natacka;* plate showing personators of *Hahaiwüqti*, *Natacka* and *Soyokmana;* references to Nahuatl likenesses).

Palülükonti. PEWKES, J. WALTER and STEPHEN A. M.: The *Palülükonti.* Journ. Amer. Folk Lore. Oct.-Dec. 1893. (Parts of the screen-drama were described by an anonymous writer in Philadelphia Telegraph, New York. Tribune and Boston Daily Traveller, 1893.

Humis Katcina, *Aña Katcina*, *Niman Katcina*, *Tawapaholauni*, *Sumykoli.* FEWKES J. WALTER: A Few Summer Ceremonials at the Tusayan Pueblos. Journ. Amer. Eth. & Arch. Vol. II N°. 1. (Illustrated accounts of the ceremonials mentioned with notices *passim* of sacerdotal societies, calendar and kindred ceremonials in other pueblos besides Walpi).

Flute. FEWKES J. WALTER: The Walpi Flute Observance; a Study of Primitive Dramatization. Journ. Amer. Folk Lore. Vol. VII. N°. XXVI. pts. I. II. (Account of the Flute at Cipaulovi should be read with this; cf. Journ. Amer. Eth. & Arch. Vol. II N°. 1.)

Snake Dance. FEWKES, J. WALTER, assisted by STEPHEN A. M. and OWENS, J. G.: The Snake Ceremonials at Walpi. (Journ. Amer. Eth. & Arch. Vol. IV. (A partial bibliography of the Snakedance, complete for the 1891 and 1893 Exhibitions, closes this volume).

Lalakonti. FEWKES, J. WALTER and OWEN J. G.: The Lalakonti; a Tusayan dance, Amer. Anth. April, 1892.

Mamzrauti. FEWKES, J. WALTER and STEPHEN, A. M.: The Mamzrauti; a Tusayan Ceremony. Amer. Auth. July, 1892. (In Scribner's Monthly, Dec. 1875, "The Ancient Province of Tusayan", Maj. J. W. POWELL describes fragments of this ceremony?).

Naacnaiya. Fewkes, J. Walter and Stephen, A. M.: The Naacnaiya; a Tusayan Initiation Ceremony. Journ. Amer. Folk Lore. July—September, 1892.

Wüwütcimti. Fewkes, J. Walter: The Tusayan New Fire Ceremony. Proc. Bost. Soc. Nat. Hist. Vol. XXVI. Feb. 9, 1895.

Soyaluña. An account of *Soyaluña*, *Powamû* and various *Katcina* celebrations will be published for me, with colored illustrations, in the 15th Annual Report of the United States Bureau of Ethnology.

ADDITIONS AND CORRECTIONS.

Page 215 line 17 for „*it which*" read „*details*"
„ 216 „ 7 „ „*Abbreviated.*" „ „*Abbreviated*"
„ „ „ 8 „ „*Katcina*" „ „*Katcinas*"
„ „ „ 2 (from below) for „*four purificatory*" „ „*four following purificatory*"
„ 218 „ 2 for „*solsticial*" „ „*solstitial*"
„ „ In the head of the second column of the table read „*Summer to Winter solstice*".
„ „ line 8 from under, for „*Wüuütcimti*" read „*Wüwütcimti*"
„ 219 „ 10 for „*Exhibit*" read „*exhibit*"
„ „ „ 25 „ „*Pulülükonti*" „ „*Palülükonti*"
„ 220 „ 5 „ „*4 (a) Katcinas*" „ „*4. Katcinas*"
„ „ „ 6 „ „*(b)*" „ „*(a)*"
„ „ „ 7 „ „*(c)*" „ „*(b)*"
„ „ „ 32 „ „*South West*" „ „*South-West*"
„ 221 „ 31 „ „*annoucement*" „ „*announcement*"
„ 222 „ 23 „ „*falls*" „ „*fall*"
„ „ „ 36 „ „*dramaticed*" „ „*dramatized*"
„ 223 „ 3 cancel the woords „*wizard or sorcerer*"
„ „ „ 13 for „*both Sun*" read „*both, Sun*"
„ „ „ 15 „ „*necessitates*" „ „*necessitate*"
„ 224 „ 2 „ „*summer*" „ „*the summer*"
„ „ „ 26 „ „*Katcinas*" „ „*Katcina-celebrations*"
„ „ „ 8 from below for „*badger*" „ „*badge*"
„ 225 „ 3 for „*kiva,*" „ „*kiva*"
„ „ „ 15 „ „*chastized*" „ „*chastised*"
„ „ „ „ „ „*perform*" „ „*performed*"
„ „ „ 16 „ „*Wüwüzoma*" „ „*Wüwiyzomo*"
„ „ „ 26 „ „*direction*" „ „*directions*"
„ 226 „ 4 „ „*offering*" „ „*offspring*"
„ „ „ 16 „ „*the intimate*" „ „*how intimate is the*"
„ „ „ 26 „ „*it*" „ „*them*"
„ 229 „ 20 „ „*Kiva*" „ „*Kisa*"
„ 231 „ 26 „ „*Muyiñuwûh*" „ „*Muyiñwûh*"
„ „ „ „ „ „*Püükoñkoya*" „ „*Püükoñhoya*"

BEITRÄGE
ZUR ETHNOGRAPHIE VON NEU-GUINEA

VON

J. D. E. SCHMELTZ,
Conservator am Ethnographischen Reichsmuseum zu Leiden.

IV. UEBER BOGEN VON NEU-GUINEA.

Prof. F. RATZEL sagt in seiner interessanten Studie „Die afrikanischen Bögen" [1]), in der er bekanntlich vergleichsweise auch Bogen von Neu-Guinea, etc. herangezogen hat, dass die an Bogen von Neu-Guinea sich oft, in mehr oder minder grosser Zahl, findenden Rotanflechtringe ursprünglich zur Verstärkung der Sehnenwülste, später zum Zierrath und, in die Mitte vorrückend, dienen um der Hand des Schützen festeren Halt zu bieten (pg. 338). Wir haben s. Z. dieser Auffassung rückhaltlos zugestimmt [2]), obgleich wir uns schon damals der Vermuthung nicht erwehren konnten, dass diese Ringe noch einen anderen Zweck, nämlich den der Verstärkung des Bogens selbst zu erfüllen hätten. Wir wurden zu dieser Vermuthung veranlasst durch die, auch von RATZEL hervorgehobene Erscheinung, dass jene Ringe sich stets nur an Palmholzbogen finden, und nicht an solchen aus Bambus. Ersteres bildet aber ein viel spröderes, leichter eine Gefahr der Zersplitterung und selbst eines Bruchs darbietendes Material als Bambus, was sicher dem Wahrnehmungsvermögen der Eingebornen nicht entgangen ist und sie so von selbst auf die Idee der Verstärkung durch jene Ringe geführt hat.

An diesen Gedankengang wurden wir erinnert durch ein Stück aus der schon weiter vorn pg. 153 & ff. mehrfach erwähnten Sammlung SCHERPBIER dessen Beschreibung nun hier zuerst folgen möge.

Bogen aus Palmholz, plattoval im Durchschnitt der Mitte; mit, aus einem Rotanstreifen bestehender Sehne. Beide Enden spitz, nahe denselben sind um den einen Arm eine grössere Anzahl, um den andern, nahe dem Ende, nur ein einziger Rotanflechtring befestigt, während auf die Enden selbst ein dicker ebenfalls aus Rotan geflochtener Ring oder Wulst geschoben ist, gegen den die Schleife der Sehne anliegt. Der mittlere Theil des Bogens findet sich viermal mit Rotanstreifen umwickelt, wodurch eine gegen die Innenseite des Bogenkörpers gelegte, platovale Lamelle aus lichtbraunem Holz, wie untenstehende Abbildung zeigt, festgehalten wird, während einer der vorerwähnten, geflochtenen Ringe gleichzeitig das eine Ende

der Lamelle kreuzt. Nahe dem einen Ende des Bogens findet sich an der convexen Seite eine eingeschnittene Verzierung, aus Rauten und eingerollten Spiralen bestehend, in deren oberem Ende ein menschliches Gesicht zum Vorschein kommt.

Länge 190, Breite in der Mitte 4,2; Dicke in der Mitte 3 cM. Inv. N°. 932/49.

Nordküste von Neu-Guinea, bei Jamna.

[1]) Leipzig, S. Hirzel, 1891. [2]) Ausland 1892, N°. 44 (Ueber Bogen von Afrika und Neu-Guinea).

Dass die hier näher beschriebene Vorrichtung keinen andern Zweck, als den eines Schutzes des Bogens gegen Absplitterung einzelner Theile oder Bruch haben kann, wird jeder unserer Leser zuzugeben geneigt sein; Holzlamelle und Rotanringe dienen hier gemeinschaftlich demselben. Dass aber auch letztere absichtlich dafür verwandt werden beweist uns ein Holzbogen aus Konstantinhafen, Deutsch Neu Guinea, durch Herrn J. S. KUBARY gesammelt, der zu der weiter unten zu erwähnenden Sammlung gehört und dessen genauere Schilderung wir uns für einen späteren Beitrag vorbehalten. Hier sei betreffs desselben nur mitgetheilt, dass sich nahe dem einen Ende eine Neigung zur Trennung einzelner Theile vom Ganzen in Form loser Splitter zeigt und dass darüber hin einer der hier in Rede stehenden, geflochtenen Ringe befestigt ist, unzweifelhaft um weiterer Absplitterung vorzubeugen.

Indem wir die hier besprochene Annahme betreffs des Zwecks der Rotanflechtringe, als Verstärkung des Holzbogens selbst, unseren Fachgenossen zu weiterer Verfolgung anheimgeben, erachten wir es nöthig zu erklären, dass dadurch die, zuerst durch RATZEL angedeuteten beiden Zwecke unseres Erachtens nach durchaus nicht in Frage gestellt werden; ihnen gesellt sich nur ein dritter, und wahrscheinlich der wichtigste Zweck hinzu, den sie zu erfüllen haben und der vielleicht selbst zuerst zu deren Anwendung geführt hat.

Wir haben vor einiger Zeit darauf hingewiesen dass der Holzbogen Neu Guinea's bei den an der Humboldtbai wohnenden Stämmen die höchste Stufe der Entwicklung zeigt [1]); was wir von solchen sowohl östlich als westlich von dieser Provenienz kennen lernten erreicht jenen bei Weitem nicht. Gleichzeitig machten wir darauf aufmerksam dass hier, wo wir die vollkommenste Bogenform Neu Guinea's antreffen, der Speer als Waffe fehlt, einer Erscheinung der wir stellenweise, wie durch RATZEL nachgewiesen, auch in Afrika begegnen [2]). Im Verband mit diesen Ausführungen erscheint es uns nun von grossem Interesse dass bei Stämmen die den Theil der Südküste bewohnen der dem Gebiet, in welchem an der Nordküste sich die vollkommenste Bogenform aus Holz findet, gerade gegenüber liegt, auch wieder der Bambusbogen, dessen Gebiet hauptsächlich der Südwesten Neu Guinea's bildet, seine höchste uns bekannte Ausbildung erreicht. Wir erinnern an die vorn, pg. 161, besprochenen Bogen der Tugeri, ferner entsprechen diesen, betreffs der Grösse, Bogen von den am Flyfluss wohnenden Stämmen, welche wir in Museum zu Rom sahen, und solche von den Eingebornen der Torresstrasse im British Museum, London, die aber nach HADDON's Angabe [3]) durch jene Eingebornen vom Festlande Neu Guinea's (Dandai) her eingetauscht werden. So scheint jener Vorgang im Norden sich im Süden, wenn auch in abweichendem Material wieder zu spiegeln und wir begegnen darin wiederum einer jener Verwandtschaften zwischen Nord und Süd, auf welche schon SERRURIER und HADDON hingewiesen und die letzteren zur Annahme eines Verkehrs zwischen den in Betracht kommenden Stämmen längs des Flyflusses veranlassten [4]). Noch interessanter wird die Sache dadurch, dass hier, im Süden, der Speer als Waffe, zwar nicht, wie bei den Stämmen an der Humboldtbai, gänzlich fehlt, aber doch in den Hintergrund tritt.

Wir haben im Vorstehenden versucht die Aufmerksamkeit unserer Fachgenossen auf einige auffallende Erscheinungen zu lenken, die sich uns beim Studium unseres, mit sicherer

---

[1]) DE CLERCQ & SCHMELTZ: Ethn. Beschrijving van N. W. Nieuw-Guinea, pg. 232.
[2]) Op. cit., pg. 296.
[3]) The Ethnography of the Western Tribes of Torres-Straits Isld's, pg. 331.
[4]) Decorative Art of British New Guinea, pg. 257.

Provenienzangabe eingegangenen Materials ergeben haben. Dass derart Facta, jemehr selbe sich häufen, auch ihren Werth für die Beantwortung der Frage nach den Rassenverschiebungen, ja für die Rassenfrage selbst erlangen werden, wird wohl kaum geläugnet werden können. Betreffs dessen was der Bogen uns in dieser Hinsicht lehren kann, gebührt RATZEL das Verdienst zuerst mit seiner oben erwähnten Arbeit anregend gewirkt zu haben.

In einem, in Veranlassung desselben, und unserer daran geknüpften weiteren Ausführungen, im Ausland (1892), geschriebenen Aufsatz tadelt indes F. HEGER [1]) in sehr scharfer Weise dass sowohl RATZEL, als wir uns dahin ausgesprochen dass Facta wie wir selbe auch oben wieder dargelegt, ebensowohl Material für den Beweis der psychologischen Einheit des Menschengeschlechts, als auch für den einer Rassenverwandtschaft bilden können und sagt dass man, bei Anerkennung des Standpunktes von RATZEL, einen sehr unsicheren und schwankenden Factor in die Ethnologie hineinbekomme. Als einen Fall, der gegen die von RATZEL und uns angenommene Möglichkeit spreche, stellt HEGER das Vorkommen eines Aderlassgeräthes, in Gestalt eines kleinen Bogens, in gleicher Form bei den Cayapás in Brasilien und den Papuas von Bongu, Deutsch Neu Guinea, also Angehörigen zweier grundverschiedener Rassen hin. Es ist uns unerfindlich in wie weit RATZELS Annahme hiedurch entkräftet wird; derart Fälle wie der durch HEGER erwähnte gehören in das Gebiet des „Völkergedankens" und jeder Ethnograph weiss dass sich Mengen von Beispielen des Vorkommens gleicher Geräthe etc. für gleiche Zwecke, oder gleicher Ornamentik der Gegenstände, bei räumlich weit von einander entfernt wohnenden, und rassenanatomisch verschiedenen, Völkerschaften beibringen lassen. — Wie HEGER, l. c. pg. 87, haben auch wir uns dahin ausgesprochen in der Verwandtschaft gewisser Bogenformen von Neu-Guinea und Afrika in erster Linie einen weiteren Beweis für die psychologische Einheit des Menschengeschlechtes zu sehen [2]). Werden aber Vorkommnisse, wie die in Rede stehenden gefunden bei Völkern die, wie die Schwarzen Oceaniens und Afrikas, einander auch anthropologisch näher verwandt, so gewinnen selbe einen höheren, nämlich den von uns oben bezeichneten Werth.

Uns däucht des Sammelns und Aufhäufens von Material in den ethnographischen Museen ist jetzt genug geschehen; wir dürfen jetzt beginnen uns mit Ruhe der Entzifferung der, in den Erzeugnissen schriftloser Völker gleichsam verborgenen Texte zuzuwenden, damit, wenn dereinst durch Berufene die Geschichte unseres Geschlechtes geschrieben werden soll, die Bausteine dafür vorbereitet sind. Ethnographische Gegenstände sind ihrem innersten Wesen nach nichts anderes als Naturprodukte; wie das Thier beim Bau seiner Wohnung, etc. unabänderlichen Gesetzen folgt, so gehorcht der Mensch, bei der Anfertigung seiner Geräthe bis zu gewissen Grenzen, einer zwingenden Nothwendigkeit deren Gesetz sich in ihnen wiederspiegelt, wie Dr. KARL MÜLLER, Halle [3]) dies in einem in Folge von RATZELS Arbeit geschriebenen Aufsatz treffend ausführt. Diese Gesetze zu ergründen muss jetzt, so weit möglich, unsere erste und ernsteste Arbeit sein und wir sind fest überzeugt dass, falls solcher Untersuchung authentisches Material zu Grunde liegt, sie uns dem Ziele der Lösung des Räthsels der Wanderungen und Wandelungen der Menschheit näher bringt.

Wohl sind wir uns bewust hierbei oft den Weg der Hypothese betreten zu müssen,

[1]) Mittheilungen der anthropologischer Gesellschaft Wien, Bd. XXIII (1893), pg. 83 ff.
[2]) Siehe DE CLERCQ & SCHMELTZ: Op. cit., pg. 137 und in unserem Aufsatz im Ausland.
[3]) Pfeil und Bogen (Natur 1893 pg. 451 ff.).

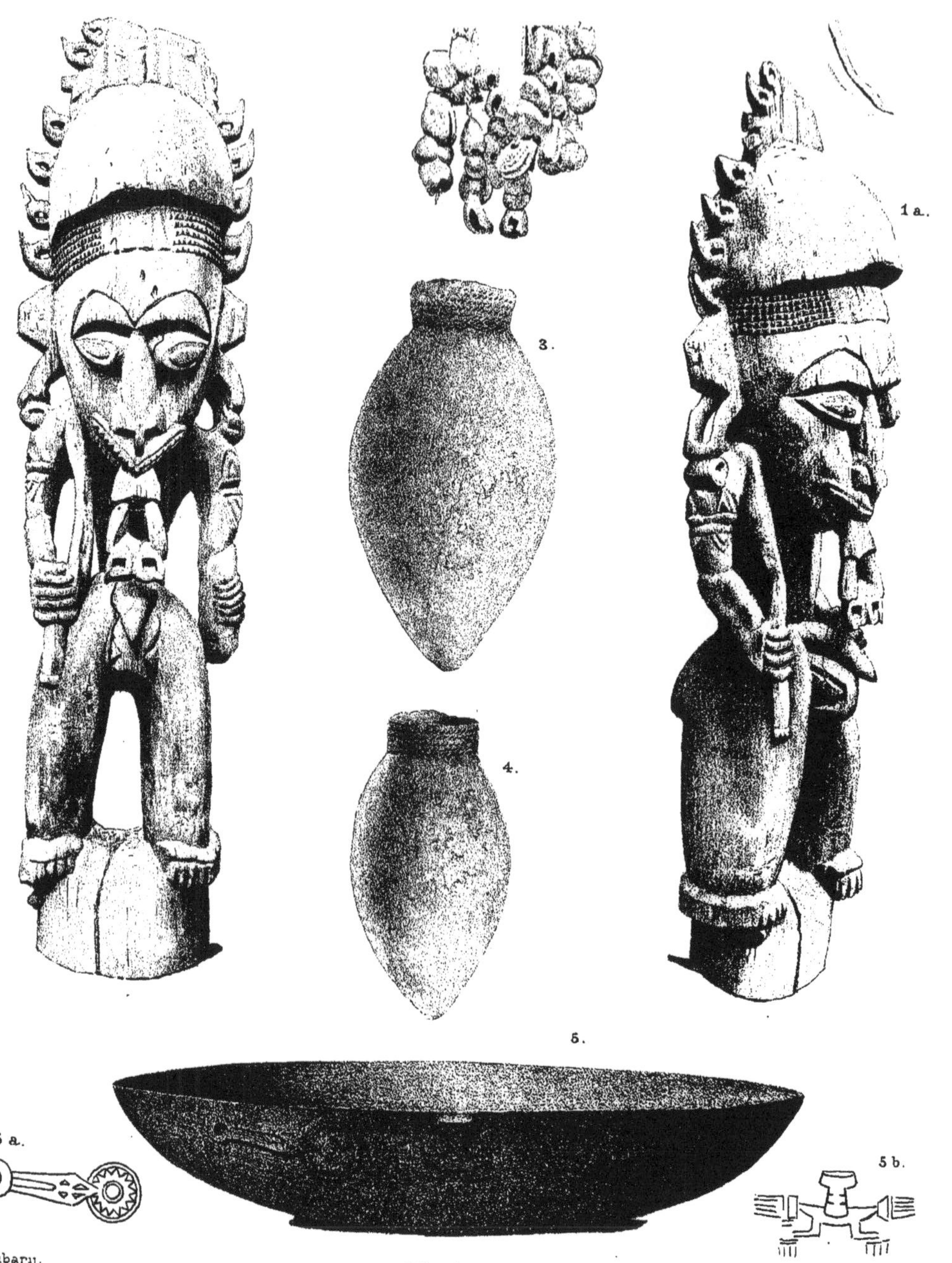

n.J.S.Kubary.

R.Raar lith.

P.W.M.T. impr.

was in einer Besprechung von HEGERS vorerwähntem Aufsatz durch R. ANDREE verurtheilt wurde [1]). Allein eben so gut wissen wir dass manche, heut anerkannte, Wahrheit der Wissenschaft ursprünglich auf Hypothesen aufgebaut wurde, und werden wir daher der bisher befolgten Methode der Untersuchung, wie wir sie des Oefteren in dieser Zeitschrift umschrieben, treu bleiben. Unser Endziel ist das aller Wissenschaft; das Streben nach Wahrheit; wir sind überzeugt dass sich hierin auch Herr HEGER mit uns eins fühlt; möge es ihm gelingen ebenfalls jenem Ziele mit seiner Methode näher zu kommen.

V. UEBER EINE SAMMLUNG AUS KONSTANTINHAFEN, ASTROLABEBAI. (Mit Tafel XVI).

Herr J. S. KUBARY, der unermüdlich thätige Reisende, dem die Erforschung Oceaniens bereits soviel verdankt, hat die, ihm durch einen längeren Aufenthalt in Kaiser Wilhelmsland gebotene Gelegenheit nicht ungenutzt vorübergehen lassen und nicht allein durch zoologische Einsammlungen zur Förderung der Kenntnis der Natur jenes Gebietes beigetragen, sondern auch eine, zwar nicht umfangreiche, aber dennoch in mehrfacher Hinsicht interessante Sammlung ethnographischer Gegenstände zusammengebracht, deren bei Weitem grösster Theil die Spuren langen Gebrauches, bezw. hohen Alters trägt.

Dieselbe, kurzhin in den Besitz des ethnographischen Reichsmuseums zu Leiden übergegangen, umfasst der Hauptsache nach Waffen, besonders Bogen und Pfeile, daneben aber auch einige Gebrauchsgegenstände, ein Tanzgeräth und ein Ahnenbild, die theils neu sind, und also eine Ergänzung zu Dr. FINSCH's werthvollen Arbeiten über die Ethnographie des in Rede stehenden Gebietes bilden, theils aber mit Rücksicht auf die geographische Verbreitung mancher Formen, oder auch der Ornamentik halben, besonderes Interesse darbieten und den Wunsch zur Publikation derselben in uns rege machten.

Der Zustimmung des Direktors des genannten Museums, Herrn Dr. L. SERRURIER, verdanken wir es nun unsern Lesern eine von Abbildungen begleitete Schilderung des Inhalts der Sammlung geben zu können und, indem wir uns Mittheilungen über den die Waffen bildenden Theil für einen späteren Beitrag vorbehalten, fassen wir heut nur die den übrigen Gruppen des SERRURIER'schen Systems zuzuzählenden Objekte ins Auge.

Aus der Gruppe I (Nahrung etc. und Geräthe für deren Bereitung etc.) finden sich zwei irdene Töpfe und fünf Holzschüsseln:

Die beiden Töpfe zeigen eine, von dem was wir sonst von Neu-Guinea, selbst aus den zunächst liegenden Gebieten, entweder aus eigener Anschauung oder aus Abbildungen kennen, völlig abweichende Gestalt, indem dieselbe einigermassen eiförmig ist; das spitze Ende bildet den Boden, das breite den Mund. Beide tragen Spuren längeren Gebrauchs.

Der eine, Taf. XVI Fig. 3 (Inv. N°. 1067/3) ist 38,5 cM. hoch, bei einem Durchmesser von 20 cM., die Mundweite beträgt 10 cM.; der ungefahr 4 cM. breite Rand zeigt eine eingeritzte, nicht ganz deutliche Verzierung, deren Form an feine Flechtarbeiten erinnert; da wo der Rand in den Bauch übergeht findet sich ein erhabener, gewellter Streif; der Bauch zeigt viele schwache, senkrecht verlaufende Erhabenheiten.

Das zweite Exemplar, Taf. XVI Fig. 4, (Inv. N°. 1067/2) zeigt geringere Dimensionen, nämlich eine Höhe von 32,5 cM. boi 16 cM. Durchmesser und 9,8 cM. Mundweite. Die Verzierung des 3,5 cM. breiten Randes ist deutlicher ausgeprägt und ähnelt mehr einem, in spiraligen Gängen aufgerolltem Tau. Der Bauch zeigt keine senkrechte Erhabenheiten.

[1]) Globus LXV pg. 232.

Obwohl nur zu dem, weiter unten zu besprechendem, Ahnenbild der Herkunftsort genauer umgränzt, mit dem Dorfe Bongu nahe Konstantinhafen, aufgegeben, sind wir geneigt sowohl die ebenbesprochenen Töpfe, als auch die Holzschüsseln etc. als von dort stammend anzusehen. FINSCH sagt [1]) dass von ihm in Konstantinhafen gesehene Töpfe von der Insel Bilibili, im Friedrich Wilhelmshafen, stammten, welche Insel für die Astrolabebai, und noch weiter darüber hinaus, das Centrum der Töpferei- und des Topfhandels bilden. Die Form derselben ist aber, soweit sich nach der, von ihm auf pg. 82 gegebenen Abbildung einer Töpferin bei der Arbeit, schliessen lässt, ebenso wie die jener im Ethnologischen Atlas, Taf. IV, abgebildeten, von der unsrer beiden grundverschieden, so dass wir annehmen dass diese den Typus einer, in irgend einem Ort der Umgebung Konstantinhafens betriebenen Töpferei bilden. Uebrigens verweisen wir betreffs der Töpferei in Neu-Guinea und der uns bekannt gewordenen Litteratur über dieselbe nach dem was wir an anderer Stelle darüber gesagt. [2]) Ob die Verzierung welche unsere Stücke zeigen, ebenfalls, wie jene von FINSCH beobachteten Verzierungen, die er als Handelsmarken deutet, [3]) als solche aufzufassen sind, lassen wir lieber dahingestellt, bis weitere Beobachtungen darüber vorliegen.

Die fünf Holzschüsseln zeigen deutliche Spuren langandauernder Benutzung und sind sämmtlich innerlich wie äusserlich mit einer, mehr oder minder dicken, schwarzen Kruste bedeckt; vielleicht ist dies dasselbe was FINSCH [4]) als „künstlich geschwärzt" bezeichnet, was wir aber, der ungleichen Vertheilung des betreffenden Stoffes über die einzelnen Theile der Schüssel halben, mindestens zum grösseren Theil als am Geräth haften gebliebene Rückstände des früheren, fettigen (?) Inhalts derselben ansprechen möchten. Mindestens ist uns bis heut nichts Sicheres über das Vorkommen eines für jene Schwärzung dienenden „Mineralstoffes (ähnlich Graphit oder Eisen)", dessen Verwendung FINSCH dafür erwähnt, bekannt geworden und spricht auch der Charakter des Ueberzuges nicht für das Vorhandensein mineralischer Bestandtheile.

Sämmtliche fünf Exemplare gehören dem Typus an, wie FINSCH ihn an der eben citirten Stelle von Bongu, Konstantinhafen, unter dem Namen »*Tabir*" erwähnt, und weichen unter einander nur betreffs des Details des Schnitzwerkes und der Grösse ab. Die Form ist, wie aus der Abbildung Taf. XVI Fig. 5 ersichtlich, länglich oval; die Länge variïrt von 66,5–74 cM., die grösste Breite von 24,5–28,5 und die Höhe von 12–13,5 cM. Die Verzierung besteht in der Mitte beider Seiten bei einem Exemplar, unserer Figur 5, (Inv. N°. 1067/8) aus einem, vertieft geschnitztem, stylisirten fliegendem Thier, das vielleicht, gleich wie das der Schüsseln von Gnap, deren FINSCH l. c. erwähnt, einen fliegenden Hund (*Pteropus*) darstellen soll (Fig. 5*b*). In einiger Entfernung von dieser Figur erblickt man jederseits derselben (Fig. 5*a*) eine tief gegabelte, fischförmige Erhabenheit, deren Kopfende mit einem Stern innerhalb eines Kreises verbunden ist, während das Schwanzende sich einem doppelten Kreise anschliesst. Das zweite uns vorliegende Stück (Inv. N°. 1067/7) zeigt dieselbe Verzierung der Mitte, jederseits deren jedoch, anstatt erhabener Verzierung, eine halbrunde Fläche mit eingeschnittenen Figuren, die aber des Ueberzuges halben nicht deutlich erkennbar, theilweise aber selbst durch den Gebrauch abgenutzt sind. — Beim dritten Exemplar (Inv. N°. 1067/4) ist die mittlere Figur beider Seiten stark abgenutzt, die jederseits derselben ist fischförmig und erhaben geschnitzt. — Das vierte (Inv. N°. 1067/5) stimmt völlig mit dem vorhergehenden überein, das Schnitzwerk ist jedoch in Folge der Benutzung noch mehr zerstört. Endlich lässt das fünfte (Inv. N°. 1067/6) nur an einer Seite, dem Ende genähert, eine deutlich fischförmige Erhabenheit noch erkennen, während dies Stück auch deshalb Interesse bietet weil es zeigt, wie ein Riss im Boden mit Harz gedichtet ist.

---

[1]) Samoafahrten, pg. 83.
[2]) DE CLERCQ & SCHMELTZ: Ethn. Beschrijving etc., pg. 60 & 225.
[3]) Ethnologischer Atlas, pg. 7 & 8.
[4]) Ethnol. Erfahrungen und Belegstücke, pg. 59 (197).

Wie bekannt sind Holzschüsseln an einem grossen Theil der Nordküste, sowohl westlich als auch östlich von Konstantinhafen, und auch an der Südostküste, in British Neu Guinea, in Gebrauch. Letztere unterscheiden sich von den hier besprochenen sowohl durch die Form, als durch ihre weniger kunstvolle Verzierung; im Westen des hier in Rede stehenden Vorkommens sind an der Nordküste die Holzschüsseln in Niederländisch Neu Guinea roher gearbeitet als die unseren und haben nur ein einzelnes Mal, wie auch im Südosten, eine thierähnliche Form erhalten [1]), während wir dagegen im Osten (Finschhafen, Cap Cretin) dasselbe Geräth besser bearbeitet und mit, von dem des Typus von Konstantinhafen abweichendem Schnitzwerk, das meist einem fliegenden Vogel ähnelt, geschmückt, welches man aber auch manchmal versucht sein möchte, als einen stylisirten Büffelkopf aufzufassen, antreffen [2]). So liefern uns denn unsere Schüsseln einen neuen Beweis dafür, wie gewisse Typen der Geräthe, oder der Verzierung derselben, oft an bestimmte, eng begrenzte Lokalitäten in Neu Guinea gebunden sind. Hier bringt jeder Tag neue Ueberraschungen und der Forschung bietet sich ein reiches Feld, vom welchem HADDON, in seiner „Decorative Art of British New Guinea", als Erster eine so ergiebige, unsere Kenntnis der Ornamentik, sei es denn vorerst auch nur eines beschränkten Theils, der Eingebornen dieser wunderbaren Insel in ausgezeichnetster Weise fördernde Ernte gehalten hat.

Die Gruppe XI, die auch die Musikinstrumente umschliesst, ist durch zwei Gegenstände vertreten. Während der eine, die Muscheltrompete (*Tritonium Tritonis*) schon durch FINSCH [2]) aus Kaiser Wilhelmsland gemeldet wurde, haben wir den zweiten, der wohl als Tanzrassel aufzufassen ist, in der uns zur Verfügung stehenden Litteratur bis jetzt nicht erwähnt gefunden.

Wie unsere Abbildung, Taf. XVI Fig. 2, zeigt, besteht diese Rassel (Inv. N°. 1067/9) aus einem, ca. 38 cM. langem hölzernen, geschwärztem Stiel, dessen oberes Ende in Form eines Thierkopfes geschnitzt ist, aus dessen weit geöffnetem, gezähntem Rachen ein tief gegabelter Körper, dessen eine Zinke einen geflochtenen Ring trägt, hervorragt. Das Hinterhaupt zeigt eine knopfförmige Erhabenheit, unterhalb des Kopfes finden sich am Stiel zwei erhabene Ringe, während das untere Ende desselben von einem grossen Loch versehen ist, in dem eine Anzahl platter, geflochtener Kokosfaserschnüre mit daran hängenden Fruchtschalen (*Cycas*) befestigt sind.

Rasseln derselben Art scheinen in neuerer Zeit in verschiedene Museen gelangt zu sein: mindestens sahen wir deren zwei im Kgl. Museum für Völkerkunde zu Berlin und mehrere Exemplare im Städtischen Museum zu Bremen. Betreffs der letzteren können wir hier nichts mittheilen, da Herr Dr. H. SCHURTZ sich deren Publication selbst vorbehalten hat; dagegen hatte Herr Dr. F. VON LUSCHAN die Freundlichkeit uns von den beiden ersteren, obgleich auch er deren Veröffentlichung selbst beabsichtigt, Photographien zum Zweck des Vergleichs zur Verfügung zu stellen. Beide Stücke stammen ebenfalls aus der Astrolabebai; der Stiel des einen (Inv. N°. VI 11665) ist sehr roh geschnitzt und endet nach oben in einen Thierkopf, ohne aus dem Rachen hervorragenden Körper. Der des zweiten (Inv. N°. 11666) ähnelt einigermassen dem des unsrigen, ist aber roher geschnitzt; die knopfartige Erhabenheit des Hinterhauptes ist zapfenartig verlängert und die

[1]) DE CLERCQ & SCHMELTZ: Op cit., pg. 195.
[2]) FINSCH: Ethnol. Atlas, Taf. III Fig. 3. — EDGE PARTINGTON: An ethnogr. Atlas etc., Pl. 291, Fig. 3—5.

zinkenförmigen Enden des, übrigens auch anders geformten, Körpers im Rachen sind breiter und kürzer, und ähneln mehr einem tief gegabelten Fischschwanz.

Ueber Zweck und Bedeutung dieser Rasseln sind wir bis jetzt noch nicht unterrichtet.

Die Gruppe XII ist durch das, schon oben berührte Ahnenbild in unserer Sammlung vergegenwärtigt.

Unsere Tafel XVI giebt eine Ansicht desselben (Inv. N°. 1067/1) von vorn, Fig. 1, und eine Seitenansicht, Fig. 1*a*. Das Material bildet ein Stück bräunlichen Holzes; die Augen sind verhältnismässig gross, die lange, spitze Nase zeigt grosse Flügel und ein durchbohrtes Septum, in welchem ein Ring aus Muschel (*Trochus niloticus*) befestigt gewesen sein soll, was aber wohl auf einem Irrthum Kubary's beruhen dürfte. Ueber die Stirn zieht sich ein erhabenes Band das durch viele, einander kreuzende Einschnitte beiderseits oberhalb der Wangen in sechs Reihen pyramidaler Erhabenheiten vertheilt ist. Oberhalb der Stirn springt der übrige, halbkugelförmige Theil des Kopfes weit hervor, und wird nach hinten von einem Kamm überragt, der jederseits eine Anzahl grosser, krummer, durchbohrter Zähne bildet und sich von einem Ohr zum andern erstreckt. Die Ohren sind gross, mit schleifenartig geschnitzten Ohrlappen und cylindrischem Schmuck. Der prognathe Mund, mit deutlicher Angabe der Zahne, hält zwischen diesen einen Körper dessen Definition uns unmöglich, der aber immerhin theilweise an den Bogen eines Vorhängeschlosses erinnert, durch dessen Oeffnung die kielartig hervortretende Mitte der Brust sichtbar ist, und dessen unteres, in zwei, jeder von einem Loch versehene, Theile gespaltenes Ende dem Bauch anliegt. Die kurzen, dicken Arme, deren linker beschädigt ist, sind oberhalb der Ellenbogen mit winkligen Einschnitten (Andeutung des Armschmucks) verziert; die rechte Hand umschliesst den Stiel eines Beiles, dessen Blatt dem Rücken aufliegt, während die linke Hand einen cylindrischen Körper, vielleicht einen oder den andern Behälter vorstehend, hält. Längs der Rückenmitte ist die Wirbelsäule deutlich angegeben. Der Penis zeigt die Eichel entblösst; die kurzen dicken Beine sind im Durchschnitt oval, die Füsse bilden ovale Scheiben mit roher Andeutung der Zehen. Die Gesammthöhe beträgt 225 cM.

Dieses Ahnenbild, als dessen Provenienz Kubary das Dorf Bongu, bei Konstantinhafen, angiebt, ist unzweifelhaft dasselbe, „*Telum Mul*" genannte, welches Finsch in demselben Dorf sah, dessen er in verschiedenen seiner Arbeiten erwähnt und in „Samoafahrten" pg. 49 abbildet [1]). Soweit uns, nach dem was wir im letzten Sommer in einer grossen Reihe ethnographischer Museen zu sehen Gelegenheit hatten, ein Urtheil erlaubt sein mag, dürfte dies das erste Stück von derart riesiger Grösse sein, das in ein europäisches Museum gelangt und damit für die Wissenschaft gerettet ist. Auch wir stimmen Finsch vollkommen bei dass derart Leistungen des Kunstfleisses der Papua, mit Rücksicht auf die primitiven aus Stein und Muschel bestehenden Werkzeuge, mit denen selbe hervorgebracht, unsere höchste Bewunderung erregen müssen. — Vielleicht gelingt es nun einem unsern Leser weiteres Material für die Erklärung, zumal des aus dem Munde hervorragenden Theils, der doch wohl kaum die Zunge vorstellen kann, beizubringen. Inzwischen sei hier für heut noch, mit Rücksicht auf die Bedeutung von derart Figuren, auf Wilken's gründliche Arbeit verwiesen [2]).

[1]) Samoafahrten, pg. 48 ff. & pg. 372. — Ethnol. Erf. etc., pg. 118.
[2]) Iets over de beteekenis van de ithyphallische beeiden etc. (Bijdr. T. L. & Vlkk. Ned. Ind., V Volgr. 1e Deel, pg. 393 ff.).

I. NOUVELLES ET CORRESPONDANCE. — KLEINE NOTIZEN UND CORRESPONDENZ.

XXXVIII. Die Volksanschauung betreffs einiger erratischer Blöcke in der Provinz Hannover.

Als Knabe sah ich einst einen grossen Granitblock, wie solche vielfach hier in der Haide umherliegen, und fragte meinen Vater, wie die wohl in die Haide gekommen seien, da sie doch ganz anders aussähen, wie die anderen Steine der Haide. Ich hatte also die Ahnung, dass sie hier nicht entstanden sein könnten. Er sagte: „De olen Lue verteilt, dat damit de Riesen, de Heiden, na de Christenlue smeten hefft un up de ganz groten hern se öhre Feste fiert. Man kanner man nix von glöven".

Nun, die erstere Behauptung wird ja auch wohl heute Niemand mehr glauben, denn solche Riesen gab's nicht und die Heiden dürften zur Zeit der Bekehrung unseres Landes wohl weniger mit Steinen nach den Christen geworfen haben, als heutzutage die Christen untereinander sich bewerfen.

Obige Deutung findet sich aber nicht nur in der Lüneburger Haide, sondern in vielen Theilen der norddeutschen Tiefebene, wo solche Wanderblöcke sich vorfinden, ist in den Sagen der Gedanke von der übernatürlichen (Riesen-)Kraft, die diese Steine hieher förderte, variirt. Eine Riesenkraft war's ja auch, die solche Steinblöcke von Skandinaviens Felsen herab in die norddeutsche Tiefebene trug, die Kraft des Meeres, des Eises in einer Zeit als die Ebene noch unter Wasser stand. Wie Forscher an der Gleichheit der Gesteinsmassen nachgewiesen haben, stammen sie wirklich aus jener nördlichen Halbinsel, es sind verirrte Felsstücke, „Erratische Blöcke" (errare d. h. umherirren).

Ehe ich nun zu einer kurzen Besprechung der in der Provinz Hannover vorkommenden grösseren, erratischen Blöcke schreite, möchte ich die Grenze bestimmen, bis wo diese Skandinavier in der nördlichen europäischen Ebene sich finden und vorgedrungen sind. Die Grenze von Osten nach Westen reicht von Nischny Nowgorod, Kiew, Teschen, Sudeten, Reichenberg, Pirna, Chemnitz, Gera, Langensalza, Nordhausen, Stolberg, Blankenburg, Paderborn, Soest, Unna, Dortmund, Essen, Rheinberg, Zevenaar (Holland) bis in England zwischen Themse und Tweed.

Von dort zurückkehrend, sehen wir uns gleich einmal im Westen unserer Provinz im Herzogthum Arenberg-Meppen, die dortigen Steindenkmäler an. In den öden Umgebungen von Lähden, Brunfort, Sprakel, Berssen, Werpeloh, Hüven, Werlte u. s. w. finden sich solche Wanderblöcke in weit grösserer Zahl noch vor, als anderswo. Bei Bokeloh im Emslande fand sich auch ein recht grosses Steindenkmal, zugleich das Grabmal des im Jahre 783 im Kampfe gegen Karl gefallenen Friesenkönigs Süürbold. Der Granitblock bei Börgor ist achtzehn Fuss lang, acht Fuss breit und hoch. Sein Gewicht ist zu 78000 Pfund berechnet. Im Vehrter Bruche bei Osnabrück steht der dreizehn Fuss aus der Erde hervorragende Sündelstein, diesen soll der Sage nach der grösste Heide, der Teufel, gegen die Christen haben gebrauchen wollen. Noch zwei andere gewaltige Steinblöcke, zwei Hausgeräthe des Bösen, liegen dort im Bruche, des Teufels Backtrog und Backofen. Zwei andere Steine aus dem Osnabrückschen mögen erwähnt werden, der Stein des Hexentanzplatzes bei Deitinghausen (zwölf Fuss im Durchmesser) und die Grafentafel bei der Grenze der Grafschaften Hagen und Tecklenburg (zwanzig Fuss lang, zwölf Fuss hoch). Wir nennen hier nur die grössten Wanderblöcke, kleinere finden sich auch im Westen der Provinz Hannover in ungeheurer Zahl. An der Weser soll der Gäweckenstein (Gibichenstein, Gibicho, Kibicho, d. h. Beiname des Wodan) bei Nienburg erwähnt werden und bei dem Dorfe Visbeck im Oldenburgischen die „Visbecker Braut". Auch in der Lüneburger Haide giebt es einen „Brautstein", nämlich bei Lüchow; durch widrige Geschicke lässt die Sage die Braut in einen Stein verwandelt werden. Steinabsprengungen auf der Oberfläche redet der Volksmund als Hufeisenabdrücke an, so beim Karlstein bei Rosengarten, beim Bickelstein, Amt Isensagen (sieben Fuss lang, dreissig Fuss im Umfange) und beim Decksteine des einzigen noch erhaltenen Hauses der sieben Steinhäuser in der Nähe von Fallingbostel. Der schwarze Hengst Wittekinds soll dort von dem gewaltigen Redegetöse der Berathung der Sachsen so unruhig geworden sein, dass er kaum zu bändigen gewesen und beim Absprunge so mächtig mit dem Hinterfusse auf den Steinblock schlug, dass Steinstücke losbrachen. Sieben aufrecht stehende, genau aneinander passende, graue Granitblöcke schliessen mit obigem, ca. 200.000 Pfund schweren Deckstein einen so grossen Raum ein, dass ein Schäfer mit gegen 120 Schafen darin Platz findet. Noch sechs andere, aber nicht gut erhaltene Steinhäuser liegen dort. Nach sicheren Nachrichten wurde hier bei den sieben Steinhäusern Volksgericht gehalten. Bei ihnen wurde vielleicht die Anklage Jeduch, „ich schreie über ihn" (longobardisch) erhoben.

Ein anderer solcher „Jedutten"-(Gerichts-)Stein lag auf dem Holxer Berge bei Suderburg. Er hatte 42 Fuss im Umkreise und war 10 Fuss hoch. Oben war eine Höhlung, wie ein eingehauener Sitz; vielleicht ist dieser bei den Gerichtsversammlungen auch als solcher benutzt. Leider ist dieser Stein in dieser Zeit vor 50 Jahren beim Bau der Bahn verwandt und zwar ist das schöne Granitgewölbe der Eisenbahndurchfahrt bei Medingen aus ihm hergestellt. Einen ganz wichtigen Platz in der Heimathsgeschichte Hannovers nimmt der grosse Granitblock bei Unterlüss, „der graue Page", (Pferd) ein. Er liegt auf dem Dreipunkt der Gaue Grete, Loingau und Bardengau und der Diöcesen Verden, Minden und Hildesheim.

Zu dieser Stelle stehen viele sehr wichtige und bekannte Urkunden in Beziehung, so aus den Jahren 983, 993, 1013, 1203, 1330, 1569, 1666, 1693 und 1787.

Noch kurz zu der Angabe, dass die Heiden bei den Steinen Feste gefeiert hätten. Nicht wenige dieser grossen Steine sind wohl für das religiöse Leben des Volkes der Vorzeit und für die Handlungen des heidnischen Gottesdienstes von Bedeutung gewesen. Wir begegnen mehreren Concilbeschlüssen, die den Bischöfen und deren Dienern aufgeben, die Steine, „welche man an abgelegenen Orten und in Wäldern verehrt und wo man Gelübde und Opfer darzubringen pflegt, auszurotten und fortzuschaffen". So Concil zu Arles 452 und Tours 567, Capitular Karls des Grossen 789. Noch lange fristete aber der heidnische Gottesdienst in Einöden, in der Einsamkeit der Haiden und im Dunkel der Wälder ein verborgenes Dasein, ja seine Spuren sind oft heut noch zu erkennen in manchen Volksanschauungen und Gebräuchen. Die heidnischen Kultusstätten sind verschwunden oder vergessen, auch der Nimbus der Unverletzbarkeit dieser heidnischen Altäre ist dahin, denn wie oft erfährt man jetzt, dass hier und dort ein solcher Steinblock, ein solch' „steinerner Zeuge" des Alterthums zertrümmert wurde, freilich nicht mehr „zur Ehre des Christenthums", sondern zu „nützlichen" Zwecken, zum Fundament der Häuser, Bau der Strassen und so weiter.

H. Dehning, Celle; Hannover.

XXXIX. Die Pferdeköpfe und der Kesselhaken des niedersächsischen Bauernhauses [1])

Bei der kürzlich vorgenommenen Ausbesserung des langen, von Süden nach Norden ziehenden Daches des Schlosses in Celle, Prov. Hannover, fanden Arbeiter hoch oben am Spitzgiebel zwei schon ganz morsche, in Holz geschnitzte Pferdeköpfe befestigt. Ein Bildhauer hat den einen der Köpfe jetzt soweit präparirt, dass er nun noch lange Zeit im Museum Kunde geben kann, wie auch selbst Herzöge dieses schöne Sachsensinnbild sich an ihren Häusern anbringen liessen. Vermuthlich sind die Köpfe um 1690 (oder auch früher um 1537?) dort angebracht.

In ganz Niedersachsen war in alter Zeit den Giebeln der Häuser die Zierde der Pferdeköpfe gemein. Leider schwindet mit dem Strohdach auch dieser schöne Schmuck mehr und mehr. Es giebt nur noch wenig Dörfer im Lüneburgischen, wo er noch auf allen Häusern zu finden ist. Beim Ganzziegeldach wird er jetzt nur noch höchst selten angebracht. Schreiber dieses sind nur vier Fälle bekannt.

Betreffs des Ursprungs dieser Zierde des sächsischen Bauernhauses giebt es verschiedene Meinungen:

Im Lüneburgischen giebt es viele Namen, die mit dem Pferd in Verbindung stehen: z. B. „Hinxtbarg" im alten Goh Salzhusen, „Hinxtbarg" in der früheren Grenze der Undeloher und Haverbecker Holzung, „Hinxtbarg' bei Ramelsloh „Hingskamp" bei Diershausen, „Hingstkop" bei Nettelkamp; „de grise Page", ein Stein bei Unterlüss, „Hingstbarg' bei Bergen nahe Celle, „Rossberg" bei Soltau, „Kess-Rossecke" bei Westendorf, „Schimmelberg" und „Perhopsberg" bei Hermannsburg. Pferdeweiden sind das nicht gewesen, denn auf hohen trockenen Haidbergen weiden keine Pferde. Ich glaube, diese Namen, sowie die Anbringung der Pferdeköpfe (auch des Hufeisens am Thor [2])) sind Ueberbleibsel eines Pferde-Kultus (besonders auch des weissen?). Das Ross war den Ariern heilig, auch die indischen Dichtungen, die Veden reden vom Sonnenross, Rossehaupt, und gleichfalls Homer, Aeschylos, Ovid und Johannes (Offenbahrung a. m. O.). Tacitus in seiner Germania 9, 10 bezeugt diesen Kultus: „equi candidi

---

[1]) Der hier folgende Aufsatz bietet in mehr denn einer Hinsicht Ergänzungen zur Kenntnis der Verbreitung etc. der Pferdeköpfe als Giebelschmuck, über welchen Gegenstand wir von Prof. Chr. Petersen eine werthvolle Arbeit im III Bande der Jahrbücher für die Landeskunde der Herzogth. Schleswig-Holstein und Lauenburg (1860) besitzen, die mit vielen Abbildungen geziert ist. *Red.*

[2]) Nach Petersen, Op. cit. pg. 66, das Zeichen Wodan's, das dem Hause Segen brachte und Unheil abwandte. *Red.*

et nullo mortali opere contacti" [1]). Verschiedene deutsche Völkerschaften übten ihn, wie GRIMM in seiner Mythologie II, Seite 621 ff. nachweist. Im Norden galt ein abgeschlagenes Pferdehaupt als Opfer (GRIMM: Mythologie I., 42). Es scheint sowohl als Todten-, Trauer- und als Freuden- und Dankopfer gegolten zu haben. Pferdehäupter wurden geopfert nach der Varusschlacht 9 n. Chr. Bei Bestattungen war die Sitte des Rosseschlachtens so fest eingebürgert bei zahlreichen Nordländern, dass sie bei Einführung des Christenthums die Ausübung der Sitte sich vorbehielten. (Siehe DAHLMANN, Forschungen I, Seite 476). Auch bei den Langobarden finden wir dieselbe (Siehe GREGOR M dial. 3,27) und ihre Nachfolger, die Sachsen, werden, wie so viele Sitten, auch diese von jenen angenommen haben. Es wird denn auch der Missionar des Oertzthales, LANDOLF, von einem Billung mit Pferdefleisch bewirthet.

Man geht nun wohl nicht fehl, wenn man annimmt, dass, wenn Kohlenfeuer, oder Raben, Luft und Sonne das Fleisch zum Theil oder ganz auf jenen Hingstbergen von dem Opferschädel verzehrt hatten, der Sachse dann zum Zeichen, dass er den Göttern opferte, die Schädel aufstellte oder befestigte am Thor, an der Thür oder auf der First seines Hauses. Die Stangen, auf denen die Köpfe standen, hiessen Nidstangen. Den so aufgestellten Zeichen schrieb man eine schützende, besonders aber abwehrende Eigenschaft zu (Siehe Egilssage, Saxo Grammatikus, SIMROCK: Mythologie). Das Pferdehaupt selbst war als Rest eines Opfers heilig. Es stellte die Verbindung zwischen Gottheit und Mensch her. KARL der Grosse verbot die Pferdeopfer, und BONIFACIUS und alle Priester eiferten dagegen (Epist. Bonifacii, ed WÜRDWEIN 25. 87 Ser. 121. 142) und nach und nach nahm der Pferdekultus ab. Als Erinnerungszeichen ist nun der aus Holz geschnitzte oder gesägte Pferdekopf geblieben [2]).

Die Stellung der Pferdeköpfe auf den Häusern kam oder kommt verschieden vor. Sie „stehen im eigentlichen Bardengan (dem nördlichen Lüneburgischen) meistens nach innen und sind nicht mit Zügeln versehen; im Wendlande und vielfach auch in den mit Wenden untermischten Nachbartheilen des Bardengaues stehen sie meistens nach aussen und es fehlt daran nicht der Zügel, vielleicht das Zeichen der Unterwerfung" (HAMMERSTEIN, Bardengan, Seite 634).

Im Lonigau, dem südlichen Theile Lüneburg's, kommen auf den Häusern aber vielfach nach aussen stehende Pferdeköpfe ohne Zügel vor. Allem Anschein nach waren auch die am Schlosse in Celle gefundenen Köpfe so befestigt [3]).

Auch im Innern des sächsischen Bauernhauses sind noch jetzt geschnitzte Pferdeköpfe zu finden, so an den Spitzen des „Gatters" (Abschluss des Heerdes an der Diele) und an den „Rehmen" über dem Heerd (Rehmen, Rahmen=Hölzerne Feuerschutzdecke für den auch über dem Heerd befindlichen Hausboden). Der Rehmen dient auch zur Vertheilung des Rauchs, da in den ältesten Bauernhäusern kein Schornstein ist.

Fast zu gleicher Zeit mit dem Pferdekopf wurde dem Museum ein anderer, kulturhistorisch wichtiger Gegenstand eingeliefert, ein Kesselhaken. Der Kesselhaken hing im Bauernhause (oder hängt noch) in der Mitte unter dem Rehmen. Er galt als des Hauses Innerstes und Heiligstes, als der Kern des Gutes. Erhielt ein anderer den Hof, so nahm er Besitz, indem er den Kesselhaken berührte (S. WIGAND'S Archiv, Band VII, S. 271). Wurde im Lüneburgischen der Pächter eines Schillingshofes gekündigt, so wurde der Schilling an den Kesselhaken gehängt (S. GRIMM Rechtsalterthümer I, 391). In zahlreichen Urkunden kommt aber der Fall vor, dass der Kesselhaken als Marke in Grenzbeschreibungen aufgezählt wird, z. B. im Hermannsburger Erbschaftsregister 1666; Grenze zwischen den Amtsgerichtsvoigteyen Hermannsburg und Beedenbostel — „of Rebberlah in Paul Drallen syn Haus auf den Kesselhaken, aus Drallen Hause die Rietwege entlang — —", im Amtsarchiv Winsen a. d. Luhe Beschreibungen der Voigtey Garlstorff — „in den Kesselhaken im Einenhoffe —"; ferner „in den Kesselhaken zum Sauermöhlen". — Noch 1813 kommt die Bezeichnung dort vor. Im Gericht Amelinghausen: — von dar zu Stellhorn in den Kesselhaken —" (16. Jahrhundert und nach 1803) Ebstorfer Amtsarchiv 12. März 1667: — „bis zu Wichmannsdorf auf den Kesselhaken."

So sind mir über vierzig Erwähnungen des Kesselhakens bekannt. Interessant ist bei solcher Grundfestlegung, dass diese durch das Haus gehende Schnede (plattd. „Snec") das Gebäude und seine Einwohner zwei, oft auch drei Gerichten zuwies, und hätten Unzuträglichkeiten damals nicht oft so verblüffend einfache Entscheidungen erfahren, so

---

[1]) Bei PETERSEN, pg. 44, findet sich erwähnt dass bei den alten Deutschen weisse Pferde zum Zweck der Weissagung in heiligen Hainen gehalten wurden. *Red.*

[2]) Nach PETERSEN, Op. cit. pg. 44 & ff. sind die Pferdeköpfe ein Symbol des Himmelsgottes Zio, das zugleich auf Wolken und Sonne hinwies. *Red.*

[3]) PETERSEN sagt, Op. cit. pg. 21, dass die einwärts gekehrten Pferdeköpfe das Gebiet der grossen Chauken, die auswärts gekehrten das der Angrivarier bezeichnen. *Red.*

wären keine Gerichtsferien im Jahr möglich gewesen.

Auch die interessanten alten Heerde mitten im „Flett" (nicht an die Wand lehnend), über welchen der Kesselhaken und die grosse Kienlampe hing und um den sich Abends die Hausgenossenschaft zu versammeln pflegte, verschwinden mehr und mehr, mir sind nur noch drei bekannt, in Hermannsburg, Weesen und Oldendorf, Prov. Hannover.

H. DEHNING, Celle; Prov. Hannover.

XL. Zur Ethnnographie der Matty-Insel. Im Anschluss an die, pg. 41 & ff. unter diesem Titel von Herrn Dr. F. VON LUSCHAN veröffentlichte Arbeit schreibt uns Herr R. PARKINSON, von Balum, Neu Britannien, unterm 25 Sept. d. J. das Folgende:

— — — „Die auf Tafel VI Fig. 11 & 12 abgebildeten „Dolche sind der Form nach ganz wie auf der „Ninigo-Gruppe. Solche Ninigo-Waffen sind mir seit „vielen Jahren bekannt. Schiffe der Firma HERNSHEIM & Co. in Matupi bringen fast bei jeder Reise „nach Ninigo solche von da zurück und von Matupi „aus sind die meisten in Europäische Museen gewandert. Neuerdings ist auch die Waffe N°. 4, Taf. V, „in einem Exemplar von Ninigo nach Matupi gekommen. Ich bin nicht der Ansicht v. LUSCHAN's „dass die Matty-Insulaner ethnographisch eine ganz „neue Gruppe repräsentiren; wir haben hier jeden„falls einen mikronesischen Einfluss; die Verwendung „von Haifischzähnen deutet darauf hin. Andererseits „ist ein malayischer Einfluss nicht ausgeschlossen, „da nachweisbar Bote von Ternate alljährlich noch „bis über Matty hinausgeben. KÄRNBACH ist ein so „schlechter Beobachter und so oberflächlich, dass „selbst seine wenigen Aufzeichnungen „cum grano „salis" aufgenommen werden müssen. Auch ist er „nicht an Land gewesen".

Den vorstehenden Mittheilungen fügen wir die Bemerkung hinzu dass uns vor Jahresfrist, in Hamburg, Dolche obenerwähnter Art mit der Angabe „Neu Irland" zum Kauf angeboten wurden; vielleicht kann dies dazu dienen um dem Einschleichen unsicherer, resp. unrichtiger Herkunftangaben im gegebenen Falle in das Material der Museen vorzubeugen.

XLI. Contributions to the ethnology of the Tusayan Indians. — We received from Dr. J. WALTER FEWKES two new interesting papers: one on the Tusayan New Fire Ceremony, published in the Proc. of the Boston Soc. of Nat. Hist., Vol. XXVI pg. 422 sq., and the other: A comparison of Sia and Tusayan Snake Ceremonials in the Americ. Anthrop., Vol. VIII pg. 118 sq. In the first paper Mr. F. delivers an account of the „New Fire Ceremony" of the Walpi, which includes many interesting facts connected with the deification of fire and its discoverer. Originating possibly as a practical means of furnishing fire to every household, the time of its celebration has long since, in Tusayan, ceased to be the only one in the year, when fire is lighted, although still kept up as an important part of the ritual.

It would seem from a study of the events, accompanying this rite, that the element of phallic worship in it plays a not inconspicuous part. This may be seen in the phallic emblems and decorations, and is suggested by the bawdy jests indulged in by the participants. The fire drill is used in the ceremony to produce the new sacred fire, which embers are casted away at the end of the ceremony and not distributed to the domestic hearths, as otherwise is usual.

In the second paper Mr. F. arrives at the statement that the snake ceremony at Sia and at Walpi has so many elements in common that we can conclude that they are parts of related rituals. Their identities mean contact, and cement stronger, than has yet been possible, the eastern and western Pueblo peoples. In connection with linguistic and documentary evidences, they show that in essentials the Arizonian and New Mexican Pueblo culture is the same. The fastnesses of Tusayan have received many groups of families from the Rio Grande region and assimilated with them. From there Hopi, Tanoan and Keresan fugitives have returned to their old homes. The Pueblos have been churned together over and over again too many times, to allow the ethnologist to be able to distinguish „Moquis" from „Pueblos".

XLII. On various supposed relations between the American and Asian Races. — Prof. DAN. G. BRINTON of Philadelphia has read at the International Congress of Anthropology (Chicago 1893) a paper on this subject. After having discussed the statements in favor of the said relations of Dr. TEN KATE, Abbé EMILE PETITOT, DESIRÉ CHARNAY, EUGENE BOBAN, A. VON HUMBOLDT and E. B. TYLOR, as well as those which have been made in disgrace of them by VIRCHOW, FRITSCH and A. B. MEYER, the author concludes "that up to the present time "there has not been a single dialect, not an art, an "institution, not a myth or religions rite, not a "domesticated plant or animal, not a tool, weapon, "game or symbol, in use in America at the time of "the discovery, which had been previously imported "from Asia or from any other continent of the Old "World".

XLIII. Theogonie und übernatürliche Anschauungen der Japaner. — Als Vorläufer eines grösseren kurzhin erschienenen Werkes von H. S. M. VAN WICKEVOORT CROMMELIN, auf das wir demnächst zurückkommen, begegneten wir in der Gids (Mai 1895) einem Artikel unter dem Titel „Bijgeloof in Japan" in welchem der Verfasser sich über die Religionsformen und Zugehöriges der Japaner in klarer, leichtververständlicher Weise verbreitet. Interessant ist es zu sehen wie viel Parallelen zumal der Aberglaube der Japaner bietet mit dem, was wir in Europa noch heutigen Tages im Volke antreffen. So begegnen wir auch hier dem „manu in fico" um das Böse abzuwehren, das Heulen eines Hundes zur Nachtzeit bedeutet hier wie dort einen Todesfall in der Nachbarschaft etc. etc. Auch hier finden wir, wie z. B. in Indonesien, die Anschauung wieder dass die Seele während des Schlafes nach Belieben den Körper verlassen könne. Mit dem Glauben an eine Wiedervergeltung steht ein rührender Brauch in Verband: manchmal sieht man in oder bei einem Kirchhof in der Nähe einer, auf einem Hügel entspringenden Quelle, ein viereckiges Tuch, auf dem ein Name und ein Gebet geschrieben, mit den Ecken an vier Pfählchen befestigt, während bei der Quelle ein Löffel liegt. Jeder Vorbeigänger giesst einen Löffel Wasser auf das Tuch, spricht ein Gebet und verweilt bis das Wasser eingezogen. Dies geschieht um der Seele einer Mutter, die ihres Vergehens halber bei der Geburt ihres Kindes sterben musste, im Fegefeuer Linderung zu verschaffen. Der Brauch heisst: *Nagare Kanjo*", sobald das Tuch soweit verwest ist, dass es kein Wasser mehr aufsaugt, steigt die befreite Seele zu lichteren Sphären auf.

XLIV. Fund eines Einbaumes im Mansfelder Salzigen See. Im December 1894 entdeckte man auf 2½ M. Tiefe neben dem Flegelsberge im vorgenannten See ein sehr gut erhaltenes Exemplar dieser vorgeschichtlichen Fahrzeuge, dessen Alter auf 2000 Jahre geschätzt wird und das dem Mansfelder Geschichts- und Alterthumsverein zum Geschenk übergeben wurde. Die Länge beträgt 6,20 M., die Breite vorn 50 cM. und hinten 63 cM.; die Oeffnung ist jedoch schmäler. Der Sitzplatz ist am Hintertheil ausgearbeitet, und der Hohlraum, ungefähr in der Mitte, durch eine aus dem Vollen gearbeitete Querwand getheilt, die als Sitzbank diente und zugleich dem Ganzen grössere Festigkeit verlieh. Aehnliches kommt auch heut noch bei den Fahrzeugen einzelner Naturvölker vor, so z. B. bei den Canoes der Pelau-Insulaner, wo die Wand jedoch aus einem besonderen Stück besteht (Siehe J. S. KUBARY: Bthu. Beiträge zur Kenntnis des Karolinen Archipels pg. 273 & Taf. LII Fig. 1 & 2).

XLV. Hagestolzenrecht. — Ueber einen alterthümlichen Rechtsbrauch finden wir interessante Mittheilungen in einem Aufsatz von H. DEHNING, Celle, im Hamburger Fremdenblatt von 18 Aug. 1895 N°. 192. Derselbe trat in Wirkung gegenüber ohne zwingenden Grund unverheirathet gebliebenen Männern die das fünfzigste Lebensjahr überschritten hatten, sog. Hagestolzen, und fanden sich Spuren in Deutschland, aber auch unter Römern und Griechen. In Deutschland fiel das Vermögen der Hagestolzen dem Fiskus zu, in Rom mussten selbe zeitweise selbst schon bei Lebzeiten einen Theil ihrer Habe dem allgemeinen Wohl opfern; in Griechenland durften sie bei Ehrenschauspielen nicht erscheinen.

XLVI. Die prähistorischen Steinbauten im Grossherzogthum Oldenburg wurden im Lauf dieses Sommers von den Herren ED. KRAUSE, Konservator am Kgl. Museum für Völkerkunde zu Berlin, und Dr. OTTO SCHOETENSACK in Heidelberg untersucht, vermessen und photographirt.

XLVII. Betreffs des Ursitzes der Magyaren wird von Dr. A. WIRTH in einem längeren Feuilleton des Pester Lloyd von 27 Juni 1895 eine eigenthümliche Hypothese aufgestellt, derzufolge aus den Trümmern der, von den Chinesen besiegten Hunnen, die Koreaner und ein Theil der Japaner und ein Jahrtausend später die Magyaren hervor gegangen seien (?!) — — —

XLVIII. The Mandrake. — In connection with the paper published on this subject by our lamented collaborator Prof. P. J. VETH, in Vol. VII pg. 199 sq. of this journal, the following communication, published by Mr. KUMAGUSA MINAKATA in Nature of 25 April 1895, which Prof. G. SCHLEGEL has reproduced in the T'oung Pao 1895 pg. 342, will be of interest to our readers:

With regard to Prof. VETH's exhaustive account, of the Mandrake, it may be useful to students of folklore to call their attention to the occurence in the Chinese literature of a similar superstition, wherein *Phytolacca acinosa* (*Shang-luh* 商陸) takes the place of *Mandragora officinarum*. SIEH TSAI-KANG's *Wu tsuh-tsu*, written about 1610 (Jap. Ed. 1661, Tome X, p. 41) contains the following passage:

The *Shang-luh* grows on the ground beneath which dead man lies, hence its root is mostly shaped like a man. (Here the author says: It is popularly called *Chang liu Kun* = Witch-tree-root. The name shows that the root was used in witchcraft, similarly with that of the Mandragora (cf HONE, The Year-Book, sub December 28). In a calm night, when nobody is about, the collector, offering the owl's flesh roasted with oil, propitiates the spirit of the plant until ignes fatui crowd about the latter; then the root is dug out, brought home and prepared with magic paper for a week; thus it is made capable of speech. This plant is surnamed "*Ye-hu*" (夜呼 i.e. Night

Cry) on account of its demoniacal nature. (Another explanation suggested for this name is that, as long as the fruit of the *Phytolacca* remains unripe, the cuckoo continues to cry every night. See *Tsai-kang*, ubi supra.) However, seeing that the belief in the shrieks of the *Mandragora* was once current among the Europeans (Enc. Brit., 9th. ed. Vol. XV, p. 476), it would be more just to derive the Chinese name "Night Cry" from an analogous origin.). There are two varieties of it: the white one is used for medicine, the red one commands evil spirits, and kills man when it is internally taken by error.

XLIX. Discovery of aboriginal Indian remains in Jamaica. – Nature of 20 June, last, contains an interesting report on the discovery of a cave containing the skeletons of at least twenty-four individuals; the ages varying from that of a child, with the permanent dentition not yet appearing, to that of aged persons with the teeth-sockets obliterated. Many of the skulls in their depressed frontal region resemble those found many years ago in an other cave at Pedro Bluff. There is, however, considerable variation in the amount of compression.

A somewhat shattered canoe, about 7 feet long and 1½ feet wide, made of cedar-wood, was lying above many of the skeletons. An outer portion of the trunk of on *arbor-vitae*, probably serving at one time as a "mortar", scarcely shows any signs of decay, as a result of the three or four hundred years it may have been in the cave. Among the remains were also obtained the perfect skulls and other parts of the skeleton of two coneys, two large marine shells (*Fusus* and *Murex*), soft parts of which are still eaten by the natives; numerous land shells (*Helix*), and insect remains. Two small, nearly perfect, earthen-ware vessels were also found, similar to those, to have been made by the Arawâks.

All the remains have been presented to the Museum of Jamaica.

L. Russische Volkslieder. – Im gegenwärtigen Bande dieser Zeitschrift wurde pg. 34 über die Ergebnisse der ersten Expedition der Herren ISTOMIN und DEUTSCH, behufs der Sammlung russischer Volkslieder und Melodien berichtet. Zur Fortsetzung dieser Untersuchungen sind nun im Juni d. J. seitens der Kais. Russ. Geograph. Gesellschaft die Herren ISTOMIN und NEKRASSOW aufs Neue entsandt und haben vorerst die Gouvernements Rjäsan und Wladimir, sowie die jenseits der Wolga liegenden Kreise des Gouvernements Nischny Nowgorod bereist. Nach einer Zeitungsmeldung sollen bis gegen October schon über 100 Lieder, darunter uralte, nebst den Melodien erlangt sein.

LI. Für das Sammelwerk mecklenburgischer Volksüberlieferungen von R. WOSSIDLO haben die Regierungen und Landtage von Mecklenburg-Schwerin und - Strelitz zusammen 7000 Mark bewilligt (Urquell 1895 p. 45).

LII. Ein Fragebogen über die rechtlichen und wirthschaftlichen Verhältnisse der Natur- und Halbkulturvölker ist, im Auftrage der Gesellschaft für vergleichende Rechts- und Staatswissenschaft zu Berlin, von den Herren Drs. MAX BENEKE und STEPHAN KEKULE VON STRADONITZ entworfen. Derselbe dürfte nach der, in einem Referat über den Entwurf ausgesprochenen Meinung des Herrn Dr. FRIEDRICHS-Kiel einem lange empfundenen Mangel abhelfen, da seither nur zwei Reisende, B. VON WERNER für die Südsee und H. VON WISSMANN für Ost-Afrika, das Ethnologisch-Juristische gebührend berücksichtigt haben. In acht Gruppen vertheilt finden wir hier 357 Fragen gestellt, von denen sich viele durch Beobachter, die länger unter einem und demselben Stamme gelebt, mit Leichtigkeit werden beantworten lassen.

Exemplare des Fragebogens sind von dem zweiten der genannten Verfasser (Berlin, York-Strasse N°. 37) gratis zu erhalten; um Zusendung der Antworten an denselben, behufs der Veröffentlichung wird gebeten.

LIII. The Director of the Royal Library at the Hague has begun to publish a series of „Losse blaadjes" (Fly-leaves), which are intended to be a guide to the public in the more recent literature, on matters of greater interest, to be found in the said library. We are sure every one will, like us, be pleased with this publication of which N°. 1 (October 1895) contains works on China and Japan, mostly edited since 1840, and N°. 2 (November 1895) works on the Balkan Peninsula, edited since the Congress held in Paris in 1856. As is the case with every new undertaking, the reader will find here and there omissions, but they will become rarer, as the publication goes on, and may not lead to lay a blame upon the author. To critisise a work is easier than to do it self and every beginning is difficult! Readers willing to remember this proverb, will thank with us the Director, Dr. BIJVANCK, for the trouble he has taken in the interest of the public.

LIV. Papuan-typos. – The well known Director of the Royal zoological and ethnographical Museum at Dresden, Dr. A. B. MEYER, has published, in cooperation with Mr. R. PARKINSON, a very interesting series of types of natives from New-Guinea and the New-Britain-(Bismarck-) Archipelago (Album von Papua-Typen). It contains 54 photolithographic plates, mostly reproductions of excellent photographs taken by Mr. PARKINSON on the spot. Many of the plates are of interest from an ethnographical point of view, but we are sorry to say that in the description of the Duk-Duk-ceremony, which is copied litterally from another work of Mr. PARKINSON (Im Bismarck-Archipel), published already in 1887, no mention is made of the report of the lamented explorer TH. KLEINSCHMIDT, published by us in Globus Vol. XLI (1882), because the latter differs in some points from Mr. P.'s report. ANDREE, in his "Ethnographische Parallelen II", follows, in speaking of the same ceremony, the communication of POWELL, instead those of KLEINSCHMIDT or PARKINSON, because he thinks the first is more decided and shorter. But we know from Mr. PARKINSON's work, how untrustworthy the communications of POWELL are.

LV. Von der Neubearbeitung von VETH's Java deren wir pg. 172 erwähnt, liegen nunmehr die ersten drei Lieferungen vor. Eine Durchsicht derselben zeigt deutlich dass die Bearbeiter, die Herren JOH. F. SNELLEMAN und J. F. NIERMEYER bestrebt sind, die Ergebnisse der Forschung, selbst die neuester Zeit, für ihren Zweck heranzuziehen und solchergestalt dem Werke, soweit möglich, Vollständigkeit zu verleihen. Ein Portrait des verstorbenen Meisters in seinem Arbeitszimmer, aus seinem 80sten Lebensjahr, schmückt diese Lieferung, deren Druck und Ausstattung sehr angenehm berührt. Wir kommen, sobald die Herausgabe des Werkes weiter vorgeschritten, in unserer Rubrik „Büchertisch" auf dasselbe zurück.

LVI. Prof. RATZEL's Völkerkunde wird binnen Kurzem in einer englischen Ausgabe bei MACMILLAN & Co. in London erscheinen.

LVII. Gelegentlich der Kolumbusfeier hat die Mexikanische Regierung ein Werk über Mexikanische Alterthümer in fol. Format erscheinen lassen und an eine Anzahl wissenschaftlicher Anstalten, u. A. an das Kgl. ethnographische Museum in Dresden, geschenkt.

LVIII. A very interesting and valuable descriptive Catalogue of objects made and used by the Natives of the Nicobar Isles; is published by E. H. MAN in the Indian Antiquarian, 1895, pp. 41 and 106 sq. For every object is given the native name, a short description, with notes on the material of which the object is made, and the locality.

LIX. Vom 1 Januar 1896 ab wird im Verlage von J. U. KERN (Breslau) unter Redaction von Dr. G. BUSCHAN, Stettin, ein „Centralblatt für Anthropologie, Urgeschichte und verwandte Wissenschaften" erscheinen. Die vorläufige Liste der Mitarbeiter zählt Namen von gutem Klang, so dass das Unternehmen zu grossen Hoffnungen berechtigt. Der Preis ist pro Jahrgang von 4 Heften gr. 8° à 6 Bogen M. 12.—

LX. A new work on Eastern coins: "The Currency of the Farther East", is published just now by Mr. J. H. STEWART LOCKHART, Colonial Secretary etc. of Hongkong, at Mss. NORONHA & Co. at Hongkong. It is based on the collection formed by the late Mr. G. B. GLOVER of the Chinese Imperial Maritime Customs, the greater part of them comprising Chinese coins and notes, but besides these also coins from Annam, Japan, Corea and Charm-coins. The publication consists of two parts: one containing the description and the other the facsimile representations of nearly 2000 different coins by woodcuts, executed entirely by Chinese artists. We will give a review of this work in one of the forthcoming numbers of this journal.

LXI. For the purpose of publication of the second volume of the late Mr. O'NEILL's valuable work „The Night of the Gods", which has been terminated by its author, the lamented Mr. O'NEILL, before his sudden death, a Committee has been formed. This volume will be issued to subscribers at 18 sh. net, cash with order. Subscriptions will be received by Mr. DAVID NUTT, London, Strand, and donations will be received by the Honorary Secretary Mr. EDWARD ROWE, 241 Barry Road, Lordship Lane, Dulwich; London S. E.

LXII. Herr F. R. MARTIN, Assistent am archäologisch-historischen Staatsmuseum zu Stockholm, gab vor einiger Zeit ein, auf die Resultate einer von ihm nach Central-Asien und Sibirien unternommenen Reise basirtes Werk „L'âge du bronze au Musée de Minusinsk" heraus, das sich einer sehr günstigen Aufnahme in den einschlägigen Kreisen zu erfreuen hatte. Als Fortsetzung desselben ist demnächst eine weitere Veröffentlichung, unter dem Titel „Die Sammlung F. R. MARTIN, ein Beitrag zur Kenntniss der Vorgeschichte und Kultur Sibirischer Völker", zu erwarten. Das Werk wird aus zwei Theilen, einem Textband mit vielen Abbildungen und einer Mappe mit 35 Tafeln in Lichtdruck bestehen. Letztere liegt uns inzwischen schon vor und reihen sich die Tafeln, was ihre Ausführung betrifft, dem Besten an was uns in dieser Hinsicht bekannt. Die ersten 24 Tafeln bringen ethnographische Gegenstände von den Ostjaken, die übrigen Gegenstände der Bronze- und Eisenzeit aus der Gegend von Minusinsk. Wir sehen dem Erscheinen des Textes mit Verlangen entgegen und kommen dann auf diese hochinteressante Erscheinung zurück, die wir inzwischen der Aufmerksamkeit unserer Leser angelegentlichst empfehlen.

Fernere in Aussicht stehende Arbeiten desselben Verfassers werden sich über die „Fibeln von Kertch", „Centralasiatische und Persische Metallobjecte" und die „Keramik Centralasiens" verbreiten.

II. QUESTIONS ET REPONSES. — SPRECHSAAL.

III. Indianischer Rückenschmuck. — Bei dem indianischen Tanzspiele, welches den Namen „Baile de Cortés" führt und welches ich im Kekchi-Gebiet (Alta Verapaz, Guatemala) mehrmals aufführen sah, beobachtete ich, dass vier der indianischen Hauptpersonen des Stückes als eigenthümlichen Schmuck ein leichtes, mit rotem Tuch überspanntes, mit etlichen einfachen Federn verziertes, etwa $2^1/_2$ Fuss hohes Holzgestell trugen, dessen untere Holzfortsätze von dem Indianer am Rücken in sein Kleid hineingesteckt wurden, so dass der Schmuck aufrecht hinter dem Kopf aufragte. Sollte hierin nicht eine Erinnerung daran zu erblicken sein, dass es ehedem bei den Indianern (ausser hutartig auf dem Kopf getragenem Federschmuck) grosse Federzierrathe gab, welche in ähnlicher Weise, wie oben erwähnt, am Rücken befestigt waren und den Hintergrund für das Haupt abgaben? Dass in den indianischen Tanzspielen noch manche unbewusste Ueberlieferungen aus alter Zeit vorkommen, erkennt man im gleichen Stücke daran, dass der Führer der Indianer verkleinerte hölzerne Nachbildungen einer Lanze und eines Steinbeiles trägt. — Es wäre von Interesse zu erfahren, ob ähnliche Beobachtungen auch anderwärts in Guatemala oder Mexico gemacht worden sind.

CARL SAPPER.

Bekanntlich hat sich darüber ob der, zuerst durch HOCHSTETTER (Denkschriften der Kais. Akad. Wien, Phil. hist. Klasse, Bd. XXXV [1884]) als Standarte beschriebene und aus der Ambraser Sammlung herrührende altmexikanische Federschmuck, eine solche oder ein Kopfschmuck sei, zwischen Frau ZELIA NUTTAL und Herrn Dr. UHLE, die letzterer Ansicht zugethan, einerseits, und Hern Dr. ED. SELER, der die Bedeutung des Schmucks als Standarte vertritt, eine Streitfrage entsponnen (Verb. berl. anthrop. Gesellschaft, 1889, pg. 63 ff., 1891 pg. 114 ff. & 144 ff. und 1893 pg. 44 ff.). Zur Klärung dieser Frage scheint uns die vorstehende Beobachtung unsores verehrten Herrn Mitarbeiters einen nicht unwichtigen Beitrag liefern zu können, wenn wir im Auge behalten dass das Tanzspiel eine Episode des Kampfes CORTES' mit den Indianern zur Grundlege hat und dass also auch in der Kleidung und dem Tanzschmuck wahrscheinlich Reminiscensen aus alter Zeit zu Tage treten. Hier dürfte also eine solche betreffs des Rückenschmucks welchen die Krieges der Mexicaner in der Schlacht und beim Tanze trugen (Siehe Dr. SELERS Mittheilung, Verh. b. a. G., 1893, pg. 44) vorliegen. Weitere Meinungsäusserungen hierüber scheinen uns sehr erwünscht.

J. D. E. SCHMELTZ.

IV. To the Editor of the International Archiv.

I wish to ask my colleagues in ethnology whether there is objection to the following sentence. "The sandal with single toestring, dividing on the back of the foot and passing from the instep to the margin of the sole beneath the ankles, is in eastern Asia confined to Japan and the Ainos. The divided stocking has the same limitation there. Chinese and Coreans do not wear them. The Japanese and the Ainos also use a snowshoe, consisting of a stout, flat hoop, with rawhide footrests and two sharp wedge-like projections beneath, to stick into the snow. These three elements of footgear appear again for the first time, going westward, in the Caspian and Aral drainage.

The divided stocking, so far as the U. S. National Museum is concerned, is confined to Turkestan and its environs. The sandal with single toestring from this area is universal over Northern Africa, Southern Europe and Asia and in Latin America, where it was not worn aboriginally.

The heavy snowshoe with wooden wedges or spikes beneath, exists in the Caucasus. In Brockhaus' Atlas, plate 33, one is pictured as used by the Svan or Swanen."

Is this paragraph true? May I print it in that form? Do there exist intermediate forms of the single toestring sandal, the divided stocking and the armed snowshoe?

United States National Museum;
Washington Nov. 5; 1895.

OTIS T. MASON.

III. MUSÉES ET COLLECTIONS. — MUSEEN UND SAMMLUNGEN.

XXIV. Norsk Folkenmuseum Christiania. Cette institution a été fondée le 19 décembre 1894 par un comité dont M. GUSTAV STORM est le président.

XXV. Für den Neubau des Museums in Darmstadt hat die zweite Kammer der hessischen Stände 1,500.000 Mark bewilligt, unter der Bedingung dass das Museum Staatsanstalt werde.

XXVI. Das Römer Museum in Hildesheim gelangte neuerdings in Besitz einer sehr werthvollen Sammlung Prunk- und anderer Waffen aus Britisch Indien, die meist vom Nabob von Kurnool und aus Hyderabad stammen.

XXVII. Städtisches Museum. Crefeld. — Der zehnte Bericht des Crefelder Museums Vereins über das Jahr 1894 enthält eine kurze Skizzirung der einzelnen Theile einer auf dem Burgfelde in Asberg gefundenen und für das Museum erworbenen werthvollen Sammlung römischer Alterthümer, worunter sich Gefässe aus Thon und Glas, Ziegel, Schmuckstücke aus Bronze, Perlen, etc. befinden. Eine Lichtdrucktafel bringt die Abbildungen zweier schöner Glasschalen und eines Topfes aus Terra sigillata derselben Herkunft.

IV. REVUE BIBLIOGRAPHIQUE. — BIBLIOGRAPHISCHE UEBERSICHT.

Pour les abréviations voir pagg. 29, 125. 175.

GÉNÉRALITÉS.

V. M. le doct. LANGKAVEL (EMANUEL WURM's Volks-Lexicon Bd. II s. v. Ethnos.; Nürnberg) à consacré un article assez étendu à l'ethnographie. M. le prof. A. BASTIAN (Ethn. Notizbl. Hft. 2 p. 40: Anthropologisches Stiftungsfest) fait des observations à propos du jubilé de la Société anthropologique de Berlin. Am. A. publie des contributions de M. LESTER F. WARD (p. 241: The Relation of Sociology to Anthropology) et de M. W. J. MCGEE (p. 268: Some Principles of Nomenclature). Les rapports entre ces deux sciences font encore le sujet d'un article du prof. FRIEDRICH MÜLLER (Gl. p. 354: Rasse und Volk, Somatologie und Ethnologie und ihr Verhältniss zu einander). M. FR. STARR (Comparative Religion Notes, p. 45. The Biblical World. Chicago) traite des traditions populaires en matière de religion. L'animisme fournit des sujets à M. ROHDE (Psyche, Seelenkult und Unsterblichkeitsglaube der Griechen. Freiburg i. B. Comp. l'analyse du prof. BASTIAN dans Ethn. Not. Hft. 2 p. 99); et au doct. M. HABERLANDT (Mitth. A. G. Wien Sitzb. p. 1: Animismus im Judenthum). M. L. MANOUVRIER (Rev. mens. p. 185) continue sa Discussion des concepts psychologiques sentiments et connaissances, états affectifs. Les relations domestiques fournissent des sujets à M. LORIMER FISON (A. I. XXIV p. 360: The Classificatory System of Relationship); M. A. E. CRAWLEY (A. I. p. 430: Sexual Taboo: A Study on the Relations of the Sexes); Dr. WALDEYER (Corr. A. G. p. 73: Ueber die somatischen Unterschiede der beiden Geschlechter). La découverte de M. DUBOIS continue à intéresser les savants; la question est discutée de nouveau par M. R. VIRCHOW (Die Nation p. 53: Der Pithecanthropus vor dem Zoologischen Kongress in Leiden); Dr. H. TEN KATE (Ned. Kol. Centraalbl. p. 127); M. O. C. MARSH (Am. J. of Sc. XLIX p. 144: On the Pithecanthropus erectus Dubois, from Java. Av. 1 pl.); M. W. KRAUSE (Verh. A. G. p. 78: Pithecanthropus erectus, eine menschenähnliche Uebergangsform aus Java. Av. fig.), qui, en rejetant l'hypothèse de M. DUBOIS, fait ressortir l'intérêt extraordinaire de sa découverte. Suit une discussion de MM. F. VON LUSCHAN et VIRCHOW.

M. le doct. S. WEISSENBERG (Z. E. p. 82: Ueber die Formen der Hand und des Fusses. Av. 2 pl.) analyse les formes des extrémités du corps humain. M. CH. LETOURNEAU (Rev. mens. p. 229) compare le passé et l'avenir du commerce. M. P. SARTORI (A. U. p. 111: Zählen, Messen, Wägen; IV) continue ses observations sur les nombres, les poids et les mesures; le même journal contient une notice de M. A. WIEDEMANN (p. 140: Bienensegen und Bienenzauber). Les inventions sont traitées d'un point de vue ethnographique par M. MASON (The Origins of Invention. London. Comp. l'analyse du prof. BASTIAN dans Ethn. Not. Hft. 2 p. 119). Le même journal (p. 125) donne encore une analyse détaillée du livre de M. SCHURZ (Das Augenornament. Leipzig). M. STEWART CULIN (Rep. N. M. 1893 p. 489: Chinese Games with Dice and Dominoes. Av. 12 pl. et 33 fig.) donne une étude d'ethnographie comparée. Une communication archéologique est publiée par le Dr. A. VON TÖRÖK (Corr. A. G. p. 17: Ueber die neue paläethnologische Eintheilung der Steinzeit). Le même journal public un article de M. J. SCHMIDKONTZ (p. 49: Zur Ortsnamen-Forschung).

Des observations sur des collections ethnographiques sont publiées par M. HJALMAR STOLPE (Ymer p. 132: Om vårt Ethnografiska Museum); M. CYRUS ADLER (Rep. N. M. 1893 p 755: Museum Collections to illustrate Religions, History and Ceremonies); M F. V. COVILLE (Bull. U S. Nat. Mus. I nº. 39: Directions for collecting specimens and information illustrating the aboriginal uses of plants). Le premier volume du livre de M. OTTO BASCHIN (Bibliotheca Geographica. Berlin), publié par la Société de géographie de Berlin, contient les publications géographiques des années 1891 et 1892, l'anthropologie et l'ethnologie comprises. Il nous reste à mentionner l'étude du Dr. L. VON SCHROEDER (Mitth. A. G. Wien XXV p. 1: Ueber die Entwicklung der Indologie in Europa und ihre Beziehungen zur allgemeinen Völkerkunde).

EUROPE.

Des communications archéologiques sont publiées par M. A. L. LEWIS (A. I. XXV p. 2: Prehistoric Remains in Cornwall. Av. pl.); et M. A. J. EVANS (F. L. VI p. 6: The Rollright Stones and their Folk-Lore. Av. pl.). Le même journal (p. 2: Notes on Beltane Cakes) contient une notice du Rev. W. GREGOR sur une coutume écossaise. M. le doct. J. SASSE AZ. (Hand. 5e Ned. Nat. en Gen. Congres p. 570: Over Friesche schedels) a lu un discours pour prouver qu'il faut distinguer en Frise deux races diverses. Les résultats d'explorations archéologiques en Allemagne sont décrits par le Dr. KARL HAGEN (Jahrb. der Hamb. W. A. XII: Holsteinische Hängegefässfunde. Av. pl. et fig.); M. C. RADEMACHER (Verh. A. G. p. 26: Zwei prähistorische Begräbnisstätten in der Eifel und an der Lippe); M. LISSAUER (ibid. p. 97: Das Gräberfeld am Haideberg bei Dahnsdorf und „glockenförmige" Gräber insbesondere. Av. fig.); M. F. DEICHMÜLLER (ibid. p. 135: Steinhämmer mit Rillen. Av. fig.; p. 137: Steinwerkzeuge mit Schäftungsrillen); Dr. E. SUCHIER (Corr. A. G. p. 57: Prähistorische Funde bei Höchst a. M.); M. ED. KRAUSE (Nachr. VI p. 1: Hügelgräber und Flachgräberfeld bei Lüsse, Kr. Zanch-Belzig. Av. fig.); M. A. VOSS (ibid. p. 10: Alterthümer der Umgegend von Landin, Kr. Westhavelland): M. BUCHHOLZ (ibid. p. 14: Ostgermanische Gräberfunde von Gossar, Kr. Crossen. Av. fig.; p. 16: Bronzefund von Lehnitz, Kr. Nieder-Barnim. Av. fig.); M. OTTO HELM (Z. E. XXVII p. 1: Chemische Untersuchung westpreussischer vorgeschichtlicher Bronze- und Kupferlegirungen, insbesondere des Antimongehaltes derselben); M. R. VON WEINZIERL (Z. E. p. 49: Der prähistorische Wohnplatz und die Begräbnissstätte bei Lobositz a. d. Elbe. Av. fig.).

Z. V. V. publie des communications de M. A. GITTÉE (p. 298: Dienstrecht und Dienstbotengewohnheiten in Flandern); M. R. WOSSIDLO (p. 302: Das Naturleben im Munde des Mecklenburger Volkes); MM. M. WEINHOLD et JOH. HOOPS (p. 327: Notes sur le mot „hillebille" et son origine). Les divers types de la maison germanique fournissent des sujets au Dr. R. ANDREE (Z. E. p. 25: Die Südgrenze des sächsischen Hauses im Braunschweigischen. Av. 1 pl. et fig.); à M. G. BANCALARI (Gl. p. 350: Thüringische Haustypen); au Dr. R. MERINGER (Mitth. A. G. Wien XXV p. 56: Der Hausrath des oberdeutschen Hauses. Av. 41 fig.). Mentionnons encore les communications de M. W. SCHWARTZ (Z. V. V. Hft 3 p. 1, 246: Die volkstümlichen Namen für Kröte, Frosch und Regenwurm in Nord-Deutschland nach ihren landschaftlichen Gruppierungen); M. L. FRÄNKEL (ibid. p. 264: Feen- und Nixenfang nebst Polyphems Ueberlistung); et la description d'une fête locale dans Gl. (Der Tanz der „Glöckler" und der Schwerttanz in Ebensee. Av. fig.).

Des articles archéologiques sont publiés par M. L. KARL MOSER (Verh. des Ver. deutscher Naturf. und Aerzte. Wien 1894 p. 291: Die Kunsterzeugnisse der praehistorischen Karst-Höhlenbewohner); et par le chev. R. VON WEINZIERL (Mitth. A. G. Wien p. 25: Die neolithische Ansiedlung bei Gross-Czernosek a. d. Elbe. Av. fig.). Le même journal publie une étude anthropologique du Dr. A. WEISBACH (p. 68: Die Salzburger). Z. O. V. publie des contributions du Dr. J. W. NAGL (p. 33, 166: Ueber den Gegensatz zwischen Stadt- und Landdialekt in unsern Alpenländern); de M. H. SCHREIBER (p. 36: Die Wichtigkeit des Sammelns volksthümlicher Pflanzennamen); du Dr. W. HEIN (p. 43, 74: Hexenspiel. Drame populaire du Salzbourg, av. des fig. de masques en bois); du Dr. M. HABERLANDT (p. 54: Kerbhölzer in Wien. Av. fig.); de M. J. KRAINZ (p. 65: Sitten, Bräuche und Meinungen des deutschen Volkes in Steiermark); du Dr. EMIL ZUCKERKANDL p. 80: Bemalte Todtenschädel aus Oberösterreich und Salzburg. Av. fig.); du Dr. A. VON BERGER (p. 97: Die Puppenspiele vom Doktor Faust); du Dr. A. HAUFFEN (p. 106: Bericht über die landschaftlichen Sammlungen deutscher Volksüberlieferungen); de M. K. REITERER (p. 119: Das Sommer- und Winterspiel und andere Spiele. Notice sur des fêtes styriennes); du Dr. A. SCHLOSSER (p. 129: Deutsche Volkslieder aus Steiermark); de M. ARTHUR PETAK (p. 138: Friedhofverse in Salzburg); de M. J. VON DOBLHOFF (p. 142: Altes und Neues vom „Tatzelwurm"); de M. J. A. VON HELFERT (p. 167: Böhmische Weihnachts- und Passionsspiele); de Mlle LOUISE SCHINNERER (Textile Volkskunst bei den Rutenen. Av. fig.); du Dr. M. URBAN (p. 179: Todtenbretter in Westböhmen); de M. P. FRANZ PRCKYL (p. 193: Die Bevölkerung am Zahori in Mähren. Av. fig.): du Dr. RICH. R. VON KRALIK (p. 204: Zur österreichischen Sagengeschichte III. Adaptation populaire des légendes bibliques et helléniques à l'origine de la race germanique). Ajoutons-y l'article de M. A. SCHLOSSER (Z. V. V. p. 275: Kinderreimen aus Steiermark). Ungarn IV publie des articles du Dr. B. MUNKACSI (p. 81: Praehistorisches in den magyarischen Metallnamen); du Dr. V. BALDZIEV (p. 110: Bulgarisches Mundschaftsrecht des Mannes über die Ehefrau); de M. S. FENICHEL (p. 114: Das dakische Sichelschwert. Av. pl.). Ajoutons-y les communications de M. H. VON WLISLOCKI (Mitth. A. G. Wien p. 17: Die Lappenbäume im magyarischen Volksglauben);

de M. A. Voss (Verh. A. G. p. 125: Siebenbürgische und Bosnische Funde, [Tordosch und Butmir]. Av. fig.); et du Dr. R. F. KAINDL (Gl. p. 357: Die Seele und ihr Aufenthaltsort nach dem Tode im Volksglauben der Rutenen und Huzulen).

Verb. A. G. (p. 38) publie le rapport de M. R. VIRCHOW sur la conférence archéologique et anthropologique de Serajévo, avec le compte rendu de la discussion intéressante sur les résultats des fouilles en Bosnie. M. AD. FLACHS (Or. p. 51: Rumänische Hochzeitsgebräuche) décrit les cérémonies nuptiales en Rouménie. M. W. SCHWARZ (Verb. A. G. p. 89: Der Maloja-Wurm im Engadin) explique la fantaisie des montagnards qui représentent un gros nuage comme un dragon rampant. M. G. SERGI (Origine e diffusione della Stirpe Mediterranea. Roma) traite des migrations de la race méditerranéenne. M. L BONELLI (Or. p. 66: Proverbj Maltesi) publie une série de proverbes maltaises. M. KARL RHAMM (Gl. 341, 361: Der heidnische Gottesdienst des finnischen Stammes. Av. fig.) donne des détails sur la mythologie finnoise. M. le doct. R. KOBERT (F. L. VI p. 87: Historische Studien aus dem Pharmakologischen Institute der kais. Universität Dorpat) fait des communications sur des superstitions et des médicaments populaires en Livonie. A. U. contient encore des notices de M. H. VON WLISLOCKI (p. 108, 142: Quälgeister im Volkglauben der Rumänen IV); du Dr. A. HAAS (p. 113, 145: Das Kind in Glaube und Brauch der Pommern VII); du Dr. A. H. POST (p. 116, 147: Mittheilungen aus dem Bremischen Volkleben XII); de M. E. KULKE (p. 119, 150: Judendeutsche Sprichwörter aus Mähren, Böhmen und Ungarn); et de M. FR. S. KRAUSS (p. 137: Menschenopfer in Serbien).

ASIE.

M. D. G BRINTON (Am. P. S XXXIV: The protohistoric Ethnography of Western Asia) publie une étude sur les origines de la civilisation en Asie occidentale. Nous trouvons quelques observations ethnologiques et archéologiques dans l'étude de M. v. FLOTTWELL (Ergänz. Hft zu P. M. nº. 114: Aus dem Stromgebiet des Qyzyl Yrmak). Les tribus du Caucase font le sujet d'articles de M. R. VON ERCKERT (Verh. G. E. XXI p. 50: Die Völker des Kaukasus. Av. carte); et de M. VICTOR DINGELSTEDT (Scott. XI p. 273: The Caucasian Highlands. A physical, biological and ethnographical sketch of Svanetia). Le livre du Dr. E. GEORG JACOB (Das Leben der vorislamischen Beduinen nach den Quellen geschildert. Berlin) traite des Arabes avant l'Islam; l'article du Dr. J. KOHLER (Z. V. R. XII p. 1: Neue Beiträge zum Islamrecht) du droit mahométan. M. CYRUS ADLER (Rep. N. M. 1893 p. 749. Av. 2 pl.) décrit deux inscriptions détaillées de Persépolis, conservées dans le musée de Washington. L'Asie centrale fournit des sujets à M. KRAHMER (Gl. p. 315, 337: Die Kirgisen der Steppen des Kreises Emba), à M. HANS LEDER (Mitth. A. G. Wien XXV p. 9: Ueber alte Grasstätten in Sibirien und der Mongolei); et au Dr. S. WEISSENBERG (ibid. p. 50: Ueber die zum mongolischen Bogen gehörigen Spannringe und Schutzplatten. Av. fig.). M. A. MONTEFIORE (A. I. p. 388: Notes on the Samoyeds of the Great Toundra. Av. pl. et fig.) publie des notes extraites des journaux de M. F. G. JACKSON. M. le doct. AL. IWANOWSKI (Die Mongolei. Leipzig) publie une esquisse ethnographique sur la Mongolie.

La Chine fournit des sujets à M. H. FEIGL (Or. p. 41, 74: Die Religion der Chinesen); M. W. GRUBE (Ethn. Notizbl. Hft. 2 p. 27: Sammlung chinesischer Volksgötter aus Amoy); M. KARL HIMLY (T. P. p. 258, 345: Die Abteilung der Spiele im „Spiegel der Mandschu-Sprache"); M. C. DE HARLEZ (ibid. p. 369: Le nom des premiers Chinois et les prétendues tribus Bak). Le même journal contient encore le nº. XX des Problèmes Géographiques du prof. G. SCHLEGEL (p. 247: Niu-jin-Kouo, le Pays des Femmes). M. A. VON ROSTHORN (Mitth. G. G. Wien p. 285: Eine Reise im westlichen China) décrit une excursion dans le Chinch'uan, province qui n'avait pas encore été visitée par des Européens. La collection tibétaine du musée de Washington est décrite par M. W. WOODVILLE ROCKHILL avec la reproduction photographique des principaux objets (Rep. N. M. 1893 p. 665: Notes on the Ethnology of Tibet. Av. 52 pl.). M. F. GRENARD, en rendant compte de la mission scientifique dans la haute Asie, sous la direction de M. J. DUTREIL DE RHINS, (S. G. C. R. p. 228) donne quelques détails sur les Tibétans. Des objets chinois sont encore décrits par le Dr. M. HABERLANDT (Hofm. X. p. 155: Die chinesische Sammlung des K. K. naturh. Hofmuseums in ihrer Neuaufstellung. Av. fig.); et par M. J. H. STEWART LOCKHART (Description of the Glover Collection of Chinese, Annamese, Japanese, Corean Coins, of Coins used as Amulets and Chinese Government and Private Notes. Hongkong. Av. beaucoup de fig.). Des notices sur la Corée se trouvent dans F. L. (VI p. 82: Some Corean Customs and Notions) par M. T. WATTERS; et dans Gl. p. 373: Charakter und Moral der Koreaner) par M. H. G. ARNOUS. Un joli petit livre de Miss A. M. CARMICHAEL (From Sunrise Land. London. Av. fig.) donne ses souvenirs de mission. Trans. J. S. II publient des communications de M. W. G. ASTON (p. 160: The Family and Relationships in Ancient Japan); et de M. G. CAWLEY (p. 194: Wood and its Application to Japanese Artistic and Industrial Design. Av. pl. et fig.); Mitth. O. A. VI contient une étude du Dr. L. LÖNHOLM

(p. 197: Das Japanische Handelsrecht). Ajoutons-y les notices de M. F. W. K. MÜLLER (Ethn. Notizbl. p. 12: Der Weltberg Meru nach einem japanischen Bilde. Av. pl.); du Dr. EDMUND BUCKLEY (Phallicism in Japan. Chicago. Comp. le C. R. dans T. P. p. 310); et les livres de M. J. L. BOWES (Notes on Shippo, A Sequel to Japanese Enamels. Liverpool. Av. pl. et fig.); et de M. E. HART (Stencils of Old Japan. London), reproduisant les objets dans la collection de l'auteur. M. A. KIRCHHOFE (P. M. p. 25: Die Insel Formosa) donne un résumé de ce qui est connu de l'ile de Formose, à propos de l'ouvrage de M. IMBAULT-HUART.

M. le prof. A. BASTIAN (Ethn. Not. p. 76: Zur Farben-Tafel) fait des observations sur le Nirwana et la philosophie hindoue. As. S. Bengal LXIV contient des contributions de M. ÇARAT CANDRA MITRA (North Indian Folk-Lore about Thieves and Robbers); M. HARA PRASADA CASTRI (p. 55: Buddhism in Bengal since the Mohammedan Conquest); M. le col. E. MOCKLER (p. 30: Origin of the Balochi); M. W. VOST (p. 69: The Dogam Mint. Av. des pl. de monnaies mahométanes). M. KLEIN (Among the Gods. Scenes of India, with Legends by the Way. London) raconte, des légendes; M. C. TAGLIABUE (Or. p. 22: Le caste nell India) fait des observations sur les castes; M. EDMUND W. SMITH (The Moghul Architecture of Fathpur-Sikri I. Allahabad. Av. 120 ill.) public des résultats de la Archaeological Survey of India. Mrs. ALAN GARDNER (Rifle and Spear with the Rajpoots. London. Av. ill) raconte un hiver en Inde centrale. T. d. M. public les notes de voyage de M. LOUIS LAPICQUE (p. 409: A la recherche des Négritos), en commençant par les Andaman. M. le doct. G. K. NIEMANN (Bijdr. p. 329: Ethnographische mededeelingen omtrent de Tjams en eenige andere volksstammen van Achter-Indie) publie des observations sur des tribus de l'Indo-Chine. T. P. reproduit des extraits du journal d'exploration dans le Laos, de M. le vicomte DE CHAVANNES (p. 268: Voyage au pays des Kas), publié dans le supplément littéraire du Figaro (30 mars et 6 avril). Ethn. Not. Hft. 2 publie des notices du prof. A. GRÜNWEDEL (p. 6: Notizen über Indisches. 1. Pasten aus Pagan, Ober-Birma; 2. Parnaka, Kapardin; 3. Padmasambhava, Legenden in Lepcha-Sprache. Av. fig.); de M. F. K. W. MÜLLER (p. 16: Anzeige neu eingegangener siamesischer Bücher und Handschriften); de M. A. BASTIAN (p. 71: Das siamesische Prachtwerk Trai-Phum, die „Drei-Welt". Av. 1 pl. col.), traité de cosmogonie bouddhistique. M. G. E GERINI (Chulakantamangala, or the Tonsure Ceremony as performed in Siam. Bangkok. Av. pl. et fig.) décrit la cérémonie de la tonsure en Siam. M. C. OTTO BLAGDEN (As. S. Str. B. p. 21: Early Indo-Chinese Influence in the Malay peninsula, as illustrated by some of the Dialects of the Aboriginal Tribes) publie un essai de linguistique indo-chinoise. M. L. W. C. VAN DEN BERG (Bijdr. p. 291: Nalezing) donne des notes supplémentaires à son étude sur le droit de famille mahométan. M. A. A. FOKKER (Malay phonetics. Leiden) publie sa thèse doctorale, défendue a Leide. M. P. C. J. VAN BRERO (Gen. Tijds. N. I. XXXV p. 23: Een en ander over de Psychosen onder de bevolking van den Indischen Archipel) donne une contribution à la pathologie comparée des races. M. H. C. H. DE BIE (Tijds. B. B. p. 384: De Klapper. Av. fig.) fait des communications sur la signification du cocos pour la population des Indes. Le gouvernement néerlandais a fait publier (Batavia-Leiden) une série de planches photographiques illustrant l'ouvrage du Dr. C. SNOUCK HURGRONJE sur Atchin. M. P. A. L. E. VAN DIJK (Tijds. Bat. G. XXXVIII p. 296: Eenige aanteekeningen omtrent de verschillende stammen en de stamverdeeling bij de Battaks) public des notes sur le chef Si Singa Mangaradja et sur l'anthropophagie chez les Battaks. M. W. HOEZOO (Ned. Zend. p. 97: Eenige Javaansche Spreekwoorden en Vergelijkingen) public des proverbes javanais. M. J. GRONEMAN (De Garebegs te Ngajogyakarta. Av. 25 photos et un plan du kraton) décrit des fêtes javanaises. M. J. BÜTTIKOFER (Hand. v. h. 5de Ned. Nat.- en Gen. Congres p. 514: Mededeelingen over de Dajaks aan de Sibau-rivier in Midden-Borneo) a communiqué quelques résultats de son voyage d'exploration dans l'intérieur de l'île de Bornéo. M. le doct. W. HEIN (Hofm. X p. 94: Zur Entwicklungsgeschichte des Ornamentes bei den Dajaks. Av. 29 fig.) donne de nouveaux détails sur l'ornamentation chez les Dayaks. Le missionnaire ALB. C. KRUYT (Ned. Zend. p. 106: Een en ander aangaande het geestelijk en maatschappelijk leven van den Poso-Alfoer) donne des détails sur la population indigène payenne de l'ile de Celébes. Des textes indonésiens sont publiés par M. H. VAN DIJKEN (Bijdr. p. 387: Fabelen, verhalen en overleveringen der Galelareezen. Av. trad. de M. M. J. VAN BAARDA); et par le Dr. H. H. JUYNBOLL (Bijdr. p. 315: Pakewasche teksten, une traduction de contes indigènes). M. F. GRABOWSKY (Gl. p. 387: Swinegel und Hase auf den Molukken) public une note sur diverses versions de cette fable. M. F. BLUMENTRITT (Mitth. G. G. Wien p. 228) fait l'analyse d'une série de livres sur les iles Philippines; et donne de nouveaux détails sur quelques tribus (Gl. p. 334: Ueber die Namen der malaiischen Stämme der philippinischen Inseln).

AUSTRALIE ET OCÉANIE.

Am. A. contient une notice de M. R. H. MATTHEWS (p. 268: Australian Rock Pictures) sur les dessins primitifs découverts en Australie. A. I. publie des communications de M. E. B. TYLOR (p. 335: On the

Occurrence of Ground Stone Implements of Australian Type in Tasmania. Av. pl.); M. R. ETHERIDGE (p. 427: A highly ornate „Sword" from the Coburg Peninsula, North Australia. Av. pl.); M. R. H. MATTHEWS (p. 411: The Bora, or Initiation Ceremonies of the Kamilaroi Tribe. Av. pl.).

M. E. H. GIGLIOLI (Appunti intorno ad una collezione etnografica fatta durante il terzo viaggio di Cook. Firenze. Av. 5 pl.) décrit une collection ethnographique du musée de Florence. M. J. CHALMERS (Pioneer Life and Work in New-Guinea. London) public ses expériences en Nouvelle Guinée. L'ile Matty, autrement dit Tiger, sur la côte septentrionale de la Nouvelle Guinée fait le sujet de communications du Dr. VON LUSCHAN (Verh. G. E. p. 443: Ueber die Matty-Insel); et de M. A. B. MEYER (Abh. des zool. & ethn. Mus. in Dresden: Zwei Hauwaffen von Matty bei Neu Guinea). Mentionnons encore les articles de M. C. M. WOODFORD (G. J. VI pg. 325: The Gilbert Islands); du Dr. ERWIN STEINBACH (Verh. G. E. p. 449: Die Marshall-Inseln und ihre Bewohner; Mitth. D. S. p. 157: Bericht über die Gesundheitsverhältnisse der Eingeborenen der Marshall-Inseln mit Bemerkung über Fischgift); du Dr. SCHWABE (ibid. p. 171: Gesundheitsverhältnisse der Marshallaner); de M. BASIL H. THOMPSON (A. I. p. 340: The Kalou-Vu, Ancestor-Gods, of the Fijians); et de M. F. VON LUSCHAN (Bthu. Not. Hft. 2 p. 1: Ueber zwei alte Canoe-Schnitzwerke aus Neu-Seeland, description de sculptures en bois maoris, offertes par sir WALTER BULLER au musée de Berlin. Av. fig.).

AFRIQUE.

M. E. RÉVILLOUT publie des Lettres sur les monnaies égyptiennes (Paris). T. d. M. publie la suite du journal de M. FOUREAU (p. 217, 229: Ma mission chez les Touareg Azdjer). Le livre du cap. H. G. C. SWAYNE (Seventeen Trips through Somaliland. London) raconte des excursions de chasse dans l'intérieur. Des voyages d'exploration font le sujet d'un livre de M. V. BOTTEGO (Il Giuba esplorato. Roma. Av. beaucoup de cartes et de fig.); et d'articles de M. OSKAR NEUMANN (Verh. G. E. p. 270: Bericht über seine Reisen in Ost- und Central-Afrika. Av. carte); du prof. Dr. C. VOLKENS (ibid. p. 152: Exkursionen am Kilima-Ndjaro); du Dr. G. A. FISCHER (P. M. p. 1, 42, 66: Am Ostufer des Victoria-Njansa), qui donne des détails sur les Waschaschi, Wagala et Wanga. M. CURT MÜLLER (Gl. p. 317: Volksversammlungen in östlichen Sudan) décrit des scènes populaires du Soudan oriental. M. K. WEULE (Ethn. Not. p. 34: Von der jüngsten Durchquerung Afrikas) publie les résultats ethnologiques du voyage du comte VON GÖTZEN, qui a exploré le premier le territoire Rouanda. M. le doct. O. WARBURG (D. K. Z. p. 241 sq. Vegetationsbilder aus Deutsch-Ostafrika. Av. fig.) décrit le Kigelia, arbre très répandu dans l'Afrique équatoriale et tenu en grande vénération par les nègres. M. le prof. R. VIRCHOW (Verb. A. G. p. 59: Neue anthropologische Beobachtungen aus Ost-, Süd- und Südwest-Africa) fait des observations à propos d'une série de crânes; et publie des notes (ibid. p. 148. Av. fig.) à propos des Dinkas exposés à Berlin. M. P. STAUDINGER, dans le même journal (p. 32) fait insérer une lettre de M. G. A. KRAUSE sur les nombreuses falsifications d'objets ethnografiques en Afrique. D. K. Z. public des rapports de MM. VON CARNAP-QUERNHEIMB et Dr. DÖRING (p. 202, 209) sur leur séjour à Gurma et dans le royaume de Mangou, avec des détails sur la tribu Pama; et du cap. HEROLD (p. 282: Die Bewohner des südlichen Togogebietes). Une lettre de M. J. CLOZEL (S. G. C. R. p. 213), datée de Tendira et racontant une excursion dans le Congo francais, donne des détails sur la tribu des Ba-Landa. M. B. E. VON UECHTRITZ (Verh. G. E. p. 174: Reisen in Südwest-Afrika) donne un résumé de ses voyages. Une lettre de M. TH. HAHN (D. K. Z. p. 235: Zur Hottentottenmythologie) contient des remarques critiques sur un article antérieur, publié dans le même journal. Les langues de l'ile de Madagascar font le sujet d'un article de M. J. T. LAST (A. I. p. 46: Notes on the Languages spoken in Madagascar).

AMÉRIQUE.

L'archéologie américaine est le sujet d'une étude du Dr. E. SELER (Preuss. Jahrb. p. 488: Ueber den Ursprung der alt-amerikanischen Kultur). B. A. publie un rapport de MM. E. B. TYLOR, G. M. DAWSON, R. G. HALIBURTON, H. HALE, A. F. BOAS (Tenth Report on the North-Western Tribes of Canada). Verh. A. G. publient des communications de M. ED. KRAUSE (p. 146: Ein Bruchstück eines eisernen Tomahawk. Av. fig.); et de M. F. BOAS (p. 189: Sagen der Indianer an der Nordwest-Küste America's. Suite). Nous retrouvons ce dernier auteur dans Verh. G. E. (p. 265: Zur Ethnologie von Britisch-Columbien). Mad. MATILDA COXE STEVENSON (XIth Rep. Bur. d'Eth. p. 9: The Sia) décrit un pueblo, ruiné par les Espagnols mais dont les habitants ont conservé les coutumes de leurs ancêtres. Le même rapport publie des contributions de M. LUCIEN M. TURNER (p. 167: Ethnology of the Ungava District, Hudson Bay Territory. Av. pl. et fig.); et de M. J. OWEN DORSEY (A Study of Siouan Cults. Av. pl. col. et fig.). Le XIIth Rep. Bur. d'Eth. contient une publication de M. CYRUS THOMAS (Report on the Mound Explorations of the Bureau of Ethnology. Av. fig.). Le Bureau d'Ethnologie de la Sm. Inst. a encore publié des études de M. W. H. HOLMES (An ancient Quarry in Indian

Territory. Av. ill.); de M. G. FOWKE (Archeologic Investigations. Av. fig.); de M. F. BOAS (Chinook Texts); de M. JAMES MOONEY (The Siouan Tribes of the East). Rep. N. M. 1893 publie une étude de M. HOUGH (p. 625: Primitive American Armor. Av. 22 pl. et 5 fig.). Am. A. contient des contributions de M. F. WEBB HODGE (p. 223: The Early Navajo and Apache); de M. W. WALLACE TOOKER (p. 257: The Name Chickahominy); de M. G. R. PUTNAM (A Yuma Cremation). Les Proc. Davenport Ac. of Sc. VI p. 1 publient un article archéologique de M. FR. STARR. (Summary of the Archaeology of Iowa). M. J. OWEN DORSEY publie dans les Contributions to North American Ethnology (Vol. IX) un oeuvre posthume de M. S. R. RIGGS (Dakota Grammar, Texts and Ethnography). M. J. MOONEY (A. U. p. 105: The Origin of the Pleiades) raconte une légende des Arapahos; M. C. STEFFENS (Gl. p, 321: Negeraberglaube in den Südstaaten der Union) donne quelques exemples de la superstition des nègres.

M. C. H. READ (On an ancient Mexican Head-piece, coated with mosaic; dans l'Archaeologia. Av. 1 pl. col. et des fig.) publie une communication très intéressante, faite dans la Society of Antiquaries. M. J. WALTER FEWKES (Am. A. p. 205: The God „D" in the Codex Cortesianus. Av. pl.) donne une contribution à la mythologie maya. M. le baron VON BRACKEL (Corr. A. G. p. 95) reprend la thèse ancienne d'une Atlantide, connue des Egyptiens, à propos d'un phallos, trouvé dans une sépulture préhistorique à Aguililla, sur la côte occidentale du Mexique.

L'archéologie du Guatemala fait le sujet de communications du Dr. ED. SELER (Ethn. Not. Hft 2 p. 20: Altertümer aus Guatemala. Av. fig.); et de M. H. STREBEL (Jahrb. d. Hamburgischen W. A.: Die Stein-Sculpturen von Santa Lucia Cozumahualpa im Museum f. Völkerk. Av. 4 pl.). Verh. A. G. publient deux articles de M. A. ERNST (p. 32: Etymologisches von Venezuela's Nordküste; p. 36: Drei Nephrit-Beile aus Venezuela. Av. fig.). Lincei publie une étude linguistique de M. G. BOGGIANI (Vocabolario dell' Idioma Guana). S. G. C. R. (p. 218) contient une lettre du vicomte DE BRETTES, datée de Rio Hacha, Colombie, sur une exploration du territoire Tairona, et accompagnée de figures d'objets, servant au culte arhouaque. Le livre du Dr. OTTO KUNTZE (Geogenesitische Beiträge. Leipzig. Av. fig.) est écrit à propos d'un voyage dans les Andes. M. G. BOGGIANI a consigné ses souvenirs de voyage dans deux livres richement illustrés. (I Caduvei. I Ciamaccoco. Roma. Comp. le résumé de M. KARL VON DEN STEINEN dans Gl. p. 325: Die Schamakoko-Indianer). Ethn. Not. (Hft 2 p. 80. Av. pl.) empruntent aux lettres du Dr. UHLE quelques communications sur des quipus ou cordes mnémotechniques des Indiens de l'Amérique du Sud.

LA HAYE, nov. 1895. Dr. G. J. DOZY.

VI. Живая Старина, періодическое изданіе Отдѣленія Этнографіи Императорскаго Русскаго Географическаго Общества подъ редакціею Предсѣдательствующаго въ Отдѣленіи Этнографіи В. И. Ламанскаго. Годъ четвертый. С. Петербургъ, 1894 (*Živaja Starina*, 4de jaargang).

Deze jaargang van de *Živaja Starina* bevat, niet minder dan zijn voorgangers, eene reeks van artikelen die voor de volkenkunde van 't wijd uitgestrekte en door zooveel verschillende rassen bewoonde Russische rijk van groote waarde zijn.

Het stuk waarmede deze jaargang begint, „Het dorp Budagošča en zijn overleveringen" door W. N. PERTZ, levert eene bijdrage tot de kennis van den beschavingstoestand der dorpsbevolking in 't Gouvernement Nowgorod, district Tichwin, dus niet zeer ver van Petersburg. De bewoners van 't dorp Budagošča, dat zich aan beide oevers van de Pčewza uitstrekt en daarom als Groot- en Klein-Budagošča onderscheiden wordt, beschouwen het schoolonderwijs als weelde. Er is trouwens geen school, en niettegenstaande de dorpsgeestelijke zijn huis als school heeft aangeboden, weigeren de boeren hardnekkig daarvan gebruik te maken, deels met een beroep op hun gebrek aan middelen, deels ook omdat hun voorvaderen geen onderwijs hebben gehad en zij het derhalve ook niet noodig hebben; in den ouden tijd waren de menschen krachtiger en leefden zij in beteren doen, zonder dat zij konden lezen of schrijven. Het is geen wonder dat bij zulk eene bevolking het bijgeloof welig tiert. Het Christendom, dat reeds vóór 1000 jaren in die streek werd ingevoerd, is nog niet diep doorgedrongen; het geloof aan goede en booze bosch- en watergeesten is algemeen en wordt levendig gehouden door oude en nieuwe sprookjes, die een geliefd onderwerp van gesprek zijn. De boschgeest wordt in de sprookjes voorgesteld als een reusachtig groot, menschvormig wezen. Hij lijkt op een struik, dicht bedekt met takken. Zulk een geest is den menschen dikwijls van veel nut door hen te waarschuwen tegen de nadering van wilde beesten; vooral de herders, die hem weten te bezweren en vriendschappelijk met hem omgaan, trekken partij van hem om hun kudden tegen verscheurende dieren te beveiligen. Doch de boschgeesten zijn niet altoos weldadig; meermalen maken zij zich schuldig aan kinderroof. Men verhaalt dat er in 't jaar 1893 een knaap, die 4 jaar te voren, op 13-jarigen leeftijd door een boschgeest ontvoerd was, geheel verwilderd in zijn dorp terugkwam; hij had geheel en al verleerd te praten en moest het met moeite op nieuw leeren. — De watergeest is een soortgelijk wezen, dat zich ophoudt in de diepste plekken van stroomen en meren. Hij helpt de visschers bij hun vangst, maar men moet hem niet beleedigen of verbitteren, want dan is hij gevaarlijk.

Behalve de bosch- en watergeesten spelen ook verschillende soorten van huisgeesten in de verbeelding der bijgeloovige landbevolking eene groote rol. Een ander, misschien nog belangrijker personage, is de Duivel. Volgens de opmerking van AFANASIËF heerscht in de meeste Russische volkssprookjes waarin de Booze Geest optreedt, een guitig-satirische toon. De Duivel is daarin niet zoozeer de vreeselijke verderver van Christenzielen, als wel het beklagenswaardig slachtoffer van de sluwheid en list der helden van 't verhaal. Dit geldt echter niet voor alle streken in Rusland; op veel plaatsen, men kan zeggen het geheele Noorden des lands, stellen de volksverhalen den Duivel voor als den vijand en belager van 't menschelijk geslacht, en onderscheiden de sprookjes zich door een droefgeestig karakter, vrij van elk satirisch element.

Ten slotte deelt de Sch. eenige spookgeschiedenissen mede, die in aard overeenkomen met hetgeen men hier en daar in Middel- en West-Europa hooren kan.

Het tweede artikel in de voor ons liggende aflevering is een „Verslag van eene reis naar de Kareliërs van Olonets, in den jare 1893", door N. LJESKOF, wiens bijdragen wij reeds in den vorigen jaargang ontmoet hebben. Hetgeen ons in dit stuk het meeste getroffen heeft, is de scherpe tegenstelling die de reiziger maakt tusschen de ontwikkeling der Kareliërs in 't Groothertogdom Finland en dat hunner stamgenooten onmiddellijk over de Russische grens. Het onverdachte getuigenis van den Sch. komt hierop neêr, dat de Kareliërs in Finland zeer beschaafde menschen zijn; die in Rusland, barbaren. „De Kareliër van Finland", zegt hij, „heeft veel gezien, veel gehoord; leest en schrijft met gemak Finsch. Zijne woning is op een hoog steenen fondament gebouwd en gedekt met een stevig dak van houtspanen. Bij 't binnentreden wordt ieder bezoeker aangenaam aangedaan door die behagelijke netheid en geriefelijkheid, waarvan onze altoos morsige, vuile, halfnaakte landsman niet eens een begrip heeft. Bij gene zult gij vinden een thermometer (onveranderlijk van Celsius) aan 't venster opgehangen, een goedkoop album met photografieën, een blad van het plaatselijk nieuwsblad „*Laatokka*", en zonder falen een *Wirsi-kirja* (godsdienstig liederboek), en een Bijbel in fraaien lederen omslag. De Kareliër van Finland zal zich niet verwonderen, als men hem een stoommachine in werking laat zien — iets wat tot op dezen dag den Kareliër van Olonets in stomme verbazing brengt —; „wij hebben ook die machine", zal de Finlander zeggen, „ze is reeds lang hier in ons plaatsje voor gemeenterekening ingevoerd." Gij zult bij hem ook een geperfectioneerde ploeg vinden en een karretje op veêren, waarvan bij onzen landsman in Olonets nog niet eens het denkbeeld is opgekomen."

In zeker opzicht vernemen wij hier niets nieuws. Het is bekend dat Finland, het arme, koude Finland, een der beschaafdste landen van den aardbol is. Als men beschaving afmeet naar 't aantal dergenen die lezen en schrijven kunnen, staat Finland met Saksen en Zweden onder alle Europeesche Staten boven aan, hooger bijv. dan Pruisen, om van Westelijk Europa niet eens te gewagen. Doch niet alleen in de algemeene verspreiding van de kundigheden die het lager schoolonderwijs verschaft, ook in kunst en nijverheid neemt Finland eene eervolle plaats in. Als men bedenkt dat de Kareliërs van 't Groothertogdom Finland identisch zijn in ras met de Kareliërs in Olonets, en toch zoo onmetelijk hooger staan dan deze laatste, dan is het duidelijk dat het ras van een volk niet, of ten minste niet altoos, de hoofdfactor is in zijne ontwikkeling. Het is wel te begrijpen dat de schildering van de treurige toestanden bij de Kareliërs in Rusland, die LJESKOF in zijn „Verslag" blootlegt, den Redacteur van het tijdschrift aanleiding heeft gegeven tot behartigenswaarde opmerkingen omtrent de gewichtige taak die de Volkenkunde vermag en behoort te vervullen. Hij toont aan dat, wil men in Rusland de achterlijke niet-Russische bevolkingen tot een hooger peil van beschaving opvoeren, hun eigenaardigheden, hun taal en denkwijze niet roekeloos mogen geminacht, hun gevoel van eigenwaarde niet gekrenkt worden. Hij betoogt hoe hersenschimmig het is te vreezen dat de ontwikkeling van 't Russisch als rijkstaal, en binnen eene eeuw eene wereldtaal, schade zou lijden door de erkenning dat die kleine stammen op Russisch gebied levende recht hebben in hun eigen taal de kiemen van hooger ontwikkeling in zich op te nemen. De pleitrede van den Heer LAMANSKIJ, die eene toepassing mag heeten van de lessen der volkenkunde op eene verlichte staatkunde, zij allen die in dergelijke vraagstukken belang stellen ten zeerste aanbevolen. Wij persoonlijk deelen volkomen zijne gevoelens, en zijn met hem overtuigd dat bij alle bestuurders die geroepen zijn om over vreemde volken van verschillend ras gezag uit te oefenen niets zóó geschikt is om gevoelens van ware vrijzinnigheid, d. i. van rechtvaardigheid, aan te kweeken en voor misslagen te behoeden als de lessen der volkenkunde, mits zij niet ontaarde in 't jacht maken op beuzelarijen en hersenschimmige theorieën.

In het volgende opstel van FILIP ZOBNIN, getiteld „Van jaar tot jaar" vindt men eene keurige beschrijving van 't eenvoudige en toch zoo afwisselende landleven der bewoners van 't dorp Ustj-Nitsy, zoo geheeten omdat het ligt aan den rechter oever van de Nissa, waar deze in de Tura vloeit, 73 werst van Tjumen. De werkzaamheden binnenshuis en huitendeurs die in verband staan met de wisseling der jaargetijden, de feestdagen en wat daarbij gebruikelijk is, akkerbouw en vischvangst, de drukten van den oogsttijd, de vangst van hazen in den herfst, de avondgezelschappen in de winteravonden [1]) — dit alles heeft de stof geleverd tot een fijn gepenseeld tafereel, dat behalve zijne letterkundige waarde ook deze verdienste heeft dat het ons kennis laat maken met eene Russische landbevolking, die in een afgelegen oord hare oude eenvoudigheid bewaard heeft, zonder die trekken van barbaarschheid te vertoonen welke wij in 't eerste stuk gelegenheid hadden op te merken.

Van geschiedkundigen aard is het artikel „Russen en Asen in China, het Balkan-schiereiland, Rumenië en Zevenbergen (in de 13de en 14de eeuw). Het is eene verzameling van berichten en aanteekeningen die reeds van elders bekend zijn en later door opmerkingen van den Redacteur nog zullen aangevuld worden.

Van den inhoud der tweede afdeeling vermelden wij alleen een opstel van A. POGODIN, getiteld: „Schets van Litausche bruiloftsaanspraken", waarin de Sch. eenige sporen meent te ontdekken die een overblijfsel zijn van overoude, thans geheel vergeten huwelijksvormen.

De rubriek Recensies en Bibliographie behelst vooreerst eene „Mededeeling over Litausche Handschriften", van S. BALTRAMAITIS, waarvan de voortzetting in de 4de aflevering voorkomt; verder een paar korte boekaankondigingen. In het Mengelwerk komen de volgende ethnographische bijdragen voor: „Aanteekeningen over de ethnographie van Wit-rusland", door M. DOWNAR ZAPOL'SKIJ; ze hebben betrekking op verschillende spelen en de daarbij behoorende liedjes; voorts een paar korte mededeelingen aangaande de „Geschiedenis van het bijgeloof", door KOZSKIJ, en „Uit het gebied van 't volksgeloof", door A. BALOF.

De tweede aflevering opent met het „Verslag eener reis naar 't Gouvernement Suwalki" door G. G. GINKEN. Na eene beschrijving van 't uiterlijk voorkomen en de kleederdracht der Litauers, deelt de Sch. het een en ander meê over de zeer weinige overblijfselen van heidensch bijgeloof die hij bij de landlieden had opgemerkt, ofschoon hij er bijvoegt dat het geloof aan die mythologische wezens nagenoeg geheel is uitgeroeid. Perkunas, de Dondergod, leeft voort in enkele uitdrukkingen der taal, anders niet. De Aitwaras beantwoordt aan den Germaanschen Elf; de Deiwe is een soort van klopgeest; de Laume is eene soort van Fee, waarvan in 't verhaal bij SCHLEICHER, Litauisches Lesebuch p. 197, uitdrukkelijk gezegd wordt dat zij in oude tijden leefde. De Ragana is eene heks. Al deze wezens komen dikwijls genoeg voor in volksverhalen, maar behooren tot het verleden. De laatste bladzijden van het Verslag zijn gewijd aan een overzicht van eigenaardigheden van den tongval in 't door den reiziger bezochte deel van Russisch Litauen.

Het volgende artikel „Eenige woorden over de tongvallen van 't district Lukojanof, Gouv. Nizegorod", van B. LJAPUNOF, met eene kaart, is van zuiver taalkundigen aard. De daarop volgende „Brieven van A. HILFERDING" aan den Kroatischen Staatsman en Geleerde I. KUKULEWIČ SAKTSINSKI, medegedeeld door Prof. KULAKOFSKIJ, en meestal betrekking hebbende op Zuidslawische geschied-, letter- en oudheidkunde, leggen getuigenis af van de vruchtbare werkzaamheid van wijlen HILFERDING, gewezen Voorzitter der Ethnographische Afd. van 't Keiz. Aardrijksk. Genootschap, die door zijne degelijke werken zulk eene eervolle plaats inneemt op 't gebied der Russische ethnographie.

In de historische schets van „De Skoptsen van Olekminsk" in Siberië, waarvan wij later het vervolg zullen aantreffen, wordt een onderwerp behandeld dat als bijdrage tot de geschiedenis der afdwalingen van den menschelijken geest zelfs den algemeenen lezer belangstelling moet inboezemen. Ofschoon de secte der Skoptsen of Gesnedenen, in zooverre hun zelfverminking een gevolg is van zekere godsdienstige en zedelijke begrippen, voorgangers gehad heeft zoowel in de heidensche als de Christelijke oudheid, bestaat er toch tusschen hen en de laatstbedoelden geen historisch verband. De Russische secte der Gesnedenen, die als zoodanig het eerst vermeld wordt in 1772, is, volgens den schrijver van het opstel, te beschouwen als ontstaan door reactie uit de secte der Flagellanten, welke de leer

[1]) Deze samenkomsten gelijken in allen deele op de zoogenaamde „Spinvisiten", zooals die bij de boerenbevolking in de Graafschap Zutfen nog voor weinige jaren gebruikelijk waren en nog niet geheel vergeten zijn.

verkondigen dat het echtelijk samenwonen zondig is, — eene leer die in de praktijk hare aanhangers tot geheel andere resultaten voerde. De zwakheid en de nooden der menschelijke natuur brachten de Flagellanten er toe alleen het formeele huwelijk te verzaken en de vruchten van het echtverkeer, de kinderen, te verafschuwen, maar zij waren zeer toegevend in zake van af en toe gepleegde hoererij en geheime liederlijkheid. Vele van de Flagellanten leerden dat „alleen het wettig huwelijk hoererij en onzuiverheid is, Gode onwelgevallig, maar dat het geen hoererij is, wanneer broeders en zusters in den geloove volgens wederzijdsche neiging met elkaar vleeschelijke gemeenschap hebben." Deze bandeloosheid der secte had ten gevolge dat een deel harer aanhangers zich afscheidde en eene nieuwe secte, die der Gesnedenen, vormde.

Wij kunnen er niet aan denken, hier in bijzonderheden te treden omtrent de geschiedenis der Skoptsen en de vervolgingen, die zij van de Russische regeering ondergaan hebben. Enkel zij vermeld dat de Skoptsen van Olekminsk en Jakutsk ballingen zijn, en dat zij op den landbouw in hun verbanningsoord eenen invloed hebben geoefend, waarvan de goede en kwade zijde door den schrijver der schets wordt in 't licht gesteld.

De tweede rubriek bevat vooreerst eenige „Volksverhalen over zelfmoordenaars", opgeteekend in 't dialekt van 't Gouvernement Smolensko, en ingezonden door W. N. Dobrowol'ski. De daaropvolgende bijdrage, van Al. Mel'nitskij, is getiteld „Rekruteering". Het soldaat worden is bij de landbevolking in Rusland al even onpopulair als elders, en wel om dezelfde redenen. Die verklaarbare tegenzin heeft niets merkwaardigs, maar wel de eigenaardige wijze waarop door de meêwarige ouders en verwanten de rekruut vóór zijn vertrek letterlijk vertroeteld wordt en allerlei privileges geniet. Vóór en bij het vertrek van den rekruut hebben er verschillende ceremonieën, deels van bijgeloovigen en heidenschen aard plaats, waarbij lange klaagliederen en dichterlijke zegenwenschen niet mogen ontbreken. Zoo ten minste wil het gebruik in 't Gouvern. Olonets.

Eenige korte opstellen van Ljeskof voeren ons wederom naar 't gebied der Kareliërs. Wij vernemen uit het eerste eenige bijzonderheden over de viering van „'t Kersfeest in Kárelië," terwijl de drie volgende stukken Karelische vertellingen zijn, getiteld: „De verstandige Maččí", „Gregorius de guit", en „De herder en de Duivel".

De tamelijk omvangrijke „Bijlage" bij het boven besprokene Verslag van Pogodin bestaat uit Litausche vertellingen en volksliederen met Russische vertaling; grootendeels zijn het slechts varianten van reeds bekende stukken.

In de afdeeling der boekbeoordeelingen vinden wij onder den titel: „Opmerkingen naar aanleiding van het hedendaagsche volkslied" eene uitvoerige recensio door A. Ljaščenko van W. N. Pertz, „Het hedendaagsche Russische volkslied. Vergelijkende studiën". Over 't algemeen heeft de recensent veel aanmerkingen op de beschouwingen en gevolgtrekkingen van den schrijver, en vereenigt hij zich in geenen deele met diens bewering dat in Rusland wel is waar veel over volkspoëzie geschreven is, maar dat niemand ze ernstig bestudeerd had. Inderdaad is de bewering van Pertz moeielijk te rijmen met de voortreffelijke onderzoekingen van Weselofskij en anderen. Toevallig volgt op de zooeven vermelde recensie een artikel van Zdanof „Over de werken van A. N. Weselofskij". Het stuk is een oordeel uitgebracht over de werken van den bekenden Russischen geschiedschrijver der letterkunde, hetwelk ten gevolge had dat hij door de Ethnografische afdeeling van 't Keizerl. Aardrijkskundig Genootschap met het eermetaal bekroond werd. Te recht zegt de beoordeelaar in den aanhef dat de studie van 't volksepos, van de volksoverleveringen, — liederen en — vertellingen een belangrijk onderdeel van de taak der volkenkunde uitmaakt, want die gedenkstukken maken ons bekend met de geestesbeschaving van een volk, met den voorraad zijner bijgeloovigheden, historische herinneringen, dichtvormen, die zich in den loop der eeuwen hebben opgehoopt. „De beschaving der hedendaagsche Europeesche volken", luidt het verder, „inzonderheid van 't Russische volk, heeft zich ontwikkeld onder allerlei invloeden, en is opgebouwd uit verschillende elementen. De echo's uit een verwijderd algemeen Arisch tijdperk, de eigenaardigheden der volkengroepen, de invloed der Grieksch-Romeinsche beschaving, de kultuurstroomingen die uit het Oosten gekomen zijn, dit alles is dooreengestrengeld in 't leven der Europeesche volkeren gedrongen, en heeft die bonte mengeling voortgebracht, wier overblijfselen tot ons gekomen zijn in den vorm van ethnografisch materiaal dat in meerdere of mindere mate in alle landen van ons beschavingsgebied wordt onderzocht. Om in dit samengesteld materiaal niet bijster te worden, om de beteekenis der samenstellende deelen vast te stellen, om de verschillende lagen die zich in 't volksgeloof en de volkspoëzie afgezet hebben te bepalen, zijn er veelomvattende nasporingen noodig, die steunen moeten op strenge historische en philologische kritiek. Bij deze nasporingen komt de ethnographie in aanraking met de geschiedenis der letterkunde." Onder de

Russische geleerden die de overleveringen der volkspoëzie in eene historisch-kritische richting onderzocht hebben, neemt Prof. A. N. WESELOFSKIJ omnium consensu de eerste plaats in.

Het artikel „Over de werken van E. TH. KARSKIJ" is een oordeel van Prof. SOBOLOFSKIJ over de geschriften van genoemden geleerde, inzonderheid diens werk over „De geschiedenis der klanken en vormen der Witrussische taal", welke de groote gouden medaille werd waardig gekeurd.

Verder volgt een oordeel „Over eene vertaling van P. S. POPOF," van een Chineesch geschrift over de Mongoolsche nomaden.

Van de Mengelingen behoeven wij hier alleen te vermelden eenige „Liederen uit het Gouvern. Rjazan", medegedeeld door SEMENOF.

H. KERN.

(*Wordt vervolgd*).

V. LIVRES ET BROCHURES. — BÜCHERTISCH.

XL. LEO V. FROBENIUS: Staatenentwicklung und Gattenstellung im südlichen Kongobecken (Dtsch. Geogr. Blätter, Bd. XVI pg. 225). br. 8°.

— — : Der Handel im Kongobecken (Dtsch. Geogr. Blätter, Bd. XVII, Heft 3). br. 8°.

— — : Hühner im Kult (Mitth. aus deutschen Schutzgeb. Bd VII Heft 4) br. 8°.

— — : Die Geheimhünde Afrika's (Aus der Samml. gemeinverständl. wissenschaftl. Vorträge) Hamburg 1894. br. 8°.

Der, zu grossen Hoffnungen berechtigende junge Verfasser, giebt in den vorgenannten vier Arbeiten beachtenswerthe Beiträge zur Völkerkunde Afrika's.

In der ersten derselben versucht er zu zeigen welch ungeheuren Einfluss die Stellung der Frau, in der Familie und in der Gemeinde, auf die Entwicklung des Gemeinwesens, den Staat zur Folge hat. Seine Beobachtungen dehnen sich aus über die südlichen Stämme des Kongobecken, die er in drei Gruppen theilt, nämlich: 1. Die Kalunda und Warua-Baluba; 2. Die Bakongo (Die alten Reiche Kongo, Dongo, Loango, Kakongo und Angoy) und 3. Die Bakuba, Wabuma und im Anschluss an diese die Mangbattu. Die Schlussresultate zu denen F. durch Vergleich und Untersuchung der einzelnen Verhältnisse bei den genannten Völkern kommt, lassen sich folgendermaassen kurz zusammenfassen: — Unter allen Umständen hängt die Stellung von Mann und Frau von den Arbeitsverhältnissen ab. Wo der Mann zu schwerer Arbeit verpflichtet, zumeist bei den zur Urwaldkultur gezwungenen Stämmen, findet sich ein glückliches Familienleben: die respectierte Frau. Dagegen sinkt in Gegenden wo der Savannenbau, für den die Kraft der Frau genügt, vorherrscht, die Frau mehr zur Sklaverei herab, während der Mann sich einem leichtlebigen Wandel ergiebt. Das Volk mit Urwaldkultur wird sich steigend, das mit Savannenbau fallend, betreffs des allgemeinen Kulturzustandes, entwickeln. Die Kulturhöhe in solcher Beziehung beeinflusst zwar die Frauenstellung nicht, sie entwickelt sich aber in Folge derselben Bedingungen analog. Im ersteren Fall, wird die Frau eine gehegte, gepflegte, wirklich geliebte Person werden, aber keinen Einfluss durch Rath und That erlangen; im andern dagegen, wo der Mann in Folge seiner Unthätigkeit bald von seiner physischen und moralischen Höhe herabsinkt, steigt in gleichem Maasse der Einfluss der Frau und die Leitung wird zuletzt in vollem Sinn von derselben ergriffen. So haben wir die Gynokratie oder Frauenherrschaft vor uns. — Die Frau, ans Ruder gekommen, findet am Herrschen Freude, ihr fehlt aber der weite Blick des Mannes und so wirkt ihre Herrschsucht im Kleinen und als Quälerei, was die Männerpartei zur Arbeit zwingt, wodurch dann der letzte Rest Mannes-würde erwacht und die Frauenherrschaft zu Ende geht; um so eher als die Frauen, weil körperlich schwächer, von vornherein zum Nachgeben gezwungen sind. Daher zerfallen Reiche mit gynokratischen Verhältnissen schnell. Anders stellt sich der Vorgang wo die Frauen genialer geleitet, oder kriegerisch offensiv vorgehen, oder wo die ganze Volksmasse in Bewegung geräth; hier gelangt der Mann nicht durch plötzliche Erhebung wieder an die leitende Stelle, sondern nach und nach dadurch dass die Frau bald auf ihn angewiesen sein wird. Diese hier kurz skizzirten Schlussfolgerungen entbehren unseres Erachtens nicht der Begründung; für den Vorgang, der sich unter den, durch den Verfasser für seine Untersuchung herangezogenen Völkern Afrika's im Grossen abspielt, können wir bei aufmerksamer Beobachtung sehr oft in unsern eigenen Familienverhältnissen ein Spiegelbild finden. —

In der zweiten der obenerwähnten Arbeiten erörtert Verfasser den Verkehr der Europäer mit den Eingebornen im Kongobecken und den der letzteren unter einander und trachtet an den Irrthümern, welche einst durch die Portugiesen begangen, zu zeigen, wie gefährlich es ist unsere Anschauung unverändert dorthin zu übertragen. Am Handel der Neger unter einander aber zeigt F. dass, soll unser Verkehr mit ihnen erfolgreich sein, wir trachten müssen sie verstehen zu lernen, und besonders ihre Existenz und Kulturform bis zum Verständnis unserer Arbeitsgrundsätze zu entwickeln. Nach einer Schilderung des plötzlichen Aufblühens des Königreiches Kongo unter der Kulturarbeit der Portugiesen, in der ersten Hälfte des sechszehnten Jahrhunderts, und der des eben so raschen Verfalls und der Ursachen desselben, die hauptsächlich darin lagen dass dem kriegerischen Neger die friedliche Kultur des Missionars und eine complicirte Religion, zu deren Entwicklung semitische, und später christliche Völker Jahrhunderte, ja Jahrtausende brauchten, plötzlich und unvermittelt aufgedrungen wurden. Nach dem Zusammenbruch Kongo's zog sich der Handel nach Dongo, das aber nie zur Blüthe des ersteren gelangte. — Nachdem der Verfasser auf das Vordringen der Araber von Osten her, im Gegensatz zum Eindringen der Europäer eingegangen und auf ihre bewunderungswürdige Kultivirungsarbeit gewiesen, wendet er sich den Kultivirungsversuchen der Belgier und Holländer in neuerer Zeit zu und weist zumal darauf wie die Nieuwe Afrik. Handelsvennootschap in Rotterdam es verstanden hat mit, der europäischen Kultur entsprechenden Mitteln festen Fuss und lukrative Ausbeutung zu gewinnen. Vom Kongostaate sagt F. er erziehe seine Unterthanen und ebne die Wege zum friedlichen Verkehr.

Die Entwicklung des Handels in's Auge fassend, sagt F. der Handel der Naturvölker ist der Austausch des Besitzes; der Handel kann also erst entstehen wenn ein Besitz geschaffen ist. Afrika, wo fast alle Kulturformen nebeneinander bestehen, bildet daher einen vortrefflichen Boden für diese Untersuchung; was aber das Fortbestehen der Kulturformen nebeneinander möglich macht, nämlich der Krieg, ist auch das Hemmnis des Handels, weil jener den geistigen und productionellen Austausch der Völker unter einander verhindert. Neid, Bewunderung und Habsucht auf den Besitz des Feindes geben den ersten Anstoss zum Handel. Doch wird dies nicht in Folge des Einzelbesitzes der Fall sein, sondern der Stammeshandel bildet den Beginn, mit Umgehung der direkten Verhandlung, beiderseitigem Niederlegen der Waare an bestimmten Punkten und darauf folgender Entfernung. Eine darauf folgende Stufe ist die, wo unter noch im Zustande der Absperrung gegen andere lebenden Völkern, bestimmte Plätze des Wohngebietes zum Austausch der Waaren angewiesen sind; der mittelbare Verkehr ist hier schon angebahnt. In grossen Reichen wird dies nicht lange Stand halten, und sobald die Schranke gesunken, wird auch die staatliche Organisation auf den Handel eine Wirkung ausüben. Handelsmittelpunkte und Verbindungsstrassen werden entstehen, nicht mehr der Stamm handelt mit dem Stamme, sondern der Einzelne zieht aus einem Lande ins andere, und damit sind wir zum Einzelhandel, zur Schaffung des Händlers gelangt. Doch nicht der Einzelne, sondern grosse Verbände unternehmen zuerst die Reisen, und nun zeigt sich eine Folge des Fernverkehrs, die Handelssteuer, die sich unter der, in alten Reisebeschreibungen eine Rolle spielenden, Sitte des „Schenkens" verbirgt, wie F. sehr richtig ausführt. Da der Werth der Zeit in Afrika keine Rolle spielt, verkauft der Inlandhändler seine Waare nicht im Innern, sondern bringt sie zur Küste weil er dort einen höheren Preis erzielt; dass der Neger den Werth der Zeit nicht berechnet ist eine Folge davon, dass er, sobald er mannbar, die ihm im Allgemeinen zukommende Stelle in der Bevölkerung erreicht hat und nicht im Range weiter steigen kann; was er erwirbt, erwirbt er für den Augenblick, die Zeit kann ihm nicht zur Erwerbung einer höheren Stellung dienen, weil es keine giebt, somit ist sie werthlos.

Da die Bedürfnisse der Neger keine grossen, kommen für den Fernhandel Nahrungsmittel am allerwenigsten in Betracht; das Geräth und das dafür dienende Material, sowie der Schmuck sind es die zum Fernhandel führen, während die Nahrungsmittel nur die Ursache für den Markt- und Nachbarhandel bilden. Unter den Materialien die in grossen Massen einen Gegenstand des Fernhandels bilden, kommt in erster Linie das, nur an einzelnen Stellen gewonnene Kupfer in Betracht, und dann das Eisen das, weil wohl im ganzen Kongogebiete sich findend, von sehr begrenztem Einfluss auf denselben ist. In neuester Zeit hat sich beiden, in Folge der zunehmenden europäischen Beeinflussung, das Messing als ein hervorragender Handelsartikel zugesellt. Ueber die Orte des Vorkommens von Kupfer und Eisen und die Verwendung des letztern und des Messing giebt F. eine Reihe von Mittheilungen; das Eisen ist Werkzeugs- und Schmuckmetall, Kupfer und Messing dienen nur zum Schmuck in den verschiedensten Abänderungen und für Körper und Geräthe. Geräucherte Fische spielen als Tauschwerth der Kongostromsassen, Salz am oberen Quango, das Chiquanga an Kongo eine Rolle. Eisen, Kupfer und Messing haben die Muschelwährung verdrängt. Ein bedeutender Fernhandel ist augenscheinlich kein Bedürfnis gewesen, die Landhandelswege sind von der Staatenbildung abhängig, die Tributsendungen der Lehnsträger zum Herrscher geben die Richtung des Handels an, und der Handler tritt zum erstenmal auf in dem Moment wo der kriegerische Verkehr zweier Naturvölker einem friedlichen Platz macht. Strom- und Landstrassenhandel werden durch den Verfasser näher geschildert, das ganze System desselben ist aber durch Europa's Eingreifen neu organisirt und die Zwischenhandelszonen, die zu durchbrechen das eifrigste Bemühen der europäischen Handelshäuser ist, sind die Ergebnisse ihrer eigenen Thätigkeit. Drei Regionen sind hier zu unterscheiden das Productionsgebiet, die Exporteure und die, an die Europäer verkaufenden Zwischenhändler. In den, durch die Araber besetzten Ländern entwickeln sich die Verhältnisse völlig anders, da der Araber raubend vorgeht und in unserm Sinn überhaupt nicht handelt. Dennoch machen die, von ihnen unterjochten Völker des Ostens durchaus keinen schwächlichen Eindruck, wie dies bei den, unter europäischem Einfluss stehenden der Westküste sich zeigt. Der Verfasser sieht die Ursache darin, dass der Handel der Weg zum Verlust des typischen Volkscharacters, dass, wenn die ersten Stadien der Entwickelung beendet, die Volksenergie vom Kriege zum Handel herabsinkt, der beim Neger meist ein ungesunder, weil auf Besitzlosigkeit aufgebaut. Daher der Misserfolg der Portugiesen in Kongo, die das Kriegsvolk plötzlich zum Handelsvolk machten. Erst muss eine constante Thätigkeit, ein Besitzstand geschaffen werden, worauf das Streben der Missions- und Kolonialgesellschaften in erster Linie abzielt, deren Pioniere den Neger trachten mit dem „völkersegnenden Heil der Arbeit" bekannt zu machen, statt ihm unvermittelt eine, für ihn unverständliche Religion einzutrichtern.

Die dritte Studie zeigt uns die Bedeutung des Huhns im Kult afrikanischer Völker. Es dient als Orakelthier, woraus sich ein Schicksalsglaube ergeben würde, den F. als im Widerspruch mit der Negerreligion stehend erklärt, weil sich im Hühnerkult Formen finden die mit der Schicksalsidee nicht in Einklang zu bringen sind. In zweierlei Art markirt sich die Bevorzugung oder Verehrung der Hühner, einmal durch Speiseverbote, und zweitens durch die Beliebtheit zum Opfer, wofür F. eine Reihe von Beispielen anführt, woraus wir u. A. lernen wie das Hühneropfer, bei einem Eunuchenverband zwischen Isangila und Manjanga, an die Stelle des Menschenopfers getreten ist. Dass bei den Madegassen sich das, in Ostafrika fast ganz fehlende, Hühnerorakel wiederfindet überrascht uns nicht, sondern finden wir ganz natürlich; findet sich doch hier mehr als eine Parallele zu Bräuchen und Sitten der Völker Indonesiens, denen die Hova ja rassenverwandt. Das Huhn spielt aber auch heut noch bei vielen jener Inselvölker eine bedeutende Rolle als Orakel und Opferthier. — FROBENIUS ist geneigt die Hühnerverehrung in Afrika als Theil des Ahnenkultes, von dem ja auch bei den Negern sich so viele Anzeichen finden, aufzufassen, was uns ziemlich annehmbar erscheint; dass sich auch im Volksglauben europäischer Völker mancherlei abergläubige Anschauungen erhalten haben, die das Huhn oder den Hahn als Geistervogel erscheinen lassen, ist bekannt genug; vielleicht verbirgt sich auch hier ein Rest früheren Ahnenkultes.

Die vierte Arbeit führt uns in gemeinverständlicher Form ein in das Wesen und die Bedeutung einer Institution die, wie überall auf der Erde, besonders aber im Leben afrikanischer Völker und in deren Verkehr mit Weissen, eine ganz besondere Rolle spielt, nämlich in die der Geheimbünde. Der Neger glaubt unwidersprechlich an ein Fortleben seines geistigen Ichs, der Tod ist für ihn ein Räthsel dessen Lösung ihn zum Denken anregt und alle Ausdrucksarten der Negerphantasie, fälschlich Religion genannt, wurzeln im Ausgangspunkte des Lebens. Eine jener Formen bildet der Geheimbund, dessen Sitz fast stets der Urwald, weil dies der mit Vorliebe, nach Anschauung des Negers, durch die Geister der Verstorbenen erwählte Aufenthaltsort ist, von denen er fürchtet dass sie ihn krank machen, tödten oder ins Unglück bringen können. Als hellfarbig denkt sich der Neger den Geist, und stellt ihn auch meist so dar, dabei werden mit demselben Worte wie das Geistige im Gegensatz zum Körper auch die Albino's benannt, die von den Fürsten als Fetische gehalten werden, in hoher Achtung stehen und die man als Geister Verstorbener in einem grossen Theile Afrikas betrachtet, wofür sich ähnliche Parallelen bei den Völkern Indonesiens finden (Siehe WILKEN: Albino's in den Ind. Archipel. Bijdr. tot de Taal-, Land- en Volkenkunde v. Ned. Ind. XXXIX Vol. (1890, pg. 117 ff.). — Ueber das Ceremonial der Geheimbünde, der Aufnahme in dieselben, wobei auch der Hypnotismus eine Rolle spielt, ihr Wirken und die Bedeutung einzelner für die geistige Volkserziehung oder für die Rechtsprache, giebt F. eine grosse Menge von Belegen.

„Ein natürlicher und den Verhältnissen völlig ent„sprechender, sagt der Verfasser zum Schluss, „ist „der Gedankengang, der der Entwicklung der Ge„heimbünde oder Geisterbünde, zu Grunde liegt. „So wie der Neger seinen „Ganga" (d. h. seine Schein„teufel) als einen vom „Schlechthandeln" abgekom„menen aber immer noch mit seiner Macht versehenen „*Endone* oder schlechten Geist ansieht, so entstehen „in demselben Gedankengange aus den boshaft be„anlagten, mächtigen Geistern, die mit derselben „Macht ausgestatteten, aber zum „Gutthun" gegen „die bösen Geister, die im Walde und unter den „Menschen existiren, geschaffenen Geister- oder Ge„heimbünde".

Auch diese letzte Arbeit zeugt, gleich den erstbesprochenen drei, von fleissigem Studium und gründlicher Benutzung der einschlägigen Litteratur; alle sind ein Beweis redlichen Wollens.

XLI. Bibliotheca Geographica. – Herausgegeben von der Gesellschaft für Erdkunde zu Berlin. Bearbeitet von Otto Baschin unter Mitwirkung von Dr. Ernst Wagner. Band I (Jahrgang 1891 & 1892) Berlin W. H. Kühl 1895. 8°.

Die in der Zeitschrift der Gesellschaft für Erdkunde früher veröffentlichten sehr werthvollen Jahresübersichten über die neu erschienenen Arbeiten auf dem Gebiete der Geographie und verwandter Wissenschaften sind seit 1890 fortgeblieben und, wie von so Vielen, auch von uns mit Bedauern vermisst worden. Mit desto grösserer Freude haben wir die vorliegende Publication begrüsst, zu deren Erscheinen wir der Gesellschaft, als auch dem Verfasser aufrichtig Glück wünschen. Bildet sie doch ein Zeugnis staunenswerthen Fleisses und, wir betonen dies besonders, ausserordentlicher Genauigkeit, wie eine theilweise Nachprüfung es uns bewies. Die Zahl der für selbe benutzten Zeitschriften ist eine erstaunlich grosse (über 600) und zeigt das Verzeichnis der angewandten Abkürzungen nur einen geringen Bruchtheil der Namen der Quellen. Selbst schwieriger zu erlangende finden sich nicht übergangen, so sind z. B. die niederländischen hier in so vollständiger Reihe herangezogen, wie wir dies selten gesehen.

In einem Vorwort verbreitet sich der Gesellschafts-Vorstand über die Schwierigkeiten welche die zeitweise Stockweg der Uebersichten herbeiführten, sowie über die Gesichtspunkte welche für die neue Veröffentlichung, für welche der Verfasser freiwillig seine Kräfte zur Verfügung gestellt, maassgebend gewesen sind. Das der Arbeit zu Grunde liegende System ist dasselbe, wie es das Verzeichnis im Jahrgang 1889 der Zeitschrift zeigt, geblieben.

Der Verfasser sagt in seinem Vorwort dass die Einzelwissenschaften nicht in demselben Umfang Berücksichtigung gefunden haben wie früher, indem namentlich die Grenze zwischen Anthropologie und Geographie schärfer gezogen wurde, um möglichste Vollständigkeit auf dem Gebiet der eigentlichen Geographie anzustreben. Der Verfasser wolle es uns nicht verübeln, wenn wir den Entschluss, zu dem er vielleicht in Folge zwingender Gründe gekommen, bedauern! Dadurch ist die beinahe vollständige Uebersicht ethnographischer Arbeiten, welche diese Publication früher bot, fortgeblieben ohne dass uns ein eben guter Ersatz bekannt wäre; und doch will es uns scheinen dass gerade jene hiehergehören, der unverbrüchlichen Wechselwirkung halben, die zwischen dem Menschen und der von ihm bewohnten Scholle Erde besteht. Jener Entschluss hat aber auch eine gewisse Ungleichmässigkeit in der Behandlung des Stoffes zur Folge gehabt. Denn wenn z. B. „De Groot: Die Hochzeitskleider einer Chinesin" (nach der Uebersetzung im Globus LX pg. 181 & 183 citirt, während der Originaltitel. (The wedding garments of a Chinese woman; Int. Arch. für Ethn. IV [1891] pg. 182 ff.) fehlt, pg. 289, unsere „Beiträge zur Ethnographie von Borneo", pg. 301, Pleyte's Indonesisches Feuerzeug und Masken pg. 301 und „Jacobs: De Badoejs" pg. 307, um nur einiges des uns Nächstliegenden zu nennen, zur Aufnahme berechtigt gefunden sind, so ist es uns unerfindlich warum unsere, einen integrirenden Theil von der, pg. 294 aufgeführten Arbeit Koike's bildenden „Sammlungen aus Korea", MAc Ritchie's, als Supplement zum IV Bd im Jahr 1892 erschienenes Werk: „The Ainos" und manche andere Arbeiten fortgeblieben sind, die nicht allein eben so gut, wie die von uns als aufgezählt erwähnten streng ethnographischen Inhalts, sondern, wie z. B. „The Ainos", auch dem specifischen Geographen Interesse bieten dürften.

Wir bitten den Verfasser unsern Einwurf nicht als einen Tadel seiner, wir wiederholen es, äusserst fleissigen Arbeit aufzufassen sondern denselben in Erwägung zu ziehen. Sicher wird sich dann das Mittel finden lassen um entweder wieder alle Arbeiten anthropologisch-ethnographischen Inhalts in den Kreis der Berichte, oder auch, falls dem unüberwindliche Schwierigkeiten entgegen stehen, die Grenze noch schärfer zu ziehen. – J. D. E. Schmeltz.

XLII. Д. Н. Анучинъ (D. N. Anoutchine). Амулетъ изъ кости человѣческаго черепа п трепанація череповъ, въ древнія времена, въ Россіи. (L'amulette crânienne et la trépanation des crânes, dans les temps anciens, en Russie). — Avec 3 Planches en phototypie et 13 dessins dans le texte. (Actes du Congrès d'Archéologie à Vilna, T. I.). Moscou, 1895. 18 pp. fol.

Ce fut en 1883 que M. Néfedof déblaya une station néolithique au bord de la Vetlouga, près des villages Nikola-Odoïefskoïe et Moundoura, Gouvern. de Kostroma. Parmi les objets trouvés dans les couches plus profondes il y avait un nombre de représentations en silex de têtes d'animaux, quelques outils et l'amulette crânienne qui fait le sujet spécial du Mémoire du Prof. Anoutchine. Après une description détaillée de cet objet curieux, l'auteur le compare aux rondelles crâniennes trouvées dans les fouilles en France qui montrent les traces de trépanation artificielle. La coutume de porter comme amulettes certaines parties du corps humain (des cheveux, des dents, des os, voir un crâne entier) est encore assez répandue chez les peuples sauvages ou demi-sauvages en Australie, dans la Polynésie, en Amérique, et les archéologues ont démontré que cette coutume existait aussi en Europe dans les temps préhistoriques. Ce qui constitue la particularité de l'objet découvert par M. NÉFEDOF, ce sont les dimensions qui sont plus grandes que d'aucun autre spécimen de la même espèce.

On sait que des peuplades autrement peu avancées dans la voie de la civilisation possèdent une habilité remarquable dans la trépanation artificielle. Plusieurs exemples nous en sont fournis dans l'ouvrage du Dr. BARTELS, Die Medicin der Naturvölker, et dans la communication de SAM. ELLA, Native Medicine and Surgery in the South Sea Islands (Medical Times 1874), pour ne nommer que ceux-ci. Les anciens Péruviens pratiquaient la même opération.

L'amulette décrite par le Prof. ANOUTCHINE est le premier objet de ce genre que l'on a découvert en Russie. Mais en 1893 M. BIELIACHEFSKI montra à l'anteur un crâne incomplet, provenant des fouilles prés de Kanef sur la rive du Dniépr. Dans ce crâne (voy. Planche X, 1) on remarque une ouverture arrondie sur le frontal. L'auteur exprime sa conviction que ce crâne nous offre un exemple de trépanation, mais d'une espèce particulière.

Parmi les milliers de crânes conservés au Musée d'Anthropologie à Moscou, M. ANOUTCHINE n'a pu trouver qu'nn seul, provenant d'un tombeau près de Khoulam (province de Terek, Caucase), qui présente les traces de la trépanation non-achevée et faite dans la région gauche de l'écaille occipitale, probablement avec un ciseau. On trouve cet objet, présenté au Musée d'Anthropologie par le Prof. VSEVOLOD MILLER, dépeint Pl. X, 2.

Les dessins dans le texte et les planches ajoutées font que le Mémoire de M. ANOUTCHINE est d'un intérêt réel même pour ceux qui ne savent pas la langue russe.

H. KERN.

XLIII. W. E. RETANA. Archivo del Bibliófilo filipino. Recopilación de documentos históricos, científicos, literarios y políticos y estudios bibliográficos. Tomo primero. Madrid 1895.

Au mois de juin dernier parut à Madrid un recueil de documents historiques, scientifiques, littéraires et politiques, et d'études bibliographiques. Ce recueil que nous devons au zèle indéfatigable de M. RETANA pour répandre la connaissance de la littérature sur les Philippines, littérature si riche, si variée et si peu accessible, contient pour la plupart des documents dont le sujet n'a point de rapport avec l'ethnographie, mais nous y rencontrons aussi une „Notice sur l'origine, la religion, les croyances et superstitions des anciens indigènes du Bicol" par le Père FR. JOSÉ CASTAÑO, qui donne des renseignements précieux sur les traditions et les idées religieuses des Bicoliens avant qu'ils furent convertis au christianisme. C'est à ce titre que nous recommendons l'article du Père CASTAÑO aux lecteurs de nos Archives.

H. KERN.

XLIV. Tenth annual Report of the Bureau of Ethnology (1888–89). Washington, 1893. lex 8°.

This sumptuous volume contains only one paper, being a monograph of „Picture writing of the American Indians" compiled by the lamented Col. GARRICK MALLERY, which is illustrated by 54 plates and no less than 1290 figures in the text and which treats of an enormous material, collected by the author during a long period.

The greater part of the work is devoted to North American founds, but examples from other parts, not only of America, but of the whole world, have also been taken into consideration for the sake of comparison.

We are sorry we cannot give, for want of space, a detailed review of this interesting work which, we are convinced of, ought to be studied by every one who will write in the future on that interesting chapter of the beginning of writing.

J. D. E. SCHMELTZ.

Lightning Source UK Ltd.
Milton Keynes UK
UKHW012223110219
337137UK00006B/1300/P